知音

精品珍藏

选编

ZHIYINJINGPINZHENCANG

获奖作品

何赛飞自白：我的爱情细节温馨盈怀

『金牌少帅』，要将夫妻分居进行到底

为艾滋病丈夫换肝：无法原谅的背后有真爱

14岁女孩做了妈妈，难倒上海两家人

娶回『画皮』新娘：血腥的纵恶啊怎不谋杀加身

漓江出版社

图书在版编目（CIP）数据

知音／严歌平 选编．－桂林：漓江出版社，2005.8
ISBN 7-5613-2981-4

Ⅰ.知… Ⅱ.严… Ⅲ.文学－作品集 Ⅳ.A 840.45

中国版本图书馆 CIP 数据核字（2005）第 028954 号

知音

出版发行：漓江出版社

社址：桂林市南环路 159-1 号　邮编：541002

电话：(0773) 2821573 2863956(营销部) 2865335(邮购)

传真：(0773) 2821268 2802018

E-mail：ljcbs@public.glptt.gx.cn

http://www.Lijiang-pub.com

印刷：桂林市印刷厂

开本：880×1230　1/32

字数：447 千字

印张：19

版次：2005 年 9 月第 1 版

印次：2005 年 9 月第 1 次印刷

印数：1-5000

书号：ISBN 7-5613-2981-4

定价：32.80 元

目 录

爱的呼唤

明人明星

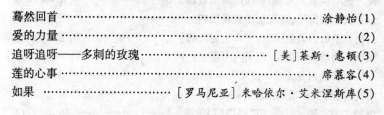

爱心行动

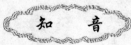

人情大世界

知音报告

知音热线

本刊视点

初恋时分

围城风景

本期特别主题

蓝盾新闻

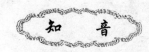

人与自然

蓦然回首

涂静怡

湖水似镜

镜中有我年少的倩影

爱过

恨过

也任岁月蹉跎过

蓦然回首

云天水色中

唯你的承诺

似今夜的月色

羞羞怯怯 隐隐约约

似尘封的风铃

不再铮钹

似那年的秋雨

缱绻过后

从我不知自处的

心域

擦肩而过

爱的力量

我知道，时间是有伤口的
据说那里可以永恒爱情
但我不知道
到底是什么让时间也有伤口
是爱情吗

我多想是石头
而你是轻轻柔柔的湖水
石头是最初和最末的守候者
湖水的那种缠绵
一定能让石头也开出花朵

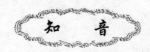

追呀追呀——多刺的玫瑰

〔美〕 莱斯·惠顿

如果风儿

摇动了

一朵陌生的玫瑰

在男人的田野边

孤伶伶地

站在涨满的秋月下

夏日甜甜的花瓣

会轻柔地飘荡

如果你在秋月里

梦一般等待

我会变成那朵野玫瑰

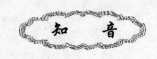

莲的心事

席慕容

我，
是一朵盛开的夏荷，
多希望，
你能看见现在的我。
风霜还不曾来侵蚀，
秋雨还未滴落，
青涩的季节又已离我远去
我已亭亭，
不忧，
亦不惧。

现在，
正是最美丽的时刻，
重门却已深锁。
在芬芳的笑靥之后，
谁人知我莲的心事。
无缘的你啊！
不是来得太早，
就是太迟。

如果……

[罗马尼亚] 米哈依尔·艾米涅斯库

如果窗下的白杨
用枝条叩击着玻璃——
就仿佛你的脚步重新
悄无声息地回到家里

如果星辰的光芒
能照彻湖泊的底层——
我会觉得，宁静重新
占据了我的心灵

如果绕过一片乌云
是为了月光重新闪现——
就仿佛回忆把你赠给我
直到永远 永远

何赛飞自白：
我的爱情细节温馨盈怀

张伟 李洁

何赛飞，国家一级演员，因出演《五女拜寿》而享誉全国，后在《红楼梦》、《白蛇传》、《风月》、《大宅门》等名剧中担任主要角色。曾获得第19届大众电影百花奖最佳女配角奖，中国电影表演学会奖，中央电视台"观众最喜爱的十佳女演员奖"。2004年6月，在央视一套热播的电视连续剧《婆婆》中，何赛飞出演极富个性的大儿媳"超然"一角，再次引起全国观众的关注。

而荧屏外，何赛飞的感情生活是怎样的呢？日前，一向低调的何赛飞终于向本刊披露了她的婚恋故事。

与你相遇，这是我多少年梦里萦回的生命之缘

我出生在浙江舟山。父母亲在我几岁的时候就离异了。我跟了父亲，而姐姐和妹妹跟了母亲。在我的记忆里，关于母亲的印象非常模糊。幸运的是，我有一位非常慈祥、聪慧的父亲，他把所有的爱都给了我。

18岁那年，在父亲的支持下，我报考岱山剧团当了越剧演员，在很多演出中得到了锻炼，并脱颖而出。1982年10月，我进入浙江艺校培训，在此期间，认识了我的终身伴侣杨楠。

那是1983年初夏的一天，我们培训班的学员在杭州胜利剧院演出。演出结束后，我在后台洗衣服，突然听到姐妹在窃窃私语："他是谁呀？长得挺帅的。"我抬起头来，只见一位身着白衣、高高大大的小伙子正从跟前走过。我便不敢完全抬头，只看到他衣袂翩然的样子。估摸他已走远了，我才下意识地抬头凝望他的背影，竟出了神。突然，仿佛有感应似的，他扭过头来，眼神接住了我的目光……那是多么澄澈、清亮的目光啊，充满了新鲜与好奇，仿佛不速之客是我而不是他。我是平生第

一次遭遇这样的目光，竟像秘密被揭穿了似的脸发烫，赶紧低下了头。不知过了多久，待我再抬起头来，他已经无影无踪了。

有姐妹告诉我说，小伙子是咱们班上黄老师的儿子，叫杨楠，在省公安厅工作。因为黄老师最近几天心脏不太好，他是特地回来看妈妈的。哟，还挺孝顺的呢。这一下，我对他的好感又添了几分。

黄老师为人和善，常邀我们这些家在外地的孩子上她家吃饭。以前我每次去，从未见过杨楠，而有了那次"对眸"后，我竟然每次去他都"刚好"在家。杨楠从不多言语，常常坐在一边悠然地看着我们一帮姐妹嬉闹，有时看我们闹极了他就宽容地笑笑，一声不吭地给我们收拾残局。我们包饺子时，他就加入进来，在一旁悄悄地帮我。没多久，大家就看出端倪来了："杨楠是醉翁之意不在酒啊，他是喜欢赛飞呢。赛飞呀赛飞，你喜欢杨楠吗？呵呵，瞧这小脸儿都红了呢。"在大家的哄笑声里，黄老师两口子笑得合不拢嘴。而杨楠呢，望着我的眼神是那样火辣！

就这样，20岁的我与大我6岁的杨楠恋爱了。现在想来，除了因为我当时接触的异性比较少以外，还因为杨楠不仅相貌英俊，而且性格温和，给我特别踏实的感觉。而"黄老师"在从小缺少母爱的我的心目中，早已成了"妈妈"的代名词。可以说，杨楠及其一家子满足了我对稳定、安宁生活的渴望。

1984年，我因在越剧《五女拜寿》中饰演女主角而在全国有了些影响。这以后，我的演出任务越来越多，而与杨楠在一起的时间越来越少。这时候，黄老师便问她儿子："你和赛飞在一起，就意味着以后聚少离多，你能接受吗？"杨楠回答："这是她的工作呀，我能理解的。"培训班结束时，我因为户口不在杭州，得回老家去。我顿时一筹莫展，杨楠却说："怕什么，你回去，我就随你，离开杭州就是了。"每每听到这些，我的眼泪刷地就流下来了。那时，我真觉得自己是世界上最幸福的人。

不过，在我们感情如此热烈的时候，也差点面临分手。那是1985年春节前，我无意中得知杨楠以前谈过恋爱。这本是很正常的，但在还没有恋爱经历的我的心里，却是了不得的一件大事。加上我长年是在演绎才子佳人的忠贞爱情故事里生活着的。在我的词典里，张生从来只有一

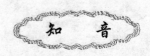

个崔莺莺，哪里会冒出别的人来？我一气之下断然提出分手，并不告而别。

搭车到宁波住了一夜后，我决定回舟山过年。第二天，我去码头坐船。伤感沮丧之余，我得承认，自己心里还是想着他的。就这样边胡思乱想着边排队往前走，鬼使神差地，我竟觉得排在我前面的那个穿着军大衣的背影非常像杨楠。可世上哪有那么巧的事情？我觉得自己这个想法很痴，心底不免一阵苦涩。

就在这恍惚的片刻，那人突然无意间回了个头，我看见他戴着个大口罩，认不出模样，但那人布满血丝的眼睛还是让我觉得眼熟。"赛飞！"仿佛那声音是天上传来的，我的心里一疼——天啊！竟真的是杨楠！所有的怨气一瞬间化为乌有，我忍不住嗔怪道："你干吗？"他眼里掠过一丝惊喜，很快又恢复了惯有的淡然："哦，我到县政府出差呢。"哼！还嘴硬！不知从哪里来的勇气，我不由得擂了他一拳，一下子钻进了他的怀里。

"细节"盈怀，这是我驱除烦恼的灵丹妙药

在我与杨楠热恋时，离异的父母亲相继离开了人世，接连的打击让我备感凄凉，我哭得死去活来。杨楠搂着我，话里含着泪："别太难过了，身子要紧，别担心，你还有我呢……"我紧紧地抱住他，一任热泪奔流。算作请客；新郎杨楠在单位值班，晚上八点半才回来。当风尘仆仆的他撩起粉红色的门帘，赫然看到新房的中间悬挂一条横幅，上面是我用毛笔写着的四个大红字："欢迎杨楠"。这一刻，我看到了夫君眼里的醉意……

半年后，我们终于住上了剧团分的房子。我们细心地品味着生活的每一个细节。房子有点漏，下雨时雨水会从阳台上飘进来。这时候，杨楠会去堵雨，而我则赶紧拍下这珍贵而富于情趣的一幕。

后来，我们又搬了新房，我们也会将装修、布置的点点滴滴拍下来。其他无论在郊外踏青还是在灯下读书，我们都喜欢将那些生活的瞬间用镜头定格住，仿佛因此将爱情永远定格住了一样。

后来我的演出任务越来越多，回家也越来越晚。然而不管我多晚回家，杨楠都会备好几样我特别喜欢吃的小菜等着我，让我心里觉得特别

温暖。

记得 1989 年的深冬，我从外景地回家已是后半夜了。因为太晚了我也没给杨楠打电话。进入楼道时，听到有人开门出来的声音，心里就十分忐忑不安；一会儿，感觉那人进屋了，我便又壮着胆子往前挪步。没挪几步，门又开了，那人似乎又出来了，并且朝我移来。我害怕极了，夜黑得伸手不见五指，我无法判断，只有下意识地往前、往前。渐渐地，我们越来越近，那脚步竟是如此熟悉，而那粗重的鼻息是如此亲切……"赛飞！""杨楠！"几乎是同时，我们喊出了对方，在黑暗中把手探向对方。不知是谁先找到了谁，双臂一伸，我们几乎是同时扑入了对方温暖的怀抱！原来他一直没睡，在等我呢！那一刻，至今想来都温暖如新。那一刻彼此在黑暗中的孤独寻找，是那样充满生命的焦灼！而素来温和、内敛的杨楠的性情在那一刻第一次"狂野"地迸发，更让我感动不已！

此后，我在内心深处经常渴望杨楠的身上再次出现这样"激情燃烧"的时刻，可是这样的时刻就像火花一样珍贵。渐渐地，我所感受到的爱的浓情蜜意竟慢慢淡了。不知从什么时候开始，我晚上回家已很少有可口的饭菜等着我，我感到困惑。敏感的我会想很多，不知道这是不是爱的必然规律：绚烂至极归于平淡。我只知道我不甘心。我深深爱着我的丈夫，感性的我需要爱得实实在在，也需要爱得浪漫多姿。

于是我试图主动浪漫来"唤醒"他，比如无论到哪里拍戏，我都会给他买礼物。一次我在珠海拍戏给杨楠淘到适合他穿的鞋，一口气买了几双回家。结果杨楠并不领情，而我又是很较真的人，心想如果换了我，即使鞋子不合脚，也会穿上，因为这是爱人的一片心啊！这样一想，我只要眼睛一看到那鞋，气就不打一处来。而常常我在一边唠叨数落着，他已经呼呼大睡了！

杨楠 40 岁生日的时候，我正在北戴河拍戏不能回家，特地为他订送了 40 朵火红的玫瑰。不久后的"三八"妇女节，我回家，一开门，看见桌上摆放着一束玫瑰，不由心花怒放："噢，真美啊！"心想丈夫终于被我唤醒了！杨楠从里屋出来，我一边换鞋，一边把感激的目光投向他，可杨楠慢吞吞抛过来的一句话却立刻"扼杀"了我的热情："是剧团送的。"那一刻，我的笑容凝固在脸上了，半天都没缓过来！

但杨楠除了不够浪漫外，其他方面几乎无可挑剔。儿子虎娃的出生更成了我们感情的黏合剂。婚后我们一直没敢要孩子，杨楠也支持我，担心孩子的出生影响我的事业。然而，结婚十年后，孩子说来就来了。1998年，儿子虎娃出生了，一时间我俩成天都围着虎娃转。然而很快我又得拍戏了，望着我愧疚的样子，杨楠说："你安心去拍戏吧，孩子我来带？"

然而这话说起来简单，做起来又谈何容易！我一年有三分之二的时间在外面拍戏，家里的事就全部落在了杨楠身上，我常常把电话打过去，听到电话那头孩子哭、家里一片忙乱的声音，就着急，不免在电话里告诉杨楠如何如何做。这样的日子不知道又过了几年。有一天，我又在电话里告诉他："虎娃的钢琴你得督促他练，要天天坚持。"电话那头杨楠的声音突然爆发出了火气："你怎么知道我就没有让他天天坚持?!"没说几句，他就撂了电话！那一刻我简直蒙了，想不到一向温和的他竟也发怒了！我的脾气本来就大，如何能接受得了，忙问他道理，他也不作解释。结果有了第一次，就会有第二次，后来我们的吵架次数越来越多，常常记不清是谁先吵起来了，也记不得是谁先撂了电话……每当电话里突然出现一阵忙音的时候，我的心便往下沉。

也许是我太过敏感，我感觉到除了孩子带给他忙碌以外，他好像还受到了生活环境的某些干扰，他在心躁，也受到了一些诱惑……心里有了隐忧，但又无从说起。更要命的是，那段时间，虎娃也与我不亲了。一天，我拍完戏，兴冲冲地拎着带给丈夫孩子的礼物回了家。虎娃见了我；自然是欢喜不已。到了夜晚也缠着与我一起睡。可是他就是睡不着，一双大眼睛扑闪扑闪着。我问他："虎娃怎么了?"虎娃喃喃着："妈妈，不是我不要你，我不习惯……"我听了，心酸不已，一把搂过孩子，哭个不止；杨楠默默地走过来，拥住我们娘儿俩，本来想安慰什么，到最后，我们三人竟抱头痛哭了一场。

陪你到白头，这是我心中
永远不变的爱情"定律"

这件事对我触动很大。我想连虎娃都对妈妈有意见了，是到了我自己该好好反省的时候了。我不能只看到杨楠脾气变坏了，其实结婚后，他长期忍受着独处一室的孤寂；有了孩子以后，他更是忙碌。虎娃长得如此聪明又可爱，主要功劳是在杨楠身上啊。

以后，只要我和杨楠闹矛盾，我就会冷静许多，就会闭目凝想，于是往昔生活中许多美好的细节都会纷至沓来：初次相识的心跳、热恋时的火热、新婚时的甜蜜，抚养孩子的辛劳……至今我们家还使用着新婚时我俩用积攒的工资买的那台冰箱，它是我们爱的信物。每当看到它，那些美好的细节就会在我脑海里重现、定格，给我温暖，给我力量。

现在虎娃已经6岁了，随着孩子一天天长大，我与杨楠的矛盾也不那么尖锐了，但是我不敢有丝毫的松懈。不拍戏的时候，就在家里安心地相夫教子。以前虎娃总偏向他爸爸，而现在虎娃感受到妈妈的点点滴滴的爱意时，就会蹭到我跟前，紧紧搂住我的脖子叫道："妈——妈!""哎——"儿子这一声脆生生地呼唤，让我的骨头都酥了，一瞬间眼眶也湿润了。一旁的杨楠看了，也唏嘘不已。

这样其乐融融的家庭气氛正是人近中年的我心里最感恬静的时刻。虽然因为职业的缘故，我不能天天享有这样的美妙，可是我知道，我是一个时刻生活在爱里的人，我不能没有爱。而我爱的基石是我亲爱的丈夫和儿子，我要时刻让他们感受到我的爱。每次接到一个拍戏任务，我都会把家里安排得妥妥当当的，我会让手机24小时都开着，让他们无论何时都可以找到我。

每晚和杨楠通话时，可能是老夫老妻的缘故吧，我们已不常把爱挂在嘴上，但我也要切切实实地让他感受到，我是全心全意地为了家。我会把我所有的收入都交给他，家里的开销都由他说了算。而且这些年我有很多次调到北京的机会，我都放弃了。因为，杨楠的根在杭州，如果让他离开家乡，他能不能找到更适合自己的人生定位还很难说。

身处纷纷扰扰的娱乐圈，也许有人会说我这样做有点傻。但我觉得成绩是靠自己慢慢做出来的，如果要我放弃对真善美的追求，以付出人格与尊严来获得成绩的话，我觉得也太得不偿失了。

很多已婚女性都会遇到与我一样的困惑：如果遇到对自己好的异性怎么办？的确，这些年，对我好的人很多，但是我始终保持冷静、理智的态度。我是一个传统的人，因为父母的离异带给我心灵的创痛太深，所以从我结婚的那一天起我就期望能与丈夫白头偕老，这种传统道德观

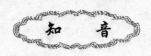

带给我强烈的责任感，也成为我心中永远不变的爱情定律。

其实我这人有很多毛病，比如脾气急躁，遇事爱较真，而我的丈夫却接受、容忍了我，并在性格上改变了我很多。我原来是很计较的，什么事都爱抓住不放，在他的影响下，我变得宽容达观了。而杨楠也因为我的坦坦荡荡而更爱我。我们俩在一起会谈到内心更真实的想法，注意把不利于感情的东西掐灭在萌芽状态。比如长年的聚少离多会带来隐患，对身心都会带来损坏，如何克服它？现在，只要我拍戏时间稍长一些，杨楠就会尽量安排出时间带着虎娃来探班，我偶尔不适，他会在最快的时间内把药品寄过来。有一次在他探班期间，我拍完戏因为累极竟倒在了洗手间，杨楠不由分说背起我就往医院跑，听着他气喘吁吁的心跳，恍惚中我仿佛回到了十几年前，在那个他去追我的冬天的早晨，我钻进他的军大衣里，品味着重归于好的欣喜……泪水便再次湿润了我的眼睛……

我想，正是因为这无数个爱的细节让我们走到今天，它们像酒一样滋养着我们到现在，并将在未来的岁月里继续散发芬芳。

笑中有泪啊，
做你"句号"的后妻有多苦

鲁克

句号，沈阳军区前进杂技团曲艺队著名小品演员，多次参加中央电视台春节联欢晚会。夫人丫蛋，与句号在同一个单位，现为影视导演。2004 年 7 月 26 日，本刊特约记者在北京通州《笑笑茶楼》剧组，采访了作为副导演的丫蛋，听她讲述了与句号磕磕绊绊又恩爱有加的爱情故事……

照相、签字，摁个手印嫁给我

1999 年 7 月 12 日傍午。沈阳八一公园旁边的马路上，一位个头不高、额露沧桑却满脸微笑的男子旁若无人地拨打着手机："哎，我说丫蛋啊，你赶紧过来一下！要紧事……你来了不就知道了嘛。八一公园……对，越快越好！"合上电话，那男子诡谲而甜蜜地一笑，许多路人蓦然认出他来："这不是句号吗……"

是的，他就是句号，原名句兆杰，1962 年出生于辽宁丹东，因多次参加中央电视台春节联欢晚会，他那张滑稽的笑脸"地球人全知道"；接电话的人叫丫蛋，原名郭雅丹，1973 年出生于辽宁锦州，比句号小 11 岁，与句号同一个单位。"丫蛋"这个艺名还是句号给取的，一则因为谐音，再则这丫头性格开朗活泼，脸蛋圆圆的，确实是个可爱的"丫蛋"。

丫蛋打的赶到八一公园只用了一刻钟，但句号却觉得等了半个世纪："你怎么才来啊？""排练呢！你又不是不知道！什么事儿这么急？"丫蛋嗓门大大的，虽是二十几岁的姑娘家，但脸上却少有女孩子固有的矜持。句号也不解释，一把拉住她的手："快！跟我走！"

公园旁边有一处办公楼，丫蛋被句号牵着跑进去，连门口的牌子都没看清。进了一间屋子，工作人员跟句号打招呼："来了？""来了来了，

不晚吧?"句号满脸堆笑。"有合影照吗?""没有!""那赶快照吧……"

槽槽懂懂地跟句号合了张影,丫蛋就被句号牵到了另一间办公室。句号塞给她两张表:"签字吧,签完摁个手印就全齐了。"丫蛋这才看清,那是一式两份已经填好了的《结婚登记表》。她的脸腾地就红了,抬头瞪着句号,正要开口,句号却先开了腔:"求你三件事儿——第一,不要生气;第二,不许生气;第三,不准生气!"丫蛋忍俊不禁,扑哧一笑,用拳头嗔怒地擂他一下:"你也太坏了……"眸子里却盈满幸福的波光。

签完字、摁上手印,丫蛋的脑海里竟有瞬间的空白——我这就算是结婚了?我从今天开始就不再是大姑娘而是"小媳妇"了?眼看着句号跟人家握手、道谢、发喜糖,丫蛋还没有回过神来。

跑到马路边,丫蛋蓦然停住脚,醒过来似的指着句号的脑门儿,讨伐起他来:"好啊,你个'句安排',你可真会安排啊?这么大的事儿你事先都不跟我商量一下!"句号连忙为自己圆场。原来,他是托朋友"走后门",减少了许多麻烦的程序,才顺利拿到结婚证的。

1994年,刚刚21岁的丫蛋被调到句号所在的沈阳军区前进杂技团曲艺队。当时句号在小品表演上已经小有名气,丫蛋很是仰慕他,每次句号演出,她都要站在台下,痴痴地欣赏舞台上那个光彩照人的他。而且这位明星没有一点架子,同事们遇到了困难,只要找到句号,他肯定鼎力相助,这点让丫蛋尤为佩服。

丫蛋聪明伶俐,很讨大家喜欢,句号更是像大哥哥一样呵护着她。渐渐地,句号发现了丫蛋的表演天赋,就建议她改行。在句号的鼓励与帮助下,丫蛋改演小品,还真的很上"路子",几年下来,他们俩合作了不少小品,其中《双簧》多次参加军内外演出,广有影响。两个人接触的机会多了,相互了解也就更多了。而演出时彼此的那份默契,让他们俩都感到欣慰而珍惜。

句号的前妻当时也是这个团的,那段时间跟句号正处于"貌合神离"状态。句号心中很郁闷,许多心里话难以向别人诉说,他却常常第一个告诉丫蛋。不知从何时起,他把这个率真可爱的小妹妹当成自己最信任的人。丫蛋也很乐意当听众。但单纯的丫蛋虽然就住在句号夫妇楼上,竟看不出他们夫妻间的微妙。

1996年冬天，一次演出回来的路上，当只有他们两个人的时候，句号忽然拉住丫蛋的手，冲动地说："丫蛋，咱俩好吧！"丫蛋一惊，一向大大咧咧的她突然感到羞涩而慌乱，她嗫嚅着问："句大哥，你怎么了？"句号忽然眼圈一热，告诉丫蛋：因为感情不和，其实他已经离婚好久了，前妻带着女儿嫁到了海外。"天啊！你们看上去这么好啊，怎么会……"句号摇摇头，叹口气，把她的手攥得更紧了。在那紧紧的一攥里，丫蛋感到了自己心底一阵温暖的战栗。

恋爱的时光是无限美好的。丫蛋十分体贴句号，她为句号做饭、洗衣、抄剧本、查资料，时不时还撒撒娇。句号表达情感却内敛得多，嘴里从没个"爱"字。但句号自有他爱的方式，他把丫蛋既当妹妹又当"女儿"，把自己能想到的、能做到的都给丫蛋安排得井井有条，连许多本来是女人做的事，他都"安排"得很到位，这让丫蛋欣慰不已，于是送了他一个温暖的绰号：句安排。

2000年春节，丫蛋与句号举行了简单的婚礼，丫蛋当时连婚纱都没有，两人就穿着军装进了洞房，而洞房，就是团里分的简陋的两居室。

老夫少妻，共捧一本难念的经

句号离婚再娶，而且娶的是个比他小11岁的"丫头片子"，这令他的母亲很不满意。她认为丫蛋年纪小，不懂事，儿子没准"管"不住她。有了这先入为主的看法，婆媳间的关系就有隐患了。

句号演出任务多，经常不在家，丫蛋小心伺候着老太太，经常变着法地给她弄好吃的，比如老太太爱吃虾，虾刚上市她就买来。丫蛋花的都是她自己的钱，但老太太不知道，认为她乱花句号的钱，不懂得节俭，常常是一边吃着虾，一边拿眼睛剜丫蛋，弄得丫蛋饭没吃完就堵了一肚子气。

一次丫蛋上火，脸上起了不少包，从不爱修饰的她买了瓶300多元的化妆品，老太太就在边上翻白眼。丫蛋的妈妈来看闺女，婆婆终于把火向亲家发泄出来："就那破玩意儿，一瓶好几百，现在的年轻人啊……"

丫蛋能吃苦，句号不在家的时候，她就像男人一样包揽一切，从不让婆婆伸手。但有一次丫蛋身体不舒服，罐里却没气了，她强忍着将罐

往肩上一扛去灌气。

句号回来的时候，丫蛋也会把这些委屈跟他说，但句号每次都若无其事地说："算了，别跟她计较，我妈就这样。"每每听了这些话，丫蛋更委屈，便会顶几句嘴，句号的反应就更让丫蛋难过了："你怎么这么不懂事啊？你已经不是小孩子了呀……"受了委屈却得不到安慰，渐渐地，丫蛋虽然还在尽着做儿媳的本分，但心里与婆婆有了隔阂。婆婆敏感多疑，少不了要跟儿子诉苦，而这样恶性循环，终于导致了矛盾的激化。

有一年春节，句号的姐姐、妹妹两家亲戚来句号家给老人拜年。丫蛋弄了满满一桌子丰盛的酒菜。大家入了席，丫蛋连喊几遍："妈，过来吃饭了。"但老人仿佛没听见一般。丫蛋忍着，强装笑颜，热情地招呼大家吃菜。句号的妹妹这时就说了丫蛋一句："嫂子啊，你看我妈不高兴呢，你咋不去哄哄啊？"

丫蛋听了，心里长时间的憋屈一下子发泄出来："我哄她，可谁哄我呀？她一天到晚拉着个脸，我要怎样做她才能有个笑模样呢？呜呜呜……"丫蛋忍不住哭起来；婆婆也放声哭起来。句号夹在中间，尴尬而又狼狈。这顿团年饭，大家都吃出了别样的滋味。

婆媳俩的关系处到这份上，句号感到隐隐的担心，但又似乎无计可施。这时一件意外的事情发生了。

一天中午，丫蛋下班回家，见婆婆脸朝里躺在床上，就问了一声："妈，怎么了？"婆婆不动，丫蛋连喊几声，突然感到不对劲，就走过去，一摸额头，天哪！烧得烫人，丫蛋慌了："妈！你坚持一下啊！我们去医院！"丫蛋来不及多想，背起婆婆就往医院跑。

天那么冷，可是跑到医院的时候，丫蛋的后背都快湿透了。需要验尿，可婆婆这时候已经烧得不能上厕所了。丫蛋拿了烧杯，就在里间给婆婆接尿。老人的裤子难脱，丫蛋好不容易刚帮她褪下来，老人一急，竟尿了丫蛋满手……经诊断，婆婆患的是急性肾炎。婆婆打吊针时，看着熟睡中老人花白的头发，沧桑的脸，丫蛋突然心底一阵怜惜……

句号出差回来，母亲的病情已经好转。那晚，一家人坐在一起，老人拉住儿子的手，突然抽泣起来。刚要问．母亲又拉住了儿媳的手，攥得紧紧的……

知　音

在丫蛋看来，和婆婆相处还算是容易的。有时，她不得不面对的一些事更让她觉得难堪与尴尬。

句号的前妻带着女儿改嫁海外几年以后，又因故回到了沈阳。因为女儿的关系，她跟句号难免要有些来往，但可以想象，句号跟她离婚后娶了原来的同事丫蛋，她心里肯定不是滋味。而同样因为女儿的关系，一见前妻有什么难处，句号还是忍不住要伸把手。这些丫蛋睁只眼闭只眼甚至后来有段时间句号把女儿接过来抚养，丫蛋也是一心一意地把她当自己的孩子看。可是，作为女人，丫蛋还是本能地不好接受。

比如家里电话常常响起来，丫蛋伸手一接，刚"喂"一声，对方就啪地挂断了；而句号一接，总是能讲半天，虽然句号的口气里一副"公事公办"的模样，但从他的神色里，丫蛋当然猜得到对方是谁。一段时间以来，这简直成了丫蛋的心病：只要电话铃一响，她都会猛然一惊，甚至夜里也常常会梦到电话铃响。

而更让丫蛋痛苦的是，句号开始跟她撒谎了，尽管她有时候也理解，丈夫的撒谎是善意的，不想伤害她，然而事情做出来，对丫蛋却往往伤害更深。

笑中有泪，离不开你的人是我

一个星期天，为了改善生活，丫蛋做了一桌子菜，专等句号和女儿回来。晚饭时间到了，却不见人影儿。正在纳闷的时候，句号来电话了，说临时有事，不回来吃。但是到了晚上，句号带着女儿回来，一进门，女儿就穿帮了。丫蛋问孩子，今晚吃的什么呀？孩子回答说："吃烧烤，很好吃的！"丫蛋又问，你们几个人吃的呀？孩子说："就三个——爸爸，妈妈和我。"仿佛被针刺了一下，丫蛋心底一阵疼痛。她无法原谅自己辛辛苦苦弄了一桌子菜等来的竟是丈夫的欺骗，于是跟句号大吵。

可能是受了生母的影响，已经七八岁的女儿对继母总是心怀敌意。但丫蛋一直亲自接送孩子上学，还曾经把孩子交给自己当教师的父母亲悉心照料。平时，连孩子的背心、短裤都是丫蛋亲自给她买，但这些关爱都没有得到孩子的理解与尊重。

有一次丫蛋母亲来了，做了很多好菜，但孩子就是不吃，非要吃肯

德基不可。丫蛋就让老人带她去。外面下着小雨，路滑，刚出门老人就摔倒了。丫蛋连忙去扶，也滑倒在地。此时，老人体味到女儿的委屈，一把抱住她，娘儿俩都流泪了。可是晚上孩子竟跟爸爸告状，句号不问青红皂白，批评丫蛋说："不就吃个肯德基吗？怎么这么对孩子？"丫蛋欲哭无泪。

矛盾积聚多了，总有爆发的时候。句号朋友多，有时候跟女性朋友玩笑开得很"过"。有一次，夫妇俩应邀去福建电视台做一档节目，临行前一天晚上，一个女的来电话，句号去接，又是"宝贝，宝贝"地相互打情骂俏。丫蛋气急了，骂了句不要脸，这下句号不干了，放下电话就理论，继而大打出手。但没想到，句号竟不是丫蛋的对手。第二天，句号退了丫蛋的机票，一个人飞去福州。大热的天，可电视节目里的句号却穿了件立领衬衫——他的脖子被丫蛋挠破了。

虽然占了上风，但丫蛋寒心了，她一气之下，当晚就拿了自己的衣服、被褥，搬到楼上原来的单身宿舍去。句号也不阻拦，从福州回来甚至还帮她收拾宿舍，见墙壁剥落了，竟主动买来涂料，把宿舍刷成粉红色的；楼上没有自来水，句号就每天坚持用水桶往上提，像个民工一样，只是埋头干活，丫蛋觉得又好气又好笑。

这样"甜蜜的冷战"进行了两周居然相安无事。但半个月后，句号有点沉不住气了。那天晚上几个朋友约丫蛋去打牌，不知不觉玩到了凌晨两点多。一个男孩子热情地说，丫蛋姐，我骑摩托车送你。丫蛋没有拒绝。

到了剧团大门口，丫蛋发现大铁门早锁了，幸好小门还开着，就跟那男孩道谢，彼此道过晚安，丫蛋就推开那小门进去。丫蛋一进门，冷不丁跐见门后站着的一个人吓了个半死。蓦然认出是那个冤家，丫蛋知道他是在等自己，心里不觉一热，但嘴却不软："你有毛病呀，要吓死我啊！"本以为句号会"顺坡下驴"，哄哄自己，谁知他冲着摩托车的背影不屑地哼了一声："下次换个档次高点的！"（句号当时已经有了夏利汽车）这话把丫蛋心里刚泛起的一点温柔又打了回去，她头也没回地上楼，去了她的单身宿舍。

几天后的一个晚上，几个小兄弟在丫蛋的宿舍里讨论剧本。突然，有人敲门，丫蛋就说，进来吧，门没有门。门被推开一条缝，闪出半张

知　音

沧桑的笑脸："哎，不好意思，打扰了。"丫蛋白他一眼："想进就进来呗。""我只是把你落在楼下的东西送上来——"嗫嚅地，句号从门缝里递进一只牛生肖的杯子和两块牛生肖的坐垫——丫蛋属牛，这些小东西都是句号"糊弄"她的生日礼物。丫蛋接过来，温柔地瞪他一眼："谢啦！进屋呆会儿吧！"谁知句号依然给坡不下："不啦不啦，祝你们愉快……"句号关门退出的刹那，小弟兄们都笑了："丫蛋姐，句哥还是挺在乎你的，瞧，这可是来'查岗'的哟！"

第二天晚上，句号实在熬不住了，就借着送水的机会，又来敲门。丫蛋穿着睡衣，把门打开，刚要说句硬气的话，句号一把抱住了她。丫蛋骂了声"赖皮"，不由得笑了，但句号却在那笑容里看见了她温热的泪光……

在爱情的滋润下，句号的演艺事业不断发展，然而句号明白，夫妻俩真正在艺术上比翼双飞，就得让丫蛋多读书多学习。于是，2001年，丫蛋被句号带到北京，进军艺进修表演和导演专业。

第一次来北京，丫蛋下了飞机就转向了。原本句号说好来接的，可是他又说有急事来不了了，你自己打车来吧。丫蛋大叫："我咋知道到哪儿打车又打到哪里啊？""出站口左拐。""左拐？哪个左啊？"出了机场，丫蛋急得要哭了。忽然，背后有人轻轻拍了她一下，丫蛋一转脸，"句安排"正一脸坏笑地望着她……

为了让丫蛋安心学习，句号承担了一个男人应该承担的一切。前年，远在锦州的岳父母家里要买房，句号按了电话自己带着钱赶回了锦州，直到岳母打电话来，丫蛋才知道。这件事让她一下子真正读到了句号嘻嘻哈哈外表下的深沉博大的爱。泪花悄然滑落脸颊，她觉得自己幸福至极。仿佛一夜之间长大了，丫蛋从此对句号也有了更多的理解与包容。两个人的感情经历了多年的磕磕绊绊后终于达到了和谐。

去年，句号和丫蛋在北京买了套房子。当丫蛋推开新房大门的时候，她开心地笑了，眼里却有了泪——句号几乎花光了积蓄，只是为了给她一个安定的家啊！今年"五四"丫蛋生日这一天，句号送她的礼物——辆丰田RV4吉普车，价值40多万！丫蛋很珍惜这份贵重的礼物，但更珍惜句号替她办手续时的那句话："摁个手印吧，这车和我——全归你了……"

"早恋"的张宁：
世界女子羽坛第一人

柳石

2004年8月19日，29岁的张宁在第28届雅典奥运会上一举夺得羽毛球女子单打金牌。张宁已在国际赛场上驰骋14年了，是什么力量让她的运动生涯坚持到今天呢？本刊特别采访得知，在这棵羽坛常青树的背后，爱情是她保持青春活力的源泉……

白羽传情，早恋秘而不宣

张宁1975年出生在辽宁省锦州市。10岁时就被市体校的排球教练选去打排球，随后又被羽毛球教练看中。最后，羽毛球教练只好将另一个条件较好的队员让给排球教练，这才把张宁换了过来。

张宁在市体校练了两年羽毛球，而每次全市比赛总得第一。12岁时她便被辽宁省体育运动技术学院的教练选中，来到沈阳，接受更为严格的训练。男女队员在训练时很透明，张宁发现男队员打球更好看，力量大，她一有时间就揣摩他们打球。

转眼间，15岁的张宁已出落得亭亭玉立了。一天，她又心无旁骛地在看一对男队员训练，其中一个技术超群的男队员被那"深情"的凝视弄得极不自然，于是，那个男队员冒失地问："你咋老看着我呀？"张宁脸一红，反而顶了他一句："你不看我，咋知道我看你呢？"

这位男队员叫于洋，比张宁大一岁。他被反问得哑口无言，但他并不介意，反而高兴地继续打球去。

不久，体校准备找两个技术尖子，组成男女混双搭档。巧的是，男的选了于洋，而女的选了张宁。第一天训练时，于洋发现对方竟是那位泼辣的姑娘，他心里一阵窃喜。开始训练时，于洋后场进攻，张宁前场扣杀，二人一攻一扣都非常顺手，配合十分默契。

后来，于洋想让混双再上一层楼，主动找到张宁协商，利用业余时

间加练。张宁二话没说，满口答应。两人虽然话语不多，但那只小小的羽毛球却是他们交流的上具，他们一举一动，配合得异常默契！

一天，两人训练到深夜，于洋让室友小李去买夜宵。然而，张宁训练完后转身要走，于洋就恳切地说："别走，小李买夜餐，有你一份儿啊。"张宁犹豫了一下才留了下来，于洋便抓住机会自我介绍一番……

于洋家在大连，他从小酷爱踢足球，也爱打羽毛球。后来正赶上省羽毛球队来选材，一试就选中了，于洋就放弃足球"移情别恋"了。谁知情窦初开的张宁听到对方话中有个"恋"字，觉得挺刺耳的，转身想走。于洋一把拽住她的手，和蔼地说："买来吃的你倒走了，多不礼貌。"张宁满脸通红，再也不好意思走了。

于是，于洋挑选张宁感兴趣的话题聊，两人竟谈得异常投机。小李买回来吃的后，三人在说笑中吃完夜宵。这时已到11点多了，训练馆离女生宿舍还有好长一段路，于洋决定送张宁回去。一路上，两人反而没有说话，周围异常安静，他们甚至可以听到彼此的心跳声。很快，于洋自然地拉着张宁的手。张宁虽然觉得极不自然，可一种幸福感把她包围了，她的心狂跳不已！在这个夜晚在这条路上，两人开始了美丽一生的故事……

然而，有人看见两人深夜里手拉手地回宿舍，第二天就去告密，说他们小小年纪搞恋爱了！教练很是吃惊，就找于洋谈话，让他注意影响，以后不要和张宁接触了。于洋不仅没有承认与张宁恋爱，反而问道："我们配对打混双，不接触怎么打？不打不练如何出成绩？"教练一想也对，但他仍吩咐说练归练，恋爱绝对不能谈！

不到几天，两人"谈恋爱"的事便传开了。这时，大家的舆论给两人的压力很大，他们不得不开始减少加练的次数，甚至正常的训练也配合得不好。

于洋很着急，他主动找到张宁，要她继续和自己练好球，不要害怕流言。张宁故意说道："你倒想得美，谁给你谈那个。咱们好好练，练出样儿来给他们看，歪理儿就不攻自破了。"

以后，两人硬是顶住了风言风语，拧成一股劲，埋头苦练起来。1991年，16岁的张宁在省运动会中夺得女单打第一，和于洋混双打第一。这样，两个"第一"为集体争得了荣誉，谁也不再瞎议论了。

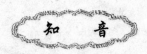

1992 年，张宁被国家羽毛球队发现了，把她视为培养世界冠军的苗子调到了北京。

此时，两人已有种心照不宣的默契了，以前不觉得怎样，现在才觉得难过。进国家队是大家的梦想，可张宁一走会给于洋很大的压力，会影响到他的成绩的。

这样，张宁第一次来到男宿舍。于洋不无伤感地说："我们俩是混双好搭档，遗憾的是你一走，剩下我孤掌难鸣了。"张宁再也控制不住自己了："不，我们不仅仅是好搭档，以前我懵懵懂懂的，不知啥叫爱情，现在我们都长大了，我会等你的……"

见张宁的眼里有泪水，于洋安慰她说："你先去北京，我一定好好练，一年后追你过来，现在的分离只是短暂的。"当于洋替张宁背上行李，亲自把她送上火车时，他一个劲地嘱咐她写信，张宁的眼泪顿时夺眶而出……

在张宁心目中，个头不高的于洋虽然外表不起眼，但他心地善良，尤其难得的是对自己关怀备至，张宁对他的感情是纯真的。坐在去北京的火车上，张宁透过车窗看外景，想念于洋，她看山，山就是他的影子；她看水，水中也有他的倒影，那种感觉真叫魂不守舍！

羽坛常青树，只因一路上有你

张宁初进国家队时是最年轻的，但她的进步很快。老将唐九红、黄华等退役，张宁就与叶钊颖、韩晶娜等逐渐顶了上来。国家队的训练量是省队的几倍，好在张宁体力恢复快，一天高强度训练下来，身体很累，但睡上一觉，啥事都没了。

不过，每天训练结束后，张宁最惬意的事是给远在沈阳的于洋写信，她的信浸满柔情："我日夜守望着星星，可隔山又隔水。心随着羽毛飞，飞到你心田，落在我心中。你能攻，我善守，望你早日来国家队……"

张宁每次写信都写得很长，可于洋的回信就太简单了，他常常说训练忙，很紧张就了事。见心上人写的信这么短，张宁很是不满意，就经常对他提出批评。

其实，于洋压力很大，几乎把全部精力都放在了训练上。一年后，

于洋终于在全国比赛中夺取双打冠军。随后，他被调到北京国家羽毛球队，专职男子双打。

得知消息后，张宁抑制不住内心的激动，但她在信中写道："接受在省队的教训，爱情的事儿一定要保密，以免再惹不必要的麻烦。"于洋觉得很是好笑，他来后就直接到训练总局报到。中午，张宁到食堂吃饭时竟见到了自己朝思暮想的男友，她笑得像花儿般灿烂……

很快，于洋投入了紧张的训练。谁知，一次于洋不慎崴伤了左脚，脚踝跟腱断裂，走不了路。这时，又赶上男队外出训练，于洋吃饭就成问题了。张宁顾不了那么多了，每餐由她从食堂打饭，端到于洋宿舍。训练一结束张宁还搀扶于洋治疗、敷药。这样，于洋的伤势恢复得很快，他只休息了半个月，又上场训练了。

然而，两人谈恋爱的消息不胫而走。教练是极力反对队员们恋爱的。张宁妈妈知道消息后，也打电话来提醒女儿，不要因为恋爱而耽误了训练。面对各种无形的压力，张宁又和于洋商量，决定再次携手拼搏，拿优异的成绩来给教练和家长一个交代。

一年后，于洋脱颖而出，而张宁更上一层楼，并频频代表国家队出国比赛。教练也就默许了两人的关系，这在国家队是很少见的，以至于队员们说他们是郭靖和黄蓉，身怀绝技而又相亲相爱。

1994 年，张宁与于洋参加城运会，这是他们第一次参加大型赛事，也是最后一次合作。比赛开始时，两人配合得异常默契，频频击败对手，最后以微小的差距获得混双亚军。当两人走上领奖台时，很少有人知道他们是情侣。张宁的妈妈在电视上得到消息，她对于洋十分满意，忍不住打电话称赞两人赛场上表现很好。

城运会后，于洋在训练中脚踝跟腱再次断裂，他被逼退出赛场，担任国家二队的男双打教练。这时，张宁正像一颗耀眼的新星在冉冉升起，于洋心想自己当教练也好，可以一心一意地辅助她。

不久，张宁在印度尼西亚参加尤伯杯比赛，她在决胜时发挥失常，败给了荷兰队员张海丽，从而使中国队屈居亚军。那一战让张海丽一夜成名，却摧垮了张宁的自信，她在随后的国际比赛中连连失误。

于洋很是着急，他知道运动员的心理素质很重要，于洋分析和总结张海丽的球技特征，专门给乂友讲授了一堂课，并反复鼓励女友确立自

信，重新找回感觉。

经过一段时间的调整，张宁又在国际赛事中崛起了。1996年，张宁参加瑞典公开赛获得女单冠军，随后获得亚特兰大奥运会女单亚军和世界杯女单冠军。这一年，张宁第一次登上世界冠军的宝座，被羽联排名为世界第一，这里有于洋的一份功劳啊！

以后，作为我国主力队员，张宁的比赛就打得特别多了，几乎每个月都在打。由于疲劳过度，张宁的右脚踝关节伤痛就成了顽疾，常常疼得她坚持不下去。于是，于洋就整天围着女友的右脚"转"，只要女友的右脚一出现问题，他就忙着给她按摩、理疗、敷药。

当上教练后，于洋的理论和实践水平极大地提高了，他一有空就指导女友打球。张宁以前比赛不知道是怎样输赢的，但经过男友的指点，张宁慢慢地步入最佳状态，怎么输的怎么赢的心里全知道了。

而于洋当教练，遇到什么"实战"难题，他第一个先找张宁参谋。有时，张宁顺便开个玩笑：你们队里有没好球，不要害怕流言。张宁故意说道："你倒想得美，谁给你谈那个。咱们好好练，练出样儿来给他们看，歪理儿就不攻自破了。"

以后，两人硬是顶住了风言风语，拧成一股劲，埋头苦练起来。1991年，16岁的张宁在省运动会中夺得女单打第一，和于洋混双打第一。这样，两个"第一"为集体争得了荣誉，谁也不再瞎议论了。

1992年，张宁被国家羽毛球队发现了，把她视为培养世界冠军的苗子调到了北京。

此时，两人已有种心照不宣的默契了，以前不觉得怎样，现在才觉得难过。进国家队是大家的梦想，可张宁一走会给于洋很大的压力，会影响到他的成绩的。

这样，张宁第一次来到男宿舍。于洋不无伤感地说："我们俩是混双好搭档，遗憾的是你一走，剩下我孤掌难鸣了。"张宁再也控制不住自己了："不，我们不仅仅是好搭档，以前我懵懵懂懂的，不知啥叫爱情，现在我们都长大了，我会等你的……"

见张宁的眼里有泪水，于洋安慰她说："你先去北京，我一定好好练，一年后追你过来，现在的分离只是短暂的。"当于洋替张宁背上行李，亲自把她送上火车时，他一个劲地嘱咐她写信，张宁的眼泪顿时夺

眶而出……

在张宁心目中，个头不高的于洋虽然外表不起眼，但他心地善良，尤其难得的是对自己关怀备至，张宁对他的感情是纯真的。坐在去北京的火车上，张宁透过车窗看外景，想念于洋，她看山，山就是他的影子：她看水，水中也有他的倒影，那种感觉真叫魂不守舍！

羽坛常青树，只因一路上有你

张宁初进国家队时是最年轻的，但她的进步很快。老将唐九红、黄华等退役，张宁就与叶钊颖、韩晶娜等逐渐顶了上来。国家队的训练量是省队的几倍，好在张宁体力恢复得快，一天高强度训练下来，身体很累，但睡上一觉，啥事都没了。

不过，每天训练结束后，张宁最惬意的事是给远在沈阳的于洋写信，她的信浸满柔情："我日夜守望着星星，可隔山又隔水。随着羽毛飞，飞到你心田，落在我心中。你能攻，我善守，望你早日来国家队……"

张宁每次写信都写得很长，可于洋的回信就太简单了，他常常说训练忙，很紧张就了事。见心上人写的信这么短，张宁很是不满意，就经常对他提出批评。

其实，于洋压力很大，几乎把全部精力都放在了训练上。一年后，于洋终于在全国比赛中夺取双打冠军。随后，他被调到北京国家羽毛球队，专职男子双打。

得知消息后，张宁抑制不住内心的激动，但她在信中写道："接受在省队的教训，爱情的事儿一定要保密，以免再惹不必要的麻烦。"于洋觉得很是好笑，他来后就直接到训练总局报到。中午，张宁到食堂吃饭时竟见到了自己朝思暮想的男友，她笑得像花儿般灿烂……

很快，于洋投入了紧张的训练。谁知，一次于洋不慎崴伤了左脚，脚踝跟腱断裂，走不了路。这时，又赶上男队外出训练，于洋吃饭就成问题了。张宁顾不了那么多了，每餐由她从食堂打饭，端到于洋宿舍。训练一结束张宁还搀扶于洋治疗、敷药。这样，于洋的伤势恢复得很快，他只休息了半个月，又上场训练了。

然而，两人谈恋爱的消息不胫而走。教练是极力反对队员们恋爱

的。张宁妈妈知道消息后，也打电话来提醒女儿，不要因为恋爱而耽误了训练。面对各种无形的压力，张宁又和于洋商量，决定再次携手拼搏，拿优异的成绩来给教练和家长一个交代。

一年后，于洋脱颖而出，而张宁更上一层楼，并频频代表国家队出国比赛。教练也就默许了两人的关系，这在国家队是很少见的，以至于队员们说他们是郭靖和黄蓉，身怀绝技而又相亲相爱。

1994 年，张宁与于洋参加城运会，这是他们第一次参加大型赛事，也是最后一次合作。比赛开始时，两人配合得异常默契，频频击败对手，最后以微小的差距获得混双亚军。当两人走上领奖台时，很少有人知道他们是情侣。张宁的妈妈在电视上得到消息，她对于洋十分满意，忍不住打电话称赞两人赛场上表现很好。

城运会后，于洋在训练中脚踝跟踺再次断裂，他被逼退出赛场，担任国家二队的男双打教练。这时，张宁正像一颗耀眼的新星在冉冉升起，于洋心想自己当教练也好，可以一心一意地辅助她。

不久，张宁在印度尼西亚参加尤伯杯比赛，她在决胜时发挥失常，败给了荷兰队员张海丽，从而使中国队屈居亚军。那一战让张海丽一夜成名，却摧垮了张宁的自信，她在随后的国际比赛中连连失误。

于洋很是着急，他知道运动员的心理素质很重要，于洋分析和总结张海丽的球技特征，专门给女友讲授了一堂课，并反复鼓励女友确立自信，重新找回感觉。

经过一段时间的调整，张宁又在国际赛事中崛起了。1996 年，张宁参加瑞典公开赛获得女单冠军，随后获得亚特兰大奥运会女单亚军和世界杯女单冠军。这一年，张宁第一次登上世界冠军的宝座，被羽联排名为世界第一，这里有于洋的一份功劳啊！

以后，作为我国主力队员，张宁的比赛就打得特别多了，几乎每个月都在打。由于疲劳过度，张宁的右脚踝关节伤痛就成了顽疾，常常疼得她坚持不下去。于是，于洋就整天围着女友的右脚"转"，只要女友的右脚一出现问题，他就忙着给她按摩、理疗、敷药。

当上教练后，于洋的理论和实践水平极大地提高了，他一有空就指导女友打球。张宁以前比赛不知道是怎样输赢的，但经过男友的指点，张宁慢慢地步入最佳状态，怎么输的怎么赢的心里全知道了。

而于洋当教练，遇到什么"实战"难题，他第一个先找张宁参谋。有时，张宁顺便开个玩笑：你们队里有没有请吃夜宵，借机谈"恋爱"的？于洋的脸红了，说："还没有发现像我这样聪明的。"张宁笑得前仰后合。

转眼间，张宁在羽坛已驰骋了好多年，她觉得自己年龄大了，有一天跑不动了怎么办？这时，国外有家俱乐部愿意每月出资两万多元，聘请张宁去打球。面对诱惑，张宁拿不定主意，便和男友商量。不过，于洋态度十分明确："咱们打球不是为了钱，钱能搬动你这个世界冠军吗？留下来坚持吧，坚持就是胜利！"

于洋的话起到了决定性的作用。这样，张宁又开始调整自己的心态，不再觉得训练和比赛枯燥乏味，反而越来越有兴趣。1999 年，张宁夺得新加坡公开赛女单冠军，并获得亚洲锦标赛女单冠军。

2000 年悉尼奥运会后，叶钊颖、龚智超等相继离开了国家队，张宁也提出退役，总教练李永波却微笑着对她说："你也 26 了，可比年轻人还能跑，能力还强，你不要再说'老'字了，我还想让你打到北京奥运会呢！"李永波干脆把于洋搬了出来。于洋再次给女友讲道理，说如果都退役了，国家队会青黄不接的等等。见男友这么一说，张宁便愉快地留了下来。

婚礼一推再推，金牌是最好的礼物

尽管两人的恋情很早就曝光，但两人一直以事业为重，很少在一起，而把婚期一拖再拖。2001 年 11 月 1 日，张宁与男友终于在北京办理了结婚登记手续。这是两人特意挑选的日子，意味着"一心一意过一生"。

那晚，张宁心情很激动，她亲热地对老公说："没有玫瑰，没有钻戒，也没有房子，我就白白地嫁给了你，还非你不嫁，你非我不娶，这是咋回事儿呢？"于洋幸福地笑道："就是羽毛球呗，人们都说咱们的婚姻纯洁，纯洁得如洁白的羽毛，还能有啥附加品呢？"

于洋的话既风趣又含哲理。是啊，尽管张宁早已拿了世界冠军，于洋也是国家一级教练，但他们登记结婚后，张宁只是把自己的生活用品搬到于洋的宿舍而已！

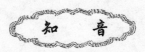

然而，两人还没来得及举行婚礼，张宁却因备战 2002 年的亚洲杯赛而去集训。这样，婚礼为赛事让路，于洋只好默默地为妻子清理行装，送她出征！不久，张宁在韩国公开赛夺冠，随后又夺得亚洲杯女单冠军。

一年过去了，张宁又要备战 2003 年的世界羽毛球锦标赛。张宁感到很过意不去，为了安慰老公，她说等拿了世锦赛冠军后，他们就举行婚礼。2003 年，张宁果真夺得了世锦赛的冠军，并连续出战，先后在新加坡、德国等地公开赛中夺得冠军。这一年，张宁以辉煌的战绩再次被羽联确定排名为世界第一。这在历史上是罕见的，28 岁的张宁在羽坛上是最老的冠军！

然而，世锦赛结束后，张宁又要迎战尤伯杯赛。2004 年 5 月，在备战第 20 届尤伯杯赛前，张宁却意外受伤，于洋却日夜守候为妻子疗伤，并鼓励她带伤出战。其实，张宁是非常想参加这场比赛的，因为在 10 年前，她就是在同样的比赛中败给张海丽的，使中国队失掉尤伯杯冠军。10 年卧薪尝胆，张宁最后还是决定"带伤出征"。开战后，张宁再次遭遇荷兰名将张海丽，结果她发挥正常，以 2：0 的成绩大败对手，为中国队夺得冠军拿下最重要的一分！

赛后，张宁迫不及待地给丈夫发短信，把这喜讯告诉他。发完信，张宁便拿出药冰敷右脚，不用问脚够疼的。须臾间，丈夫给她发来了短信，张宁打开一看立即笑了，原来远在北京的于洋只是发来四个字："脚咋样了？"张宁笑着说："我早跟他说了，发一个字和发一堆字收费是一样的，可他就这么简单。"

5 月 18 日，国家羽毛球队队员和教练欢聚一堂，庆祝尤伯杯大赛的胜利。总教练李永波刚要表彰张宁，忽然提高嗓门道："巧了，今天可是张宁 29 岁的生日，双喜临门啊。"然而，于洋却笑容可掬地推门而入，激动地朝大家说："今天是张宁的三喜临门！"大家很是不解，急忙问为什么，于洋不回答，却让张宁来说。张宁笑得异常灿烂，落落大方地告诉大伙："尤伯杯赛胜利，我的生日，还有我们决定结婚的纪念日！"

其实，就是在两年前的今天，张宁和于洋决定去登记结婚的，并把日子定在 11 月 1 日，于洋没想到妻子把他们爱情的每个细节记得这么清

楚。见妻子说到自己心坎里去，于洋情不自禁地鼓起掌来。

深夜，张宁刚推开"家门"，她"啊"地惊叫起来。原来，于洋早已买来玫瑰依次地摆满了一床！张宁数了数，不多不少整整99朵，张宁流下了幸福的泪水……

结婚三年了，张宁感受到许多甜蜜，而说起苦来就是两人分离太多。一年365天，能有60天的见面时间就不错了。这次，张宁从尤伯杯赛回来，仅在北京呆了三天，"队伍"便拉到大连开总结会。接着，于洋又带队员去外地打全国比赛。盼星星盼月亮终于把丈夫盼回来了，仅呆了两天，张宁又要去益阳封闭训练。奥运会迫近，备战忙，就连通电话，也得晚上9点以后。

不过，两人的事业心都很强，为此也闹过不愉快。今年情人节，偏巧他们都在北京，很想节日浪漫一回，到饭店吃顿夫妻套餐。该出发了，于洋却因工作上的事没处理完，无法脱身，张宁急得直跺脚，直到夜里12点，才见丈夫匆匆跑回来了，可人家饭店早已下班了。两人只好在小餐馆吃碗北京炸酱面。见妻子很不高兴，于洋便风趣地说："吃碗长寿面，夫妻相爱永不变。"逗得张宁笑了。

8月7日，在准备随团参加雅典奥运会前夜，张宁敞开心扉，深情脉脉地对丈夫说：这次打完雅典奥运会，两人就把结婚仪式办了，度蜜月，还有结婚照，一块都补齐。于洋很是激动，一边连连点头同意妻子的安排，一边让她全力以赴奥运之战。

2004年8月8日，中国体育代表团到达雅典，参加第28届奥运会。这天朋友问于洋，随夫人去雅典不？于洋说他走不了，要带新队员训练。张宁就笑着对丈夫说，就在北京老老实实地看电视吧，到时候别忘了去机场接她。于洋乐呵呵地说："我一定预订好玫瑰，到机场为你庆祝！"

8月19日，已近而立之年的张宁力挫群英，最终夺得女子单打金牌。消息传来，远在北京的于洋热泪盈眶，因为张宁的金牌是他们婚礼最好的礼物！

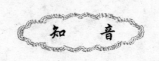

那英、高峰之恋：
浪漫爱情不信"私生子"

晓荣

2004年7月，媒体突然爆出新闻，曾经号称"快刀浪子"的高峰已经有了一个3岁的儿子。而高峰的"媳妇"，歌坛天后那英据称已经怀孕6个月，正在幸福地等待做母亲的那一天。那英和高峰相恋十年，其间几分几合，经历了难以言说的风雨坎坷，面对这突如其来的传言，他们还能够淡然处之，一笑而过吗？

不管有多苦，
让心为爱情做主

1995年，在北京梅地亚中心举行了一次文体明星的联欢晚会，歌星那英认识了球星高峰。当时的那英在歌坛上风头正健。而高峰在球场上以闪电般的速度被称为"快刀浪子"，颇得球迷喜爱。他们聊了起来，一开口他们意外地发现，两人竟是沈阳老乡。不久，关于这对歌星和球星的恋爱新闻不胫而走。大多数人对这场恋情并不看好，很多人预言，他们的爱情绝对不会"善终"。

球迷们先不答应了，他们在北京工人体育馆的大铁门上用彩漆喷上了许多标语，对那英和高峰的恋情表示了强烈的不满和抗议。经不住委屈的那英向高峰提出分手，高峰也不忍让自己喜欢的女人承受痛苦，于是两人忍痛分开。但没过多久，两人又经不住相思之苦，再次见面。可那英还是忍受不了，谈恋爱就像做贼似的，于是两人又分手，不几天又复合。就在这分分合合之间，他们进行着像"地下工作者"似的恋爱，那英身心俱疲。1997年，在她的新歌《不管有多苦》中，她淋漓尽致地表达了自己这两年来的真实心境：不懂我们之间这份真情犯了什么错，若你不是你，我不是我，那有多快乐，不管与你的路有多苦，擦干眼泪告诉自己不准哭，我不怕谁说这是个错误，只要你我坚持永不服输……

　　那英把这首歌第一次唱给高峰听的时候，这个热血男儿的眼圈也红了。他温柔而坚定地对那英说："不管别人说什么，只要我们相爱，这就够了。爱情是我们自己的事情，让我们自己做主吧。"

　　高峰在训练中振作精神，在比赛中再次闪电般地飞起来，人们又看到了："快刀浪子"的风采。记者问及他的状态，他说："我是前锋，我的职责就是进球。"当记者又问到那英时，他谨慎地说："我进不进球都与她无关，她是我的女友，不是我的教练，请你们把我的事业和感情分开来谈论吧。"

　　而那英也公然出现在球场，为高峰助威。高峰一出现在场上，她就快乐地大叫："快看，那是我们家老高！老高是首友呀！"高峰被换下场，她有点沮丧，但马上安慰自己说："挺好的，踢累了，下去歇歇也好！"关切之情溢于言表。

"最优秀家属"，歌坛天后
其实是个"小媳妇"

　　2000年，高峰面临转会，那英也四方奔走，帮男友活动。后来，高峰成功转会。有朋友问起高峰转会的情况，高峰认真地说："是我自己联系的呀！"朋友说："哎，那英算是白帮你忙活了！"高峰狡黠地笑了："你这么说是挑拨我们之间的关系，那英是我的女朋友，当然帮我跑前跑后了呀！"

　　与男友相比，那英在事业上的发展业绩更为骄人。在与高峰恋爱的几年间，那英出了几张专辑，唱了不少新歌，几乎每一首新歌都脍炙人口，传唱一时，她一跃而成为中国歌坛天后级的人物。她与高峰的爱情也给了她无限的创作灵感。那英创作了歌词《心酸的浪漫》。这首歌赢得了全球华语歌曲最佳作词奖。

　　2001年，高峰随队前往乌拉圭集训，临行前，那英偷偷地往他的口袋里塞了6000法郎，因为各自的收入都很高，他们一直是各自为政，谁也不占谁的"便宜"。那英不敢明着把钱给高峰，怕他生气。谁知到了乌拉圭，高峰接到那英的电话后去拿那6000法郎，却怎么也找不到了。原来他在机场候机时睡着了，把钱给弄丢了。

　　集训结束回国，球队到了首都机场，队员们都在等行李，谁也没有

注意到一位穿着黑色大衣、戴着墨镜的女子。那就是特意赶来迎接男友的那英，她站在人群里，娇小柔弱，完全没有歌坛天后的张扬之气。而高峰在人群中一眼就认出了自己最亲爱的人，他悄无声息地迎上前去，把那英紧紧地抱在怀里。还没等接机的记者们回过神来，他们已经低着头离开了大厅，上了车。其实他们想要的，真的只是这种无人打扰的无声的幸福。

2001 年底，高峰所在的俱乐部举行家属联欢会，谁也没有料到，那英竟然作为"家属"出现在会场上。俱乐部的负责人说她是"最优秀家属"之一，请她讲话，她爽快地站到了台上，说："我们家高峰在这里很开心，全凭大家的支持和关心。我代表高峰感谢大家，我一定为高峰、为哥儿们加油！"

作为"家属"，那英对于高峰的关切是全方位的。高峰爱喝酒，尤其是遇到情投意合的哥儿们，更是喝得天昏地暗。像任何爱唠叨的女人一样，那英不厌其烦地劝说高峰，希望他不要喝酒。每次高峰跟朋友一出门，那英的电话就追着来了："少喝点啊，明天还有训练不是？"高峰说："知道了！"那英还说："别喝多了啊，喝多了也别去玩啊！"高峰的气就来了，当着朋友的面，让他这个大男人的脸面往哪儿搁呀？他没好气地挂断了电话。不服气的那英就再打，直到两个人吵起来。

那英有时在上台前给高峰打电话，说一件什么事。高峰不耐烦地说："不是说清楚了吗，还问什么。"说着就把电话挂了。高峰不喜欢在电话里卿卿我我，也最烦煲起电话粥来没个完。可那英不这样想，他们见面的机会本来就少，还不通电话，那谁知道你在干什么呀？尽管在台前被男友挂了电话，但那英还是得满腔热情地为观众演唱，歌唱完了，她的委屈也回来了，再打电话骂高峰："你就不能劝劝我，等我上完台后再挂我的电话？"高峰也气不打一处来："你就不能先上台，唱完了再打电话？"

吵闹归吵闹，但他们之间依然有着无法言说的浪漫。那英唱歌的时候，眼前总是浮现着高峰的影子，毕竟她的好多歌都是以他们之间的感情为蓝本的。她问高峰："你踢球的时候有没有想着我啊？"高峰不假思索地说："没有！"那英有点生气，高峰说："就是没有。有的人说他们踢球时想着为国争光，我觉得那都是假话，我在球场上，只想着怎么踢

好球，老想着为国争光，还怎么踢球呀？"觉得男友说的不无道理，那英也就心安理得了。

他们就这样以自己的方式坦然地相爱着，不去顾及世人的眼光。但毕竟都是公众人物，彼此的行踪都在媒体与众人的注目之中，他们难得有自己单独的空间。2001年年底，高峰向媒体表示，近期内一定要娶那英为妻。但日子一天天过去，他们的婚约却始终没有付诸实现。不久，那英在香港红馆举行个人演唱会，高峰赶到香港捧场，在众目睽睽之下，高峰向那英求婚，那英喜极而泣，接受了高峰的订婚戒指。

心酸的浪漫，身怀六甲的
歌后能否笑看风云

2002年底，高峰的事业出现低谷，媒体马上传出那英和高峰分手的传闻。

在众说纷纭之中，只有他们自己明了自己的感情。由于各自有着各自的事业，他们不可能像普通的情侣那样朝夕相处。因为两地相隔，他们不了解对方正在做着什么，有些误会是必然的。但如果真的是误会，总会有解释清楚的一天。而在感情这件事上，他们真的是"久经沙场"，只相信自己的内心感觉，不再为人所误了。经过许多误会，那英和高峰依然"情比金坚"，依然两手相握，又有人说他们是借这些绯闻炒作自己，为那英的新专辑发行造势。

久经风雨的那英决定对这些传闻不闻不问，她挡不住别人说什么，却清楚地知道自己在做什么。除了对自己的心负责以外，别的都可以不理。

高峰退役后，开始在商界发展自己的事业。他在沈阳开了一家酒店，凭着他的旧日雄风，酒店的生意火爆得不行。高峰又准备在各地发展一些别的产业。在所有关于他的传言中，他最不能忍受的就是"高峰现在得靠老婆生活"。其实他是个特别有责任心的男人，他必须开创一番新的事业，给那英一份幸福的生活。对于高峰的努力，那英看在眼里，喜在心里，她其实不是一个需要男人养活的女人，但如果她至爱的男人愿意养活她，作为女人，她真是由衷地幸福啊。

2004年初，那英发现自己怀孕了。她和高峰商量，打算生下这个孩

子。他们相爱近十年，这个孩子来得正是时候，是他们未来的全部阳光。高峰听从了那英的决定，这对相爱了十年的情侣终于决定，不管别人说什么，他们要属于自己的孩子和属于自己的快乐。

5月，那英与高峰一起回到沈阳，为自己新开张的酒店剪彩。酒店门前的条幅上写着"欢迎那英、满文军、孙楠等明星光临本酒店"，人们在新闻发布会上见到了满文军和孙楠，却没有看到那英的影子。发布会要结束了，高峰出现在人们面前，他扶着已经有些显形的那英，一副体贴丈夫的模样，而在高峰的扶持下，那英满脸甜蜜幸福。为了孩子，她不再化妆，淡扫蛾眉，布衣布鞋，但谁都看得出来，她比从前漂亮了许多。

那英和高峰都喜欢女孩，那英甚至多次想象着自己给女儿梳小辫、穿花裙的情景。高峰是家里的独子，他的父母一直盼着他们能生一个男孩子。而高峰又是个闻名的孝子，于是他们决定顺其自然。因为无论是男孩还是女孩，都是他们十年爱情的见证。

为了这个孩子，那英辞去了一切演艺活动，她要安静地养育这个孩子，不想让任何外界的喧嚣打扰他。她穿着宽松的孕妇服，整天呆在家里，拒绝了一切采访。孩子的预产期在11月，那英早早地为孩子准备好了冬衣。她希望他一出生，就有一个温暖的世界迎接他。

就在那英全身心地等待着做母亲时，一个令人心碎的传闻又出现在她与高峰之间。7月，沈阳一位名叫阿文的女人突然向媒体爆料，说她早已为高峰生育了一个男孩，孩子已经3岁了。

正在家中静养的那英没有对媒体发表任何说法，姐姐那辛不无痛心地向媒体表示：这种时候爆出这样的事情对那英来说伤害太大了。如果大家像平时所说的那么爱护她关心她，就应该让那英平稳度过这个时期。那辛还非常坚定地表示："我相信我妹妹的选择，我会跟她携手对付谣言、必要的时候会采取法律手段。"

这节外生枝的情节令那英与高峰的爱情故事真正地成为了一段"心酸的浪漫"。不久前，在一个非正式场合，身怀六甲的那英从容地对朋友们说："我打算给孩子起名叫高兴。"这个聪明的女子用这种独特的方式维护着爱情。希望在经历了无数风雨之后，那英依然能够淡定从容，笑看风云再起，做一个幸福甜蜜的快乐母亲。

"金牌少帅"，要将夫妻分居进行到底

——国家体操队总教练黄玉斌事业与婚姻写真

高天　大漠

在即将举办的雅典奥运会上，黄玉斌作为国家体操队总教练将率领奥运体操健儿出征。这位中国体育界的风云人物曾纵横国际赛场近20年，率队先后夺得了数十个奥运冠军和世界冠军，培养出了一大批耀眼的体操明星，是当之无愧的"金牌少帅"。就在这次出征雅典奥运之前，笔者采访了黄玉斌。想不到的是这位金牌少帅为了祖国的体操事业，与远在加拿大的妻子孙小沫以及心爱的儿子分居10年，这注定他们的婚姻比常人多了一份悲壮和荡气回肠……

儿子两岁多，才与教练父亲第一次见面

黄玉斌出生在黑龙江佳木斯市。12岁那年，黄玉斌进入省体操队。他技术全面，是中国第一个能用全直臂完成吊环成套动作的运动员。在教练的精雕细琢下，他很快就在比赛中脱颖而出，并顺利入选国家队。1980年10月，黄玉斌在多伦多体操世界杯赛上勇夺吊环冠军，这是我国男子体操的第一个世界冠军。此后，他又先后夺得了第二十届、第二十一届世界体操锦标赛男子吊环冠军，并连续两次获得亚运会吊环冠军，成为世界体坛一颗耀眼的体操明星。

就在黄玉斌事业辉煌时，爱情悄悄降临了。他与同是国家体操队的主力队员孙小沫相爱了。1984年洛杉矶奥运会后，黄玉斌被召回国家体操队，担任女队的教练。在黄玉斌呕心沥血的调教下，1989年，年仅14岁的樊迪在第二十五届体操世锦赛上，以满分10分的优异成绩夺得冠军，这是中国女子体操队夺得的第二个世界冠军。就在这年秋天，黄玉斌与已经退役三年、在北京一所大学学习外语的孙小沫举行了婚礼。

1988年，中国体操队兵败汉城奥运会后，黄玉斌被调到男子体操队，带李敬、李春阳、李小双等一批运动员。黄玉斌一天到晚都和队员

们泡在体操房里，尽管他的家离训练房只有十多分钟的路程，但黄玉斌为了节省时间，中午就把饭带到体操房吃。晚上，当他拖着疲惫的身体回到家时，妻子已经酣然入梦。黄玉斌没时间照顾妻子，他把已怀孕的妻子送回哈尔滨娘家休养。几个月后，孙小沫生下了可爱的儿子黄旭。因为要备战巴塞罗那奥运会，儿子出生后，黄玉斌一直没有时间去看他。黄旭未满月时，便染上了肺炎，当孙小沫把电话打到体操房时，黄玉斌这位铮铮硬汉顾不上躲避队员，对着话筒就流下了眼泪。在这种思念中，一晃儿子两岁多了，孙小沫第一次带着儿子来到北京，一家三口在北京团聚了，但他们娘儿俩依然见不到黄玉斌的身影。

孙小沫在北京一所大学学习英语，儿子被她送到了托儿所。每天上课时，她把儿子送走，下午下课后，她骑着自行车去接儿子。回到家，她匆匆忙忙地为孩子做饭，打理家务。其中的艰辛不言而喻。

每到节假日，看到别人一家三口其乐融融地出去玩，孙小沫和儿子羡慕极了，她多次问黄玉斌："你什么时候也带我们出去走走？"黄玉斌揉揉疲惫的脸，内疚地说："我忙，实在抽不出时间。"

1992 年巴塞罗那奥运会，中国体操男队取得了一金三银的辉煌成绩，极大地鼓舞了国人的士气。次年，在第二十五届世界体操锦标赛上，李春阳和李敬又勇夺两枚金牌，黄玉斌由此开始了他创造中国体操"梦之队"的辉煌历程。也就在这年，他被任命为中国体操队的副总教练。

在水一方，夫妻争争吵吵有爱也有痛

1995 年，孙小沫完成了大学的学业，这时，加拿大一家体操俱乐部邀请她去执教。孙小沫决定去施展自己的才华。当她把自己的想法告诉黄玉斌时，他不假思索地表示反对："你走了，儿子怎么办？你还是留在国内吧。"这对恩爱夫妻为孙小沫的去留问题发生了分歧……

孙小沫的理由很充分："我不能总是在家里做家务照顾孩子，我也热爱体操事业，我也需要平台发挥自己的才能。"黄玉斌还想争取最后的机会，他一遍遍重复着："你走后，儿子多可怜，我每天又忙，他小小年纪没有享受到父爱，现在你出国了，又带走了母爱，怎么办？"孙小沫对丈夫说："等我在加拿大站稳了脚跟，你就带着儿子过来，我们

一家三口在那边团聚。"

黄玉斌说:"既然你已经决定了,我不拦你。我站在你的角度也为你考虑了,你也是个事业型女人,有自己的追求,应该去开拓属于自己的一片天地。"

1995年夏天,孙小沫一个人漂洋过海去了加拿大,夫妇俩开始了天各一方的生活。这时,中国体操队开始如火如荼地备战亚特兰大奥运会,黄玉斌忙得连喘气的工夫都没有,他只得请保姆照顾儿子。孩子没有了母爱,黄玉斌怕自己疏远了儿子,让他感到孤单和寂寞,每天早上他很早就起来,亲自为孩子装好书包,买早餐,然后再由保姆送他去学校。

为了能多一些与儿子相处的时间,黄旭每天下午放学后,黄玉斌让保姆把他送到体操房。让他一个人在角落里玩,当一天的训练结束时,已是华灯初上,黄玉斌去找儿子回家,儿子早已靠着墙壁睡着了。

1996年5月的一天,黄旭突发高烧,连日不退,黄玉斌只得把他交给保姆照顾。晚上,在体操房里劳累了一天的黄玉斌来到儿子床前,被高烧折磨得昏昏沉沉的小黄旭无力地叫了一声:"爸爸,我想妈妈,你带我去妈妈那里吧!"黄玉斌把脸贴在儿子滚烫的小脸上,泪水夺眶而出……

其实,远在大洋彼岸的孙小沫也无时无刻不在承受着思念的煎熬,当孤独和寂寞像潮水般一阵阵涌来时,她刻骨铭心地想儿子、想丈夫。她一次次在电话里劝说丈夫:"你和儿子来加拿大吧,我需要你们、你们也需要我,我们何苦一家人这样分离。"有几次,孙小沫在电话中哭着说:"你必须答应我,尽早带儿子来加拿大团聚。"黄玉斌说:"现在没时间考虑这些问题,等亚特兰大奥运会结束后再说。"

然而,亚特兰大奥运会过去快大半年了,黄玉斌迟迟没有出国的打算,孙小沫急了:"你到底什么时候过来?你为什么这么固执?"黄玉斌后来一接到妻子的电话就是逼问他这个问题。无数个夜晚,儿子睡下后,黄玉斌仰望漆黑的夜空,他也想过普通人天伦之乐的家庭生活啊,可是中国体操队离不开他呀!在亚特兰大奥运会上再创辉煌后,黄玉斌被任命为体操队总教练,肩上的担子更重了。

由于无法说服丈夫,孙小沫很长一段时间没有主动打电话回家。黄

玉斌知道妻子在生气，他也明知自己虽然是一个好教练，但不是一个好父亲好丈夫，为了平和妻子的怒气，他写了一封信详细地把自己的想法如实告诉了妻子。孙小沫被丈夫的真情打动了，她只得退一步说："我很想儿子，你先把儿子送到加拿大来吧。"

1997 年 6 月，黄玉斌和李小双带着黄旭来到了北京机场，因为黄玉斌工作实在太忙，他不能亲自送儿子去加拿大，只得把他"托运"过去。

1998 年秋天，黄玉斌第一次去加拿大探亲，短暂的惊喜过后，孙小沫又将丈夫来加拿大的事提上议事日程，她说："你一个人在国内生活有难处，为什么你就不能过来呢？我们一家三口在这里团聚，多好！"黄玉斌为难地说："国家体操队需要我。我走不开。"他转过来劝妻子回国。孙小沫理直气壮地说："我在这边发展得很好，贸然回国不一定能找到自己的位置。再说，孩子已经习惯了这里的生活，这里的教育方式也适应他将来的发展。"每次，孙小沫一提起来加拿大的事，黄玉斌总是含糊地说："等过一段时间再说。"但妻子非要他表态不可，他只得说："等悉尼奥运会后，我就来和你们团聚。"孙小沫这才"放过"了丈夫："你说话　定要算数！"

半个月后，黄玉斌要回国了，儿子拉着父亲的手紧紧不放："爸爸，你别回去了，在这里陪伴我和妈妈吧。"黄玉斌转过脸，不忍心让妻子和儿子看见他的眼泪。已经过了安检了，儿子还在大声喊着："爸爸，你一定要过来，我们等着你！"黄玉斌的内心深处波涛翻滚，那一刻，他甚至下定了决心：悉尼奥运会后就来加拿大，与妻儿团聚。这样两地分居，实在太累了。

然而，一踏上祖国的土地，一走进熟悉而亲切的体操房，面对着队员们一双双焦急而渴盼的眼睛，黄玉斌的想法又发生了改变，祖国的体操事业需要自己，去加拿大的决定又在脑海里变得模糊起来。

矛盾之后，继续我们"痛苦"的分居生活

2000 年悉尼奥运会，中国体操队一举夺得 3 枚金牌，再次续写辉煌。这年 12 月，黄玉斌忙完手头的工作，准备去加拿大歇息自己紧张和疲惫的身心。

知　音

黄玉斌到加拿大后，孙小沫万分高兴。见到妻子的那一刻，黄玉斌百感交集，虽然才两年不见，但妻子的头上已有了白发，脸上的皱纹也深了。还有，他那宝贝儿子因为母亲忙于工作，每天放学后一个人回家要洗衣做饭，在举目无亲的异国他乡，他们太不容易了。

在加拿大的日子，黄玉斌尽力为妻子和孩子做每一件事，以弥补自己的愧疚。听说鼎鼎大名的金牌教练黄玉斌来到了加拿大，几家体操俱乐部找上门来，试着与他接洽，希望他能留下来执教，并开出了优厚的待遇。黄玉斌开始认真地考虑这个问题，看着妻子疲惫而忙碌的身影，想到儿子对父爱的企盼与留恋，他决定留下来。黄旭高兴得拍着手跳了起来："爸爸不走了，我们可以天天在一起了！"孙小沫也长长地舒了口气："我们终于可以过正常的家庭生活了！"

就在黄玉斌和家人享受着难得的天伦之乐时，国家体操中心领导给他打来电话，说奥运会四年一个周期，现在队里正忙于新老交替工作，希望他能尽快回来。几乎与此同时，李小鹏、杨威、邢傲伟等队员也纷纷给他打来电话："黄导，你快回来吧，我们离不开你。"

黄玉斌的心又起波澜，被烦恼和痛苦折磨得夜不成眠的他苦不堪言，自己该何去何从？他每天都在思考这个问题。经过揪心的抉择，黄玉斌还是决定回国。他觉得，自己能有今天，是祖国造就了他，培养了他。当个人利益和国家利益发生矛盾和冲突时，作为一个职业体操人，应该把国家利益摆在首位。

黄玉斌把自己的想法告诉了妻子。孙小沫痛苦得大声说："你怎么说话又不算数了？我们这样的日子何时才是尽头？和你结婚以来，我们过了几天正常人的日子？"夫妻俩为这个问题发生了争吵。

这次，黄玉斌在加拿大待了38天，这是他和孙小沫结婚以来，夫妇俩相处时间最长的一次。那天，当妻子重问黄玉斌是留下还是要走的问题时，黄玉斌毫不犹豫地说了"走"。孙小沫摇摇头，眼泪出来了。当她回过头来再次面对丈夫时，她发现丈夫的眼里也是晶莹一片，丈夫是条硬汉子，何曾流过泪，但是为了祖国的体操事业，他流泪了。孙小沫立即扑进丈夫怀里哭着说："你走吧，我不强迫你了，即使把你人留在我身边，你想的还是国家体操队。"

黄玉斌要走了，孙小沫边给他收拾行李边唠唠叨叨："你要少沾烟

酒，注意身体。我不在北京，你身边连个照顾的人都没有，真不知你什么时候才来加拿大，我们娘儿俩还要等多久……"

黄玉斌回国后，才知道自己这次出国被媒体炒得沸沸扬扬，说他受国外俱乐部高薪的诱惑，再也不会回来了。但他的恩师高健和队员们始终认为他会回来的，他的归来让谣言不攻自破。

回到国内，黄玉斌第二天就投入到工作中。平时训练时间过得快，一到过年过节体操队放假，浓浓的寂寞和孤独就像麻花一样缠绕着他。每年的大年三十，"无家可归"的黄玉斌只得去恩师高健家吃年夜饭。2002 年除夕之夜，在万家团聚的日子里，黄玉斌喝醉了，工作上的压力，妻儿不在身边，生活中的一些烦心事，使他非常伤感……

那段时间，黄玉斌想了很多，与他同一批的队友，只有他一个人留在国内执教，其他的出国的出国，经商的经商，都很成功；他不仅一年忙到头，牺牲了家庭的幸福，而且收入也不是很高。无数个夜晚黄玉斌问自己，这样做到底值不值得？但第二天早晨醒来，面对灿烂的阳光，这个想法又消失得无影无踪。

孤独的时候，黄玉斌就给妻子打电话，然而妻子每次都在电话里和他争吵，他的心情反而更糟。后来，寂寞的时候，黄玉斌不敢给妻子打电话，就把自己的苦恼写在电脑上。他回顾了自己的人生之路，抒写了自己对体操事业的挚爱，以及对妻儿的愧疚和感谢。

也许是害怕面对妻儿忧伤的目光，也许是逃避现实，整整 4 年，1000 多个日日夜夜，黄玉斌没有与妻儿见面。这期间，他甚至电话也打得很少。每次拿起话筒，他既激动又忐忑不安，不敢与妻子多说，怕她又提到让他出国的事，相比之下他更愿意与儿子讲话。

2002 年 11 月，在匈牙利举行的第三十六届世界体操锦标赛上，中国体操队获得了 6 枚金牌。至此，黄玉斌已经带出了近 20 个世界冠军，夺过世界杯、世锦赛和奥运会等大型比赛金牌 40 多枚，成了名副其实的"金牌少帅"。

作为这样一位功成名就的金牌教练，黄玉斌完全有资格去国外与妻儿朝夕相处，何苦要一个人在国内苦煎苦熬？有好事的媒体提出质疑，是不是黄玉斌和爱人的感情不好？对此，黄玉斌淡然一笑："我之所以没有选择出国，是因为我舍弃不了自己所钟爱的体操事业。就因为这，

我和妻子的感情越来越稳固。"

　　2004 年春节，黄玉斌在电话里与妻子进行了一番推心置腹的长谈："我这辈子为体操而生，体操事业已经融入了我的血液里，成为我生命中不可分割的一部分，十年的分居，你还在等着我去团聚，说明你还是了解和理解我的，不然，你早带着儿子离开了我。"当天深夜，他把自己写的东西全发给了她。

　　丈夫的梦想，追求，他的爱，他的痛，深深地震撼了孙小沫的心，她看到了一个职业体操人那颗博大而执著的心！直到这时，她才觉得自己对丈夫有了全面透彻的理解，丈夫并不是逃避责任的"冷血动物"，而是他太钟爱祖国的体操事业了。

　　那几天，孙小沫把自己和丈夫走过的风雨历程进行了认真的反思，她终于明白，以丈夫的个性，他是不会放弃祖国的体操事业的。明知他不会来，为什么还要一次次逼他？这样不仅引起了他的反感，而且还给他们的夫妻感情蒙上了阴影。

　　看完信，孙小沫给黄玉斌打来电话："我想通了，再不会逼你来加拿大了。"妻子的话让黄玉斌百感交集。

　　2004 年 6 月 26 日，孙小沫带着儿子回到国内探亲。分隔四年之久的一家人终于团聚了！黄玉斌冲上去，紧紧把妻子和儿子搂在怀里。因为雅典奥运会迫在眉睫，黄玉斌只陪妻子和儿子逛过一次王府井大街，就把他们晾在了一边。他有些过意不去，孙小沫大度地说："只要中国体操队这次在奥运会上多得金牌，就是对我最大的安慰！"黄玉斌紧紧握住妻子的手："这辈子，我欠你的太多了。等我老了，退下来后，我一定天天陪伴在你身边，现在，我们还要继续'痛苦'的分居生活，希望你能理解……"

家在北京：王菲将爱情进行到底

晓荣

2004年7月，媒体爆出一条消息，华语流行歌坛"天后"王菲与著名青年演员李亚鹏在北京出双入对，成为情侣了。王菲是华语歌坛红极一时的人物，她的特立独行与另类作风一直令媒体又恨又爱。经历了与摇滚青年窦唯的婚姻后，她又与香港歌手谢霆锋、演员黎明等人传出绯闻。而这一次，她与李亚鹏的感情究竟是从何开始，又将如何结局呢？

2004年8月，王菲在北京为自己的演唱会召开了记者招待会，她以一如既往的坦然告诉大家："我的家在北京！"

从友谊开始，那个
一口京腔的女孩令人难忘

王菲和李亚鹏很早就相识了。上世纪90年代初期，中国大陆有一个红极一时的摇滚乐队组合"黑豹"，当时还在中央戏剧学院读书的李亚鹏就是这个乐队的歌迷。一个偶然的机会，他与乐队的一个成员相识，跟他们一起参加演出。这是在北京的一个小剧场，终于可以跟自己喜爱的歌手近距离相处，李亚鹏心情愉快。在昏暗的灯光下，他看到了一个个子高挑的女孩子，她独自坐在一个角落里，神情有些落寞。李亚鹏问朋友这是谁，朋友告诉他，这个女孩子就是乐队主唱窦唯的女友、香港歌手王菲。李亚鹏试着跟她聊了两句，他以为这个香港歌手一定是满嘴的港台腔，却不料她一开口，竟是一口纯正的北京话。她告诉满脸惊讶的李亚鹏，她是地道的北京人，在北京读完了中学，而后才随父母去香港。初到香港，她进入新艺宝唱片公司，公司给她起了个艺名王靖雯，可她说总有一天，她要把名字改回去。

李亚鹏发现，王菲实在是个令人匪夷所思的女孩子。跟朋友们谈天说地时，她兴高采烈，狂放热闹，谁都会被她的快乐所感染。而一旦安

静下来，她的神情里有种天然的静寂，幽怨逼人。他实在闹不懂，哪一个才是真实的王菲。

这次演出过后，李亚鹏再也没有见过王菲。而在私下里，他一直关注着这个特别的女孩。1993年，王菲的《执迷不悔》获得香港十大中文金曲奖、十大劲歌金曲奖。她的名字突然为人们所熟知，她的歌也一次次在大陆传唱。1994年，王菲第一次在香港举办了演唱会，据说，她的演唱会刷新了当时香港演唱会的两个历史纪录：新人演唱会场次最多、场上换改服装最少。很显然，王菲是想用歌声而不是包装赢得市场。与此同时，她在香港娱乐界树立了自己的特立独行和"另类"的作风，也当仁不让地成为华语歌坛的"天后"。就在这一年，她推出了专辑《胡思乱想》。远在北京的李亚鹏惊讶地发现，这个说到做到的女孩子果然把名字改了回来，依然叫王菲。他特意跑到街上去买了一张"王菲"的专辑，从心里感慨着这个女子的执著与坚定。

这段时间，李亚鹏也听朋友们说起窦唯和王菲，每个朋友都觉得，王菲实在是个奇特的女孩子。她放弃了香港的豪宅，回到北京，跟窦唯一起住在普通的四合院平房里。因为没有卫生间，她每天早起都自己端着痰盂到公用厕所去洗涮。1996年，王菲有了身孕。1997年1月，北京大雪纷飞，王菲生下了女儿窦靖童。生下了女儿后，王菲才与窦唯结了婚。身体康复后，她借香港的"唱游大世界演唱会"复出，妆面怪异，服饰奇特。在浓妆重饰的掩饰下，她在台上面无表情地冷冷地唱着，谁也看不清她的脸，更看不清她浓妆之下忧伤而又热烈的心。

果然，不过一年，王菲与窦唯的婚姻就出现了危机。1999年夏天，像当年轰轰烈烈的结婚一样，他们轰轰烈烈地离了婚。而在这个过程中，王菲却始终一言不发，她只是沉默着，任自己的心零落散乱。谁也猜不透这个冷面女子的内心究竟有着怎样的伤痛与不甘。女儿窦靖童被判给了王菲。一场旷世缠绵的爱情就此结束。

王菲离婚后，李亚鹏曾在一个朋友的聚会上见到了她。她也记起了旧友，开心地笑着，两个人聊了好久。这时的李亚鹏刚刚从中央戏剧学院毕业，进入影视圈不久，对于圈内的许多怪现象看不惯，一肚子的愤世嫉俗。与王菲聊天，他却觉得十分愉快，说起来，王菲算是他的"前辈"了，在娱乐团浸染了多年，但奇怪的是，她竟然保持着难得的纯真

与直率。最令他难忘的就是她的口音，要知道，许多根本没去过香港的演员还要捏着嗓子学港台腔，而她在香港生活多年，却始终说着一口地道的京片子。这一口标准的普通话让李亚鹏理解了王菲，看到了她内心永远属于自己的珍贵的东西。

撩起她的额发，"天后"
是个需人疼爱的小女子

此后，作为好朋友，他们经常通通电话，王菲回到北京时，李亚鹏也会与一帮朋友一起给她接风洗尘。在越来越多的交往中，他们发现了双方有许多相似的东西，他们在平静的外表之下都有着如火的热情，都渴望着一份永恒与久远的感情。

2000 年，王菲与香港歌手谢霆锋开始了新的恋情。在众人面前，王菲像个大姐姐，牵着谢霆锋的手。她神采飞扬，张扬着她一如既往的自信。是啊，与一个比自己年龄小十岁的男人相爱，即使是天后，也需要超乎寻常的勇气啊。只可惜，王菲与谢霆锋的感情几起几伏之后，这对"姐弟"之间的如火恋情显然已经热度不再了。

而这时的李亚鹏也正处于感情的漩涡中，先是与瞿颖相爱，而后在拍摄电视剧《射雕英雄传》时与周迅传出绯闻。电视剧拍完了，他与周迅的感情也结束了。

2003 年 8 月 8 日，王菲的生日，她想照例回到北京过。她给北京的好朋友们打了电话，约他们一起庆祝生日。她特别记得给李亚鹏打了个电话，李亚鹏接到王菲的电话，非常高兴。他一直希望有一个机会向多年的旧友表达挚情，于是他真诚地对王菲说："我来为你庆祝生日吧。"王菲笑了："为什么呢？"李亚鹏说："你到北京来，我是地主啊！"王菲爽快地同意了。李亚鹏很喜欢她的直爽和率真，从不扭捏作态，从不故弄玄虚，有一说一，敢作敢当，也从不隐讳自己的年龄。她的冷傲不是假装的，而是与生俱来的。这大概也就是王菲在歌坛一直屹立不倒的理由之一吧。

王菲生日那天，恰好因为拍摄《大城小事》留在上海，北京的朋友们依约赶到上海陆家嘴的浦东浦景大酒店，为她庆祝生日。为了避免引起不必要的麻烦，李亚鹏早早就赶到酒店预订了包房。等王菲一行到了

酒店，他早已把一切都安排妥帖了。王菲感动着朋友的细心，举杯向李亚鹏表示谢意。她难得有这样与朋友们在一起畅快无忌的时光，只有在这样的场合，她才可以放浪形骸，无所顾忌。这时的王菲，有着一份孩子般的天真烂漫。她的头发散乱地披了下来，就让它那样乱着，不去理睬。李亚鹏看得呆住了，他可从来没有见过王菲如此家常而随和的一面，原来放下了明星的完美面具，她只是一个如此真实如此平常亲切的小女人啊。而在他心目中，这样的女人才是最可爱最珍贵的。

情不自禁的，李亚鹏伸出手去，帮王菲把额前的一绺乱发整理了一下，王菲呆了一下，不由得满面绯红，这充满怜爱的举动让她感动不已。多少年来，她作为"天后"高高地站在舞台上，以怪异的妆容和奇装异服掩盖着内心的落寞。如果可以选择的话，她其实只想做一个被人疼爱的平常的女子而已。她不是个为了成功可以不顾一切的女人，她曾对朋友说过："我只是歌唱得不错，又赶上了好时代，是个幸运的人而已。"有人曾劝她借歌唱之势在演艺界发展。她清醒地说："上帝是公平的，他赐予了你这方面的才华，在另外一方面就可能不会眷顾你了。我不想强迫自己，勉为其难。"

李亚鹏轻轻为她撩起额发，触动了她心底里最强烈的渴望，那就是真真实实地做个平凡的女人，做个被人疼爱的女人。

看着王菲绯红的脸，李亚鹏也心动不已。

那天的生日宴会后，李亚鹏与王菲之间有了一种秘而不宣的隐隐的牵挂。

每到节日或假期，王菲和李亚鹏都要互通电话，或发短信。李亚鹏知道王菲特别喜欢看短信笑话，就四处搜集，然后发给王菲。王菲有时看得笑不可支，再打电话骂李亚鹏："笑死了我你得负责任的！"

在后来的短信交流中，他们开始谈论到感情。这时王菲已经与谢霆锋正式分手，她开始期待一份更为成熟的爱情。这时的王菲是快乐的，在工作中，她时常会把李亚鹏发给她的短信给助理看，而后抿着嘴幸福地笑。

王菲的工作在香港，女儿留在北京，李亚鹏时常跟照料靖童的窦琴联系，关切地询问靖童的生活和教育情况，也时常抽空去看望靖童。靖童很喜欢这个叔叔并告诉了妈妈，王菲自然也是开心不已。

我的家在北京，
且让这段爱情恣意成长

2003年12月，在上海拍片的王菲患了重感冒，卧病在床，李亚鹏听说这个消息，马上赶到上海，衣不解带地照料王菲。病中不施粉黛的王菲，素面朝天，楚楚可怜，李亚鹏更是怜惜不已。他决心要用最真挚的爱情抚慰眼前这个洗净铅华后清淡若菊的平凡女子。

李亚鹏无微不至的照料也令王菲感动至深。病愈之后，他们成为无话不谈的好友，而彼此间的惺惺相惜也与日俱增。与李亚鹏在一起，王菲感到自在而快乐。而表面上前卫而冷艳的王菲其实在骨子里是个传统的女人，她渴望能拥有一份真挚而长久的爱情，而不是一段供人娱乐的绯闻。

有了爱情滋润的王菲整个人都快乐了起来。从前，她面对媒体总是我行我素，口无遮拦。在她心情不好的时候，如果有记者问起她不开心的事，她会冷面冷言："关你什么事？"而现在人们发现，王菲的脾气出人意料地好起来。在一个记者会上，有人问她："如果有一天走下坡路了，该怎么办？"王菲好脾气地说："真的有那么一天到来我也不会觉得意外，甚至在某种程度上我渴望着那个时候的到来。其实我渴望过稳定的生活，过普普通通的生活，现在也许完全实现不了，但我是这样期望的。"

岁月荡尽了这位"天后"身上的冷傲与乖张，历尽繁华过后，她只想一种普普通通的生活了。而这种普普通通的生活，是李亚鹏那只怜香惜玉的手提示给她的。

王菲与李亚鹏开始约会，他们戴着墨镜去逛街，遇到喜欢的东西，王菲却不敢停下来问一声，因为一旦停留，马上会有人认出她来，围过来让她签名。李亚鹏看到了王菲的无奈，他没说什么。第二天，他把王菲喜欢的东西送到她手上，王菲喜出望外："你怎么知道我想要？"李亚鹏笑而不答。对于恋爱中的人来说，心有灵犀是无法解释的。

2004年春节，王菲和李亚鹏在北京度过，他们没有打扰朋友，只是静静地在朋友的酒吧里相聚，执手相看，安然地享受着这份难得的安宁。春节过后，王菲回到香港，而李亚鹏留在北京，他们依然还是通过电话和短信传情达意。这期间，他们谈论最多的一个问题是，将来他们是住在北京还是香港。李亚鹏明白地告诉王菲，他去过香港，觉得有点水土不服，他还是喜欢北京。可谁都知道，王菲的事业在香港，她不可能完全住在北京。

2004 年 6 月，王菲将在西安举行演唱会。李亚鹏当时正在拍摄武侠戏《天下第一》，但他答应王菲，他一定会抽时间赶到西安，为她捧场。王菲把李亚鹏安排在第三排的贵宾席上。演唱会之前，王菲感到前所未有的紧张和激动，这是她第一次想要唱歌给一个人听，她盼望着自己能有最好的状态，唱出最美的歌。

但就在演唱会之前，她的助手告诉她，李亚鹏打来电话，说他拍戏时腿部受了伤，不能来看她的演唱会了。王菲的心情一下子差极了。她情绪低落地准备上场，整个人却打不起精神来。她的助手和演出经理们急得不行，他们深知王菲的情绪化作风，每个人都为她捏着一把汗，生怕她出什么意外。

但王菲毕竟不是早年的那个轻狂少女，她明白自己对于观众的责任。准备好了以后，她神态自若地出场，她的华丽造型和清澈嗓音赢得了阵阵掌声。一首歌罢，王菲到后台换装。她的助手迎上来，兴奋地告诉她，刚才李亚鹏打电话来，他已经到了，坐在普通观众席上。王菲喜出望外，她简直就是像小鸟一样飞上台去的，对着台下的情人，她倾尽心力地唱着，她华丽的声音欢快明亮，直冲云霄，宛若天籁，绕梁不绝。她沉浸其中，陶醉不已。这是她第一次为爱情歌唱！后来一个演出经理评价说，这是王菲近年来状态最好的一场演唱会。

演唱会结束后，王菲迫不及待地想见到李亚鹏。而主办方安排了庆功会，按照合约她是必须出席的。在一个小时的庆功会上，王菲心不在焉。凌晨时分，庆功会结束了，王菲急忙赶往李亚鹏和朋友们为她安排的酒店。王菲洗去了舞台上的妆容，一身宁静的素服，淡扫蛾眉，谁能看得出，这就是刚刚在台上风光无限的"天后"？

演唱会是极消耗体力的，王菲却丝毫不觉得疲倦。凌晨 5 点，她和李亚鹏悄悄地溜出酒店，酒店的服务员看见，一身休闲服的王菲挽着李亚鹏的胳膊，一直不停地说笑着，在媒体和观众眼里一向冷若冰霜的王菲，小鸟依人一般，就是个普通的恋爱中的小女人。

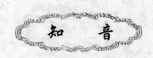

知　音

西安演唱会后，王菲和李亚鹏同住在了北京李亚鹏的丽高王府的住宅。

2004年7月，王菲从香港回到北京，为她8月在北京举行的演唱会做宣传。李亚鹏亲自到机场迎接王菲，并送她回到丽高王府。一路上，李亚鹏亲热地搂着王菲的肩膀。看着身边这个笑容如同阳光般灿烂的男子，王菲真的如沐春风。

对于王菲来说，北京真的是家，而现在，这个家里有了牵挂的人，就更为亲切了。

8月8日，是王菲的生日，李亚鹏建议去云南丽江，那是个清静的地方，也是个培育爱情的地方。他们在一个熟悉的酒吧里跟朋友一起喝着酒，聊着天。在这个世外桃源，没有人认识她，也没有人找她签名，她轻松极了，也快乐极了。他们发现，他们真的很喜欢，也很享受这种平淡的生活。她和李亚鹏再次谈起了住在北京还是香港的问题，他们很快就有了答案。

不久，在一个记者招待会上，王菲告诉记者："对于我来说，香港是办公室，北京才是家。"

美丽杜丽："有待补充"的爱情与人生

刘建翎

2004 年 8 月 14 日，希腊雅典时间 11 时 40 分，马可波罗射击场。年仅 22 岁的中国山东淄博姑娘杜丽，以无比沉稳的潇洒一枪打响了中国军团第 28 届奥林匹克运动会首金辉煌，雅典的上空，第一次奏响的是中华人民共和国国歌。

国际奥委会主席罗格亲自为杜丽颁奖，他微笑着对眼前的中国女孩说："现在，我也是你的射击迷。"全场掌声雷动，来自世界各地不同肤色的观众由衷地为杜丽喝彩。

而中国女孩杜丽的心中，正牵挂着她远在中国山东的父母，他们还好吗？

"丽质"天成，逃不掉的女孩选择坚持

雅典首金是杜丽一点一点，海底捞月硬给"抓"回来的，而作为夺金英雄的杜丽当初同样是被教练们一次次"抓"回来的。在她不到 10 年的射击生涯，杜丽却当过几次"逃兵"。如果不是教练们的慧眼和坚定，这枚金牌也许就"溜"走了。

1995 年初夏，13 岁的杜丽进入山东淄博市沂源县骊山中学。

一天，学校的体育课上来了一位陌生的老师，他教给同学们一个动作：单脚着地，把一只脚搁在另一条腿的小腿上，两臂水平伸展，金鸡独立。这个动作一般同学只能保持几秒钟，瘦弱的小杜丽站了 5 分钟还纹丝不动，显得非常轻松。老师的眼中是喜悦的光芒，他是沂源县体校射击教练周士兵，身体平衡感绝佳的杜丽让他眼睛一亮。接下来的测试，杜丽的裸眼视力达到了 2.0，眼前的女孩绝对是块射击的好料，周士兵不由得兴奋起来，如获至宝。他告诉杜丽，他决定让她跟随自己去体校，学习射击。

知 音

杜丽特意去问父亲杜兆祥："射击是干什么的？"杜兆祥有点儿摸不着头脑，只好随口答道："打枪的呗。"

这下可有机会摸枪了。杜丽拼命压抑着内心的喜悦，自己一个人拿了主意，她瞒着父母，跟随周老师到沂源县体校开始练习射击。看到各式各样的枪，杜丽兴奋无比，对射击台和种种器具也备感新奇，忍不住就要摆弄一下，看在眼里的教练直想发笑。

第一次打靶就印证了周士兵的眼光，杜丽五发子弹都打到了白纸做成的靶上。根据杜丽的身体条件，周士兵给她选定了步枪。不过又瘦又小的杜丽，看起来根本不像运动员，十几斤的枪别说举了，连拿都很费劲。大夏天也要裹着那身厚厚的射击服，浑身上下都被汗水浸泡透了，杜丽在训练场上接连晕倒了好几回。杜丽最初的热情在逐渐削弱。没过多久，周士兵带她去打比赛，比赛的成绩不是很理想，赛后杜丽突然失踪了。可没过几天，失踪的杜丽又自己回来了，原因很简单，她的手又痒了，还是想打枪。

不过从此之后，"逃跑"似乎成了杜丽的一个老毛病。1996年7月，杜丽被选进了淄博市体校。先前杜丽一直都是业余训练。而这种全天候的训练感觉尤为枯燥，杜丽又筹划着"出逃"了。

趁着教练不注意，杜丽跑出了体校，可一出体校的大门，平时聪明伶俐的杜丽竟然忘了回家的路。她一个人在路上乱转着，不一会儿就被教练抓了回来。

但教练百密终有一疏，在市体校练了两个月后，杜丽的第二次逃跑终于"得逞"，这一次她真的跑回了家。看着浑身上下长满痱子的女儿，母亲齐元珍无比心疼："闺女，咱别练什么射击了，咱还是好好学习吧，长大考个好大学就行了。"听说女儿跑了回来，杜兆祥回家来看望她，一向不苟言笑的杜兆祥少有地和女儿开起了玩笑："闺女，你这可有点不像咱老杜家的性格呀，我的闺女啥时候也变得这么娇气了？咱老杜家的人可从来没有当过逃兵啊！"

父亲半是玩笑半是认真的话刺激了杜丽，她自己回到了县体校当杜丽被县体校的老师送回市体校时，市体校带杜丽的张玉梅教练正心急如焚，她一看见杜丽就一把把她揽在怀里说："这么好一棵苗子怎么能说跑就跑，你再跑，我可真要拿锁链把你锁起来啦。"

　　三番两次逃跑可结果都一样，杜丽渐渐明白，自己真的已经对射击产生了感情。重新回到市体校，她训练倍加自觉、刻苦，而有了良好的训练基础，她的能力飞速提升，逐渐显示出一个优秀枪手的锐利锋芒。而作为女孩，杜丽同时体现出了山东女孩的身材特征，个子一个劲地见长。对射击而言，个子越高意味着重心调整难度越大，稳定性相对也会降低。杜丽身高长到1.67米的时候，教练有点急了，半开玩笑地对杜丽说："你要是再长高，我把你送去打篮球了。"但结果杜丽还是不依不饶，个头又向上蹿了3公分，直长到了1.70米，成为射击队里身材最高的女孩。直到进了国家队，她也一直是鹤立鸡群的一个。

元帅"钦点"，搭上末班车直冲奥运

　　1998年底，16岁的杜丽入选省队。2001年，杜丽担负起了重任，代表山东参加九运会，恰恰正是这届全运会改写了杜丽的命运。

　　九运会上，杜丽进入女子10米气步枪的决赛，最终名列第八对第一次参加大赛的新人来说，这是个非常好的起点，但在杜丽的眼中更多的却是差距。恰在此时，一个人发现了杜丽，这个人就是在现场观战的国家射击队总教练许海峰。杜丽身上良好的比赛气质，特别是关键时刻敢于拼搏、勇于发挥自己的精神，让许海峰眼前一亮。

　　机会很快来到杜丽身边。全运会结束后射击队冬训，一名天津籍队员受伤，刚好空出一个名额，许海峰当即拍板，让杜丽速到国家队报到。

　　入选国家队是多少运动员梦寐以求的，而得到许海峰的垂青"钦点"，更意味着已经成功了一半。但这个意外的惊喜，非但没有让杜丽欣喜若狂，反倒是让她发起了愁。

　　"别人想去都没有机会，你怎么不愿意去，难道这不是你一直盼望的吗？"母亲齐元珍有点疑惑地问女儿。19岁的杜丽还像个孩子，她在妈妈面前哭了。她刚刚才熟悉省队，又马上要去一个陌生的环境，杜丽不想"挪窝"。而她心底里更为隐秘的想法是，去了国家队，就要和包括王义夫、陶璐娜等一批奥运冠军、世界名将并肩训练，她已经感受到了那种巨大压力：周围都是大腕、明星、会让人感到自己的水平变低了。假如短时间内打不出来，打上几年被退回来怎么办？

齐元珍明白，这次决不能让女儿在"原则问题"面前犯糊涂了，她赶紧给带过杜丽的几位教练打电话，让他们劝劝女儿，打消她的顾虑。几位教练轮番给杜丽打电话，一个劲地对她说："不想当将军的士兵不是好士兵，没想过拿金牌的运动员也肯定成不了大器，你就一直窝在这里，怎么能知道自己究竟是只丑小鸭还是只白天鹅？是金子在哪儿都闪光，不是那块料，搁哪儿都不顶用。"教练们劈头盖脸的一通话，让杜丽彻底清醒了，她的倔劲儿上来了：我一定要去试试，要让大家看看，我究竟是不是块金子！

国家队的竞争十分激烈，尤其像射击队这样一个历史和光荣同样悠久的金牌团体。作为全队中年龄最小的一个，一开始杜丽对这个新环境的确很不适应。除了那个全运会第八名，全国比赛她还没什么成绩，虽然有所准备，但面对那些身负世界冠军头衔的明星队员，杜丽还是感觉自己好像差了很多，没有自信。对国家队，杜丽甚至产生了一种反感。

或多或少的，明星队员们起初似乎有点轻视这个新来的"小不点"，清理卫生、打扫房间这些零活，一股脑儿都交给她来做。天天如此，杜丽不干了。她找到自己在国家队的教练王跃舫反映问题。面对一肚子委屈的杜丽，王跃舫笑着开导她："如果有人要'刁难'你，那是嫉妒你，因为你年轻，因为你有水平，更因为你未来的发展潜力比她们大而你要做的，就是在比赛中把这些都最充分地展现出来！"

教练的一席话更加激发出了杜丽心底的斗志。亲自把杜丽招到国家队的许海峰，也一直关注着杜丽的成长，嘴上不说但他心中有数。芬兰世锦赛前夜，杜丽第一次代表国家队出国参加大赛，许海峰找她谈心，结果杜丽大放异彩，一举夺得女子气步枪团体冠军和个人亚军，并为中国夺得了一张雅典奥运会的入场券。紧接着的釜山亚运会，她又获得女子气步枪团体，女子步枪 3×20 个人和团体三枚金牌。

杜丽以自己雄厚的实力和优异的成绩征服了对手，也赢得了队友的尊重，同时也让妈妈放了心。齐元珍坚持认为，假如杜丽没有摸枪，肯定能考上大学。2002 年的亚运会后，齐元珍真正知道了女儿的"厉害"："我觉着闺女的选择是对的，这下才算是真正放了心了。"

2002 年的两大赛事为杜丽赢得了在国家队稳固的地位，2003 年的一系列比赛让她如日中天。6 月，克罗地亚世界杯两破世界纪录；10 月，世界杯总决赛个人亚军，杜丽在射击界引起了众目关注。但这些还不能确保她就此走向雅典，国内奥运会选拔赛竞争的残酷丝毫不比奥运会差。奥运选拔赛刚开始的一段时间，杜丽还真有点顶不住，她的身体状况大不如前，一场比赛打下来全身如虚脱一样，成绩也只排在中下游。

带了杜丽整整四年的山东省队教练王德文，特地赶到北京去探望爱徒，她见杜丽的状态不好，看在眼里，急在心上，她太了解自己的弟子了。她对杜丽说："人家赵颖慧、王娴、王成意都是参加过上届奥运会的高手，你肯定打不过她们，只要正常发挥也就行了。下次我不看你了，去看你的师妹。"

杜丽的泪水在眼眶里打转，不服输的姑娘又一次和自己较上了劲，一场场拼下来，最后她以高出第 2 名赵颖慧 6.2 环的成绩夺冠，确定了进军雅典的资格。

进国家队以来杜丽第一次流下泪水，激将法又一次奏效了。而赛后王德文也偷偷哭了，她知道杜丽承受着多大的压力！而经过了这次历练，她知道，即便到了奥运会，到了那个决定性的时刻，再大的压力也压不垮杜丽了。

惊艳一枪，沉静下来
的人生"有待补充"

射击运动员大多喜静不喜动，但杜丽平时却很活跃，胆大心细，性格开朗，是射击队里的一枚开心果，不仅和师姐妹的关系不错，和师兄弟们也能打成一片，杨凌、谭宗亮等人和她之间总有开不完的玩笑。喜怒很容易在她脸上表现出来，完全就是个"没心没肺"的傻丫头。

杜丽的爱美也是射击队里有名的，直直的秀发配着前额的刘海，是她为自己设计的发型。为了防止比赛中长发垂下遮住视线，她又特地别上两个好看的小发卡。

跟所有年轻的女孩子一样，杜丽喜欢时尚的东西。射击队难得的假期，她脱掉厚重的射击服，换上自己特意挑选的时装出去逛街，这是她最惬意的事情，也是她最大的嗜好。女友和她逛过一次街，对她的"购物癖"就会有所领教：杜丽简直就是一个疯子、一个购物狂，她太能买东西了。同样号称"购物狂"、与杜丽同宿舍的赵颖慧，看到她大包小

包提回的一大堆东西，也是自叹不如。

　　杜丽爱美甚至到了有点"臭美"的地步。去年的世界杯赛后的几天假期里，她突然生出一个"灵感"，把自己的丹凤眼做成双眼皮。结果归队之后，大家一时没看出来，只是奇怪：杜丽怎么变得更漂亮了。脸上的美丽是有目共睹的，而训练的痛苦只有她自己知道。

　　带着刚刚做过"双眼皮"的好看的面孔和长满了茧子的不好看的手，杜丽进军雅典。

　　2004 年 8 月 14 日，希腊雅典时间 11 时 40 分，女子 10 米气步枪的决赛打响。现场一片紧张，而远在中国的杜家，也是高朋满座，许多亲友特地赶到杜家，来观看这场对于他们来说至关重要的比赛。8 月 14 日这天，沂源县公安局家属院的杜兆祥家，一下涌进了从地方到中央近 20 家的新闻媒体。媒体都是冲着中国奥运第一金来的，小小的屋子里人头攒动，被挤得满满当当。而母亲齐元珍早早就包好了水饺，亲友们发现，这是杜丽最馋的韭菜肉馅饺子，她在家的时候，一人就能吃一锅呢。

　　比赛现场的气氛越来越紧张，杜丽家里的每一个人也都紧张得透不过气来了。最后的一枪，杜丽举枪、瞄准，扣动扳机的手如箭在弦上，子弹却久久没有击发。最关键的时刻，她和俄罗斯人比起了中国太极功夫。此前总是等在杜丽击发后才出手的加尔合娜，终于按捺不住，先行击发。她的手微微一颤，9. 7 环，主动权回到之前落后 0. 4 环的杜丽身上。

　　杜丽出手，干净漂亮，清脆一响，10. 6 环！真是惊绝一伦啊，雅典首金属于中国！瞬时之间，齐元珍从沙发上蹦了起来。亲友们也围上来，向他们表示祝贺。齐元珍像做梦一样，饱含欣慰的泪水，激动得有点语无伦次了。远在雅典的杜丽被记者们包围起来，有记者问她有没有给家里打过电话，杜丽说："我没有手机啊！"一个记者急忙把手机递给她，她打通了家里的电话，她大声地对妈妈说："妈妈，是我，是金牌！"齐元珍听到女儿的声音，才回过神来，她轻轻唤了一声"闺女"，就泪如雨下了。齐元珍告诉杜丽，家里准备好了水饺，等着她回来庆功。杜丽在场上的沉静全然消失，她用山东话高声叫着："水饺，是吗，太好了！妈，我想、我要吃你包的饺子！"

知　音

稍后的颁奖仪式上，奥委会主席罗格亲自为杜丽颁奖，他微笑着对眼前的中国女孩说："现在，我也是你的射击迷。"一位中国男记者甚至忘了本职工作，情不自禁地扯开嗓子直喊，杜丽，我爱你！全场掌声雷动，来自世界各地不同肤色的观众由衷地为杜丽喝彩：中国女孩，美丽！中国女孩，美丽！

8月18日，首批金牌获得者载誉归来，刚出首都机场，杜丽就被一大批人团团围住。人们纷纷请奥运冠军签名、合影，杜丽微笑着——配合。

杜丽决定把获得的奖金全部都给妈妈，还要好好地孝顺一下姥姥和姥爷。她对妈妈说："放下枪的那一刻，我就知道，一切都结束了。站在领奖台上，我已经平静下来，因为我已经高兴过了，激动过了，这就过去了。生活还要继续，我还是要做我自己该做的事。奥运会冠军，这是个新的起点，我相信更精彩的还在后面。"站在一旁的王义夫笑着说："我感觉你比我表现得还成熟，更像是老枪。"

在场的记者问起她择偶的标准，她笑了："身材要足够高大；心胸要足够宽阔，要无条件地支持我的事业；人要足够幽默，在我感觉不开心的时候，能用最短的时间把我重新逗乐。至于其他的，"她顽皮地说，"还有待补充。"

我们相信，她"有待补充"的人生定然有着另一番灿烂与辉煌。

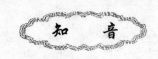

倪萍：相夫教子的日子一样红红火火

川叶

在荧屏上风光无限的倪萍放下主持人的话筒后，回到家中就是一个普通的家庭主妇了。这位把事业经营得红红火火的女人，把家庭也操持得温馨和睦，使十几口人的大家庭的日子过得有滋有味。倪萍成功地扮演了人生所赋予她的每一个角色，对于那些既要事业又要家庭的女人，倪萍成功的人生模式永远是她们的向往。

迟到的幸福一样的温馨

1959 年，倪萍出生在山东一个普通人家，由于遭遇母亲的婚变，她从小在姥姥身边长大。倪萍所受的教育是很传统的，13 岁时，倪萍离开家上艺校的那天，母亲把她叫到自己的房间，警告般地对倪萍说："要是和男人在屋里说话，一定要坐在门口，一定不要关门。"也许这样的家教制约着倪萍的情感，因此，她视感情为神圣的，渴望拥有美好的爱情，想用自己的幸福给受伤的母亲一丝安慰，让母亲相信这个世界上还有很多好男人。

倪萍骨子里的感情是高贵的。参加工作那年，倪萍遇到了一个心仪的男人。匆匆走进婚姻后，却不是她想象的那样美好，婚姻不但没有给她那颗孤独的心带来抚慰，相反，巨大的失落使倪萍不得不考虑她选择的对与错。面对世俗的眼光和偏见，自小就遗传了姥姥坚强性格的倪萍走出了这桩婚姻。

离婚后的倪萍对生活的激情和渴望使她保持乐观向上的精神。28 岁那年，演过话剧、演过电影的倪萍在经历了婚姻和种种生活磨难之后，迎来了命运的转折点，她走进了中央电视台，担任《综艺大观》主持人。倪萍最初的想法是，只要自己一走进电视，远在山东的姥姥和母亲就能看到自己。也许是受姥姥的影响，倪萍在电视上给人有种与生俱来

的亲和力，她的主持打动着亿万观众，人气一路直升，成为央视的名牌主持人。

事业上的红红火火给孤独中的倪萍带来了慰藉。在经历了痛苦、孤独、徘徊、寻找、思考的重重过程后，已接近不惑之年的倪萍终于等来了属于她生命中的那份情感，等来了一个给她带来幸福的男人王文澜。

倪萍和王文澜早在十几年前就相识。当时还默默无闻的倪萍去北大一位朋友家串门，遇上朋友的弟弟、《中国日报》摄影记者王文澜。互相打个招呼后，都没太在意。萍水相逢的一次相识后，两人又进入各自的生活轨迹。十几年间，倪萍的事业如火如荼地发展起来了，王文澜也成为《中国日报》摄影部主任。1996年，在一个特殊场合，倪萍和王文澜再次意外地碰上了，一番长聊后，两人竟强烈地感觉其实一直要寻找的人就在眼前。十几年的时光，对他们来说，是感情和生命的浪费。

相识很早，牵手却晚。1997年，倪萍的书《日子》出版，发行100多万册，成为出版界的神话。在喜悦的带动之下，倪萍和王文澜步入了婚姻的殿堂。婚后的倪萍彻底离开了《综艺大观》，渐渐淡出了主持人的位子，用精力和时间来经营这个她生命中迟来的小家庭。

做母亲一直是倪萍的心愿。婚后不久，倪萍怀孕了，知道这个喜讯时，倪萍内心非常激动，"母亲"这个神圣而亲切的称呼终于在她身上实现了。人到中年的倪萍精心呵护腹中的胎儿。1999年2月，儿子出生了，因为独生子属虎，倪萍夫妇给儿子起名虎子。

有了儿子，倪萍暂时放弃了荧屏前的风光，转入幕后做贤妻良母。她像所有刚做母亲的女人一样，为儿子喂牛奶，半夜起来为儿子换尿布，听到儿子的哭声，抱着独生子满屋子转悠，直到把儿子逗笑。

一次，一位记者问倪萍，家庭和事业在她心目中谁最重要时，倪萍坦然地说，我觉得一个女人仅仅事业上成功了那是一半的成功，有一个完美的家，做一个好女儿、好妻子和母亲，处理好与家庭每一个成员的关系，这才是一个女人的全部成功。

也许受姥姥和母亲的影响，倪萍特别重视亲情。婚后，她接替了母亲的位置，把一个大家庭的中心移到了北京。有姥姥、母亲、表妹、侄女等，在这些成员以及丈夫、儿子、保姆组成的大家庭里，经营家庭的重任就落在了倪萍身上。

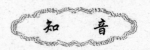

　　九十高龄的姥姥和年龄最小的儿子是倪萍家庭的中心成员。每天下班回家后，倪萍先去姥姥房间问候姥姥，说几句开心的话给姥姥听。然后，就在姥姥的床上躺着。姥姥年纪大了，喜欢唠一唠过去的事，虽然那些往事不知重复过多少次，但姥姥讲起来有滋有味。倪萍听着听着，就拿起一沓报纸，一边看一边假装和姥姥唠嗑。紧接着，丈夫，儿子发现她这个目标纷纷围过来，姥姥脸上的表情是幸福和慈祥的。

　　儿子时时放在倪萍心坎上，也是倪萍生命中最亮丽的阳光。儿子每一天的生活她都亲力亲为。母亲看到倪萍太累，对女儿说，把孩子交给我和保姆带吧，你去忙你的。倪萍说，孩子在三岁之前，应该由我来照顾他，这对他才是公平的。

扮演好每一个角色也是一种幸福的体验

　　就在倪萍全心沉浸在贤妻良母角色中时，许多观众给倪萍写信，有的信还直截了当："人家女人都做母亲，也没有你这么认真，除了丈夫和孩子什么都放弃，这么长时间不上电视，太对不住观众了……"台里一些同事朋友见到倪萍也委婉地说："你还任意让自己这么胖下去，那不是毁了自己！"

　　一次，好友牛群来到倪萍家，想为她这位名人拍几张照片。一见面，牛群惊讶地说，你怎么胖成这样，你还干不干主持人？同事、朋友的提醒使倪萍本来平静的心又起波澜，那些日子，倪萍一遍遍问自己，我该不该重新走出来。倪萍迷惑时，试图从丈夫那儿寻找一些答案，丈夫说，你不能停顿太久，观众需要你。

　　2001 年，倪萍的儿子两岁多了，倪萍又回到了荧屏，重新站在摄像机前，倪萍最想做的一档节目叫《父亲母亲》。有了儿子的日子，她对父亲母亲这两个角色的内涵体会太深了。

　　倪萍的姥姥、母亲到她，经历了抗战、文革和改革开放三个不同的年代，而这个过程中，历史赋予了每个人的命运，婚姻，更深地透射出人生的酸甜苦辣。倪萍把握住了机遇和幸福，她获取了成功的人生。倪萍又想把这个主题做成纪录片。后来，经过选择，她做《聊天》这档节目。在荧屏上这么多年，她需要与观众之间相互沟通和传递，挖掘和寻找普通人内心世界的真实感受，这样不仅离观众近，也完善着自己作为

主持人、作为妻子、母亲的角色。

倪萍和丈夫王文澜牵手太晚了，失去了太多的时间，她双休日尽量不安排工作，一家人睡个懒觉。起床后，倪萍上街买菜，她和丈夫牵着儿子边挑菜边逗着儿子。回家后，倪萍围上围裙，在厨房操持，一大家人在一起吃着。吃完饭，倪萍就陪丈夫听听音乐或者看看书，和儿子一起做做游戏。

倪萍和丈夫属于情趣相投的一对，她经常和丈夫参加一些大型的博览会、音乐会、画展等有意义的活动。回到家后，两人还津津乐道地交换一下意见，用这种方式沟通感情是倪萍特别欣赏的，有时丈夫谈出自己的观点竟和倪萍惊人的一致。

倪萍在家中是做家务的能手，打扫卫生、收拾房间她很讲究。作为家中女主人的她是根据每人不同的特点来布置房间的，姥姥的房间就放上了姥姥最合适的和最喜欢的东西。孩子的房间是充满童趣和新鲜的。她认为生活环境好了，一家人的心情就好了。

除了布置一个温馨的家，倪萍的巧手也是在圈内出了名的。她有一个外号叫"科学家"。倪萍说，有一次，她家保姆把菜炒咸了，她安慰保姆说，不要紧，立即走进厨房，上灶台左右开弓，大家再吃时觉得咸淡合适，大赞她的手艺好。类似的事发生过多次，保姆因此说她是个"科学家"。

自小她做的烙饼无论甜的、咸的、奶油酥的、葱花酥的都是一绝，轻轻抖开，每一张居然能分成薄薄的、大小相等的四张。除了烙饼，倪萍会蒸大个儿发面包子，薄皮大馅，非常精致。每天早晨，倪萍起床做早餐。她喜欢用传统的方式做包子，用玉米叶托着。因为玉米叶吸水，蒸出来的包子是干的，且有韧性和弹力。蒸好包子，倪萍就动手榨新鲜的豆浆。做完这一切后，大家纷纷起床了，倪萍就招待一家老小坐在餐厅里吃着可口的早餐，一家人其乐融融，开开心心。

一年忙忙碌碌的倪萍认为做家务不是她的负担，而是她的义务，也是她心灵的享受。倪萍主持《聊天》节目，那些家长里短、婆婆妈妈的事她有深深的体会，谈起孩子、家庭矛盾、夫妻之间、婆媳之间等等，聊起来就能把自己的思想和观点传达给观众，更具有亲和力了。

十几口人的大家庭里，倪萍是名人，是家里的女主人，更注重自己

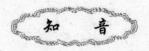

的亲和力。在家里，她从来不以名人自居，相反要颇费心思地去考虑家中每位成员的需要、休息时，倪萍亲自上街，为一家老小挑选衣服，一年四季，倪萍从不耽误。倪萍特别孝敬姥姥，带着老人吃遍了北京的一些大饭店。姥姥逢人便说，倪萍有孝心，我没有白活这一生。

倪萍经常带一家人外出度假。每次出门前，倪萍就把准备好的衣服让丈夫和儿子换上，自己再亲手给姥姥穿好衣服，叮嘱侄女、表妹、保姆穿得漂亮一点。大家打扮妥当了，倪萍才开始收拾自己。

倪萍最欣慰的时刻就是一家人生活在一起，老老少少说说心里话。她觉得老一辈用心血养育了她，而她又用心血养育下一代，这种传统的亲情是永远不灭的。

用心经营的事业和家庭是最成功的

倪萍一直自豪有一个好丈夫和聪明的儿子。在倪萍的家里，是慈父严母式的教育方式。儿子一直在倪萍身边长大，倪萍希望能给儿子最好的教育。在幼儿园里，虎子的身份被暴露。每当小朋友问虎子，你妈妈在哪里工作时，虎子就说，请看大屏幕。倪萍知道这些后，就问儿子，谁告诉你的？她不想让儿子过早知道妈妈是个名人，那样对孩子的成长不利。

倪萍主张让孩子自由成长，不要强化教育。儿子非常聪明，三岁就能认识1000多个汉字，阅读报纸，知识面很广，随口能说出中国的四大发明，甚至土星和火星的位置。王文澜是个音乐迷，儿子自小在充满音乐的环境中长大，潜移默化的影响，能准确地说出哪些音乐是柴可夫斯基的，哪些是斯特劳斯的，夫妇俩觉得这都不是强化教育出来的，让孩子自己去感受，也许比强化教育的效果更好。

2002年，倪萍为拍电影《美丽的大脚》，在宁夏生活了几个月，那地方非常艰苦，到后来，倪萍实在是太想念儿子，就让丈夫带着儿子去看她。在那个只有黄土和羊群的地方，儿子没有什么玩的，倪萍就给儿子一根棍子和一堆泥，儿子居然能快乐地玩上一上午。由于条件极其艰苦，大家劝她早让儿子回北京，倪萍说，我们做父母的总喜欢把孩子放在一个想象的空间里，其实孩子原本就特别需要亲近大自然。

儿子是倪萍生活中最大的快乐。小时候，儿子想吃冰箱里的巧克

力，就编一些故事对妈妈说："妈妈，我告诉你一个可怕的事情，那些巧克力会说话了，它们说，你把我吃了吧，你把我吃了吧！"倪萍觉得儿子用这种方式讲出他的需要非常可爱。她因此总结说：在儿子的生命中，巧克力永远比妈妈重要。

王文澜是一个平和的男人，虽然他是搞专业摄影的，但他很少为倪萍母子拍摄。倪萍也有烦恼不开心的时候，每当这时，丈夫会用平和的口气开导她。丈夫平和的心态是倪萍不开心时的最好良药，她常说，和这样的一个人生活怎么会不受影响呢？

荧屏上的倪萍成熟而稳健，生活中的倪萍也有小女子的一些想法。一次，倪萍问丈夫，我怎么就觉得，在你心中，音乐永远是第一，儿子是第二，我只是个第三的位置呢？又有一次，王文澜从美国买回了一些胶木唱片，对倪萍说，他要到朋友家里听有没有声音。看他急急的样子，倪萍答应了。那些唱片很老，而留声机放在地毯上，为了辨别声音，王文澜就趴在地上听。声音终于出来了，倪萍走过去看着丈夫，看到他听着听着热泪盈眶，丈夫是不轻易动感情的，但对音乐却是那样痴迷。这一幕深深地打动了倪萍。从那以后，倪萍更加尊重丈夫的选择。为了给丈夫一个宽松的空间，倪萍将家中最大的那间屋子做了书房，王文澜在里面搭了一个小床，经常享受在那个只有书和音乐的独立空间。

倪萍的日记中有这样一段话：有人说，一个事业成功的女人就已经成功了，我觉得事业上的成功还不算成功，有一个完美的家庭，做一个好女儿、好妻子和母亲这些角色都很重要。我每天都在追求鲜活的东西，与大家庭的每一个成员打交道，我不觉得是自己在付出。大家庭给了我一种最原始的，最没有遮挡的情感，这是生命里任何事都不能代替的……

曲云霞低调爱情：
世界冠军没有婚礼

方围

　　曲云霞，被誉为"最早震惊世界的中国径赛冠军"，"中国田径第一人"中国奥委会主席何振梁曾这样评价她："曲云霞的突破，是中国田径历史上的突破，揭开了中国田径史新的一页"曲云霞曾经作为辽宁省女子中长跑运动队队长与王军霞一起被并称为"马家军"的领军人物，震惊了整个世界田坛。由她打破的1500米世界纪录、与王军霞双双打破的3000米世界纪录，破国外媒体称为"田径史上令人震惊的功绩"而作为大名鼎鼎的风云人物，作为神秘的马家军中的一员，曲云霞的情感生活同样是神秘的，一向低调的曲云霞的爱情一直是人们心中的一个谜。

　　2004年5月，曲云霞夫妇在大连接受了本刊特约记者的采访，讲述了他们鲜为人知的爱情与婚姻。

"地下爱情"在长跑中历练成熟

　　曲云霞出生在大连市金州区得胜乡玉皇顶小山村小学时，她就显露出了长跑天才。进入中学后，她在金州区运动会上夺得了1500米和3000米的第一名1988年，刚刚被推荐到金州区体校试训3个月的曲云霞幸运地遇到了来金州体校选苗子的辽宁省女子中长跑运动队教练马俊仁，慧眼识珠的马指导一下子就选中了曲云霞。父母把家里的一头猪卖了，用卖猪的钱给女儿买了一双新运动鞋，曲云霞就这样进入了"马家军"。

　　1990年8月，在保加利亚普罗夫迪举行的第三届世界青年田径锦标赛上，首次参加世界大赛的曲云霞取得了1500米赛的冠军，震惊了东西方田坛，被称为"中国田径第一人"。在1992年巴塞罗那第25届奥运会上，曲云霞在1500米决赛中跑出了3分57秒8的好成绩，打破亚洲纪录，获一块银牌。一年后，在德国斯图加特世界田径锦标赛上，她又获得了 3000 米冠军，迎来了属于中国的第一块世界田径大赛长跑金牌。十几天后，在全国第七届运动会上，曲云霞以 3 分 50 秒 46 的成绩打破了前苏联名将卡赞金娜保持了 13 年之久的 1500 米世界纪录。随后，曲云霞和队友王军霞并驾齐驱，在 3000 米顶赛和决赛中双双打破世界纪录……

荣誉与光环接踵而至。一封封热情洋溢的信件飞到了马家军驻地，其中自然会有一些慕名的求爱者。可正值青春年华的曲云霞却紧闭着爱情的大门，每天繁重的训练也不适合爱情这根青藤的生长。每天早晨天一亮，训练就开始了，一跑就是三四十公里，一天下来筋疲力尽，什么心思都没有了。况且，作为队长的她必须起带头和表率作用，她要把整个身心部投入到训练中去，她心里牵挂的事只有一个，就是要以优异的成绩为祖国争光。

1995 年，田径队的教练常姐发现已经 24 岁的曲云霞整天埋头训练，极少接触男性，就让昔日战友——在沈阳司法部门政治部工作的郑姐，帮忙找一位合适的小伙子。不久，沉稳、英俊、干练的方雷闯入了她的视野。

方雷毕业于沈阳体育学院，读中学时就是校田径队的主力，径赛成绩不错，上大学后十分上进，担任过校学生会干部、系团支部书记。毕业后，方雷到公安系统当了一名人民警察，工作不久，他被抽调到单位的政治邮协助工作

郑姐把曲云霞的名字说了出来。方雷愣住了，他连说了几个不可能。那时，马家军如日中天，曲云霞的名字正蜚声国内外，自己怎么可能跟一个世界冠军谈恋爱呢？最后，在郑姐的热情撮合下，他同意"见一面"。

1995 年有的一天，常姐和郑姐陪同方雷，一行三人来到了位于大连的马家军训练基地。教练马俊仁得知他们到来的意图，热情地接待了他们，还让曲云霞和方雷单独见了面。

两人虽是第一次见面，却没有半点陌生，话题很多，聊得十分投机。当天晚上，方雷返回沈阳。曲云霞的质朴和诚实给他留下了深刻的印象。学识渊博、沉稳干练的方雷也给曲云霞留下了十分美好的印象。

她想，难道自己的感情生活就这样开始了吗？

　　曲云霞和方雷的感情生活真的就这样开始了。他们鸿雁传书，每周一封，还时常通电话。由于曲云霞训练的流动性大，方雷专门买了一个传呼机，当曲云霞想与方雷通话时，她就先给方雷发一个信息，方雷就会找电话给曲云霞回复，两颗相距遥远的心就这样越贴越近了。一个月以后，方雷再次到大连看望曲云霞，他们已是一对难舍难分的热恋中人了。那时，运动队里有许多"清规戒律"。如，不准涂脂抹粉，不准留长发，不准谈恋爱等等。尽管马指导已经同意老队员曲云霞"谈朋友"。可作为队长的曲云霞处处要做表率，以免因此而影响其他队友，因此，他们的交往不得不处于"地下状态"。方雷每次来大连都是偷偷的，他比曲云霞考虑得更多，压力也更大。他想，自己和曲云霞谈恋爱，如果曲云霞的成绩好，那没什么可讲的，可一旦曲云霞的成绩下去了，别人定会认为是他们谈恋爱而影响了曲云霞。为此，他们遵守队里的纪律要求，维持了长达两年多的"地下爱情"。

　　相隔两地，还得偷偷地恋爱，加之特殊的环境，他们不得不采取十分独特的约会方式。每逢曲云霞去外地训练，他们就想办法见上一面，为此．他们颇费脑筋。于是，公路上出现了这样的独特风景：曲云霞和队友们在公路上长跑训练，方雷就开着车，偷偷地跟在长跑队伍的后面看着曲云霞，到了驻地，曲云霞给方雷打传呼，方雷再把电话打过来，约好会面的地点。每次会面总是匆匆忙忙，到了运动员吃饭时间，曲云霞还得返回驻地吃饭（这是田径队严格的纪律）。方雷无奈地望着曲云霞的背影，依依不舍。

　　1995年冬，方雷以这种独特的方式陪伴曲云霞去了抚顺和盘锦。到了正月十五，曲云霞在瓦房店训练，方雷又偷偷去了。辽南的冬天特别寒冷，方雷独自走在寒风中，找了一家小旅店住了下来，焦急地盼望着曲云霞打来传呼。传呼响了，方雷告诉曲云霞自己所在的位置。两人终于在此起彼伏的鞭炮声中拥抱在一起，感觉相聚的时间是那么的短暂……

　　那时方雷的工资低，每月七八百元的工资都贡献给了铁道部（车票）和邮电部（长途电话费）。为了不影响工作，方雷常常是坐一夜的火车，白天跟曲云霞见一面，晚上再坐火车返回沈阳。

1995 年 12 月 8 日，马家军为了迎接奥运会，开始了"长征拉练"训练。曲云霞随队出发之前，方雷偷偷去了大连，他们在大连友好电影院看了一场电影，然后一起吃了一顿饭，那算是一次比较"奢侈"的约会，方雷不能公开给曲云霞送行，只能在宾馆门口跟她告别，默默地祝福她一切顺利。

那次拉练。曲云霞随队从大连出发，跨海到烟台，横穿山东半岛，过徐州、经合肥、越九江，由北到南，途径 9 个省市，每天跑 24 公里，于 12 月下旬到达了云南松茂训练基地。一路艰辛疲惫，曲云霞特别想念方雷，想念他那厚实的肩膀。曲云霞一到驻地就给方雷打电话或发传呼，两人彼此倾诉衷肠。看时间不短了，曲云霞就说，好吧，今天就说到这儿吧，明天再聊，可电话还是不肯放下。再聊一会儿，方雷又说，太晚了，你休息吧，可电话也还是久久地在手里握着……

那段时间，恰逢云南发生地震，方雷从媒体上得到消息之后，立即给曲云霞挂电话，结果怎么也联系不上，方雷焦急万分，紧张得吃不下饭睡不了觉。第二天，曲云霞从昆明打来电话，方雷这才心里的一块石头落了地。当听到方雷说，他因担心她一夜都没睡时。曲云霞在电话那端感动得泪流不止，她哽咽着说："在昆明，我每天都在想你！"

马家军拉练训练结束，曲云霞回到沈阳，火车到站已是凌晨 3 点多钟。曲云霞下了火车，一眼就看到早己等候在寒冷站台的方雷，她大步向方雷走去，两人再也不顾周围那么多双眼睛，激动地拥抱在一起。

低调结婚，世界冠军没有婚礼

1997 年 10 月，经过长期准备的曲云霞满怀信心地参加了全国第八届运动会。这一届运动会在曲云霞的运动生涯里具有特别的意义，因为运动会结束以后，在国内外田经赛场上拼搏了 10 年的她将面临退役，她想在这届运动会上为自己画上一个完美的句号。方雷理解曲云霞的心情，千方百计地支持和鼓励她当时，曲云霞的训练成绩始终保持特别优异的水平，完全有能力打破几项新的世界纪录，她信心满怀地要圆自己在八运会上冲击世界纪录的梦。

曲云霞随队出发了，方雷把她送走，自己却偷偷买好了去上海的火车票。他要坐在赛场的观众席上，以一名普通观众的身份为曲云霞加油

呐喊助威，同时他也要为曲云霞突破新的世界纪录做历史的见证。怕曲云霞知道自己去了会分心，他没敢告诉她。

方雷一到上海就去了八万人的体育场，买好了田径票。为了更清楚地看到曲云霞在赛场上拼搏的英姿，他还特意买了一个望远镜，并为照相机准备了充足的胶卷和电池。

第二天，比赛正式举行。1500米决赛开始了，随着发令员的一声枪响，选手们犹如脱缰的骏马，在塑胶跑道上飞奔起来。看台上的方雷神经紧绷，觉得全身都在为曲云霞用力，手心里都攥出了汗……

就在曲云霞快速跑到方雷所在的看台前时，意外发生了，方雷眼看着曲云霞的脚下被人一绊，她重重地摔在跑道上，紧跟上来的队员的钉子鞋踩踏在她的肩膀上……方雷一下子傻了！

当曲云霞咬着牙爬起来时，其他选手已经跑出百米以外，她奋力向前追去，然而已回天无力。就这样，曲云霞冲击世界纪录的梦意外地破碎了。

方雷真想立即冲下看台，去搀扶曲云霞，可此时他只能眼睁睁地看着她在赛场上被意外的失败击打，他心痛欲裂。晚上，运动员都回到驻地宾馆以后，方雷再也忍不住了，他抱着一大束鲜花混进了运动员住的华夏宾馆，直接去找曲云霞。

队医正在给曲云霞处置伤口，方雷悄悄地推门进来。曲云霞先是一愣，继而眼泪刷地流了下来，意外、委屈、遗憾一齐涌上心头，她扑在方雷怀里痛哭失声。方雷搂过曲云霞，心中涌起万般柔情与怜爱，从不轻易流泪的铮铮男儿竟也情不自禁地哭了起来。两人相拥着，方雷安慰曲云霞说："别难过，你尽力了，我看到了，所有观众都看到了。没什么遗憾的。"

在方雷的鼓励下，12日的女子5000米决赛，曲云霞又上场了，但是由于大腿肌肉拉伤，成绩自然受到很大影响，没有取得理想成绩。令她感到安慰的是，在她的参与配合下，同队小队员董延梅、姜波双双打破了女子5000米的世界纪录。

八运会抱憾而归，曲云霞为自己意外的失败难过了好长一段时间。回忆多年来的赛场征战，她感觉自己实在太疲劳了，从体力到精神都极度的疲劳，她有了退役、集中精力读书的想法，方雷十分赞同，同时，

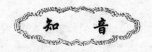

她的想法也得到了马俊仁教练的批准。

1997年11月27日，在大连开发区面对大海的房子里，曲云霞和方雷结婚了。一向质朴低调的曲云霞对方雷说："我们结婚就不操办了吧，我不喜欢把场面搞得很大，惊动很多人，麻烦别人。再说，你通知人家，人家就得拿钱，咱们结婚不是为了让别人出钱。"对此，方雷十分理解。他们没办一桌酒席，没请一位亲戚朋友。在赛场上叱咤风云名扬四海的世界冠军结婚竟然没有举行婚礼，这令许多人不解。登记之后，曲云霞和方雷去了上海度蜜月，南京路黄浦江畔留下了他们幸福的身影。

"平静是真"，将当年的辉煌推到历史幕布上

和方雷结婚之后，曲云霞正式到东北财经大学读书，方雷为了跟曲云霞在一起，停薪留职来到了大连。新婚的曲云霞卸掉"戎装"。当窗理云鬓，对镜贴花黄，把自己的小家布置得十分温馨、漂亮。

也许是10年的运动生涯令曲云霞过度疲劳了，躺在自己家的床上她就不想起来。她太喜欢这个家了，整天呆在家里都不觉得闷。学习之余她喜欢收拾家，每天都把房间收拾得干干净净；她还喜欢养花，小小的房间里布满了各色各样的花草。除此之外，她就集中精力读书学习。为支持曲云霞学习，方雷每天下班后都先到市场买菜，回家后扎起围裙就进厨房。方雷做菜又快又拿手，一番忙碌，色香味俱全的几道菜就摆上了餐桌，夫妻俩吃得有滋有味，感觉甜蜜极了。那段时间，曲云霞一心扑在学习上，几乎跟外界断绝了来往。方雷怕曲云霞闷着了，一到周末，就开车拉上妻子去旅顺、开发区、金石滩、滨海路兜风。在退潮后的海滩上，方雷跟从小在海边长大的曲云霞学到了很多海生物知识。一次，曲云霞抬起一只海螺壳递给方雷，说，到了晚上，你把它放在耳边，就可以听到海潮的声音。回家后，方雷试了一下，果然听到了海水漫过沙滩的声音。那一刻，他直感到幸福的潮水漫过心头……

1998年10月，在大连市有关领导的关心过问下，方雷从沈阳调到了大连市公安局经侦支队工作，曲云霞也于1999年7月毕业留校做了体育教师。他们的生活终于安定下来。方雷调到公安局后，工作忙了起来，曲云霞全力支持着方雷，自己很快学会了做饭。在曲云霞的支持

下，方雷的工作十分出色，才能逐步显露，很快在全局"标准练兵"竞赛中获得第一名，立功受奖也是支队里最多的一位。

2001 年 10 月 18 日，曲云霞和方雷有了爱情的结晶，儿子方嵩皓诞生了。由于曲云霞过去的运动量过大，在生产前检查时发现心电图有些异常，医生决定给曲云霞做剖腹产手术。早晨 8 点 20 分，曲云霞被推进手术室，方雷焦急地等在门外，紧张的心情如同当年云南发生地震跟曲云霞联系不上时一样，他一方面担心妻子的安全，另一方面感到十分紧张，不知道该如何迎接和面对即将面世的小生命。9 点零 5 分，医生告诉方雷，曲云霞一切正常，顺利生下了一个重 3200 克的男孩，面对现场采访的记者，方雷一时激动得讲不出话来。

孩子的出生，使得这个小家庭充满了生气，房间里的欢声笑语顿时多了起来。儿子一天天长大，也许是跟妈妈的时间长一些，他刚谙世，就总是坚决地站在妈妈的立场上，有时候方雷故意开玩笑打曲云霞一下，儿子立刻不愿意了，他蹒跚地走过来，用稚嫩的小手，替妈妈打爸爸一下。望着儿子煞有介事地保护妈妈的神情，曲云霞不禁开心地笑了起来。

这么多年来，曲云霞在公众心目中的形象始终是一个默默的奉献者。早在任马家军队长时，她就常表现出高风亮节，不争奖金不争荣誉。退役之后，她过着平凡而普通的生活，当年的辉煌已被她推到了个人历史的幕布上，她质朴地说："平静是真。有时，在平静的生活中才能领略生活的真谛。"

在曲云霞最为红火的时候，曾经几次有人动员她去国外轻松地获取名利都被她拒绝了；退役后，有一家国外研究机构甚至想花高价买她的血样做研究，也被她拒绝了；大连火车站前一家水产批发市场想通过赠送四十几万的出租摊位为代价请她做广告宣传，她又拒绝了；北京一家减肥产品公司以高价请她做形象代言人，她仍然拒绝。谈到这些，曲云霞说，我并不是个特别有钱的人，也并非故作清高。我觉得，要做事的话，就要做自己最喜欢和最想做的事情。她说，她一直想找个合作伙伴，共同筹建一个运动俱乐部，她想把体育竞技转化为运动，为人们的健康造福。

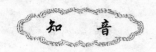

浩荡亲情唤醒兄弟，
还有五姐妹那高贵的乳房

路长青

遭遇车祸之后，医生说他没救了，活的希望最多只有万分之一。但也就是这"万分之一"，被他的三个姐姐和两个妹妹紧紧攥住了——她们倾其所有，尽其所能，终于让他在数次跨过鬼门关之后活了下来。保住性命的他，成了医学专家预言中的植物人。五姐妹"贪心"不足，一心想让他醒过来。一个偶然的机会，她们发现，当他握住女人的乳房时，他的大脑神经会出现微弱反应于是，五姐妹不顾任何场合，竞相把自己的乳房放在这个已似复归为婴孩的同胞手足的手中，任其抓摸……

五姐妹的乳房，成下他几乎完全"死"去的生命中的一丝亮光。时经整整4年漫长而揪心的等待，五姐妹的乳房给他带来的那丝生命的微光，终于一丝丝一毫毫地扩大为遍地光明——他醒来了……

宝贝兄弟突遇车祸，
五姐妹携手与死神抗争到底

2000年1月24日，是农历腊月十八，晋中古城平遥已透出几分过大年的气息。这天晚上11点多钟，一阵急促的敲门声把刚刚入睡的阎青兰惊醒。来人是她的表弟，他满身是血，说话也由于过度紧张而结巴："姐，六五……出……出车祸了。快……去救他！"

"什么什么，六五出事了？"阎青兰顿时脸色煞白，揪住表弟一只胳膊就往外跑。

阎青兰和丈夫在平遥县城开着一家牛肉加工厂。效益不错。阎青兰在阎家六十女中排行它二，上有一个姐姐、下有3个妹妹1个弟弟，弟弟排行老四，名叫阎子彪，"六五"是他的乳名。阎青兰成家后，由于家境很好，六五得到她的照顾也最多。前不久，35岁的六五和表哥开着一辆"昌河"牌面包车去河南联系生意，想不到回来时在县城外、距家

只有四五公里的扩修公路上出了惨祸。

阎子彪被送进平遥县医院，大姐阎青梅、三姐阎青芳、四妹阎青香和五妹阎青芬及她们各自的丈夫，也相继气喘吁吁地赶来了。

阎子彪头部受伤很重，处于深度昏迷状态，呼吸十分微弱，急救室医生向阎家五姐妹详细介绍了阎子彪的病情，虽没明说，但已分明透出她们最怕看到的结论：六五已经没救了！

"不可能，不可能，我不相信前几天还是活蹦乱跳的一个大活人，就这么说没就没了？"身为女警官的三姐阎青芳，失态地大声喊叫，五姐妹抱在一起失声痛哭。阎子彪自幼体弱多病，又是家中这代人中的唯一男丁，和爸爸妈妈爷爷奶奶一样，五姐妹自小就把他视为薄胎瓷器一样珍贵又脆弱的"宝贝小子"。三姐参加工作后拿到第一个月工资39元，就拿出36块5毛钱为他买了一件当时最时髦的羽绒服，自己仅余下2块5毛钱；二姐做生意第一次赢利。就为他买了摩托车；五妹嫁到郊区，更是隔三岔五地为他送来时鲜蔬菜或土特产什么的，有时做点纯肉馅的饺子、包子，也会乘车趁热送来。阎子彪对姐姐妹妹也是没的说，他自打跟二姐夫做生意后，每次出差回来，五个姐姐妹妹都准能得到他一份可心的礼物。他这次从河南回来，同样没忘记为他的姐姐妹妹和一大帮外甥外甥女买这买那。车祸中，他的命都要丢了，而他准备送给亲人们的礼品都完好无损。这怎不使姐姐们更加睹物伤情啊……

在这个好像天塌下来一样的夜晚，五姐妹通过各种关系，在距惨剧发生后不到两个小时的时间坚，几乎把全院的领导和心脑方面的专家、医生全召集来了。开颅手术是在第一时间完成的，手术质量也相当不错。但由于阎子彪伤得实在太重，手术之后，院方更加确定了当初的诊断：病人活过来的希望几乎为零。三姐阎青芳在医院的一位好友，甚至不得不直接告诉她说："情况已是明摆着的了。除非发生奇迹，你……快去准备后事吧。"

到此时，五姐妹的父母还不知道儿子出了事，五姐妹们最后决定：先瞒住爸妈，至于六五，哪怕是他还有万分之一、亿万分之一活下来的希望，她们都要紧紧抓住，绝不放弃，该花的钱一定把它花尽，哪怕五家人全部倾家荡产：该走的路一定把它走完。绝不给自己留下任何遗憾。

知　音

三姐阎青芳想到了自己的高中同学、现为太原《家庭护士》杂志社总编的韩世范。韩总编了解情况后，要她立即把病人送往省城医护条件最好的山西博爱医院急救。为应对病人在路途可能发生的意外，韩总编联系到一位著名脑科专家，一起乘坐救护车直奔平遥县医院。救护车在大运高速公路上风驰电掣。一个小时后，救护车到达山西博爱医院，阎子彪被立即安排到规格最高的病房。

脑压太高，高烧不退，阎子彪许多生理指数几乎为零。1月25日下午，阎子彪的脑压终于得到了阶段性控制，却又因刀口感染开裂，呼吸微弱得几乎感觉不到——他距离生理性死亡仅有一线之隔了！好心的朋友们再次劝几位姐妹，既然子彪必死无疑，又何必为此把自己的一切全搭进去。二姐阎青兰第一个表态："我同意再次手术，就是把我的厂子和全部家产全赔进去，我也绝不后悔！"在病房外的走廊里急得踱来踱去的二姐夫，猛地把已是身心交瘁的妻子揽在自己怀里说："我也是这个意思。钱没了可以再挣，而兄弟只有一个。只是，我不愿看到你痛苦成这样啊！"

二次手术过后，阎子彪原本非常微弱的呼吸居然没有停上——他还活着！

阎子彪因中枢神经严重受伤，致使舌头生理性后坠，堵住了气管。为防止病人因呼吸阻塞危及生命，医生只得按医学常规把他的气管切开，插入气管以维持病人的正常呼吸。但对身体异常虚弱的病人来说，无疑又多了感染的危险。唯一可以替代手术的方法是，必须一直有人一左一右地扶起病人的头，并随时关注病人舌头的情况。二姐阎青兰和三姐阎青芳，首先为弟弟做起了这种特殊护理。因为姿势单一，不能随便动弹，那种累可以想象。突然间，二姐青兰发现青芳嘴唇发紫，满头冒汗。原来，毫无知觉的弟弟不知为何咬住了自己的舌头，青芳情急之中就用自己的手指往开撬。弟弟的舌头避免了被咬断，青芳的手指却被弟弟死死咬住了。众姐妹好不容易撬开子彪的牙齿，塞进一双一次性软木筷子，青芳这才抽出自己已是血淋淋的手指。

五姐妹血浓于水的殷殷亲情感染了医院的每一个人。脑科的刘主任除了尽最大努力挽救阎子彪的生命，也把阎家五姐妹视为自己的亲人，随时为其提供各种方便。脑科专家权大夫，每天都会主动前来诊查阎子

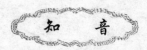

彪的病情。他对阎家姐妹们说："你们让我看到了人世间最感人的一幕，我打内心里感动，也更为子彪有这样的好姐妹感到幸福与自豪啊！"

意外发现：植物人兄弟手摸女人乳房，
大脑中竟然出现反应

手术后护理，可谓精细又艰苦卓绝。阎子彪的性命暂时保住了，却成了一个地地道道的植物人，大小便一点知觉都没有，全靠"自然"排泄。姐妹们一天几次地为其换被褥和擦洗身子，使他全身始终散发着香皂的清香。五妹阎青芬服侍哥哥时间最长，也最善于掌握哥哥各方面的规律，单说排尿，刚开始，哥哥总是尿床，后来五妹意外发现，预计哥哥快到撒尿的时间，只要她用手轻轻摁摁他的小肚子，他就会很"听话"地撒出尿来。自此以后，一到哥哥撒尿的时间，五妹总是毫不犹豫又非常熟练地一手扶着哥哥的下身，一手轻轻地摁他的小肚子。哥哥撒完尿后，她便仔细地为其洗下身和涂抹消炎药膏。五姐妹在山西博爱医院整整服侍了阎子彪3个月。阎子彪虽然长期卧床，却因护理非常精当细腻而没生过一次褥疮。

阎子彪奇迹般地活下来之后，姐妹们又"贪心"不足了。她们听说长期进高压氧仓有助于植物人恢复记忆，便又一起筹款送阎子彪到省职业病医院做了3个月的氧疗。

阎子彪出院回家后，胳膊一直蜷曲着向上举着，肌肉硬得像石头，怎么也帮他伸不直。五姐妹又出高价请了一位按摩专家，每天定时为阎子彪按摩。3个月时间，她们花去了2万多元的按摩费，终使得阎子彪的胳膊放了下来。至此，从2000年1月下旬到同年7月，五姐妹共为阎子彪花去了近100万元，其中绝大部分为二姐阎青兰所出，为此她原本发展势头强劲的厂子几乎倒闭。然而就在这时，阎子彪的妻子却因在丈夫身上看不到任何希望，抛下孩子离家出走。五姐妹在惊讶气愤之后，很快也就坦然了：想走的就走吧，只要有我们在，六五就不会受罪。

2000年9月，阎子彪的脊背可以挺起来了。姐妹们给他买来轮椅，每天轮流推着他晒太阳、呼吸新鲜空气。尽管阎子彪对这些无知无觉，眼睛不眨，口水不断，依然是只比死人多一口气的植物人，但他身后的推车人却是满脸的虔诚与期待。她们的信心总是那么的执著与坚定——

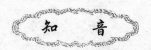

她们说给别人也说给自己听：都说"只要心诚，石头也能开出花来"，我们就不相信六五没有恢复记忆的那一天！

转眼间到了2002年春天。一天早上，三姐阎青芳正在为阎子彪穿衣服，忽然发现他两只胳膊抬了起来。"天哪，六五自己会动了——是他自己动的！"阎青芳顿时兴奋得大声喊叫起来。医生告诉她，这是病人的意识有所恢复的可喜迹象。

这种情况大约持续了一年，阎子彪的胳膊抬起的幅度越来越大，有时两手甚至可以高过头顶。但姐妹们很快发现，阎子彪的这种进步很快就具有了"破坏"性：他的双手经常乱抓乱挠，有时揪住自己头发，有时揪住自己的嘴巴或耳朵，没命地撕扯。有一次，他抓到了大姐的头发，硬是活活地揪下了一绺。医生的解释是：这是病人内心感到异常烦躁的生理反应，而他既然"会"烦躁，比之他此前的没知觉，无疑又是一个可喜的进步，也就是说，病人的意识还会有所恢复。

渐渐地，阎子彪每天"烦躁"的次数由1次增至3次，为防止他抓伤自己，五姐妹轮流"值班"，每天24小时守护。只是，他的眼睛依旧不会眨动，身体的其他地方依旧是一点都不会动。

2002年夏季的一天中午，坐在轮椅上的阎子彪又是乱抓乱挠，烦躁不已。大姐阎青梅紧紧攥住他的双手，以防他抓伤自己。谁知，稍一放松，弟弟的双手猛地伸进她的领口，握住了她的两个乳房。阎青梅本能地躲避，却因他抓得太紧而没有挣脱。就在她不知如何是好的时候，发现弟弟突然安静了下来，只有按在自己乳房上的两只手微微动着。

阎青梅真是又羞又喜。这天下午，当弟弟再次烦躁不安时，她又牵起弟弟的双手放在自己的胸脯上。但这一次，弟弟的安静程度明显不如第一次好。她似乎有所明白，红着脸撩起上衣，把弟弟的手放在自己裸露的乳房上，弟弟果然再次安静下来。她的脸红得发烫，涌出的泪水也热得像在燃烧，她在心里对自己说："就让我把他当做自己吃奶的儿子来照顾吧！"

阎青梅把这一发现悄悄告诉给一位医生朋友，要她解释其中道理。朋友在阎青梅的讲述中得知，阎子彪幼时由于体弱多病，跟母亲一个被窝睡到他12岁，每晚手握母亲乳房才有安全感，也才能睡得安稳，于是朋友分析说：人都是吃母亲的乳汁长大的，恋母情结与生俱来，而母亲

的乳房，对你弟弟而言，在他的潜意识里，已成为他生命中的无形依赖，并成为他心目中"温暖"与"安全"的象征，他之所以握着你的乳房就安静下来，分明是把你当成了自己的母亲啊！身为优秀教师的阎青梅，马上有所悟地插话说："如此说来，这女人的乳房还真成了唤醒我弟弟的星星之火了？"医生点点头，若有所思："这女人的乳房或许还真成了唤醒你弟弟记忆的一个契机呢！"

"既然有了'星星之火'，就一定会有烈火燎原的那一天！"阎青梅当天就把医生的话告诉了阎青兰和阎青芳。两姐妹在短暂的惊愕之后，说："只要能治好弟弟的病，我们就豁出去了。"

她们三个是阎子彪的姐姐，裸露自己乳房的事，咬咬牙也就挺过去了。想不到阎子彪的两个妹妹，在这件事上也没有太多的犹豫，而她俩都是只有20多岁的青年女子啊！轮到五妹阎青芬服侍哥哥那天，家里来了许多男宾女客，而哥哥恰巧到了犯"烦躁"的时候。阎青芬深深吸了一口气，红着脸、当着那么多人，就把哥哥的一双手放在了自己全裸的乳房上。客人们惊呆了，但紧接着，他们又都感动得流下了眼泪，他们无比感慨地说：都说老嫂比母、老姐比母，想不到当哥哥遭遇不幸时，他的妹妹也像母亲一样啊！

等哥哥终于安静下来，在众人的议论中响起悠长鼾声的时候，阎青芬终于眼睛红红地哭出声来："我是把哥哥当成自己的儿子来对待的，为了哥哥恢复记忆，我顾不了那么多啊！"所说的话，和姐姐如出一辙。几位女客人抱着阎青芬，再次泪流满面。

亲情无敌，
五姐妹倾心救弟情撼一方

2003年2月初的一个下午，阎子彪手握着三姐阎青芳的乳房，眼睛眨了几下，猛然变得明亮起来。阎青芳对着屋内的爸爸妈妈惊喜地大叫："你们快来看啊，六五的眼珠子会动了，有神儿了，他正在看我哪！"

这种情况持续了两个多月，阎子彪眼睛眨动的频率明显加快。有一天，五姐妹正好都在父母家，阎子彪握着一个姐姐的乳房，看看这个，再看看那个，眼眶中突然涌出了两道亮晶晶的液体。五妹阎青芬第一个

惊叫起来："妈呀，你们快来看呀，我哥会哭了，会哭了啊!"五姐妹一起望着阎子彪"咯咯"地笑，之后又都一起抱着阎子彪哭成一团。

阎子彪既然能哭了，他就一定能重新说话。五姐妹一起制订了教阎子彪认字、说话的具体方案。她们制作了许多小卡片，一个字往往几十遍、几百遍地对着他读。几个月后，阎子彪终于可以认得许多人和许多字了，拿出写有"爸爸"的卡片，他就指指爸爸：而指指正在忙碌的奶奶，他就能在一堆卡片中挑出写有"奶奶"二字的那张。有一天，五姐妹拿出写有"姐姐""妹妹"字样的卡片，要阎子彪指认。这时候，就见用手握着三姐乳房的阎子彪，连续用嘴做了几个吮吸乳汁的动作，嘴唇吃力地嚅动着，嚅动着，终于迸出了一个字："妈!"姐姐们连忙指指自己，又指指卡片帮他纠正说："我们是'姐姐'。"两妹妹也依照姐姐的样子帮他纠正说："我们是'妹妹'!"阎子彪点点头，又摇摇头，继续重复那个字："妈!"说着，眼中的泪水一个劲地往外涌.

五姐妹明白了，六五已把她们视为母亲一样的至亲啊!五姐妹抱着阎子彪无语凝咽。爸妈哭了，83岁的老奶奶哭了，闻讯赶来的一大帮邻居，也都忍不住洒下了喜悦与感动的泪水。

这受伤之后终于说出的第一个字，对阎子彪思维能力的恢复有着决定性的意义。在随后将近半年的时间里，阎子彪不仅学会说一些日常生活用语，还学会了玩扑克和打麻将。到2004年初，连姐妹们打牌时为了试验他的反应故意"耍赖"，每次都被他毫不客气地揪出来。又过了几个月，他甚至不用看麻将，用手就能摸出是什么。每天，他可以自己摇着轮椅在院子里转来转去，说是要早日锻炼好身体，以报答姐妹们比山还高、比海还深的恩德与情义。

尤其令姐妹们高兴的是，阎子彪还学会了为家里操心和关心别人。孩子们晚上看完电视忘记关掉，他就自己摇着轮椅帮助关掉，还对孩子说了一些节约用电的话。有时候他夜里睡不着，还会悄悄地来到爸爸妈妈和孩子们的房间，帮他们掖被角，扶枕头，或问他们需不需要喝水。

2004年6月中旬，笔者在采访阎家五姐妹和阎子彪的时候，又意外看到了非常感人的一幕：身为警官的三姐，四肢着地，在又凉又硬的地上爬来爬去，一边爬，一边不厌其烦地向弟弟阎子彪讲解爬行要领。这是因为，阎子彪中枢神经已大部分坏死，他必须通过后天的锻炼，像婴

75

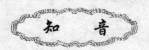

儿那样地学习爬行和走路，其进程却要比婴儿慢得多。为了让阎子彪一点一滴掌握要领，五姐妹就一次次地在地上爬给他看。邻居家的几位三四岁小朋友感到滑稽好玩，笑得前仰后合，笔者却不由得一阵眼热鼻酸：即便是亲生母亲，也不过如此啊！

　　五姐妹真诚地对笔者说：精心服侍阎子彪，让他一步一步恢复是她们五姐妹的共同追求。她们目前最大的愿望，就是通过各种方式方法让他先学会爬行，而后再学会走路。因为只有当他生活可以自理的时候，他才可以真正地享受生活，姐妹们和他也才有真正的幸福和快乐！

　　亲情无羞，亲情无忌，老姐小妹皆如慈母！阎子彪有这样的姐姐妹妹，是他今生之大幸！我们有理由相信，医学上的奇迹，很有可能再次在他身上发生。我们由衷地祝他好运！

在情敌人生尽头，
接受这特别托孤之请

雷萌

2004年3月16日，沈阳一所部队医院收治了一位绝症患者。主治医生夏欣然在为她治疗的过程中，竟惊闻这个生命进入倒计时的女人是自己丈夫的初恋情人；而她的孩子，竟是她与丈夫的私生女！而这位女子之所以选择这家医院，竟是奔波万里来托孤的！夏欣然的心中涌动着惊涛骇浪：是与丈夫离婚，唾弃他的背叛，还是宽容丈夫，收养这个私生女？最终，她的选择无愧于天地良心……

旧情复燃，诞下一个爱的结晶

莫莉1968年出生于沈阳市一个知识分子家庭，她5岁时母亲便因病去世了。一年后在政府机关工作的父亲再婚，继母从不过问她。1987年，她考入辽宁大学中文系。也就在这一年，她的父亲去世了。

大三的时候，莫莉与同班男生杨晓林深深相爱了。1991年7月大学毕业时，杨晓林不顾父母的强烈反对，毅然和莫莉双双南下广州。

然而，几个月过去，杨晓林却一直未找到称心的工作。在一家房地产公司做售楼小姐的莫莉，也基本上没有什么收入。为了生活，莫莉在工作之余还揽了一份每月收入800元的家教。这使杨晓林更加愧疚。1992年春节前夕，杨晓林偷偷地给家里打了电话。周末，杨晓林的母亲飞抵广州，接他回了沈阳。杨晓林甚至都没有勇气和莫莉当面告别，只是留下一页写满了"对不起"和沾着泪水的信笺。

杨晓林的不辞而别，令莫莉痛不欲生。

1996年秋天，从痛苦中挣扎出来的莫莉经过一番打拼已经做到公司部门经理，在一次朋友聚会上她结识了一个小自己3岁的做电子生意的小老板。这个有着一双和杨晓林一样神采飞扬的眼睛的他对莫莉一见钟情。在小老板凌厉的爱情攻势下，莫莉最终接受了他的求爱，1996年

末，两个人结了婚。

结婚之后，莫莉辞去了原来的工作，一心一意帮助丈夫打理生意。他们的生意迅速红火起来。

但是，莫莉的丈夫在腰包鼓起来之后偷偷地在外面包养了个小姐。莫莉伤心地离开丈夫的公司，回到了原来的公司。

1998年5月，杨晓林来广州开会。6年前，他背弃爱情，逃回沈阳。虽然在父母的安排下，他顺利进入市政府机关，并在4年前与一个温婉善良的女军医喜结良缘，还有了一个2岁的儿子。但在他的心底，他一刻也没有忘记自己的初恋情人——莫莉。从大学里与莫莉最要好的同学章惠口中，他知道一些莫莉的近况。6年来，他无时无刻不想拿起电话亲口对莫莉说声对不起。但是，深深的愧疚让他无数次拿起电话又放下。

重新踏上这片土地，杨晓林不能控制自己对莫莉的思念。第二天，他就来到位于白云山公园附近的莫莉所在的房地产公司，并让公司的保安将莫莉叫了下来。

那该是石破天惊的相见。他们都在那一刹那知道了什么叫时光倒流，明白了原来在他们各自的心底那爱还依然存在。于是，激情重新燃烧，他们重新互相拥有。

杨晓林走后的一个多月，莫莉发觉自己怀孕了。她几乎没有犹豫便和丈夫离了婚，并在1999年3月生下了一个有着一双漂亮眼睛的女儿。她给女儿取名阳阳。

莫莉独自一人带着孩子，虽然备感生活的艰辛，但看着自己与杨晓林爱情的结晶在一天天地长大，她的心里便充满了感激、安慰和幸福。只是，阳阳3岁时，有一天从幼儿园回来，固执地向她要爸爸，莫莉才感到生活的缺憾。那一刻，她真想拿起电话告诉杨晓林，他有个女儿，现在女儿要爸爸。但是，她知道，她不能破坏杨晓林的生活，更不能伤害杨晓林的妻子。

为了安慰女儿幼小的心灵，她拿出一直珍藏着的与杨晓林的影集，告诉女儿，爸爸现在出国去了，要很久才会回来。天真的阳阳就将爸爸的照片放在自己的小书包里，骄傲地向小朋友展示她的爸爸。

生命倒计时，第三者住进情人妻子的医院

2004年春节，莫莉带着女儿去香港玩了一周，回来后便感觉疲劳，还伴着低烧、腹泻。开始她没有在意，一个月后，吃了许多药，却丝毫不见好转，同时还伴有右肋部间歇性隐痛。2月23日，她来到广州军区总医院检查。确诊为肝癌，最多只能活3个月时间。

莫莉回到家，上网查询有关"肝癌"常识，发现竟是被称为"癌中之王"的一种最凶险的癌症，一经发现就是晚期，几乎没有生还的可能。此刻，她想到的唯一一个问题是，女儿阳阳怎么办？

莫莉想到一旦自己死去，幼小的女儿将无所依靠，她就痛苦得撕心裂肺。阳阳一边给她擦眼泪一边安慰她说："妈妈，我们把爸爸叫回来吧。爸爸回来了，妈妈就不要这样累了。"女儿的话，让莫莉心中闪过一线希望，把孩子还给杨晓林。毕竟这是他的亲骨肉，她相信，杨晓林会爱阳阳。但是，杨晓林的妻子会接受这个孩子吗？

思虑再三，莫莉拿起电话，打给大学同学章惠。

章惠是莫莉和杨晓林的同班同学，大学毕业后在沈阳一家出版社工作。在大学里她和莫莉是最好的朋友。两年前，章惠来广州旅游，看到了3岁的阳阳。莫莉告诉她，这是和杨晓林重逢时的孩子，只是，杨晓林不知道。当时，章惠就哭了，骂她痴，骂她傻，骂杨晓林混蛋，居然辜负这样爱他的女人。

莫莉在电话里将自己的病情和要将孩子还给杨晓林的想法都告诉了章惠。两个好朋友当即在电话里哭成一团。章惠表示她会收养阳阳。但莫莉不愿拖累好朋友，坚持自己的意见，只是担心杨晓林的妻子不会接受。章惠对杨晓林的妻子夏欣然非常熟悉，她告诉莫莉，杨晓林的妻子出身于军医世家，现在是沈阳一所部队医院的内科大夫，心地很善良，相信她一定会善待阳阳。

章惠的话让莫莉心里有了底。于是，她立刻辞职并很快处理了在广州的房产。2004月13日，莫莉带着女儿飞回了已离开13年的故乡沈阳。

回来后，莫莉仍然顾虑重重，她担心夏欣然不能原谅杨晓林和自己。章惠想了个办法，说："你反正要住院治疗，不如你直接住到夏欣

然的医院里，这样你就可以观察一下夏欣然的为人，也能让孩子和她逐渐熟悉起来。"莫莉觉得这是个不错的主意，便同意了。

3月16日，章惠给夏欣然打电话，说自己有个朋友得了重病，想到她那里住院。夏欣然听说是章惠的朋友，很爽快地答应给予安排。

在医院内科，莫莉见到了杨晓林的妻子夏欣然。夏欣然个子不高，也不特别漂亮，但修养气质很好，给人一种亲切随和的感觉。夏欣然很热情地接待了她们，当她看了莫莉的检查报告后，神色立刻凝重起来，简单安慰了莫莉几句，便和章惠为她办理了住院手续。

刚住进医院的那几天，莫莉的精神状态还不错，章惠天天都来给她送饭，并有意带上阳阳。夏欣然很喜欢乖巧伶俐的阳阳。阳阳也和夏欣然很投缘，缠着让夏欣然教她做医生，好给妈妈治病。夏欣然听了，越发喜欢，便说自己和丈夫都特别喜欢女孩，却偏偏生了个儿子。章惠就半真半假地说："你这么喜欢她，我做主，把她送给你当女儿吧。"夏欣然非常高兴："太好了，等莫莉的病好了，咱就举行个仪式，我认阳阳做干女儿。"

由于莫莉的癌症发生了转移，已经不能手术。夏欣然为她做了常规的化疗。一次，夏欣然和章惠说起莫莉的病，不禁摇头叹息，接着，两人又说到阳阳的可怜。章惠便说："莫莉的父母已经不在了，她又离了婚，一旦莫莉有那一天的时候，这孩子真的没处可去啊。"夏欣然随口说："那孩子的爸爸呢？他有抚养孩子的义务啊。"章惠不答，只盯着夏欣然看，弄得夏欣然莫名其妙。

有一天，章惠带阳阳来到医院，面有难色地对夏欣然说："我晚上有个很重要的聚会，可巧我爱人出差了，你能不能帮我带一晚阳阳？"夏欣然一口应承下来："正好晓林也出差了，晚上阳阳就和我一起睡，你放心吧。"

第二天，章惠去按阳阳时，见阳阳正和夏欣然的儿子一起玩，章惠趁机说起莫莉走后阳阳的归宿。夏欣然说："我真的很喜欢这个孩子，要是莫莉信得过我，我就收养她。你不知道，我儿子一早就偷偷跟我说，不让阳阳走呢。你看，这两个孩子玩得多开心呀。"

4月26日，杨晓林出差回来。临睡前，夏欣然无意中说起莫莉的病情。杨晓林听了，心一下子揪紧了："莫莉？章惠的朋友？得了癌症？

你怎么不早说，这个莫莉是我们的大学同学。"说着，他立刻匆匆赶往医院。夏欣然以为丈夫是同学情深，也没在意。

病房里只有章惠正对着昏睡的莫莉默默地垂泪。杨晓林来到莫莉的病床前，几乎不敢相信自己的眼睛。莫莉此时几乎只剩下了一把骨头，几缕乌黑的长发散落在洁白的床单上，衬得她那没有一丝血色的脸，令人不忍卒睹。杨晓林心如刀绞。他喃喃地问章惠："为什么会这样？为什么不早点告诉我？"

两人来到医院的花园里，章惠将一切告诉了杨晓林，杨晓林听了肝肠寸断。回到病房，杨晓林忍不住又轻声哭泣起来。哭声惊醒了莫莉，她睁开眼睛，杨晓林将她的手握在自己的手掌中。两个人相对无言，泪流满面。章惠见了，悄悄地退了出去。

杨晓林说："莫莉，你不该不告诉我阳阳的事，不该一个人承担了这么多，你放心，我一定要想办法治好你的病。我还会照顾好我们的阳阳。"

收养你的孩子，善良女军医泪洒爱的篇章

第二天一早，杨晓林迫不及待地赶到章惠家。见到阳阳的那一刻，他震惊了，这是个综合了他和莫莉优点的女孩儿，特别是那双眼睛，简直就是从他的脸上拓下来的。阳阳一见他，愣了一下，小声问："你是不是爸爸？是不是你知道妈妈病了就回来了？"杨晓林一下子把阳阳抱在怀坚："我是爸爸，爸爸对不起你和妈妈，现在爸爸回来了．爸爸要和阳阳在一起，永远不再分离。"

趁阳阳吃饭的时候，章惠对杨晓林说："莫莉活不了多长时间了，她最不放心的就是欣然能不能接受阳阳。但是，你怎么和欣然说这件事呢？"杨晓林一时没有主意，但他态度坚决地说："阳阳是我的女儿，我会负起责任来。我想欣然会接受并善待阳阳。否则，我就和她离婚，带着阳阳过。"

回到家里，杨晓林问妻子莫莉的病情。夏欣然说："看她的情形，或许还有一个月吧。"杨晓林红了眼睛半天无语。他又说起阳阳，夏欣然说："难道这孩子的爸爸也不在了？要是这样，阳阳就太可怜了。到时候要是真的没人要，我们就收养她吧。"杨晓林一下子感动得泪流满

面。为掩饰自己的失态，他就说莫莉很可怜，父母双亡，在她最后的日子里，他想帮着章惠照顾她，夏欣然疑惑地望着他。女人特有的敏感让她隐隐有种不安。

5月1日上午，章惠带阳阳来到病房，悄悄地把杨晓林见了阳阳的经过和他们的想法告诉莫莉，莫莉默默地流下泪来，张了张嘴想说什么，但一阵剧痛袭来，就又昏迷过去。

夏欣然接到章惠的电话，急忙赶来组织抢救，折腾了1个多小时，莫莉才清醒过来。当夏欣然从病房里出来，看见闻讯赶来的丈夫抱着阳阳焦急地站在门口，听到阳阳喊着"妈妈，爸爸来看你了"时，她像遭了雷击一样，呆住了。她看着那紧紧贴在一起的两张脸，一下子什么都明白了。

章惠忙拉住夏欣然的手，将她带到医院附近的一家咖啡屋。看着夏欣然依然一副震惊而茫然的样子，章惠叹了口气缓缓地说："这些天，我一直想和你说，但是我不知道怎么开口。"章惠将莫莉与杨晓林之间的一切都原原本本地告诉了夏欣然。"你们结婚的时候，我还问过他，是否把他和莫莉的事告诉了你。但是，他说你很单纯，他不想让已经过去的事给你带来阴影。"说到这里，章惠已泣不成声："欣然，我们都知道这件事对你是个巨大的伤害。如果你不能原谅，那么，我们也不会怪你。我来收养阳阳，并且远离你们的生活。"

此刻，夏欣然也是泪流满面。怨恨、委屈、伤心和对莫莉不幸命运的同情及对阳阳即将失去母亲的怜悯，让她百感交集。她只说了声"我还约了个病人，得先回去了"便撇下章惠匆匆离去。

夏欣然回到医院后就将莫莉的病交代给了值班医生。以母亲家里有事为由带着儿子回了娘家。因为莫莉的病情日趋严重，杨晓林不敢离开，第二天晚上才去了岳母家。岳母一见他，就悄悄地告诉他，欣然回来就一直关在屋子里，不知道发生了什么事。杨晓林要和妻子谈谈，但夏欣然说什么也不开门。

而此刻，杨晓林已是心力交瘁。万般无奈之下，他将事情的原委告诉岳母。岳母一时很生气："我女儿对你一心一意，把孩子也抚养得很好。你怎能这样伤害她呢？"杨晓林低下头："对不起，妈妈！我今天鼓足勇气说这件事，是真心地希望你们能原谅我，并且能看到我真心的补偿。不过，现在最难过的人是欣然，她不理我，只有您帮忙了。"岳母沉思着，没有说话。

当晚，夏母和女儿进行了一次严肃的谈话，夏母说："你是医生，挽救生命是你的天职。现在一个生命在等着你救治，一个生命在等着你抚养，你怎么能在这时候离开呢？要知道，任何恩怨在生命面前都是无足轻重的。"母亲又苦口婆心地劝她："这件事既然已经发生了，你有两种选择：一是离婚；如果你不想离婚，那就最好原谅他们。他们是做了对不起你的事，但从他们的感情经历来看，对你是没有恶意的，也情有可原。你现在原谅他们，也许最终帮助的是你自己。想想看，如果你始终因为不原谅。而让自己陷入无尽的痛苦与煎熬中，并把怨恨加在晓林身上，只会最终毁掉你自己的幸福。"

母亲的话，让夏欣然想了很多。一方面，她无法接受这个事实，莫莉明知道杨晓林已经有了家庭，怎么还和他重燃旧情呢？晓林又怎么这样不负责任呢？但同时，她也不得不承认，母亲的话很有道理。莫莉因为爱生下了阳阳，并且含辛茹苦地养了5年，没有打扰我们的生活，这是她对晓林也是对我的家庭的一种爱与尊重啊。如今，这个善良的女人就要死了，为了不让她的女儿成为孤儿，她才来找我。我也是母亲，将心比心，我还有什么不能原谅呢？还有什么可以计较的呢？

夏欣然辗转反侧。她突然非常惦念莫莉的病情，便悄悄起身打电话向值班医生询问。医生告诉她，5月2日晚，莫莉发生血性腹水，已作止血处理，并采用腹部加压包扎。夏欣然知道莫莉的病情又加重了，不由得焦虑万分。

5月3日早晨，夏欣然直接去了章惠的家，接出阳阳，又买了一束鲜花。然后，带着阳阳来到医院。见到妻子带着阳阳进来，正在给莫莉擦脸的杨晓林，不由得一愣，夏欣然接过他手中的毛巾说："我来，你歇一会儿吧。"

两天不见，莫莉更虚弱了，瘦得只剩下一层薄薄的皮包着骨头，原本一双大大的眼睛也缩进塌陷的眼眶里。她努力地睁大眼睛，看着眼前的三个人，嘴角露出一丝微笑。她把手伸出来，夏欣然不易察觉地犹豫了一下，然后一把握住。莫莉艰难地说："小夏，对不起。"夏欣然说："过去的事不要再提了，你放心养病吧，我和晓林会照顾好阳阳。"莫莉

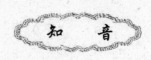

听了，含着泪欣慰地笑了。

当晚，夏欣然把阳阳带回自己的家里。夏欣然7岁的儿子小雨见到阳阳很高兴，拿出自己的玩具与她一起玩。临睡前，夏欣然为阳阳洗澡、剪指甲。在为阳阳剪指甲的时候，乖巧的阳阳说："阿姨，你的手真轻，像妈妈一样。"欣然的眼泪立刻下来了："以后，你就把我当你的妈妈，把这里当你的家好吗？"阳阳高兴地说："好哇好哇，我就可以天天和哥哥玩啦。"

这时，杨晓林从医院回来，目睹眼前的一切，不由得眼眶湿润了。他满怀深情地看着妻子，发觉灯光下的她是那么美，那么动人。他第一次意识到，这个娴静温雅的女人是他生命中的无价之宝。

为了挽救和延续莫莉的生命，杨晓林、夏欣然和章惠请来了中国医科大学最著名的专家教授，对莫莉进行诊治，并用上了2000多元一支的进口治癌药。杨晓林从网上看到有专家建议肝癌晚期做肝脏移植的报道，立刻和北京的几大肿瘤医院专家联系，进行论证，并做了配型检验，准备捐献自己的一部分肝脏救莫莉。

但是，莫莉的病情依然急剧恶化。为了减轻她的痛苦，夏欣然只好给她使用大剂量的杜冷丁。

5月15日之后，莫莉就经常陷入昏迷，且清醒的时间一次比一次短。5月27日下午，莫莉从整整两天的昏迷中苏醒过来，她让杨晓林将床摇高，好使自己坐起来，并说想看看孩子。当病房里只剩下夏欣然和莫莉的时候，夏欣然拉着莫莉的手说："姐，你放心吧，我会把阳阳当成自己的女儿，让她活得健康快乐。你还有什么话要对我说吗？"莫莉摇了摇头，说："把阳阳交给你，我很放心。"当杨晓林带着阳阳回到病房时，莫莉艰难地握住女儿的手，将女儿的手交到了夏欣然的手中。

当晚10点，莫莉含着欣慰的笑陷入昏迷、再也没有醒来。5月29日，杨晓林、夏欣然、章惠和在沈阳的同学在沈阳文官屯殡仪馆为莫莉举行了告别仪式。

7月27日，杨晓林和夏欣然办理了收养阳阳的手续，并为已改名杨阳的女儿在一所部队幼儿园的学前班办理了上学手续。

不死的信念：城市农村两家人

秦泰恩

2004 年 7 月 16 日中午，烈日当空。江苏东台市时堰镇丁谢村农民蒋粉扣正在水田里给禾苗喷洒农药，一个戴眼镜的中年女士和一个中学生模样的漂亮女孩向他迎面走来，她们身后跟着一群电视台的新闻记者和地方领导。蒋粉扣抬起头来，女孩向他激动地喊道：蒋叔叔，我是徐哲纯啊，我和妈妈看您来了……

蒋粉扣看着眼前两个从未谋面的城里母女，一时呆了！面对记者的镜头，他更是不知所措……

就此，一对农民夫妇五年默默倾情救助一对身处绝境的城市母女的故事迅速在当地传开……

"城市神话"感动农民夫妇

徐岩是黑龙江省伊春市人。1987 年，徐岩 23 岁时从南京大学中文系毕业。不久，她就随男友一同来到江苏省射阳县工作并很快登记结婚了。第二年，夫妻俩买了一套三居室的福利房，年底，他们生下了女儿徐哲纯。谁知，1990 年初，徐岩的丈夫不幸遭遇车祸身亡。

1998 年初，与女儿相依为命的徐岩被检查出患有卵巢癌。医生说，治好这种病需要 30 万元左右。徐岩这些年来刚还清买房时的借款，几乎没有一点积蓄。1998 年 5 月，徐岩的病情开始恶化，不得不住院进行第一次手术。不久，她又因单位改制而失去了工作。

1999 年初，在女儿的坚持下，徐岩把房子折价 7.5 万元卖了，母女俩在城乡结合部租了一间便宜的民房住了下来。徐哲纯执意休学一年陪母亲到北京协和医院治病。在协和医院，徐岩进行了第二次大手术后，身体极度虚弱，几次昏迷不醒。每当这个时候，徐哲纯只能默默地守在妈妈的床边。一有空隙，她就拿出课本认真地自学。而母亲病情一

有缓和，就像模像样地当起了女儿的老师。那情景，让病友和医生都心酸不已。

2000年8月，卖房款几乎花光了。徐岩母女只得又从北京回到射阳县。9月，徐哲纯破格跳级升入5年级。开学第一次考试，她就考了全班第一名。不久，她代表学校参加全国小学生现场作文大赛，竟一举夺得特等奖。正是这篇作文，牵起了城坚乡村两家人特殊的情缘。

2000年12月3日傍晚，家住东台市时堰镇丁谢村二组的蒋粉扣、喻巧风夫妻俩正在家里忙碌着，女儿蒋欣静放学回家了。刚一跨进家门，女儿就扬着手中的报纸对爸妈说："你们看，这篇文章写得多好呀，今天我们老师在班上读，同学们全哭了！"蒋粉扣接过报纸只扫了一眼就被吸引住了。

那是份《小学生校园文化报》，女儿所说的那篇文章正是徐哲纯获全国小学生现场作文竞赛特等奖的《妈妈，你要站起来》。她用清新稚朴的文字叙述了她休学护理母亲治病，并在母亲辅导下自学的故事——

"……北京协和医院的夜，灯光柔柔的。终于，妈妈安静地入睡了。我一边握着妈妈的手，一边轻轻翻动着书本，我真担心翻动的声音会扇醒妈妈的梦中蝴蝶……清晨，我在走廊上小声地进行英语口语训练，妈妈醒了，她总是冷不了地打断我的朗读，及时纠正我的发音错误……我喜欢迎着朝霞和夕阳在医院的林阴道上行走，我想，我一定能寻找到一种力量让妈妈站起来……"

读完文章，蒋粉扣眼睛湿湿的，半晌没有吱声。

入夜，劳累了一天的喻巧风早早就上床睡觉了，蒋粉扣看了一会电视，等女儿熄灯后，他又偷偷地从她的书包里找出那张报纸。他把睡意蒙眬的妻子轻轻推醒，小声说："你看看这篇文章，多感人啊！"

灯光下，妻子靠着床头认真地读了起来。半晌，两行热泪无声地滑落在报纸上。她颤声说："这丫头，真是太懂事，太让人心疼了……"

"还有她母亲，多么坚强、多么优秀的一个女人啊！"妻子躺在他怀里深情地说："要不，我们帮一帮这对母女？给她们寄点钱吧……"

夜深了，蒋粉扣久久无法入睡。他披衣起床，提笔给徐哲纯写了一封信——

哲纯小朋友：读了你的文章，我们全家人都流下了热泪……初中时，我也像你一样写得一手好文章，作文多次在市里获奖。然而，初中二年级时，病魔向我扑来。我被确诊为病毒性肝炎、风湿性心脏病，加上我本来就体质弱，医生几次给我下了病危通知书。家里为我耗尽了所有的家产。那时，我只有一个信念：我不能死！请转告你妈妈，信念是天底下最好的良药。只要你不想死，你就不会死……为了表示我对你们母女的敬意，特从邮局汇出1000元，收到请回信并将你家电话写上……

蒋粉扣一口气写了5页稿纸，将地址填写在信封上之后，窗外已是曙光初现。

四年风雨演绎人间大爱

2000年12月13日，蒋粉扣收到了徐哲纯写来的回信——

蒋叔叔：收到您的来信和汇款单妈妈流着泪说："天下还是好人多啊！"……说来真神奇，妈妈已经卧床不起两个多月了，今天她支撑着下地了，竟然还练起了书法。"信念是天底下最好的良药。只要你不想死，你就不会死"——妈妈说，您这话说得多好啊。这句话现在就挂在我家墙壁上。今天妈妈说，我们得想办法让钱生钱。妈妈决定用这笔钱做本，发展养鸽事业……很不好意思，我们租住的房子没有安装电话……

接到徐哲纯的回信，蒋粉扣一家高兴不已。喻巧凤说："今后，我们就省一省，多帮帮她们吧。她们多不容易啊！"听了妻子的话，蒋粉扣心里一热。

蒋粉扣所在的丁谢村到处都是小洋楼。而家境一般的蒋粉扣家住的是三间低矮的平房。平时，他们一家除了耕种二亩多责任田之外，蒋粉扣还开着一个小小的车床间，为附近的工厂加工一些零部件，一个月下来能有五六百元收入。喻巧凤则开着一个缝纫店，可以维持一家人的油盐柴米开支。结婚后妻子的身体又时常闹病，因而积蓄了10多年也没把楼房修起来。对于蒋粉扣夫妇来说，房子，是他们一生的希望。

当天晚上，小两口商量说，要不，我们的房子干脆再缓一缓吧，帮人就帮到底。达成一致后，夫妇俩又把女儿叫来，说，我们开个家庭会吧。蒋粉扣首先发言说："静儿，我们想帮一帮那个会写作文的城里妹妹，楼房就晚一些时候修了，你同不同意？"虽然女儿盼着住新楼房已

经很久了，但见爸妈这样有爱心，很感动，当即表示同意。讨论之后，蒋粉扣综合"会议精神"宣布了"三大纪律"：一，今后家中10元钱以上的开支要经过他这个家长审批；二、每年向她们捐款3000元以上；三、不得以任何形式向别人透露这一机密。

于是，蒋粉扣又连夜给徐哲纯和她的妈妈写了一封信。因为不知道徐哲纯的妈妈叫什么名字，他只得取东北"冰城"之意称呼——

冰城姐、哲纯小朋友：经全体家庭会议同意，决定长期对你们进行一些微薄的帮助。说微薄，是因为我们不是富豪之家，但也请你们放心，我们家开着一个小型车床厂，我爱人开缝纫店，生意还不错。如果不嫌弃的话，我们一家人就是你们的亲人，有什么困难，请及时和我们说。现在给你们寄300块钱，你们把电话装好吧……

信件寄出半个月之后的一个晚上，蒋粉扣一家人正看电视，电话突然响起，蒋欣静忙跑过去接。半晌，她扭过头来，脸红红地大声喊道："爸爸，快点，哲纯妹妹来电话啦……"蒋粉扣一阵激动，忙起身接电话。

徐哲纯家有了电话，蒋粉扣和她们联系就方便多了，他每隔几天就打一次电话询问她们的情况。

2001年的春节，蒋粉扣将自家做的腊鱼、腊鸡、腊猪肉装了一箱寄给她们，并寄500元钱作为孩子的压岁钱和新学期学费。收到这些，徐岩给蒋粉扣打来了电话，说："蒋老弟，你这样做又叫我怎么报答呢？我说不定哪天一口气上不来就走了……""你快不要这样说，为孩子着想，你也不要拒绝我们的微薄心意……"

春节后，徐岩的身体有了些好转，不久竟能够出门买菜了。农历三月初二是徐哲纯的生日，蒋粉扣提前给她寄出了100元钱，并打电话叮嘱徐岩给孩子订生日蛋糕。那天，徐哲纯放学后跟往常一样打开房门，被眼前的情景惊呆了：小餐桌上，除了有香喷喷的饭菜，还有生日蛋糕和鲜花。她扑到妈妈怀里撒过娇之后又怪妈妈太铺张。妈妈说："这一切，都是你蒋叔叔的安排……"说着，蒋粉扣祝生日快乐的电话就来了……

此后不久又是徐岩的生日，蒋粉扣同样给她寄出了100元。女儿欣静闹情绪说："我过生日的时候，你们就煮几个鸡蛋，做一碗面条，太不公平了吧?"妈妈说,那我再给你做一套衣服吧。女儿赶紧说:"算了算了,还是省下布给你们自己做吧。看你们,自己开着缝纫店,却几年都不做一套新衣服穿。"

每隔半个月,蒋粉扣就给徐岩母女写一封信给予鼓励。为了把信写出文采,他特意到新华书店买了两本厚厚的《名人名言录》,又认真地读了一些成功人士的故事,每次写信他都会附上一两条恰如其分的名言。这些名言,徐哲纯都一一记录在日记本中。

在爱心滋润下,徐岩的身体有了好转。她除了养鸽子,还把自己做姑娘时做毛线编织的特长也用上了。她到附近的一家手工艺加工厂签订了领料加工协议,身体不适的时候,她就半躺在床上编织。每次,她都将那些短线头巧妙利用起来,给蒋粉扣一家每人织了一双手套、袜子,又给喻巧凤母女每人织了一顶漂亮的帽子。两家人虽未见面,却已成为彼此心里真切的牵挂。

2002年5月的一天晚上,徐哲纯突然打来电话,带着哭腔说:"蒋叔叔,妈妈病重了,流了好多血……"

蒋粉扣叫哲纯不要哭,他与妻子紧急商量后,立刻打电话给一个在南京市人民医院做医生的朋友为徐岩联系好床位,他第二天将4000元入院费打到朋友的银行账户上。这一笔钱,是蒋粉扣去年一年做车床加工的税后全部收入,原准备过段时间交到砖瓦厂做购买砖瓦的首期费用,紧急情况下,只好动用了。

在南京市人民医院,徐岩进行了第三次大手术。徐哲纯送妈妈到医院后,她的姨妈闻讯从北方赶过来承担起了护理任务。姐姐得知蒋粉扣一家对妹妹的帮助,泪流满面,愧疚不已。随后,姐姐把这个感人的故事打电话说给徐岩的婆家及娘家的亲人听,听过的人都很感动。不久,双方的亲友都凑了一些钱过来,让徐岩在医院里度过了三个月的时间。

在这段时间里,蒋粉扣夫妇每天晚上9点之前都会给独自在家的哲纯打电话,询问她这一天的学习和生活情况。喻巧凤总是在丈夫叮嘱完哲纯之后,又接过话筒小声地告诉哲纯怎样做好个人的生理卫生。

徐岩出院后,蒋粉扣又给她们寄了1500元,吩咐徐岩一定要好好调养。这几乎是蒋粉扣春节以来的全部收入。从邮局出来,正好遇上女儿放学,蒋粉扣和女儿结伴回家,女儿提出要一支雪糕,蒋粉扣硬是没有

掏出五毛钱来。女儿生气走了，蒋粉扣心里很不是滋味……

回家后，蒋粉扣自己动手做了一扇木门。原来，蒋粉扣觉得帮人也不能苦了女儿，否则让家人又成了别人的帮助对象。以前，他一般不在晚上加工，怕影响家人和邻居休息。他把那小房安上一道木门，这样会很热，传出的声音却会小些。他每晚加班到10点以后。见丈夫这样，妻子也就跟着加班缝衣服。这样一来，收入有所增加，人却明显地黑瘦了下来……

此时，徐岩的病情仍然反复无常。8月中旬，新学期又要来临了，徐岩一直在考虑：假如自己不行了，女儿怎么办？女儿开学就上初一了。她想来想去，决定让女儿去黑龙江姨妈家，万一有一天她突然走了，女儿也不至于失学。她不想再让蒋先生一家为她们操心了。她想，怎么能让他们为自己和女儿付出那么多呢？

女儿走后，徐岩不想再让蒋粉扣为她们操心，就把电话线拔了。

爱如运河之水千古流

2002年9月1日，开学了，蒋粉扣打电话到徐岩家电话一直不通，他急了，只好通过114查号台查到了徐哲纯原学校的电话。一问，教务主任告诉他，徐哲纯已转往黑龙江伊春市某中学读初一。

蒋粉扣连忙给徐哲纯的新学校打电话，教务主任告诉他，孩子在这上学，但学费都没交清。他心里十分难受，当即从邮局给徐哲纯汇出了500元钱，并附言要她把新学校的情况和母亲的病情立即回信告诉他。

收到蒋叔叔的汇款单，徐哲纯意外至极，心里涌出一种无法言说的幸福。这一次她的回信只寥寥数语，却让蒋粉扣一家人都感动得流泪了："……妈妈仍在射阳县。她不让我把这一切告诉你们。这些天，我总是被一种幸福包围着，我从小不知道什么是父爱，突然间我觉得，我其实就在一种伟大的父爱之中生活着，假如有一天我能见到您，真想亲口叫您一声爸爸……"

得知这些，徐岩只好主动打电话给蒋粉扣。她说自己的身体确有好转，她设计的几款编织图案还得到了公司老总的500元奖金。因精力不支，鸽子已经不养了，但每天坚持写日记。现在每个月除了自己的生活，还能给女儿一些钱，请蒋先生不必牵挂。

没过多久，徐岩的病情又出现了反复。2003 年春节，她和女儿没在一起过。女儿和蒋粉扣一家人都给她打了电话问安，她身体很不舒服，但在精神上，是充实的。考虑到蒋欣静很快就进入高中学习，她找来新版的高中课本，给蒋欣静精心制定了各科学习计划，又要女儿在书店给蒋欣静买配套的参考书。两个素不相识的小姐妹开始用书信交流学习心得。在"妹妹"徐哲纯的指导下，"姐姐"蒋欣静的作文水平提高很快。而徐哲纯则很快在学校当选为班长，并经常在各地的中学生刊物上发表文章，成为伊春市的小才女。

2004 年 7 月，徐哲纯放暑假了，她用稿费作路费，回到了分别已两年的妈妈身边。母女相见，抱头痛哭。她们都有一个心愿，那就是利用暑假去看望蒋粉扣一家人。母女俩算了算，在四年的时间里，蒋粉扣一家寄给她们的钱已经接近 3 万元，而蒋粉扣给她们母女共写了 100 多封信。正是这 100 多封信伴随徐岩度过了人生的无数黑夜，给了她无尽的信心和力量。

经过商量，母女俩决定和江苏电视台"1860 新闻眼"栏目组联系，请他们见证这段感天动地的真情。

7 月 16 日，徐岩母女跟随电视台记者驱车来到东台市时堰镇，镇党委书记听完情况介绍后，感动不已，决定亲自陪同他们去采访。

烈日下，蒋粉扣正专注地埋头喷洒农药，镜头对着他拍摄了近 10 分钟他才吃惊地抬起头来。"蒋叔叔，我是徐哲纯啊，我和妈妈看您来了……"徐哲纯情不自禁地向他奔了过去，蒋粉扣却站在那里，一时惊呆了……

蒋粉扣家只是几间不规则的平房，颇为寒酸，徐岩心里很不好受。她曾想，恩人至少也算是一个小老板吧。而蒋粉扣在信中所说的"小型车床厂"原来只是一个五六平方米的杂屋间，里面仅有一台陈旧的车床。

徐岩和喻巧风一见面就情不自禁地拥在了一起，两个似乎早已相知的女人泪脸相映。蒋粉扣一手牵着徐哲纯，一手拉着蒋欣静，激动得不知道说什么好。记者在旁边一个劲地向他提问，他傻笑着说："不值一提，不值一提。"硬是不肯透露一点细节。

记者们走了。尽管身体很不适，徐岩仍坚持要在他们家里住一晚。

灯光下，两个孩子叽叽喳喳地说着自己的学校。厢房里，蒋粉扣夫妇和徐岩在说着知心话。"徐姐，你真的不应该把记者叫来，我们也没做什么了不起的事。这左邻右舍全是漂亮楼房，我们家还没来得及动工呢，这一报道，反而落人笑……"蒋粉扣真诚地说。

"我这个心愿实现了，你们骂我我也高兴呢。"徐岩的精神状态出奇地好，她说，"本来医生说我活不过三个月，我又熬过了五年。这段时间，我感到自己的日子可能真不多了，但我一点遗憾也没有。在我生命的最后时光里，我得到了人世间最宝贵的东西，我很幸福。我这次来，另一个目的就是要和你们说说哲纯的事，要是你们不嫌弃，到时候就收下她做女儿吧……"蒋粉扣忙打断她的话说："千万不要这样说，你首先要对自己有信心。只要哲纯不嫌弃，这女儿我们可是认定了。"

第二天清早，徐岩执意要走，蒋粉扣一家三口决定送她们步行到几公里外的高速公路入口处。他们沿着那条举世闻名的大运河且行且歇。

临别，每个人的眼里都泪花晶莹。车子启动时，徐哲纯迅速凑到蒋粉扣跟前，附着他的耳朵，小声地叫了一声"爸爸"，就迅速地跳上了车。一股幸福的暖流击得蒋粉扣半天没有回过神来。

小孤女不哭，
"强暴"之难过后还你一个阳光满天

洁霞

8 年前，一个出生仅 10 天的女婴被遗弃在了一家超市门口，一位善良的母亲抱养了她。

8 年后的 2004 年 6 月，苦难的女孩再次遭遇噩运：8 岁的她惨遭流氓强暴，流血不止，生命垂危。为了挽救女儿的生命，倾尽所有仍无能为力的父母决定放下尊严，走上大街跪地求援。女孩的不幸和父母对女孩那份没有血缘却融进血肉的亲情，震撼了广西壮乡与天南地北的人们。在众人的关心下，备受摧残的女孩生命保住了，更重要的是，父母的亲情和众人的爱心融化了女孩内心的寒冰，久违的笑容又浮现在这个遭遇凄惨的女孩稚嫩的脸上……

这个女孩名叫"小不点"，她的妈妈叫刘燕子，是广西上林县人，

玉米地里的惨痛，
不幸女孩再遭噩运

2004 年 6 月 5 日是星期六，刘燕子和丈夫吴文贵吃完午饭就外出找工，把 8 岁的女儿"小不点"留在了家里。"小不点"乖巧懂事，刘燕子夫妇对她很放心，出门时没有嘱咐"小不点"要注意安全。

下午 3 点，干完家务的"小不点"一个人在家门口玩耍。因为天气热，街上并没有什么人。这时，一个中年男子笑容可掬地向她走了过来，这人就是后来惨无人道地强暴"小不点"的蓝文广。

蓝文广，今年 41 岁，在上林县镇圩乡务农，多次作奸犯科，并两度进"宫"，还因强奸入狱 5 年。可出狱后，他依旧是恶习难改。因为家乡人都知道他的劣迹，他的种种企图难以得逞，他就常跑到远离镇圩乡的地方游荡，伺机寻找机会。这会儿看到"小不点"，他头脑里马上动起了邪恶的念头。

他走过去，笑嘻嘻地问"小不点"："小朋友，怎么一个人呆着呀，

你爸爸妈妈呢?"

"小不点"并不认识蓝文广,但见他是在对自己说话,还是如实地回答了他的问题。得知她父母都不在家,蓝文广不觉喜上眉梢。他骗"小不点"说:"我知道有一个地方很好玩,你想不想去呀?""小不点"信以为真,毫无防备地就跟他走了。蓝文广带着小燕子就向城郊走去,他知道城郊有一片玉米地,4日下午,他还在那里强暴过一名女童,这一次他更轻车熟路了。

上林县是广西有名的贫困县,城区并不大,走了不到半个小时,蓝文广就把"小不点"带出了城区,拉到玉米地之间的小路上。

夏季的玉米已经有一人多高,蓝文广边走边四处观察着,在确信路上没人以后,他一手捂住"小不点"的嘴,一手挟着她钻进了玉米地里。在茂密的玉米地里,蓝文广露出了狰狞的面孔,威胁"小不点"说:"不准叫,也不准哭,不然我掐死你。""小不点"被吓坏了,却没敢哭,她惊恐地睁大了眼睛,浑身不停地发抖……

据办案的一位民警后来介绍,他们在勘察案发现场时都心痛不已,那里一片狼藉,案发地附近的玉米倒了好几棵,地上是一大摊已经干涸的血迹。

也不知过了多久,蓝文广走出了玉米地,得意地扬长而去。"小不点"慢慢地挣扎着从地上爬起来,身体还在不停地发抖。她没有哭,跟跄着,一门心思地往家里走。

当"小不点"拖着痛苦的脚步回到家时,已经是下午5点多了。这时,刘燕子的姐姐刚好来看望他们。她一眼就发现"小不点"的裤子和腿根脚底满是鲜血,忙问是怎么回事。"小不点"扑进姨妈的怀里,号啕大哭起来。当姨妈慢慢弄明白"小不点"被人强暴后,赶紧叫了一辆车带着"小不点"往上林县人民医院赶,同时,向公安局报案。

刘燕子夫妻干完活回家才知道"小不点"出了事,等他们匆忙赶到了医院时,"小不点"已处于昏迷状态。见到病床上脸色惨白的女儿,刘燕子痛不欲生,失声痛哭。吴文贵死命地撕扯着自己的头发,不知该向何处发泄,他不明白,为什么这么多的不幸都发生在幼小的"小不点"身上。

1996年5月22日,出生仅10天的"小不点"被人遗弃在一家超市的门口。刘燕子刚好路过,孩子稚嫩的哭声把她的心扯得生生地痛,善

良的她就把婴儿抱回了家。她的举动在家里掀起轩然大波。丈夫不满地抱怨说：我们已经有几个孩子了，贫困的家里实在是多不下一张口。忍无可忍的他给刘燕子下了最后通牒：不送走婴儿就离婚。几经考虑，刘燕子含泪作出了痛苦的选择：离婚。

离婚后，刘燕子搬出了居住了十多年的家。为了养活"小不点"，刘燕子带着她四处打工，钦州、南宁、桂林等许多城市都留下了她们母女艰辛的脚步。在颠沛流离、居无定所的日子里，"小不点"和刘燕子相依为命，"小不点"从四岁开始就自己烧水、洗衣、做饭；而刘燕子下班回家，远远看着女儿静静地坐在小窗前等待自己的小小身影，心里就会涌起无限的温馨。2000年11月，刘燕子意外受伤，只得带着"小不点"回到上林。

2001年春节，当地青年吴文贵听说了刘燕子的故事，辗转找到了这对母女。在刘燕子租住的家徒四壁的房子里，当他看到刘燕子穿着粗糙破烂的衣裳却把"小不点"打扮得漂漂亮亮时，当他看到刘燕子虽然文化程度不高却愿意每个月出50元钱请有文化的邻居给"小不点"讲授小学书本知识时，他被深深打动了。虽然刘燕子明确地告诉吴文贵：自己比吴文贵整整大10岁，离过婚，还做过计生手术没有生育能力，这样的爱情和婚姻对没有结过婚的他太不公平，但吴文贵痴心不改。他最终用自己的真情和对"小不点"的细心爱护赢得了刘燕子的心，2001年3月17日，他们组建起了一个新家庭。结婚那天，"小不点"非常开心，她搂着吴文贵的脖子开心地叫："我终于有爸爸喽!"那银铃般的笑声让刘燕子和吴文贵听着打心眼里高兴。

笑声犹在耳畔，可现在……吴文贵不禁热泪盈眶。

撇下尊严，悲情父母跪地求援

鉴于"小不点"的情况和伤势，当晚，上林县人民医院就对"小不点"采取了清洗、止血，输血等紧急抢救措施，但在作进一步的检查时，医生们发现，孩子的下体创伤程度大大超出了他们的预料，昏迷不醒、血流不止的"小不点"已生命垂危，而县医院根本不具备治疗的条件。医院建议刘燕子夫妇尽快把孩子送到南宁市最好的医院去治疗。当上林医院的领导知道"小不点"的遭遇后，非常同情，当即免去当天的

医疗费用，并派出一辆救护车连夜将"小不点"送往南宁。

当晚8时许，刘燕子和姐姐还有上林医院的医生一起护送"小不点"赶往南宁，吴文贵则留在上林筹集女儿的医疗费用。晚上11时，奄奄一息的"小不点"被送达广西人民医院。医院立即对"小不点"进行了抢救。

孩子终于被送进了妇科抢救室，刘燕子一把瘫坐在椅子上，人几乎要虚脱过去。这时，值班医生找到刘燕子，要她交住院押金2000元。一听这话，刘燕子急了，泣不成声地哀求医生："我女儿是被坏人害成这样的！求求你们，先救救她！我丈夫已经筹钱去了！"

"小不点"的情况太特殊也太严重了，医院领导指示：不考虑其他，先对孩子进行抢救。当晚，三位妇科专家医师给"小不点"做了近两个小时的清洗和抢救工作，暂时控制了她的情况不往坏处发展。医生在抢救后告诉刘燕子，孩子是生殖道重度创伤和大出血，必须以最快速度给孩子做手术，否则后果不堪设想。刘燕子欲哭无泪，一颗悬着的心变得异常沉重。

6月6日中午，吴文贵到了南宁，把辛苦筹到的1250元钱送到医院。可这点钱对于将要进行的手术来说，简直就是杯水车薪。看着还没有苏醒的"小不点"，刘燕子的眼泪像断了线的珠子直往下掉，内心充满了懊悔和伤心。

束手无策的吴文贵此刻也是悲愤交加，心头仿佛有一股火在燃烧。他掷地有声地对妻子说："我们先求医院给孩子做手术。我再把孩子的所有情况写下来，到大街上当乞丐去，就是放下所有尊严，我也要把孩子的住院费凑够！"

没想到他们在病房外的一席话，被一个刚生完孩子准备出院的女士听到了！她在初步了解到"小不点"与刘燕子吴文贵夫妇间的故事后，立即用手机拨通南宁电视台的新闻热线电话，讲述了"小不点"的凄惨处境。这位不留名的新妈妈诚挚地在电话里对记者说："我相信我们这个世界是充满爱心的，只要大家伸出友爱的手，这个小女孩肯定有救！"

6月6日晚8时，南宁电视台新闻节目以最快速度播出了"小不点"和她父母的故事。千家万户的南宁人心痛于"小不点"的遭遇，更被刘燕子8年来的惊人义举、吴文贵比大海还要深还要广的男儿深情，还有

他们夫妇对"小不点"的血泪亲情呼唤所感动、所震撼！

当天晚上，已经80岁的退休干部刘云彩老人带上300元钱和一些食物，叫了一辆出租车就往医院赶去。在路上，老人想起小不点的遭遇，又忍不住落泪。听老人讲他们三人的故事，司机也非常感动，他不但拒收老人的车费，还亲自搀扶老人来到病房，自己也捐了100元。在当晚12点之前，南宁市就有好几个热心市民自发赶到医院捐款，当晚共捐了1500多元。

6月7日一大早，广西人民医院为"小不点"捐款，两个小时内共捐款2440元。上午10时，医院指派专家为"小不点"施行阴道后穹窿修补术、剖腹探查术和外阴修补术。手术做得很成功。经术后情况分析，医生们明确地告诉刘燕子："小不点"以后的生育能力不会受到影响，刘燕子喜极而泣。

爱心融化寒冰，
苦难女孩重拾灿烂的笑容

在"小不点"的术后麻醉还没有醒来前，医院的妇科专家与刘燕子夫妇进行了一次深谈。医生语重心长地说，受过这类极度挫伤的未成年少女，通常都会感到羞辱难当，无法面对社会，甚至憎恨所有的男人。为了保护好"小不点"，刘燕子夫妇还有"小不点"身边的人，要尽可能地多为她创造一个快乐健康的环境，让她慢慢地放下包袱，重建对生活和自身的信心。在这个过程中，身为母亲的刘燕子更是责无旁贷。刘燕子含泪点头。

傍晚6时许，昏迷了几天的"小不点"悠悠醒了过来。激动的刘燕子紧握着女儿的小手，微笑着说："好孩子，我是妈妈，你现在没事了。""小不点"无力地点点头，轻轻地叫了一声"妈妈"。刘燕子轻轻把女儿搂进怀里，眼里全是泪水。

虽然苏醒过来，但"小不点"并不能一下子从几天来折磨自己的巨大痛苦中挣脱出来，清醒过后的她眼光呆滞，时不时还惊恐万状地尖叫，而且拒绝进食。看着完全不一样的女儿，刘燕子感觉自己的心在流血，但她强忍着悲痛，每次面对"小不点"都面带笑容。刘燕子还不厌其烦地弄来了各种食物，想方设法地劝她进食，哪怕"小不点"只是闻

一闻，她都会露出欣慰的笑容。

为了照顾"小不点"，刘燕子几乎是不眠不休，不管是白天还是黑夜，只要是"小不点"尖叫，刘燕子都会毫不犹豫地放下手头所有的事情，在第一时间将小不点抱进怀里，轻轻地抚摸她，轻轻地跟她说话，让她安静下来。尽管自己文化不高，刘燕子还是买来了一些很好看的故事书，她会在故事中告诉"小不点"，大家都很喜欢并且关心"小不点"，她不应该让大家失望，要做一个勇敢快乐的好孩子。

刘燕子的努力很快有了效果，只要刘燕子在身边，"小不点"就很放松。但对吴文贵却非常冷淡，她不允许父亲靠近自己，哪怕是父亲给她盖被子，她都会很警觉地惊醒，然后睁着大眼睛瞪着父亲，仿佛他是一个敌人。这一切都让刘燕子看得心如刀绞，她深知这次的事故对女儿的伤害有多深，而她又将为此付出怎样的努力。

为了改变"小不点"对吴文贵的敌意，刘燕子像讲故事一样讲了很多他们一家三口在一起的许多琐事，她还特别讲到了小不点在说"我有爸爸"时的高兴，她想用过去的幸福时光重新唤起小不点对父爱的信任。吴文贵也耐心而积极地用行动与"小不点"进行着磨合，他给"小不点"买回了她最爱吃的蛋糕和一套她一直想要的新裙子，用行动无言地向"小不点"表达着父爱。

医院里的医护人员对"小不点"也是特别关照，每次检查，他们都会与"小不点"聊聊天，都会微笑着赞扬"小不点"声音好听了、脸色红润了，他们用这些无微不至的行动向"小不点"传递关心和爱护。在这种和煦如春风的氛围里，"小不点"在一点点改变。慢慢地，她同意进餐并下床走动，她几乎不再尖叫了，呆滞的眼神变得灵动起来。

让刘燕子夫妇感动而且意外的是，一场牵动南宁全城、广西壮乡与天南海北的爱心行动，也在向他们走来——

在"小不点"手术那天，与她同在一层楼住院的一位病友扶着墙壁来到她的病房，把300元钱交到了刘燕子的手上，她流着泪说："我真心希望你女儿能早点好起来。"那天上午11点，来南宁出差的李先生在南宁至北海的快巴上看到了关于"小不点"的报道，他当即取出500元钱，托乘务小姐转交给"小不点"。在惨剧发生的当天，新浪、搜狐等知名网站纷纷转发了"小不点"的新闻，数千网友在网上发表评论，广州、北京、上海、浙江与香港等地近百个网友打通了医院的热线电话，为"小不点"祝福，并要求给"小不点"捐款。

"小不点"的遭遇更让许多母亲痛心，她们纷纷带着自己的孩子到医院来陪伴"小不点"，希望孩子们的笑声能帮助"小不点"忘记过去，回归天真。

6月12日晚上歌手老狼在南宁出席活动时听说了"小不点"的故事，13日一大早，他就赶到"小不点"的病房。尽管当天还要赶飞机前往法国，但老狼还是在病房里呆了半个多小时。临走前，他和"小不点"勾着手指约定："从此我们是好朋友，一百年，不许变！"

接下来的几天时间里，不断地有外省市的爱心汇款寄达医院为"小不点"特设的银行账号上，送来的鲜花、营养品、衣物、玩具、书包等堆满了"小不点"的病房。大家都真心地希望"小不点"能快快好起来，做一个快快乐乐的好姑娘……

在前所未有的被重视与被保护中，"小不点"慢慢恢复了她纯真烂漫的性格，她开始与爸爸妈妈撒娇，开始主动配合治疗，遇到好玩的事，她又像过去一样开怀大笑。直到这时，近十天来为女儿担心不已的刘燕子和吴文贵才长长舒了口气，他们知道，"小不点"已经走过了最难的第一步。

6月17日上午9时，"小不点"要出院了。广西人民医院与南宁市妇联将社会各界给"小不点"捐助的善款（除去治疗费等费用后）共50752.8元移交给上林县妇联监管。为保证这笔资金专款专用，南宁市妇联、南宁电视台、自治区人民医院、上林县妇联和"小不点"的父母签署了协议书。协议中，上林县妇联将每月从资金里给"小不点"发放一定的生活费，每学期发给一次学费，直到"小不点"18岁成年。如果不出意外，这笔钱足够让她念完高中。上林县妇联还带来了县委的指示：有关方面将妥善安置"小不点"一家的住处和她父母的工作，以便给"小不点"一个更加有利的成长环境。

走过生命中难以承受之重，"小不点"终于迎来了成长路上的春天，是她的父母——刘燕子与吴文贵，是那些充满爱心的人们，给了她一个温暖而且值得信赖的笑容，教她不必再害怕岁月的寒冬，教她忘记过去让生命重新开始，教她用最真的心去拥抱未来的幸福。

苦难姐妹上大学，
负重的姐姐晚点到达

石穆海

2004年6月下旬，湖北省荆州市荆州区李埠镇李埠村余云昌家双喜临门：继小女儿余晓燕从南开大学毕业考入清华大学硕博连读人文学专业后，大女儿余金燕在高考中又获得了理科609分的好成绩，被武汉大学录取！很多人不解，怎么小女儿跑在了前面，而大女儿却是晚点出发？殊不知在这不正常的颠倒中，隐藏着一个令人心酸而欣慰的姐妹互救的感人故事。

命运的抉择：
大义姐姐把唯一的机会让给妹妹

余金燕、余晓燕姐妹俩分别生于1980年3月和1982年4月，在荆州市郊区一个农村贫困家庭长大。

1987年冬，父亲余云昌为改变家庭的贫寒状况，在荆州城西三国公园周围做起了小本买卖——贩卖鲜鱼小虾或各种蔬菜，一家人也搬到了公园附近。姐妹俩也就在那儿上了西门小学。由于家境不好，姐姐余金燕上学晚了两年，与余晓燕一起上学。姐妹俩谁也不甘落后，每个学期，各自都能捧回一摞奖状和小红花。

1993年9月，两姐妹进了荆州市将台中学开始读初中，随着年龄增长，她俩也懂事多了，尤其姐姐余金燕，见父母亲为这个家整日奔忙，心里就格外沉重。一天深夜，她母亲悄声说："这买卖眼看做不下去了，家里哪里供得起两个孩子上学？回来一个算了。"父亲叹了口气说："不行，手心手背都是肉，只要她俩成绩好，我就是砸锅卖铁也要供她们一直读下去，只有考上大学，她俩才不会过我们现在这种苦日子！"

父母这谈话像刀子刻在了小金燕的心里一样。既然爸爸希望姐妹俩读出名堂来，她当姐姐的就要给妹妹做出榜样。她学习更加刻苦，并经

常告诫妹妹："咱俩年纪小，为家里帮不上什么忙，唯一能做的就是把学习搞好，这样才能对得起父母啊。"在姐姐的影响下，妹妹也下了苦功。在四面透光的小屋子里，一盏微弱的灯常常亮到父母从睡梦中醒来。

姐姐金燕大两岁，考虑的问题比妹妹更多些。她细心地体察着家里的境况，家里破破烂烂的一切，父母亲穿着补丁衣服的寒酸身影，都让她这个早熟的女儿阵阵心痛：家里实在太穷了，很难供得起两个孩子读书！她心里隐隐担忧着。终于，她最不愿意看见的一幕出现了。

1996 年 6 月中旬，临近中考前两天的一个晚上，爸爸低着头对姐妹俩说道："你们都是父母的好女儿，可是……爸爸妈妈拼死拼活也摆脱不了一个'穷'字。这次中考谁考得好，就只能供成绩好的那个上学了！"一旁的妈妈流着眼泪。姐妹俩心情顿时变得异样沉重。

7 月上旬，中考成绩出来了，姐姐金燕考了 611 分的好成绩，可以进全省重点中学江陵中学。而妹妹却只考了 580 多分，名落孙山。按照爸爸妈妈事先的约定，那就只有姐姐金燕才有资格继续读书。

成绩下来几天后的一天晚上，整天闷闷不乐的晓燕突然没有了踪影。一直到很晚，细心的金燕才在村头一棵树下找到晓燕，晓燕猛地扑到姐姐的肩上，祈求说："姐，你跟爸爸妈妈好好说说，还是叫我也去读吧，我不会叫家里增加负担的，我可以打工——给别人家带孩子呀！"金燕知道妹妹说的是孩子话，但妹妹是多么渴望读书啊！她不觉心里沉重起来。

领着妹妹走进家门，金燕心情沉重地对父母说："爸、妈，我想叫晓燕上学，还是我回家来帮衬家里。"想不到姐姐会作出这样的决定，晓燕一下子愣住了，连忙说："不！姐，你成绩好，你上高中最有希望考上大学。我不上了……""妹妹，不要争了，你年纪小，回到家里也做不了什么！"晓燕感动得流下了眼泪："按家里事先约定，你不上学于情于理都说不过去……"看着姐妹俩在推让，爸爸余云昌难过地说："娃儿们，按说你俩都应当上学，可是家境就这个样子，一开学你们一个人就得七八百元，就这我与你妈都凑不齐啊！"

晓燕"哇"的一声哭着跑进了屋。那天晚上，金燕躺在床上辗转反侧直到天亮，她何尝不知道，上重点高中意味着什么，可是妹妹呢？一

101

想到年幼的妹妹她就一阵阵揪心般的痛。天亮，她擦干了流了一晚上的泪水，来到爸爸妈妈房间说了自己的打算，要把指标让给妹妹。爸爸妈妈惊讶了，说："娃儿你咋这么糊涂？你的成绩好，只有你才有可能读出去，即使叫你妹妹重新走进课堂，她还得复读一年。""不，妹妹只是考试时一时失误……我相信她会考好的！"在金燕的一再坚持下，爸妈长叹一声终于同意了。

1996年9月，妹妹余晓燕走进荆州市楚都中学去复读。而姐姐余金燕则一身农家小姑娘的打扮，走进了铸铁作坊。这时，余云昌经营的小买卖做不下去了，又回到李埠镇李埠村开了个小铸造作坊——专门做些家庭用的酒精炉和火锅托盘什么的。

晨曦初露，金燕瘦小的身影就出现在作坊里，托沙盘、挑煤，什么活都抢在父亲前面。起早贪黑地在炉火边忙个不停。一天下来，小作坊好的时候能够挣个一二十元，遇到淡季就只能叹气。

有时货卖完了，金燕忍不住跑到楚都中学去看望妹妹，鼓励妹妹珍惜这次学习机会。晓燕深知这次学习机会来之不易，比别的孩子更刻苦。

聪明的晓燕的确没有辜负爸妈与姐姐的期望，各门功课都赶到了前头。1997年7月，晓燕一举考进重点高中江陵中学。接到入学通知书的那天，金燕向妹妹表示祝贺，然后一个人跑到屋后流下了热泪，她为妹妹的成功欣慰，也为自己的命运感到了一丝苦涩。

真情的拯救：妹妹在父母面前长跪不起

妹妹晓燕这年9月走进江陵中学后，余金燕做生意更加勤快了，哪怕酷暑灼人或天寒地冻，她都像男孩子一样不停地抢着铁锤。爸爸妈妈见她没有新衣服，几次要给她买，都被她拒绝了："等咱家什么时候还清债务，攒够了妹妹上高中上大学的钱，再买也不迟！"

在寒暑易节岁月更替中，余金燕的手中磨出了老趼，稚嫩的面孔也早早地成熟了。从1996年到2000年，爸爸余云昌为她细细地记了一笔账：单就大女儿在这四年里为家里挣钱与辍学节省下来的钱总计不低于5万元。而余金燕最大的心愿则是妹妹能够以优异成绩考上名牌大学。她时时盼望着那一天的到来。

知 音

这一天果然来到了，2000 年高考成绩张榜，余晓燕以文科 572 分的好成绩被南开大学社会学专业录取！8 月中旬，入学通知书翩然而至，一家人高兴得合不拢嘴。

这天晚上，晓燕在睡梦中被轻微的响声惊醒了：她发现姐姐正拿着她的入学通知书，就着窗外的月光轻轻地摩挲着，她顿时明白了姐姐的心迹，上学，还是深藏在姐姐心中的一个梦！

2000 年 9 月 12 日，到南开大学报到前几天，晓燕神情庄重地把父母叫到一起，郑重说道："爸，妈，我恳请你们让姐姐重新走进学校——家里的境况比以前好多了，紧紧巴巴地也应当供得起她的学费了。"说着她从姐姐枕边拿出了一大摞初三和高一的课本，激情难抑地说："姐姐时刻都想上学呀！"说着，晓燕的眼泪再也止不住了……见妹妹说出了自己的心愿，金燕也一下子惊诧得说不出话来。爸爸妈妈也惊呆了！可是毕竟这时已经辍学整四年了，重新走进课堂，她能跟得上么？妈妈想得还要多一层，金燕年纪一天天大了，该成家了。

爸爸筹齐了晓燕上大学的七八千元费用，催她早点动身到大学去报到，她却说不急，把姐姐的事谈妥了我才好安心离开家里。父母没法，就直接问金燕说："你是不是考虑好了，真的想重新上学？"此时的金燕，也是眼含热泪，点点头说："爸爸妈妈，妹妹考上了，家里还有很重的负担，按说我不应该再张罗上学，但再不上学我恐怕就没有机会了。"妹妹则很有底气地说："爸、妈，为了姐姐，你们尽管去借钱或贷款，所欠债务，我大学毕业参加工作后一定能够偿还！"

余云昌与妻子王英商量了一夜，妻子却还是不大同意让金燕重新回到学校。但拗不过他的主见，终于咬咬牙勉强答应了两个女儿的请求：重新送大女儿上学，直接进入高中。然后，他们跑了无数个学校，却都不接收。因为四年前的 600 多分，现在只能作零分处理，并且，她的学籍与档案已经杳无踪影。

金燕含着泪水奋笔疾书，在长长的四五页纸上向远在天津的妹妹倾吐着内心的苦闷和不灭的梦想。妹妹很快回信了，叮嘱她从现在开始好好复习初三的课程和高一的课程，随后给姐姐邮来一份亲自制定的复习计划。2001 年 1 月放寒假，妹妹余晓燕匆匆赶回了老家，亲自当起了姐姐的老师。

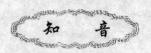

返校后，晓燕依旧不断地来信，指导姐姐复习功课，金燕也定期写信"汇报"学习情况。姐妹两地书在津荆之间激情地传递着，强烈地点燃了姐姐心中对未来的憧憬之光。可是直到2001年妹妹放暑假，金燕仍然没有找到接收她的学校。

姐妹俩急了，除了敦促爸爸跑外，她俩也冒着炙人的热浪一个学校一个学校地跑，妈妈王英每天望着两个女儿焦灼的情状，早在一年前萌发的那个想法又涌上心头。她想早点把女儿嫁出去。

就在姐妹俩为找接收学校的事奔忙时，妈妈就委托人偷偷替金燕找下了婆家，亲戚们也极力支持让金燕出嫁。但余云昌却犹豫着不肯表态。妈妈终于向金燕摊牌了，动情地说："爸爸帮你跑学校，只不过是为着日后不会愧对自己的良心——觉得不欠儿女的什么，你就是上了学，能跟得上吗？还是趁早成个家吧！"

如雷轰顶，妈妈的话一下把金燕击蒙了。她大叫一声："不！我不！"便号啕大哭起来。无论妈妈怎么劝说，她就是誓死不从。晚上，妹妹从同学家回来，听说了此事，也惊呆了。她心潮起伏：她今天之所以能够成为一个名牌大学的学生，都是姐姐用青春换来的，没有姐姐当初的大情大义，怎么会有自己的今天呢？她冲到父母面前，一下子跪了下来，痛哭失声地说："爸、妈，你们怎么这样糊涂啊！姐姐是个有抱负有发展前途的人，你们要把她嫁出去，那是葬送她的人生前途啊……"妈妈也泪如雨下，哽咽着说："我与你爸是感到对不起你姐，可是她这么大的人了，闹不好上学读不出去，好人家又找不上，我们这心里不更是过意不去吗？""不！我相信姐的实力！她一定能考得出去！如果你们不让姐姐上学，这大学我也不念了！"晓燕态度坚决。

事情到了这个份上，妈妈就不好再坚持原来的想法了。不到五十而显得格外苍老的余云昌更是横下一条心，对妻子说："这几年也亏了金燕，家坚虽说还欠着几万元的债务，但生意上开始有些起色了，再说几年后晓燕参加了工作，这债就能偿还，就让她上学吧！"

双双展翅高飞，姐妹俩真情大义感动荆州

余云昌又一次领着女儿开始跑接收的学校，就在一家人愁眉不展时，晓燕听说荆州北门中学今年政策有调整，面向城乡穷苦学生，便领

着爸爸赶了过去。

被金燕当年大义让学和今天这种锲而不舍的求学精神所感动，北门中学校领导破例收下了大一般同学五六岁的金燕。然而，像金燕这样"另类"的学生，学费加其它费用要收 4000 多元。校领导告诫余金燕说："只要报了名，如果中途跟不上，这 4000 多元我们可是不退的！""没事，我相信自己！"余金燕坚定地说。

2001 年 9 月 1 日，妹妹晓燕亲自与父亲一道把姐姐送到北门中学。按照金燕的想法，晓燕与父亲找到校领导，恳请他们把金燕分到快班。可面对的情形却是残酷的：别说快班，就是一般普通班都没有人要，最后由校领导出面调解，她才被安排进了一个普通班。心有不甘的晓燕怕姐姐心里不高兴，附在姐姐的耳边说：普通班也行，只要自己敢打拼，一样能获得好名次！"晓燕又将自己节省的 125 元钱替姐姐交了住宿费，直到把姐姐该安顿的都安顿好了，她才放心地离开。

班里突然来了这么一个大龄同学，大家都用陌生的眼光打量着金燕。余金燕几次主动走到他们中去，可是那些小弟弟小妹妹们一见她来到身边，就打住不说不笑了，弄得她十分尴尬，她感到自己与这些"小同学"有了"代沟"。在孤独和痛苦中，她怀疑自己这么执著地重返校园是不是错了，便忍不住给妹妹写了一封长信，诉说心中的苦闷，并征求妹妹的意见，自己是不是离开学校到外面打工去比较切合实际。妹妹晓燕接到信后，为了争取时间，她干脆打了电话辗转找到了姐姐说："姐姐，千万别打退堂鼓。你不必活在别人的目光里，年龄不是距离，重要在于心态，你要敞开自己的心扉，用自己的实力证明自己！"听了妹妹的话，金燕的心里豁然开朗。从此，她不管别的同学怎么看待自己，自己主动地走到他们中间，参与他们的活动，与他们沟通。小同学们发现，那个大姐姐每天都比他们起得早，睡得晚，更深夜静，走廊昏暗灯光下都有这位大姐姐手捧书本的身影。他们开始敬重她了。

更叫他们咋舌的事还在这学期的期末考试，余金燕竟考了 760 分的好成绩，在全校 400 多名同年级的学生中位居前七名，当初最薄弱的英语竟然考了 109 分！这一下震惊了全校，各班班主任都后悔当初怎么就没有眼光接收下这个优秀学生。同学们都主动找她说说笑笑，她这才感到真正融入到同学之中。

2002年3月，下学期开学，北门中学校领导把余金燕调进了快班，全班同学一致选她为学习委员。这期间，在南开大学的妹妹余晓燕每月总要给姐姐写两封信，打一至两次长途，询问她的学习情况，鼓励她再加把劲。有名牌大学的好妹妹兼好"老师"指点，余金燕感到心里有了坚实的依靠。她每天只吃一两块钱的伙食，把爸爸妈妈每月给的百把块钱生活费省到极限，用节省出来的钱买各种学习资料。勤奋的努力换来了优异的成绩，金燕一直名列全年级前列。

2003年底，妹妹晓燕面临大学毕业，她征求姐姐的意见：自己是参加工作好还是考研好？金燕马上去信，鼓励妹妹考研："凭着你的天资，你准能考上研究生——这更能实现你的人生价值！"在姐姐的鼓励下，晓燕把目标锁定在清华大学研究生。金燕和妹妹相约，两人展开竞赛：妹妹必须保证考上清华，姐姐则保证考上武汉大学那样的重点大学！

姐妹俩较开了劲。做姐姐的其实帮不了妹妹的忙，但她却时刻牵挂着妹妹。一次与妹妹通电话，觉得妹妹心里好像有事。在她再三盘问下，妹妹说，自己想买些复习资料，但不好意思再给家里增加负担。余金燕听了，马上赶回家里，与父母亲商量，让父母给妹妹寄去了300元，她自己又悄悄地把平时省吃俭用节省下来的50多元也寄了去，叮嘱妹妹要注意身体。

姐妹俩一起向各自的目标冲刺。晓燕的竞技状态颇佳，而金燕却在2004年5月底模拟考试中考得很不理想，才得了514分，她不由得很伤心。晓燕马上打来电话说："姐，我得祝贺你——你已经找到了自己的薄弱环节，有了努力的主攻方向。这难道不是件好事吗？"思路一变天地宽，金燕顿时焕发出勇气来。

2004年6月28日，妹妹晓燕接到了清华大学硕博连读的通知书。几天后高考成绩张榜公布，余金燕，这个当初为了妹妹主动放弃求学而后长达五年辍学为妹妹"打工"挣钱上大学的姐姐终于迎来了人生的辉煌时刻，一举考得了609分的好成绩！消息传来，一家人喜极而泣。金燕更是热泪盈眶，这份沉甸甸的收获，本该五年前就属于她。为了妹妹，这才迟来了五年。而妹妹用一腔真情，又拯救了姐姐的命运，让姐姐的人生又回到了原来的航向！

　　7月7日，金燕作为嘉宾走进荆州电视台"午间直播室"，含泪讲述了自己与命运抗争的经历。主持人问她："可不可以这么说，没有你当初的牺牲精神，就没有你妹妹的今天？"余金燕动情地说："不，应该说没有我妹妹，就没有我的今天！"

　　7月24日，余金燕接到了武汉大学水利专业的录取通知书。两姐妹同时上学，余云昌夫妻俩的担子更重了。尽管生意好了一些，可以承担姐妹俩的上学费用，但他依旧背负着近5万元的外债。余云昌告诉记者，两个女儿学业有成，就是背再多的债也不怕，他相信自己两个懂事上进的女儿一定会走进更加辉煌的人生！

生命呼救国际 SOS：
15 万包专机救父

周武峰

　　深圳一位 57 岁的老教师在到云南丽江旅游途中，突发重病，生命危在旦夕，而当地医疗条件有限，急需送往大医院救治。在这十万火急之际，这位老师的 4 个子女齐心协力，毫不犹豫地凑出 15 万元巨款，包了一架国际 SOS 医疗救援专机，将父亲从云南丽江送到千里之外的广州医院，使病人转危为安。

十万火急，慈父旅游途中突发重病危在旦夕

　　2004 年 7 月 25 日中午 12 点左右，广东省深圳市公明镇一家"家家好中西快餐店"内，正是紧张忙碌的生意高峰期，24 岁的年轻老板陈照锋和未婚妻麦丽君正十分忙碌地打点着店里的生意，突然，他的手机响了，电话里传来姐姐陈艳霞带着哭腔的急促声音："锋仔，不好了，你马上回家一趟，爸爸外出旅游出事了！"

　　一进门，哥哥、嫂子、两个姐姐和姐夫都已经赶回来了，陈母宣布了一个不幸的消息：正在云南旅游的陈照锋的父亲陈书礼在丽江突然发病，同事们赶紧将他送到附近的鹤庆县人民医院，医生初步诊断为肝肿瘤破裂，随时有生命危险！带队旅游的领导意识到问题严重，打来长途电话，要求陈家派人火速赶往云南。

　　听了消息，陈照锋心痛不已。原来，父亲的腹痛有几个月了，一直以为是胃病，经常服用胃药，几个兄弟姐妹多次劝他去医院检查，他也不去，只在家里服药，就在上个月，陈照锋为父亲联系了一家医院，让他去彻底检查一遍，父亲依然没去，去云南旅游前，父亲又特意买了不少胃药带在身上。大家万万没有想到，父亲得的病竟然是肝癌！一时间，子女们都为自己的粗心懊悔不已。

　　短暂的家庭会议当即做出决定：由陈照锋、哥哥陈洪锋、小姐夫麦

惠成一起赶赴云南。陈照锋提议请他未来的岳父麦创成一同前往。原来，在政府部门工作的麦创成以前曾患过肠肿瘤，1999 年手术之后，彻底根治了多年顽症，一直没有复发，在治疗肿瘤方面有一定的经验体会。麦创成闻讯后欣然前往，并迅速电话联系到了广州中山大学肿瘤医院的一名较有名望的秦医生，请他也随同一起赶往云南。

7 月 25 日下午 6 点，飞机准时起飞。坐在安静的机舱里，陈照锋的心里却久久不能平静，历历往事像机舱外的云雾一样从他心头飞速掠过。

小时候，陈照锋的家还在公明镇楼村，是个典型的半边户，母亲务农收入低，一家 6 口人基本上全靠在村小学当老师的父亲那微薄的薪水来养活。父母亲节衣缩食艰辛地抚育着 4 个子女，父亲从不多说话，只知道辛辛苦苦地工作，一个人承受着生活的重压。

读小学 3 年级时，有一天半夜 2 点多，陈照锋突发高烧，父亲连忙步行 10 多里，将他背到公明镇上的医院。当时，躺在父亲的脊背上，听着父亲粗重的喘气声，时至今天，陈照锋依然还能回忆起那种感觉来。

慈祥的父亲性情温和，在陈照锋的记忆中，不管孩子们做错了什么事，父亲从来没有动手打过他们，总是轻声细语地教他们如何为人处事，在这种良好的家教之下，陈照锋兄妹 4 人都成了听话的好孩子，早早地懂事了。陈照锋的大哥高中毕业后，就早早地出来找事做，白手起家，在公明镇经营音响。随后，陈照锋的两个姐姐也相继长大成人，都有了自己的温暖家庭，也都有了自己的工作。家里的日子这才慢慢好起来。

2000 年夏，四个孩子中最小的陈照锋从广州电子中专学校毕业后，父亲极力支持他去创业，陈照锋便和女友麦丽君在公明镇开了一家服装店。2001 年 3 月，父亲又拿出多年积攒的血汗钱，帮陈照锋和女友开办了公明镇第一家快餐店。由于缺乏管理经验，快餐店曾一度出现亏损，父亲及时给他们鼓气，并帮他们迅速扭亏为盈。陈照锋对父亲心存感激，希望有朝一日回报慈父。

2004 年 7 月初，父亲给陈照锋打来电话，说学校组织去云南丽江旅游，自己要不要去。他听了，高兴地说，这是好事啊，您现在退休了，应该出去走走了，看看外面的风景，需要多少费用，我给您出。7 月 21

日，陈照锋和姐姐把父亲送到了机场，父亲高高兴兴地平生第一次坐上了飞机。然而，他万万没有想到，父亲竟然会在旅途中遭此劫难！

与时间赛跑：遍寻良策挽救慈父生命

7月26日零时，陈照锋一行五人从昆明辗转飞到丽江机场。夜色之中，五人打了一辆出租车赶到了鹤庆县人民医院。

在狭小的病房里，躺在病床上正在打吊针的陈书礼脸色苍白如纸。看到儿子一行五人突然出现在自己的眼前，他一阵惊喜："你们怎么来的？千里迢迢跑那么远的路来干吗？"

为了不给父亲增添精神负担，陈照锋抑制住自己就要夺眶而出的泪水，故意装出一副轻松的样子："听说你病了，我们来看看你，顺便结伴到云南来玩一玩，早就听说这里的风景很美，旅游完了也好和你一起回家啊。"陈照锋握住父亲的手，父亲的手是冰冷的，让他的心里又是一紧。

乘哥哥他们安慰父亲之机，陈照锋悄悄地把正在医院陪护的学校领导拉到病房走廊里，向他进一步打听父亲的病情。校领导介绍说，7月24日，陈书礼和同事们在丽江古城看完歌舞表演回到住处后，突感腹痛，但怕影响同事休息，他只好强忍剧痛，一夜没睡。第二天早上，他又跟着旅行团坐车去大理。开车一个多小时后，在坎坷的山路上一颠簸，陈书礼又感到剧烈的腹疼，终于坚持不住了，满脸是汗，几乎昏倒在车上，大家这才知道他生病了，于是就近将他送到了这家医院急救，医生赶紧给他止血、输血，病情虽然暂时有所缓解，但还没有根本控制，必须转入大医院急救。

时间刻不容缓，陈照锋叫来一辆出租车把陈书礼送到了丽江市一家大一点的医院。在急诊室里进行 CT 检查时，随同前来的秦医生仔细观察后说："从 CT 图像上来看，肝肿瘤范围较大，估计是由于旅游点山路崎岖，肿瘤破裂导致了出血。这是肝癌一个很严重的并发症，如不及时处理会导致失血过多，休克甚至死亡！"

尽管早就有心理准备，但经专家的一番诊断，陈照锋还是感觉到头皮发麻、浑身发冷。想到父亲病情如此严重，陈照锋心急如焚。他恳求医生立即进行救治，但院方的医生却十分为难地说："我们也是爱莫能

助啊，我们医院医疗设备不齐全，你还是把你父亲送到更大的医院吧！"

然而，从丽江到昆明近千里路，病人根本就经不起长途颠簸，随时都有生命危险！沉着冷静的秦医生说出了自己的想法，建议先让病人入院做保守治疗，然后等几天再一起坐飞机到广州大医院。

走投无路的陈照锋去找院方办理入院手续。然而，医生说："这个病人时刻都会有生命危险，我们医院条件有限，不敢轻易收他入院啊。"陈照锋急得眼泪马上流下来了，拉住医生的手说："求求你，先让他暂住下来，两天后我们就让他坐飞机回广州……"医生被这位孝子感动了，同意入院，但还是让陈照锋写下了"患者自愿住院，如有生命危险，责任自负"的字条。

于是，在本来很拥挤的病房过道里，护士特意添置了一张窄小的病床，让陈书礼躺了下去，随后又给他做检查，输液。

安顿好重症父亲，时钟已经指向凌晨4点，陈照锋这才感到极度的饥饿与困乏。这也难怪，从接到姐姐的电话开始，他已经近20个小时没有吃一粒饭，喝一口水了……

为了让父亲早日回到广东治病，7月26日上午，陈照锋早早地去预订返程机票，但最早的航班也要到28日中午11点，大家只好耐心等待。

然而，就在这两天的等待中，陈书礼的病情进一步加重，腹部如刀绞一般，头上豆大的汗珠直往外冒。看到父亲痛苦不堪的表情，陈照锋心疼不已，他恨不得自己来为父亲分担一些病痛！

看到父亲的痛苦，陈照锋突然想到：航空公司能否允许重症病人登机？他立即打电话到航空公司去咨询，对方听完他的陈述后，明确地答复说不行。

时间在一分一秒地过去，陈照锋和哥哥愁眉不展，众人想了很多办法，都一一被否定。最后，在政府部门工作的麦创成出了个主意：向当地政府部门求助！

7月27日早上8点，陈照锋和麦创成马上赶到了丽江市人民政府求援。游客生命垂危，立即引起了丽江市政府的高度重视，政府信访办公室当即通知市民政局，市医院的有关负责人马上赶到市政府，共同寻找解决问题的办法。市民政局工作人员无奈地说："航空公司不属于当地政府管，我们民政部门爱莫能助啊！"陈照锋提出请医院出示一张患者

登机的证明，对方在深表同情之余说道："你父亲的病情特别严重，一旦登机，受高压气流影响，病情会加重，随时都会出现生命危险。如果在飞机上真有个三长两短，我们医院负不起这个责任，这个证明我们医院开不了啊！"

陈照锋拖着灌了铅一般沉重的双腿，沮丧地回到了医院。望着病床上痛苦得不时扭动身体的老父亲，回想着慈父20多年来对自己的养育之恩，双眼含泪的陈照锋陡然感觉到无比愧疚，心中一股酸溜溜的滋味直往上涌，他赶紧跑出病房，躲到楼梯底下小声地哭了起来。在这人生地不熟的异乡，看着父亲饱受病魔的折磨，而自己束手无策，他觉得是多么的无奈，无助，又是多么的无能！

过了一会儿，准岳父找来了，语气坚定地说："别着急，办法总是人想出来的，活人总不会被尿憋死！"

听了准岳父的话，陈照锋擦了擦眼泪，立刻恢复了信心，振作起来，又回到了父亲的病房。

向 SOS 呼救，孝子巨款包专机救父

时间在飞速而逝，陈书礼的病情也越来越严重，按照医嘱，他不能吃不能喝，连水都不能沾一滴，一刻不停地打着吊针。

怎么办？看着手表指针一秒一秒地移动，陈照锋仿佛看到了死神的脚步正一步一步地走向父亲！他心里像着了火一样，突然间，他提出了一个大胆的设想："到航空公司包一架专机！"

亲友们听了，先是一愣，随后有人问道："包专机？那得需要多少钱？"陈照锋果断地说："多少钱也要包！现在是救人要紧！钱去了还可以赚回来，人去了就永远不可能再活回来了！"

陈照锋将在云南的情况立即打电话告诉远在广东老家的母亲和姐姐陈艳霞，她们也赞同包机。随后，由陈艳霞出面联系与深圳机场有业务往来的一家航空公司，对方开价20万元，救父心切的陈艳霞沉吟片刻后说："钱我们会想办法筹齐的，你们能不能保证病人的安全？最快什么时候起飞？"对方含含糊糊地答道："对病人的安全问题，我们尽力而为吧，至于时间问题，等钱交齐之后，最快也要在28日早上8点起飞。"

听姐姐介绍，陈照锋感觉到一是时间太迟，同时感到这家航空公司

在救护危重病人方面似乎不够专业，让人放心不下。7月27日下午2点，焦急万分的陈照锋敲开了医院院长办公室的门，把包机的想法和盘托出，向院长咨询。院长建议道："如果真想包机的话，你不妨和国际SOS救援中心联络一下，他们在医疗救护方面很专业！两年前，有个美国游客到丽江来旅游，也是突发重病，后来救援中心派出医疗救护专机，让他转危为安。"随后，院长还翻出一张名片。

真是一语点醒梦中人！看着印有"SOS"标识的小小名片，陈照锋仿佛一下子看到了希望！他激动得连声感谢院长指点迷津，并迅速用手机和国际SOS救援中心香港总部取得联络。

一个声音甜美的女性听完他的请求后说，她要将此事向上司请示一下，再估算相关费用后，才能给予明确答复。两小时后，下午4点整，国际SOS救援中心香港总部终于打来电话，明确答复道："整个费用需要15万元，如果能在当天晚上8点之前将现金全额交到我们总部，那么，当晚12点将派一架医疗救护专机从北京直飞云南丽江，病人安全，可以得到绝对的保障！"

陈照锋和亲人们一比较，一致同意包用国际SOS救援中心的医疗救护专机。于是，陈照锋给国际SOS救援中心香港总部去电，明确表态：包机！

然而，新的问题接踵而来。距离交款的截止时间当天晚上8点只有短短的4个小时了！在这么短的时间，如何一分不少地筹齐15万元现金？又如何交到香港总部？

时间就是生命啊！筹款、交款的重担自然就落到了在深圳老家的姐姐陈艳霞肩上。她马不停蹄地找亲朋好友四处筹集资金，好不容易在最短的时间内凑够了15万元现金，便立即乘车赶往罗湖海关。然而，过关时，她又被卡住了。原来，按照有关规定，不准携带巨额现金出入境！

看到期限时间一分一秒地逼近，陈艳霞眼止不住地往下落，她一再乞求海关工作人员为她放行，然而，海关工作人员只能对她深表同情，不能违规。紧急之中，她突然想起，堂妹陈淑敏在香港一家公司当秘书，她马上打电话过去求援。堂妹接完了她带着哭腔的电话，立即答应为她凑钱垫付这笔救命的巨款！随后，她以最快的速度筹到了15万元港币，急匆匆地赶到位于铜锣湾的国际SOS救援中心香港总部，等她交

完现金、办完相关手续，已经是 7 月 27 日晚上 7 点 55 分了，距离截止时间只差 5 分钟！

按照约定，7 月 27 日 24 时，国际 SOS 救援中心派出的医疗救护专机准时从北京起飞，28 日凌晨 3 点飞抵云南丽江。

凌晨 3 点半，一位身材高大的委内瑞拉籍医学专家和一位护士小姐用小推车推着满车医疗器械，来到陈照锋父亲所在的医院。当他们身穿印有 SOS 标志的工作服走出电梯的一刹那，正翘首以待的陈照锋眼前一亮，在第一时间里就对他们产生了极好的印象，觉得这才是国际一流的专业医疗救护队伍，他们一定能给重症病人带来生的希望！

两位远道而来的救护使者不负众望，他们查看了院方提供的患者有关资料后，马上用自带的高级药品给患者做静脉注射。

7 月 28 日凌晨 4 点 30 分，陈书礼被抬上救护车送往丽江机场，旋即又被抬上医疗救护专机。专机上所有的急救设施都是国际一流的，病床是用充气气垫做成，患者躺上去以后，马上被气垫包裹，既舒适又平稳、安全。

一切准备工作就绪后，28 日 6 点，专机从丽江机场轻盈起飞，迅速冲向辽阔的天际。

由于专机体积小，只能容许患者两名亲属随机，陈照锋和准岳父麦创成登机同行。坐在精巧的机舱里，看看父亲面色平静地躺在柔软的急救床上，再看看机舱外的万道霞光，他仿佛看到了一轮新生的红日，正从父亲的生命线上冉冉升起！

在昆明作短暂休整之后，28 日 10 点，专机安全地降落到广州白云机场，广州中山大学肿瘤防治中心早就派出救护车在机场等候。

陈书礼被救护车送到新修建的住院部肝胆科接受治疗。专家们经过认真检查，进一步确诊为原发性肝癌，肝肿瘤较大并且已经肝内转移，但幸运的是还未出现肝外转移。如不及时采取措施，按一般惯例，在这种情况下患者的生存期限不会超过 3 个月！医学专家们说，能挽救患者生命的唯一途径就是进行肝移植，别无他法！

得知做肝移植至少需要 20 万，陈照锋毫不犹豫地代表家人表态："医生，请你们尽全力治好我父亲的病，医疗费用，我们哪怕砸锅卖铁也会凑齐！"

　　由于要等待合适的活肝供体，移植手术先后被推迟了 3 次。

　　8 月 11 日，陈照锋接到医院通知，终于有了合适的肝供体，请他协同医生一起去深圳机场接机。供体从广西运过来，陈照锋当即赶到深圳机场。下午，天气突变，狂风大作，电闪雷鸣，暴雨倾盆，原来计划 4 点降落的飞机只好到其它城市迫降，而医院这边，陈书礼手术前的各项准备工作已完成！陈照锋心急如焚，他祈祷老天，千万不要再出什么差错了。父亲再也经不起折腾了……

　　终于，晚上 7 点钟，飞机才降落到深圳皇田机场，陈照锋接到肝供体，立即送往广州。当天晚上 9 点，肝移植手术开始。全家人忐忑不安地在手术室外等待着、期盼着、祝福着……

　　晚上 12 时，一名医生从手术室走出来，托着被切割下来长满肿瘤的肝，这只肝脏已经发黑，体积是正常人的两倍大，看得陈照锋触目惊心。在漫长的等待中，天色已经发白，医学专家们经过一个通宵的奋战，手术终于顺利完成。早上 6 点半，陈书礼被推出了手术室，送进了重症监护室（ICU）进行监护。主刀医生元云飞走出手术室，告诉陈照锋："手术成功！"

　　8 月 29 日，记者从中山大学肿瘤医院了解到，目前陈书礼的病情康复很快，腹部的疼痛感已彻底消失，已经能正常行走、进食，9 月初即将出院。老人含泪告诉记者："是我的四个孩子给了我第二次生命……"

妈妈负疚泣泪，
洗亮女儿蒙尘的星空

温暖

这是一个跌宕起伏、震颤人心的亲情故事：一个不幸的女人为了维护自己的心理平衡，一步步把如花的女儿推向了堕落的深渊，使可怜的女儿面临终身监禁的严厉惩罚。面对如此剧烈的人生震荡，这个坎坷的中年女人母爱苏醒了，决定以自己的后半生为女儿赎罪，还给她一片本应该属于她的灿烂天空！十几年来，她风雨无阻地奔波于大连、长春两地，用浩瀚的母爱一点一点抚平女儿心灵深处的创伤，用那迟到的爱一声一声地唤醒了女儿止水般的心灵，不仅使女儿早早地提前出狱，而且成为当地一个知名歌手，远赴东瀛献艺。女儿因为入狱错过了最佳婚恋年龄，母亲为了孩子的终身幸福操碎了心，最后希望通过《知音》，为宝贝女儿寻觅到一位"知音"……

母爱蒙垢，挣脱亲情锁链的女儿误入歧途

今年56岁的成晓冬1979年第一次婚姻解体，女儿罗欣欣判给了自己。她的职业也从公务员变成一名厂医。婚姻的磨难和工作的失意，使她身心俱疲。为女儿和自己的生计考虑，1986年8月，成晓冬带着12岁的孩子改嫁给吉林省白山市一家医院的副院长。

王家条件很好，4个儿女都是大学毕业，后夫待成晓冬也不错，教会了她镶牙技术。可是，后夫家中那种浓浓的书卷气使自尊心极强又十分敏感的成晓冬自卑而压抑。为了使自己和女儿尽快融入这个家，成晓冬按后夫的姓，给女儿改名王梦。

尽管如此，成晓冬还是隐隐感觉到后夫家族对她们母女的轻视。她只好把全部希望寄托在女儿王梦身上，希望女儿学习成绩出色，将来出人头地。成晓冬对女儿的要求十分苛刻，剥夺了她所有的玩耍时间。王梦学习刻苦，课余从不跟小朋友玩，母亲布置的作业都完成得很好。成

晓冬以为女儿真的懂了她的良苦用心。

1988年6月的一天，成晓冬去女儿的学校开家长会，班主任老师告诉她，王梦已经几天没来上学了。那天夜里，成晓冬流着泪和女儿进行了一次长谈。在哀伤的母亲面前，王梦也哭了，她向母亲保证不再逃学。

可是几天后，王梦又逃学了。这次，成晓冬悄悄地跟在女儿身后，惊恐地发现，14岁的女儿竟然描眉涂唇，穿着高跟鞋，跟几个社会青年混在一起。那天夜里，气坏了的成晓冬对女儿严厉审问，女儿不肯承认逃学的事。气得发疯的成晓冬一把扯住女儿的头发，抓起窗台上的花盆就向她头上砸去，鲜血从女儿头发间流下来成晓冬歇斯底里地嚷道："我忍气吞声不都是为了你，你却这样不争气。我不想要你这个撒谎的女儿了！"

王梦吓得脸色惨白，"咚"的一声脆下来，抱住母亲的腿嚎啕大哭，坦白了近段时间的所作所为。她说：不知什么原因，她最近非常渴望自由自在，羡慕那些在社会上流浪的青年，因此，就和他们混到一起。

女儿的堕落让成晓冬万念俱灰：她有过一次失败婚姻，这一次再也输不起了。她已经感受到后夫家人发现她女儿和社会青年混在一起后投来的异样眼光，她的脾气越来越暴躁。女儿每次出走回来，她都暴打她一顿，打得王梦身上常常旧伤没好又添新伤……可这种简单粗暴的教育方法没有阻止女儿堕落的脚步，反而加剧了女儿的叛逆，王梦开始三天两头夜不归宿。

这时，失去理智的成晓冬做出了一个让她后悔一生的举动：她找人打了一条铁链，把女儿锁在了屋里王梦不哭也不闹，只是静静地承受着这一切。母亲给她留的写小楷作业，每天同一个字几十页写下来，她一个字都不会写错。王梦的安静和听话，让成晓冬误以为女儿已经收心了，因此，到第8天时，她打开了女儿身上的锁链。可是，就在打开铁链的当天，王梦撬开窗户跑了出去，再也没有回来。

一个月后，女儿打来电话，说想回家取衣服。此时成晓冬对女儿已经失去信心，她竟绝情地说："这不是你的家，我也没有你这么不争气的女儿……"

又两个月过去了，王梦音讯皆无，成晓冬不禁有些害怕了，她日思

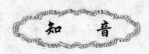

夜想女儿，可又不知女儿在哪儿……

1988年12月12日，一名警察出现在成晓冬面前，告知她女儿已被警方刑拘。成晓冬终于等列女儿的消息，可这是一个多么让人心碎的消息啊！

原来，王梦为了有吃有住，加入了一个敲诈、抢劫犯罪团伙。王梦长得很漂亮，她负责在白山市火车站前，以色相将过往旅客勾引回他们租的小屋，然后由团伙其他成员对旅客进行抢劫。一个月里，他们便作案几十起。这个团伙很快就被打掉，团伙成员纷纷落网。王梦没有了吃住的地方，在寒冷的冬夜里，她几次走到自家门前，却没勇气敲门。她想：犯了这样的大错，粗暴的母亲还不把她打死啊。1988年12月9日深夜，实在无处可去的王梦到白山市新站站前派出所投案自首了。

1989年1月10日，成晓冬获准去看守所看望女儿，只见王梦脸色惨白，目光呆滞，没有了往日的聪明伶俐。女儿隔着冰冷的铁窗，跺着脚哭喊："妈妈，快带我回家，我不要在这里呆啦。"

从看守所出来，成晓冬哭昏了，她的心像被刀挖一样地疼痛，女儿还是一个天真无邪的孩子啊，可是，这怪谁呢？成晓冬回想起女儿5岁时，成晓冬和前夫离婚了，女儿拖抱着两岁的弟弟帮她料理家务；她再婚后，为了摆脱自己在王家的心理失衡，又扼杀了女儿的天性，从没考虑过她的感受。她现在的处境，不正是自己一手造成的吗？成晓冬悔恨得差点吐血。

王梦关进看守所后，后父总是说成晓冬有这样的女儿让他丢脸。1990年冬天，痛苦不堪的成晓冬和后夫离了婚。之后，她无颜呆在白山市，就辞了公职过起了流浪生活，最后在大连市金州区落下了脚，租了一间只有10余平方米的小屋，办起了牙科诊所。

由于王梦卷入的犯罪团伙人员多，案情复杂，直到1991年6月才在通化巾中级人民法院开庭审理。成晓冬也去了，仔细地听着判决书。22岁的男主犯判了死刑，17岁的男主犯判了死缓，当第三个读到王梦的名字时，成晓冬悬着的心一下提到了嗓子眼儿。

"被告人工梦被判无期徒刑……"成晓冬头脑一片空白，身体摇晃几下倒在座位上。女儿已经被关了两年，她本以为这次可以接女儿回家了，怎么也没想到女儿会破判得这么重，无期呀，女儿啥时才能出来？

迷迷糊糊中，成晓冬跟着押解女儿游街的刑车一步一步麻木地走着。游行完毕，即将进入看守所的一瞬间，王梦突然发现母亲，不顾法警的阻拦，声嘶力竭地大喊："妈妈！"成晓冬也拼命呼喊着想冲上去，怎奈看守所又高又大的铁门隔绝了她……成晓冬一遍遍自责："不是我粗暴管教，女儿能出走吗？女儿打来电话，我不是绝情地说不要她，女儿会犯重罪吗？是我把女儿推向了深渊啊……"悠长惨痛的忏悔，一夜一夜地折磨着她，她数次想到了死，但一想到狱中孤苦伶仃的女儿，她决定活下来用下半生为自己忏悔，为女儿赎罪。两个月后，成晓冬从病榻上爬起，第一个愿望就是攒钱去监狱探望女儿。

十年守望，赎罪的母爱分外惊天动地

1991年10月，成晓冬带着500元钱坐上大连到长春最便宜的火车，又转乘大客车赶往长春南郊吉林省女子监狱，王梦就关押在这里。

成晓冬坐在会见室里，面无血色、骨瘦如柴的王梦拖着沉重的脚步慢慢走来。她用颤抖的手不停地在女儿身上抚摸着，眼里噙着泪花，一遍遍询问女儿的生活情况，并向女儿忏悔。可这一切都没打动女儿那颗死寂的心，她始终面无表情。分手时，女儿冷冰冰地甩出一句话："妈妈，你以后不要来了，就当没有我这个女儿吧。"那一刻，成晓冬如万箭穿心，她发誓，要用后半生的精力去拯救自己的女儿！

王梦由于被判无期徒刑，精神压力很大，夜夜啼哭，几乎丧失活下去的信心。为让女儿树立生活的勇气，成晓冬每隔两个月就去一趟长春探望。她拼命工作，省吃俭用，只要攒够2000元钱，她就昼夜兼程地去看女儿。一次，在返回大连的途中，她身无分文，最后饿得实在受不了了，就一杯杯地喝开水来充饥。当第二天早晨下火车时，她差点虚脱了。

由于不能经常去探望女儿，她每星期给女儿写一封信，刚开始信厚厚的，渐渐地变得薄了，最后，只有寥寥的几行字，因为她已将心中的话说干了……

成晓冬的频繁探视也感动了狱警，她先是隔着铁窗接见，后来是隔着玻璃通电话，再后来就是在亲情间里接见了。按监狱的规定，在亲情间接见一天一宿120元，虽然这个价钱对成晓冬来说很贵，但是能和女

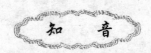

儿吃住在一起，花这个钱，她一点也不心疼。亲情间附送的一天三餐比较简单，为了让女儿吃好，她每次都会从外面的饭店里要一桌180元的饭菜。

在母亲一次次的亲情探视和一封封满含激励的书信的强烈感染下，王梦那颗僵死的心渐渐复苏了，她开始接受妈妈，并积极进行改造。

1994年，王梦由于改造积极，由无期改判为有期徒刑18年，她的脸上终于露出了笑容。成晓冬非常高兴，再去探视王梦时。她给女儿带了高中课本和一些文学名著。王梦很要强，不管白天劳动怎么累，晚上都要趴在被窝里打着手电筒学习。她又非常聪明，很有灵气，尝试着用笔把自己的感想写成诗。一首《生命的春天》中写道：不要怨/稚嫩的步履曾走过怎样的艰难/曾留下一串串遗憾/我在忏悔的泪水中/把希望提炼/我要自豪地歌唱/因为我沐浴了爱的甘泉/让我伸直扭曲的手臂/用心中的赤诚/捧起一轮生命的春天……

王梦把这首心血之作寄给了母亲。成晓冬看得热泪盈眶，鼓励女儿继续写下去，并勇敢地投给报刊。王梦接着写了《生活》、《缘》等50多首诗，大部分刊登在监狱小报上，相继获得吉林省监狱系统一、二、三等奖，引起了狱友们的共鸣和狱警的青睐，她也被推选为监狱小报编辑。得知这些喜讯，成晓冬非常欣慰：狱中的女儿终于没有泯灭妙龄女孩的灵性和天真。

王梦天生一副好嗓子，心情好的时候，她也会哼上几首。1996年8月，监狱新岸艺术团团长发现王梦歌声清亮甜美，就让她进团做歌唱演员。成晓冬闻讯，喜不自胜，马上前来探监，并给女儿带来了小提琴和一大堆歌碟。在狱中管教及母亲的鼓励下，王梦很快就成了新岸艺术团的台柱子，她既是演员，又是节目主持人，报幕员，她的歌声婉转动听，被狱友们称为"狱中百灵鸟"。

1999年12月31日晚，成晓冬来到长春，正赶上王梦在和平大戏院进行普法教育演出。看见舞台上的女儿穿一件黄色连衣裙，乌发挽在脑后，高挑、漂亮，酸甜苦辣再次涌上成晓冬心头……王梦亮开嗓子唱了《好日子》等歌曲。结束时，她唱起了《白发亲娘》，成晓冬再也忍不住了，她穿过人群，步履踉跄，泪流满面地走上舞台，给观众深深地鞠了一躬，说："我就是这个女孩的白发亲娘，由于我的过错使女儿犯了罪，

我一生的忏悔都洗刷不尽对女儿的罪过啊！"

台下骚动了，人们把成晓冬接下台去，听她讲王梦的故事，许多人都流泪了。这时，戏院著名演员关小飞挤过来说："你女儿可能被判重了，如果你想要为她申诉，有一个人可以帮你，他也曾经蹲过监狱，现在是个大企业家了，他最爱听你女儿的歌。"其实，成晓冬这些年一直在为女儿申诉，但始终没有结果。

在关小飞介绍的那位企业家的资助下，成晓冬请了律师，找了许多有关部门和新闻单位，开始了声势浩大的申诉。很快，此事传遍了整个长春市，许多市民也以各种形式支持、帮助她，这引起了吉林省一位主要领导的重视，批示有关部门认真处理此案。2001 年 4 月 15 日，王梦被改判为 15 年。法官动情地对成晓冬说："你这个母亲太伟大了……"王梦是 1988 年关进看守所的，后又因表现好获减刑两年多，因此，改判判决书下来时，王梦只剩下 50 多天刑期了。

2001 年 6 月 9 日，王梦终于可以出狱了。成晓冬给女儿准备了一双红鞋，一袭洁白的连衣裙，一条蓝纱巾，一条红纱巾，她要让女儿一身洁白，头顶蓝天，身披彩霞，洁白无瑕地从监狱中走出来。当监狱的大铁门打开，焕然一新的女儿迈出门时，成晓冬冲了过去，把女儿抱在怀里，再也不肯撒手……

心高路长，放飞的女儿是娘永远的牵挂

在监狱中生活了 10 多年的女儿终于重新获得了自由，成晓冬在高兴、激动之余，心情仍很沉重：与外面社会隔绝如此之久的女儿能否适应社会？她能否正确对待自己的过去，不受外界不良思想的侵蚀而茁壮地成长……成晓冬越想越觉得自己身上的担子沉重，她发誓要将女儿打造成为一名有用之才！

王梦出狱后，回老家白山市逗留了一周，就跟着母亲来到大连市金州区。不久，王梦参加了金州区电视台举办的歌手大赛，以一曲《越来越好》获得了一等奖。她第一时间给原已成为朋友的长春市和平大戏院经理徐凯泉打电话报喜，徐经理向王梦发出邀请："我们随时欢迎你到和平大戏院来唱歌！"

王梦动心了，成晓冬却放心不下：女儿虽然已经 27 岁了，但 15 岁

就入狱的女儿其实很单纯，成晓冬怕她沾上坏人，但又不能再次违背女儿的意愿，于是她陪女儿来到长春市，把女儿亲手交给了徐经理。

2001年10月，王梦如愿以偿地成了长春市和平大戏院的一名签约歌手，很快就成了该市娱乐界的知名歌手。她在长春市"巾帼大厦"一口气唱了3个月、90场，创下了一个歌手在一个剧场唱歌最多的记录。

成晓冬并没有就此罢手，为了增强女儿的自制力，她又开始两地奔波。她在长春为女儿租了一套房子，置办了炊具和家具，让女儿自己做饭烧菜。她每月从大连赶来陪女儿住上一星期，用母爱孜孜不倦地温暖着女儿。只要她在长春，就一定要亲自送女儿去演出。过马路时，面对川流不息的车辆，她紧紧拽着女儿的手。女儿在剧场内演出，她就在外面等。后来，为了更好地照顾女儿，她在长春又开了一家牙科诊所，每月过来出诊十天八天。

随着王梦的名气越来越大，2002年冬天，她被北京一家唱片公司挖到北京发展。王梦却始终忘不了母亲和长春，一个月后，她再也控制不住思乡思母之情，跑回了长春。2003年春天，王梦见母亲年岁渐大，行动不方便，不忍心让她再两地奔波，就回到了大连。至此，王梦才算安安稳稳地呆在母亲身边了。

王梦心疼母亲，知道母亲这十多年来为她受的苦，她也想尽一切办法给母亲补偿。她从不乱花钱，演出挣来的钱，她全部交给母亲。有一次，大连市某部门请他们演出，结束后，请他们吃鲍鱼，几百元一只的大鲍鱼，王梦舍不得吃，悄悄带回来给母亲吃了。

女儿懂事了，她的婚事仍然让成晓冬操心。做歌手的王梦高挑、漂亮，身边不乏追求者，可没有一个让她满意的。眼看女儿快30岁了，她心急如焚。

2003年4月18日，在黑龙江省佳木斯市的一次演出中，王梦认识了一位扮演伟人的特型演员，两人一见钟情，热烈地相爱了。这个演员随王梦来到大连，成晓冬对女儿这个男朋友也非常满意，女儿终于有了一个好归宿。成晓冬感到了久违了的幸福。

王梦和那个特型演员热恋着，已到了谈婚论嫁的程度。此时，成晓冬心里却越来越害怕，她怕对方知道女儿的经历后中断与女儿的恋爱。可是，结婚是女儿的终身大事，不把女儿的身世和盘托出，结婚后再出

意外，不是又害了女儿吗？几经权衡，成晓冬还是找那个特型演员进行了一次严肃的谈话，那个特型演员在得知王梦的经历后，果然离她而去。这给成晓冬和女儿的打击很大，母女两人的心在流血，欲哭无泪。

2003 年 6 月的一天傍晚，王梦生命里出现了绚丽的亮色，她在和母亲逛街时，恰逢金州区文化馆在广场上搞群众性演出。王梦在母亲的鼓励下，走上台唱了几首歌，被文化馆伞佳卉馆长发现。馆长把大连市文化局正挑选演员公派出国的事告诉了王梦。王梦报了名，并在接下来的一连串选拔中顺利胜出，将和另外 12 名演员一起，赴日本名古屋市学习演出两年。

为了给女儿出国学习打好基础，成晓冬为王梦请了一名高水平的日语老师。王梦没日没夜地学习，出国前已能用日语唱《北国之春》，《风中的承诺》等歌曲。

2004 年 3 月，大连市周水子国际机场，由 13 名歌手组成的赴日演出团准备登机了，成晓冬向女儿挥着手，泪水濡湿了面颊，王梦突然转身跑回来，一把抱住母亲，足足有 5 分钟才低低地叫了一声妈，依依不舍地分开……

飞机腾空而起，载走了王梦，载走了成晓冬饱受磨难的女儿，却给成晓冬留下无尽的思念和深深的牵挂。王梦自然清楚母亲的心迹，她不顾越洋电话的昂贵，每天都要给成晓冬打电话，对母亲嘘寒问暖，汇报自己学习，演出和生活方面的点点滴滴。她暗下决心，一定要以自己的优异成绩回报母亲的期望和厚爱。

3 个多月过去了，王梦顺利适应了日本的生活和演出环境，又当演员又做编导，成为艺术团的台柱子。这让成晓冬十分欣慰，但她心里仍然没有彻底放松。成晓冬一直在考虑一个问题：女儿这一走就是两年，等她归国时，已经是 30 多岁的人了，她的婚事怎么办呢？多少个夜里，成晓冬难以成眠……

2004 年 6 月，作为《知音》的热心读者，成晓冬特地联系上本刊，希望通过《知音》，为自己的宝贝女儿找到知音，给女儿一个美满的归宿。

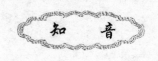

为艾滋病丈夫换肝：
无法原谅的背后有真爱

严娟　魏国新

2004 年 7 月初，一场特殊的为艾滋病患者肝移植的手术在天津市第一中心医院进行。这是一例对医生和病人都存在风险的危难手术。有谁知道，当这个特殊的病人因一时寂寞放纵自己而患上艾滋病时，他的家里曾掀起怎样一场惊涛骇浪？当凶险的肝癌向他袭来时，他的妻子又作出了怎样艰难的选择？而这例高风险手术最终又将出现怎样的结果？

寂寞有如毒药，妻子不在家生日该怎么过

刘继学是北京一家通讯公司的工程师，今年 34 岁。他的妻子冯兰是他青梅竹马的同学，漂亮，能干，现在一家外贸公司任经理助理。本来刘继学是极其幸福的，可命运因那个放纵的夜晚而改变了。

2003 年 3 月 9 日，冯兰要去青岛参加一个订货会，由于时间紧迫，她匆匆给丈夫留下一张纸条："亲爱的，我要去青岛，参加一个订货会。争取 12 号赶回来，庆祝你生日。吻你。"

下班后，刘继学看到妻子的纸条，不禁有些失落。

3 月 12 日，刘继学一起床，就刻意穿上了妻子最喜欢的西装，他想着，也许晚上回家时，妻子已经在家里准备烛光晚餐了。可是中午妻子却打来电话表示歉意，说临时有个合同要签，让他自己安排活动。

那天晚上，刘继学实在不愿意回到冷清的家，他约上几个哥儿们，来到一家娱乐城。哥们几个边喝酒边唱歌，不一会儿，都有醉意了。不知何时，刘继学发现自己身边坐着一位秀美的女子，他看看旁边，几位哥们各自搂着一名女子，他顿时感到一种冲动，一把将身边秀美的女子拉入怀中。

那个女子温柔如水，她告诉刘继学，她名叫刘薇，今年 18 岁，刚入行不久。刘继学热情地说："我们是家门，以后你就当北京有个哥哥

吧。"

凌晨 2 时，哥儿们相继离开娱乐城。此时，意犹未尽的刘继学决定让自己放纵一回。他径直将刘薇带到了三环外的一家大酒店。

那晚，在刘薇的极力配合下，刘继学感觉酣畅淋漓。清晨告别时，刘薇主动将电话号码留给了刘继学。

那天上班时，刘继学仍不自觉地想起刘薇秀美的面容，想起与她在一起的销魂。正当他沉浸在回味中时，妻子冯兰的电话打进来，说她已经回来了，今晚在家里为他补过生日。妻子的电话将刘继学带到了现实生活中。他提醒自己必须忘记昨夜的放纵，忠诚于妻子。为此，他顺手将刘薇留给自己电话的纸条扔进了垃圾桶里。可是，刘薇的影子却固执地浮现在他的脑海，鬼使神差下，他又从垃圾桶中将纸条找出来……

冯兰是个好妻子，不管在生意场上如何精明能干，一回到家。她就换上温馨的居家服，将素静的美献给丈夫。为了给丈夫补过生日，她特意做了一大桌子菜，然后像初恋情人般等着丈夫归来……

酒足饭饱后，夫妻俩泡了鸳鸯浴，相拥着上了床。一想到昨晚与刘薇的亲热，刘继学有点后怕，因为他常听朋友提起娱乐场所的女子很多都患有性病，所以和妻子亲热时，他主动戴上了安全套，还对妻子讲，以后不要服用有副作用的避孕药了，改为他戴安全套。

亲热过后，冯兰告诉刘继学，明天又要去上海参加一个产品发布会。刘继学再度觉得失落。

第二天，刘继学下班后百无聊赖，不知不觉就翻出了那张纸条，一时冲动下他发了一条短信给刘薇："今宵酒醒何处？"没想到对方立马回信："老地方，我心仍在！"刘继学即刻打车前往那家娱乐城。

如何宽恕你？这都是你放纵自己的报应啊

2003 年 6 月 17 日，冯兰又要出差一个星期。下班后的刘继学习惯性地拨打刘薇的手机，却打不通，他来到那家娱乐城，得知刘薇生病了，已经离开娱乐城。

刘薇到底得了什么病？为什么不辞而别？一路上，刘继学总在不断地想着这个问题。突然，他脑海中冒出"艾滋病"几个字。他顿觉腿都软了。他想，如果刘薇得了这个病，那自己一定也在劫难逃。

此后好几天，他都生活在恍惚中。上网查了很多资料后，他得知有很多夫妻之间，艾滋病都没有相互感染，于是抱着侥幸的心理去医院检查。

几天后，他去取结果，当看到医生凝重的表情后，他一切都明白了：自己终究不是幸运的人。医生善意地提醒他，好好休息，增强抵抗力，保护身边的人……

他回到家里，一个人坐在沙发上痛哭。他才34岁，一切都是那么美好，就因为自己的一时放纵，竟付出这么惨重的代价。第二天，刘继学又来到另一家大医院找专家检查，可是结果仍然没给他带来好运。专家告诉他，他是艾滋病病毒携带者，暂时可能不会发作，但不会超过三五年。

这一次，刘继学彻底地垮了，他向单位请了病假，呆在家里，哪里也不去。算算时间，妻子就要回来了，刘继学给妻子留下一封信：

兰儿：见信不要奇怪。也许你此刻都还认为我是一个好丈夫。可是，我不能再欺骗你了。你常出差，因为寂寞，我和一个三陪女好上了，已经有三个月了。我一直觉得对不起你，可是我就是耐不住寂寞。你在家的时候，我整个人整颗心都在你身上，可是你一旦离开我，我就觉得心里空空的。

现在我要告诉你，我已感染艾滋病。我想，这也许就是老天爷对我的惩罚吧。兰儿，欣慰的是，每次跟你亲热，我都戴上了安全套。不过我还是不放心，你也去查一下吧，希望你平安无事。

兰儿，不要难过，我已经明显地感觉到身体的艰难了。我请了一个月的假，我想找一个地方，感受这个世界的美好。你可以更换家里的钥匙，也可以搬到另外的地方住。我无颜再见你。如果我不回来，那说明我已经去了另外一个地方，我会在那里为你祈祷。

最后一次吻你，兰儿。

两行冰冷的泪顺着这个男人的脸颊往下流。他收拾好行李，准备离开北京，他要在死之前去一次西藏，圆自己少年时就一直孕育着的梦。可是来到楼下，他又舍不得离开，他想再见妻子一面。于是，他又返身上楼，给妻子打了电话，得知妻子第二天早上7点到家，就订了9点的火车票。

他无限留恋地看着家里的一切，墙上的结婚照中他一脸幸福，妻子笑靥如花；洁白的餐桌上曾经无数次地带来妻子为他准备的惊喜；浴室的大浴缸是他们孕育激情的温床；那个宽大的双人床孤单地躺在卧室里。这一切更增添了他的愁绪。

　　翌日6点整，刘继学醒了，想着妻子就快到了，他迅速起身，拖上行李来到楼下，静静地躲在一个隐秘的地方。他想在离开前，最后一次看看妻子，把她记在脑海中，刻在心里。6点50分，52分，54分……终于，在6点59分，刘继学看到了冯兰——他心爱的妻子。冯兰有些憔悴，旅途的奔忙让她得不到好的休息，但是就快到家了，她的脸上又写满了喜悦．是那种盼望即将到家见到爱人的喜悦。刘继学心痛若绞，他望着她的背影，一步步离去，狠心地关了手机。

　　冯兰回家后，很奇怪丈夫竟然没有在家里迎接她，待她沐浴后，才发现了丈夫留下的信。看完信后，冯兰简直不敢相信自己的眼睛，以为是自己视觉疲劳看错了，她揉揉眼睛再看，可是眼前反反复复出现的还是那些字。

　　霎时间，冯兰瘫软在床上，愤怒、委屈、担忧、绝望一齐涌上心头，犹如一把把尖刀刺得她痛苦万分。此时此刻，面对爱人的背叛和由此带来的严重后果，这个坚强的女人流泪了，她悔恨自己不该如此拼命干事业，忘记了对丈夫的关爱；她更恨自己一心一意爱着的丈夫居然会因为寂寞而背叛她。

　　把自己关在家里整整三天后，冯兰作出了一个艰难的决定：离开这个伤心的家，待他回来后，离婚。

肝癌不是你的错，作为妻子我应该回来

　　冯兰是痛苦的，她借住到丰台一个朋友的家里，然后把受伤的心整个投入到了工作中，以此来忘记。可忘记不是那么容易。午夜梦回，她泪湿枕巾，想丈夫想得心痛，却无法说服自己原谅他。

　　几天后，冯兰来到医院做了检查，幸运的是她是健康的。拿到结果的那一刻，她有一种原谅丈夫的冲动，可是一想到他对她的背叛，又拿不准主意了。

　　刘继学虽然到了西藏，可是他并不快乐，对艾滋病的恐惧让他感到

自己随时可能离去，而对妻子的思念又支撑着一定要活下去。漫长的一个月后，他无法抑制对妻子的思念，不顾一切地登上了返程的车。

回到家里，看到微有尘埃的地面，他痛彻心肺。他知道，妻子真的不会原谅他了。

刘继学依然来到单位上班，但小心翼翼地避免和同事接触。他没有积极治疗，只是到医院开了一些常规性的用药。他等待着命运对自己的安排。对于妻子的健康状况，他是非常担心的。好几次，他在妻子的公司门口等候，看到妻子依旧风采照人，他才放心地离去。

疾病加上内心的悔恨、自责，极度折磨着刘继学。2004 年 2 月，他感觉到自己越来越乏力，无论做什么事情都力不从心，甚至上几层楼都会气喘吁吁。此外，经常莫名的腹痛也困扰着他。2 月 16 日，他早晨起来刷牙时居然感到一阵恶心，然后一口鲜血喷出来。他感觉到自己的生命就快终结了。他真的有些害怕了，害怕自己到死都是孤单单的一个人。

2 月 20 日，刘继学工作中突然晕倒了，同事将他送到附近一家医院抢救。第二天，一个令所有人心痛的诊断结果出来了：刘继学患的是肝癌。一位同事立马拨通了冯兰的电话，告诉她刘继学的病情。

得知丈夫的情况，冯兰险些晕倒了。她在第一时间赶到刘继学的病房。隔着窗子，她看见了消瘦憔悴得厉害的丈夫，此时的他与先前意气风发的样子已判若两人。她心痛地感觉到，在肝癌面前，丈夫是那么的脆弱，那么的无辜。一时间冯兰泪水盈眶，她放下心中所有的芥蒂，推开了那扇门。

妻子的意外出现，让刘继学一时间愣住了。这时，同事们知趣地告辞了。冯兰忍不住扑进丈夫的怀里哭了起来。刘继学声音哽咽地说："兰儿，真没有想到还可以见你最后一面，我不奢望你原谅我，只要这样看着你，我就死也心甘了……"

"不，你不会死的，肝癌不是你的错，我不会不管你的。"一直等到丈夫睡着后，冯兰才离开病房。

经过与主治医生商量后，冯兰得知丈夫的病唯有换肝才有希望，但是费用需要 30 万元。冯兰一时间沉默了。她很清楚，这 30 万元对于她意味着什么，同时意味着还可以换来丈夫几年也许更短的生命，而且丈

知　音

夫还有错在先。到底该不该救他？花这么大的代价只换来一段短暂的生命又值不值？她举棋不定。

冯兰再次来到病房。这时，丈夫已经安睡，憔悴的面容特别安详，仿佛她的来临就是他最大的依靠。冯兰内心的柔软与温情瞬间被拨动了。她决定无论如何也要救救丈夫，尽管无法原谅他因风流而感染艾滋病，但肝癌不是他的错，作为妻子，应该爱怨分明。

经过咨询，冯兰得知天津第一中心医院的沈中阳博士是这方面的权威，已经成功为 600 多例肝癌晚期患者换肝，于是决定将丈夫转到达家医院。她很快与沈博士取得了联系，得到了可以做手术的答复。

可是面对两重疾病，刘继学已经没有活下去的勇气和愿望。就连医院的治疗，他也极不配合，反而劝妻子放弃，说这是他应该得到的报应，就算治好了肝癌，他的艾滋病也可能随时夺去自己的生命。

听到丈夫如此绝望的话，冯兰心都碎了："我从来都没有想过我会失去你，我们从小一起长大，我觉得你已经融入到了我的骨髓中。还记得我们的结婚誓言吗：无论贫穷，无论疾病，我们始终相爱。"

"谢谢你，兰儿，可是换肝的费用是昂贵的，我真的不忍拖累你。"刘继学哽咽地对妻子说道。

"继学，我们是夫妻，我们之间谈什么拖累？如果你走了，我会永远活在歉疚中。请你记住：我不能原谅你因风流惹下的艾滋病。但现在，看到你真正可能离开我的时候，我发现原谅与否都不是我所考虑的，而留住你的生命才是最重要的。"

刘继学流着泪答应了。4 月初，他被转入天津第一中心医院接受治疗。

再过几天，医院就要对刘继学进行全方位检查了。而困扰冯兰的另一个问题也迫在眉睫：如果医院检查出丈夫是艾滋病患者，他们还会愿意做这个手术吗？即使检查不出来，如果手术中，有医护人员意外地感染了艾滋病病毒，自己的良心又怎能安宁呢？

左思右想，冯兰找到主刀大夫沈中阳博士，坦诚地说出了丈夫的情况，并表示了自己的担忧。令她意想不到的是，沈博士并没有给予拒绝，他说："很感谢你提供这个重要的情况。我虽然治不好他的艾滋病，但是对于他的肝癌，还是有把握的。而且，请你放心，我们会采取严密

129

的消毒措施，让手术成功。"

冯兰深深地感动了。肝移植是器官移植中难度最大的手术，医生和病人完全是零距离接触，其间风险难以预测。可以想象，给一个艾滋病人换肝，医生随时可能因为病人的血溅到眼睛而感染，也随时可能因为失误割伤自己的手而感染病毒。她不知道，其实沈博士同样也是被他们的夫妻情深所感动。他要拿出最大的能力与最好的医德，对患者负责到底……

7月初，好消息传来：医院从广州找到了与刘继学配型的肝脏，手术可以进行了。

这是一例为艾滋病人肝脏移植手术，也是一例医生和病人共命运的高危手术。手术前一天，沈博士就召集医生和护士开了一个紧急会议，强调了手术的不一般性，要求对病人采取绝对隔离，病人用过的一切器具，都要立即销毁；要求参加手术的全体医护人员既要想到救助病人，同时还要保证自身的安全。为此，他打了一个比喻：一盆水端上5楼，洒出来，溅人一身也没多大关系；可是换作端一盆滚烫的热油上5楼，就不得半点闪失……

与此同时，冯兰也在为巨额的手术费用作着努力。为了医好丈夫的病，她已经花去了近10万元，而即将进行的手术的费用经过医院减免，还需要20多万元。几天的奔波后，她终于从亲友与同事处凑足了这笔钱。

手术当天，刘继学被"全副武装"的医生推进了消毒严密的手术室。在手术室门关上的一瞬间，冯兰的一颗心悬起来了。她一刻不离地守在手术室门口，祈祷丈夫和医生都平安无恙……

手术室里，灯火通明。除了患者外，所有的人都穿着双层的消毒服，全身上下除眼睛外都被包裹得严严实实。手术过程中，每一个动作都是那么小心翼翼的。这是一场只能胜利不能失败的战斗。

艰难的12个小时过去了，手术室的门开了。医生们迈着疲惫的步伐走出来。手术室外的冯兰赶紧迎上去，连声问："怎么样了？怎么样了？"当看到医生们脸上的笑容时，她握住医生的手，泪水流了出来。

目前，刘继学已经度过排异期。虽然未来还有凶险等着自己，但满怀着对妻子的爱和对医护人员的感激，他已经无憾了。

爱之绝唱唤醒丈夫，
汨罗江边情景重现

章涌

这是一首令人荡气回肠的真爱之歌：7 年前，湖南省汨罗市竹器厂32 岁的老板汤永成为救一女童遭遇车祸，不仅双腿几近残废，而且全身一半的机能受到破坏。虽然医院最终挽回了其生命，但他却从此成了一个深度植物人。医生断言：病人活不过一年。

但是他的妻子李月创造了奇迹。2002 年 4 月，在汤永成命若游丝、生命行将结束之际，李月决定推着丈夫到相识、相爱的地方去走一走。在这里，李月推着丈夫重现了那一场充满悲欢离合的真情故事，昏迷了 5 年的丈夫突然有泪水从眼眶溢出。李月欣喜异常，她知道丈夫回到了当初激情燃烧的岁月。于是她决定每天都推丈夫来这里，上演一场"情景重现"。

然而，她能靠爱之绝唱留住丈夫的生命吗？她能靠"情景重现"让丈夫重做铁血男儿吗？他们之间到底有一场怎样的真情故事？

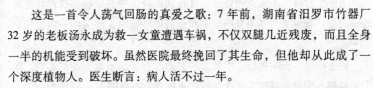

为救人突遭车祸，铁血男儿生命处于倒计时

1997 年农历的最后一天，湖南省汨罗市竹器厂 32 岁的老板汤永成正准备赶回家吃年饭，突然接到长沙一家公司的电话：立即送一批竹器到长沙火车站。于是他连年饭都没吃，开起新买的那辆五十铃双排座便上路了，他想早去早回。

半个小时后，汤永成拐上了 107 国道。1 个小时后，汤永成就到了离长沙城不远的青山埔。这时，汤永成突然看到行驶在前面的一辆货车紧急刹车，接着司机不顾逆向行驶的危险，掉头往后飞速离去。在万分诧异中，汤永成启动车子向前开去，突然他看见前面有一个小女孩横卧在公路上，鲜血淋漓，一串冰糖葫芦七零八落地滚在一旁。汤永成来不及细想，更来不及把车停在边上，跳下车抱起小女孩就往车的后座上放

去。

悲剧就在这时发生了。汤永成刚刚把小女孩送上后座，准备打开驾驶门的时候，一股巨大的力量便把他撞向了半空中。更为惨烈的是，和汤永成一起从天而降的还有他的车门，而车门正好不偏不倚地砸在他的双腿上。听到动静后的居民纷纷赶过来将汤永成和女孩送到了长沙湘雅附二医院。

下午1时许，汤永成的妻子李月赶到医院。当她将脸贴在抢救室的玻璃门上，看见丈夫紧闭着的双眼和全身的纱布时，她尖叫一声便瘫软了下去。

医生抢救一天一夜后，以最大的努力维持了汤永成暂时的心跳。第二天早晨，李月收到医院送达的病危通知书，心都碎了。

在医院里，李月陪着丈夫度过了生命中最痛心的一个春节。一个月后，主治医生对李月说："我们已经尽了最大的努力，目前的医学水平也只能维持到现在的状况，他现在已变成深度植物人了，你还是做好料理后事的准备吧。"李月听后如同万箭穿心。

春节期间，李月守在丈夫身边时，曾一遍遍地回想两个人这么多年来曾经历的一切。1987年9月，刚刚退伍回来的汤永成认识李月时，李月正经历着一场感情的劫难。她刚刚新婚不久的丈夫和弟弟在汨罗江跑运输途中，因汛期水流湍急，他们的船触礁翻覆，李月生命中最重要的两个男人就这样一去不返。当时她有孕在身，回到娘家后，亲友纷纷劝她打掉孩子，但李月不依，她决心给死去的丈夫留下一个后代。

汤永成从朋友处听说李月的故事后，感动不已。他当即找到李月，表白了自己的爱慕之心。李月不想让孩子连累他，坚决不同意。但汤永成非常执著。李月最终被他的真心所打动，接受了。当时，两个人的家庭没有一方赞同，李月的家人说："你带着孩子到另一个男人家，他们会看得起你吗？"而汤永成家人则说："你一个堂堂男子汉，还怕找不到老婆吗？非要找一个死了老公，还带着孩子的女子？听说，这样的女人会克夫的！"可是不管家人怎么劝说，汤永成还是一意孤行地与李月走到了一起。李月每每看着这个深爱自己的男人浑身的纱布和紧闭的眼睛，都心如刀割，凄然泪下。

医生感叹：天下所有的良药都比不上真情啊

汤永成因救人而被撞成植物人的事迹，感动了湘雅医院所有的医生和护士。该院博士生导师，神经科专家蒋波教授王动担任了汤永成治疗顾问，不仅多次组织相关专家全力会诊，而且还为汤永成开启了绿灯：随时随地随叫随到。该院护士长杨小丽递给李月一本厚厚的资料，对她说道："这是我针对汤永成的病情，整理的一套护理资料，你以后会用得着的。汤永成是因为抢救别人而受的伤，他理应得到全社会的回报。"

但是不管人们的愿意多么美好，汤永成的病情却不容乐观。"头部先被强力震伤，接着双腿和手臂被齐齐砸断，全身机能一半丧失，这样的病人没有死，已经是奇迹了。据我们检测后判断，他的这种植物人状态，最多也只能维持一年。"这是该院一位医学权威对汤永成的病情下的最后结论。

但是李月却偏偏不信这个邪："只要他有一口气在，我就不会让他被死神拉走！"

在医院里住了3个月后，李月把丈夫接到了家中。3个月来，突遭变故的家庭，已变得满目狼藉。两个稚气未脱的孩子饥一顿饱一顿，竹器厂也因为无人打理，加之资金被抽作医疗费，货源严重不足，工人们走的走，散的散。看着这一切，李月悲从中来。曾经和美甜蜜的一切在一夜之间，竟全都不复存在了。

但是困境也给了李月勇敢地撑起这个家庭的勇气。为了让工厂早日开工，李月把首饰和汽车都当掉了，接着又把房子作抵押贷款。厂子开工后，李月想把一半精力放在经营工厂上。但是她又突然想到：假如丈夫有一天醒过来，或者是有其它意想不到的情况发生，那怎么办呢？于是李月就把时间分成两半，1小时在家里，1小时在工厂，这样交叉地跑。一年来，在工厂与家之间的路上，李月不知跑了多少趟。

在这种奔波中，李月又想到了一个更好的办法：她托人制作了一架可以活动的床，并在床脚上安装了4个轮子。以后，李月每次出门，都将丈夫拖着一起走。这样还可以让丈夫晒晒太阳和轻微地活动。那一段时间，每天清早起来的人们都会发现这样一种景观：一个瘦小的女子，拖着一张床奔走在汨罗市的大街小巷。每当上坡时，她先弓着腰，再把

手伸向旁边的草，抓紧后身子拼命地往前伸。

丈夫的脚、手被砸断后，都是靠钢筋固牢的，由于缺乏活动量，手脚摸上去都是硬邦邦的一块。李月想，丈夫如果这样终日躺在床上，关节得不到活动的话，他的肌肉肯定会坏死得更快。于是李月寻来了医疗按摩方面的书籍，几天时间，李月就对穴位按摩掌握得相当透彻。她规定自己每天必须帮丈夫按摩8个小时以上，直到丈夫的手、脚发红发烫为止。每天夜深人静时，李月就不停地拍打丈夫纹丝不动的腿，拍得实在太累了，就伏在丈夫的床边小憩一下。

这样按摩了5个月后，李月发现丈夫的腿终于可以凭借外力伸缩自如了。李月于是又为丈夫寻来了一把轮椅，空闲时间，李月就把丈夫系在轮椅上，推到外面去走一走，呼吸一下新鲜空气。

喂丈夫吃饭，对李月来说是一件艰苦卓绝的事。由于汤永成没有任何吞咽的行为，因此每当喂饭时，李月就抱着丈夫的头放在胸前，再把调得像水样的稀饭倒在丈夫的口里，然后再把他的头往后仰，让它自然流进去。丈夫将近70公斤，而自己还不到40公斤，喂一次饭，这样的动作就要重复近百遍。每次喂完饭，李月就大汗淋漓，自己再也吃不下饭了。

李月害怕丈夫躺在床上久了会生褥疮，每天都要给他擦洗身体，天热时一天要给他洗3次。洗完后还要在他身上洒上花露水。每次看见丈夫衣着光鲜，清香扑鼻时，李月的心里就像喝了蜜一样甜。

一位长期在汨罗做竹器生意的台湾老板，知道李月的事迹后，感动不已。一天，他带着10万元现金找到李月说："你花这10万元请人照顾他，我们重新开始选择新的生活吧？"李月一听，连忙摆手说："你不了解我，也不懂得一位弱女子的真感情。"

由于李月把绝大部分精力都放在丈夫身上，竹器厂生意一落千丈。李月干脆把厂子转包了出去，自己一条心照顾丈夫。

时间过得飞快，一转眼5年过去了，汤永成仍像当初一样呼吸均匀，面色红润。曾经被权威医生下的"活不过一年"的诊断，没有在汤永成身上成为事实。

2001年的一天，湘雅附二医院的医生在汨罗搞义诊活动，当他们听说有一个妇女5年如一日地照顾一位植物人的事迹后，决定给她提供帮

助，便赶到了她的家中。这一看才得知，原来病人正是5年前在附二医院诊治的汤永成！他竟然还活着！医生们一个个惊讶得合不拢嘴，一位专家由衷地感叹说："我知道了，天下所有的良药，都比不上真情啊！"

2002年4月18日夜，汤水成突然发起高烧，心急如焚的李月不由分说，拖起丈夫就往市人民医院赶，当医生给汤永成检查后，发现他的脑压偏高，心跳加快，许多生理指数几乎为零，已是死亡前兆。

李月接到诊断报告后，怎么都不敢相信自己照顾了5年之久的丈夫最终还是要离开自己，她不相信自己付出了这样的代价，还跑下过死神。

丈夫已经三天高烧不退，吃退烧药，也不见效果。李月的亲人知道情况后，都纷纷买来了寿衣、寿品。在亲人们一阵接一阵的哭泣声中，李月下得不接受丈夫行将离去的残酷事实。李月不知道丈夫还有什么心愿，就想："不如带着丈夫到曾经跟自己相识，相恋的地方去走一走吧，作个告别。"

黄昏时分，一抹斜阳映照在汨罗江边，将江水染得通红，四周的芦苇在春风的吹拂下，发出沙沙的声音。远处，渔民们正唱着悦耳的渔歌。

李月推着丈夫走在岸边，边走边喃喃说道："永成，你看到了吗？人世间的生活多么美好啊，你难道一点都不留恋吗？记得我们第一次在这里相会的时候，你要我嫁给你，我没答应，你就拉着我的手久久不放……"

"你还记得吗？你家里不同意你娶我，还把你关了起来，但你跳窗跑了出来，那天你摔伤了腿……"

"那年，我们的小虎子出生时，你说，到临终时就有一双儿女来为你送终了，我连忙堵住你的嘴说，要死也要让我死在你前面，你偏说你要死在我的前面……"说累了，李月就抱着丈夫大哭起来。

埋在丈夫的怀里，李月感到皮肤被什么东西触动了一下。她抬起头一看，只见丈夫的手指又轻轻地抖动了一下，但很快就不再动了。李月使劲地揉了几下眼睛，不敢相信。她把头贴上丈夫的胸口，发现丈夫的心跳比原来有力了许多。她又摸了一下丈夫的额头，几个小时前还滚烫的额头，现在竟然凉了许多！

惊喜中，李月想：难道丈夫真的不忍心先离我而去吗？他真的听到了我的声音吗？

情景重现，爱之绝唱唤回铁血男儿

当李月把所见的情景告诉亲朋时，几乎没有一个人相信她的话。人们都说，这也许是她的幻觉。可是无论别人怎么反对，李月始终坚信自己的眼睛，坚信在天国与人间徘徊的丈夫听到了自己真切的呼唤与诉说。所幸的是不管怎么说汤永成的高烧突然之间退了下去，为他准备后事的亲友又都纷纷离去。

遗憾的是，接下来的几天里，汤永成再也没有出现过这样的反应，无论李月怎样摇撼、哭诉，汤永成的手指头仍然纹丝不动。不死心的李月，找到了几年前为丈夫治病的长沙湘雅附二医院的蒋波教授。蒋教授也被李月对爱情执著的精神所感动，他在反复查阅了资料后，对李月说："人的感觉是一种很奇怪的东西，至今医学上的探索不足其千分之一。病人受到意外的刺激后，或者置身某种环境、刺激他潜意识的神经后，可能促使某种记忆恢复，从而唤醒他的意识。你带他去的江边，那里所传来的水声、风声、波浪声或者是鱼腥味，甚至是磁场都有可能强烈地刺激到他的中枢神经，激发他潜在的环境记忆，从而引起反应。我想那里一定有一种能引起他大脑兴奋的环境，如果你们在那里经历的点点滴滴对他来说刻骨铭心的话。"

听完蒋波教授的话，李月高兴得不知如何是好，丈夫终于有救了！李月记得那一次推丈夫出去时是黄昏时分，于是她决定以后每天都在黄昏的时候推丈夫去那个他们曾经相识相约相恋的地方。

"永成哥，你还记得吗？那一年下雪天，我们筹办婚事，结果你家里赌气说，我带了一个拖油瓶过来，就是不肯参加我们的婚礼，我偷偷地躲在这里哭，看见你走来后，就藏在江边的芦苇里，你来了后找不到我，急得疯了似的，两边跑来跑去。最后你以为我跳水了，不顾冰天雪地的，跑到齐腰深的雪水里找啊、捞啊、摸啊。我实在不忍看见你冻得发紫、哆嗦的样子，就钻了出来，你看见我后爬上岸，也不管会不会把我的衣服弄湿，不顾一切地把我揽在怀里……"

"永成哥，你还记得吗？几年前，你看见我在建筑公司上班辛苦，

知　音

就一定不要我上班了，你说你有的是力气，还怕养不活我吗？结果你果真将工作辞掉，开了一家竹器厂。多少次我们来到这里，当一船船的竹器在这里销往全国各地的时候，你是多么地高兴啊。记得一次你被机器绞伤，皮开肉绽，你怕我知道，就说要出差，结果还是被我知道了，为此我们吵了认识以来的第一架……"说到动情处，李月泣不成声。四周残阳如血。就在李月擦眼泪的当儿，李月看见永成的眼角有泪珠闪闪发光！李月大气都不敢出，用手轻轻地蘸了一点用舌头舔了一下，咸咸的，没错，是眼泪！李月激动得想对着天与地大喊："他不忍心走了！"

在此后的日子，李月天天都要在黄昏时分，推着丈夫到汨罗江边，到他们相识、相爱的地方，一遍遍地讲述他们发生在那个地方的点点滴滴。

2003年8月的一天，当李月讲到"永成，这个家庭不能没有你，儿女们还小，你离开了，我们咋办呢？你不会忍心丢下我们孤儿寡母的。你听到了我的声音吗？"时，奇迹发生了，汤永成先是眼睛眨了一下，半个小时后，他的手指也动了一下。李月大气都不敢出，目不转睛地盯着，而后又发疯似的抱着丈夫，使劲地喊着："永成哥！永成哥！"儿子女儿听到声音也赶来加入呼喊的行列，接着在两边散步的人们也使劲地喊着，仿佛天地间有一个共同的心愿，就是要把汤永成从死神手中夺回来。

就在此后的第8天，李月看到的一幕景象几乎要把她高兴得晕死过去——永成张开了眼睛！第10天后，他的眼睛已经能左右转动，而且手也能轻微地抬起。第20天后，汤永成的头也能摇动了，而且不时地有口水溢出。李月喜极而泣，她觉得自己能拿着小手帕帮永成擦口水，是世上最幸福的事情！

此后，汤永成仿佛对李月有了依赖，李月一刻不在身旁，永成就会抬着手，头不停地转动着，口里发出"呵呵"的声音，李月知道这是丈夫在找自己了。

一个昏迷多年的植物人，终于苏醒过来的故事，一下子就在汨罗市炸开了，许多市民被李月几年如一日唤夫的真情感动得热泪盈眶。

新年的第一个月过去了，第二个月过去了，汤永成在李月更为精心的呵护下，发生着越来越惊人的变化。到2004年5月时，汤永成竟然能

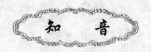

站起来了。看着丈夫四肢功能开始神奇地恢复，李月又加紧训练他独立行走的能力。在训练中，李月先扶着丈夫走两步，然后突然放开手，走到前面，再拍着巴掌迎接他。李月把教孩子走路的方法全部用在丈夫的身上。有时丈夫的身子太重了，李月接不住时，就先倒在丈夫的身下，至今李月身上都留有累累伤痕。

汤永成就这样在李月的呼唤下缓慢而顽强地变化着，他开始逐渐有简单的语言和动作了。

2004年7月10日，是汤永成40岁的生日。这天夜晚星光灿烂，在汨罗市帝豪大酒店里，李月帮他订制了一份蛋糕，当汤永成的所有亲人都一个劲地要永成吹灭蜡烛时，汤永成却悄悄起身，拉起躲在角落里激动得掉眼泪的李月，一字一顿地说出了一句清晰的话："我要和你一起吹。"这时，在场所有的人都为这对浴火重生的夫妻鼓起了掌。他们仿佛已经看到了一个和和美美的家即将扬起风帆！

一直关注这起病例的附二医院蒋教授听说了李月与丈夫的故事后，于7月18日专程赶往汨罗市看望了已经从临死状态成功站起来了的汤永成，并对他的身体状况进行了全面检测。他万分惊讶地发现，他的生理指数已全部接近正常人！蒋教授考虑到李月唤醒丈夫的方法，很可能为植物人的康复提供一种全新的尝试，回来后就连夜赶写了一篇《情景重现与植物人康复的研究》的论文，准备作为一项课题研究上报给国家心理康复研究中心。在这篇论文里，他为李月唤醒丈夫的办法，取了一个很好听的名字：情景重现。

如今，汤永成由于右腿感觉神经损坏，完全失去知觉，所以只能稍微站立，并可以用左腿拖着右腿，做少量的走路运动，但是不能坚持太久。目前长沙湘雅附二医院已拿出一套具体方案，准备在秋凉时节，免费为汤永成做右腿神经恢复手术。到那时，他跟妻子十年前并肩漫步在汨罗江边的情景，就可以真正重现了！

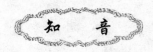

包专机抢救情敌，
宽恕叛妻真爱回归

陈智

2004年5月1日下午7点左右，一架从沈阳起飞的北方某旅游航空公司轻型客机在首都机场着陆，早已等候在停机坪上的中华肾病医学会康复中心医院的医护人员迅速将一对昏迷不醒的男女抬下，片刻后，救护车呼啸着驶向北京市区。救护车后面紧跟着一辆出租车，坐在车上的中年男子名叫陈佳伟，此刻他面色凝重，怀中紧紧搂着一个黑色的密码箱。开车的司机问他：前面急救车里的是你什么人？一阵沉默后，陈佳伟苦笑着回答：急救车上的女人是我妻子，那男人是她的情人……

"雪中送炭"

陈佳伟出生在一个干部家庭，父母当时都在省金融系统担任要职。1988年，18岁的陈佳伟考上了东北财经大学。帅气高大的他此时心中已经有了心仪的女孩、初中时的班花郭薇薇，他们俩都是独生子女。遗憾的是郭薇薇当年的高考落榜了。在抱头痛哭后，陈佳伟鼓励郭薇薇复读再考，自己会在大学里等她。

1989年高考，郭薇薇也如愿进入了东北财经大学。1992年，陈佳伟毕业，成为沈阳市一家银行的信贷员。一年后，郭薇薇大学毕业，陈佳伟的父亲通过关系将郭薇薇也安排在陈佳伟所在银行。1995年8月，这对恋人结婚了。有了娇妻相伴，陈佳伟的事业突飞猛进，很快被提升为行长助理。

2000年8月，陈佳伟一帆风顺的人生遭遇了重创，他的父母因为与当时已受审的沈阳黑社会头目刘涌有经济上的关联，先后被检察机关逮捕。随即陈家的财产被全部查封，陈佳伟很快受到牵连并停止了工作，不久后就被银行除名。郭薇薇也由一名银行的中层干部降职成为窗口的一般职员。

突如其来的变故使陈佳伟的精神几近崩溃，他整整一个月闭门不出。一天夜里，他偷偷眼下了一整瓶安眠药，幸好郭薇薇及时发现将他送进了医院。

陈佳伟出院时，郭薇薇递给了他一个存折："佳伟，是男人就振作起来，干一番事业出来……"陈佳伟被存折上的数字惊呆了，整整 20万元。他问郭薇薇钱是哪里来的，郭薇薇告诉他："这是我爸妈多年的积蓄，他们主动拿这笔钱出来，就是不想看到你再干傻事。"

感动之余，陈佳伟决心重新振作起来，他在沈阳三好街注册了经营计算机产品的公司。2000 年底，陈佳伟审时度势，果敢收购了大批台湾生产的计算机组件。2001 年初台方突然单独提高了计算机组件的价格，适逢大陆对台湾的计算机组件采取了增加关税的贸易保护措施，大陆计算机组件价格一路飙升。而此时陈佳伟。一举抛售囤积多日的计算机组件，几个月的时间就赚取了百万利润。

在事业上终于扬眉吐气的陈佳伟并不知道，他的婚姻生活早已危机暗涌。其实他创业之初妻子递给他的 20 万元资金并非郭薇薇父母的资助，而是来自另一个陌生的男人：刘忠。

年近五十的刘忠是沈阳一工程公司的老板，因经常到郭薇薇的窗口办理金融业务，一来二去两人就熟悉了。从农村包工头打拼起来的刘忠虽没有多少文化，但男人味十足。妻子张敏跟随他创业多年。初识郭薇薇，刘忠心间就生出很多遐想。相对于妻子泼辣强悍的市井之气，含蓄美丽的郭薇薇简直似天仙一般。

对刘忠的故意搭讪，郭薇薇一直不作回应。陈家父母出事后，郭薇薇的情绪十分低落，她愁苦的模样让刘忠对她更生怜爱。特别是丈夫的自杀事件发生后，郭薇薇变得更加手足无措。刘忠听闻此事，意识到改变他与郭薇薇关系的时机来了。

困境中的郭薇薇想着丈夫的将来，像抓住救命稻草一样接受了刘忠的 20 万元。她告诉刘忠，等丈夫赚了钱，她会尽快返还这笔借款。

刘忠的体贴关怀让心理防线脆弱的郭薇薇不堪抵挡，他们最终越过了感情底线。刚开始，郭薇薇对丈夫有着深深的愧疚，总是躲在家里暗自垂泪。她安慰自己：刘忠在别人都避之不及的时候，肯对她和丈夫伸出援手，证明他是个好人。自己就当是报答他的救命之恩吧！就这样，

郭薇薇和刘忠一直保持着断断续续的关系。

与陈佳伟不同的是，张敏早就知道了丈夫的隐情，她没有大哭大闹，而是打起了自己的小算盘。主管公司财务的她，秘密将公司资金转移到自己的账户。一旦时机成熟，她就主动提出离婚。这一切，刘忠浑然不觉。

危情时刻

2003年8月的一天，陈佳伟早早结束了工作，他要给郭薇薇一个惊喜，请她共进烛光晚餐，因为这天是他们结婚8周年的纪念日。陈佳伟开车来到郭薇薇的单位附近，当他正要给郭薇薇打电话时，一辆灰色尼桑轿车停在了他的车前，一个熟悉的身影从车上下来，正是郭薇薇，开车的是一个陌生的中年男子。郭薇薇并没有注意到陈佳伟的车也停在那里，她下车后捋了一下凌乱的头发，那名中年男子让郭薇薇俯下身来在她耳边耳语了几句，随后在郭薇薇的注视下驾车离去。

陈佳伟愣愣地坐在车里看着眼前这一切，他强迫自己先冷静下来。银行的业务关系繁多，说不定这只是妻子一个关系比较好的客户。就在陈佳伟胡思乱想的时候，银行的下班铃声响了。郭薇薇显然是刚刚补过妆，神采飞扬地向大门口走来，陈佳伟下车迎了上去。

陈佳伟的突然出现显然让郭薇薇有点紧张，因为丈夫一直很忌讳来到从前工作的地方。但她很快镇定下来，假装生气地捶了陈佳伟一下："你怎么来了也不打个电话，吓了我一跳……"

一路上，陈佳伟很随意地问郭薇薇："今天忙吗？"

郭薇薇伸了一个懒腰，说："老公，我快忙散架了，从早上上班一直在柜台前忙到现在。"

妻子的回答搅得陈佳伟更心烦意乱，开车时险些闯了红灯。他暗暗告诫自己：一切没有证实之前，一定不要冲动。接下来的日子陈佳伟把更多的精力放在了妻子身上，每天主动接送她上下班，其间也没有发现什么异常。转眼到了圣诞节，早晨出门前，陈佳伟向妻子提议下午下班后一起去吃圣诞大餐，没想到郭薇薇马上以单位年终要加班为由回绝了。陈佳伟注意到，妻子说这番话时下意识地扯了扯衣角，这是她缓解内心紧张时的惯常动作。陈佳伟心间不祥的预感愈发强烈。

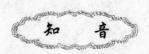

当天下午，陈佳伟先将车停放在银行附近的一条小巷，随后他一直站在银行对面一个隐蔽的地方。下班时间刚过，陈佳伟发现郭薇薇又上了那辆刚刚驶到的尼桑轿车，他开车紧随其后，最后眼睁睁地看着妻子和那中年男子走进了一家大酒店。陈佳伟听见了自己心碎的声音，他傻傻地坐在驾驶室里看着漫天飘舞的雪花，雪花仿佛飘进身体里，让他感到一种彻骨的寒冷。

临近晚上 11 时，郭薇薇回家，意外发现丈夫坐在客厅沙发上，家里没有开灯，烟雾弥漫。陈佳伟直直地盯着妻子一言不发，郭薇薇意识到气氛不对，心虚的她丢下一句"我先去洗澡"就准备走进卫生间。陈佳伟一下子站起来，他拦在妻子面前，直视着妻子的眼睛追问："薇薇，你是不是爱上了别人？"

郭薇薇泪如雨下，她把自己和刘忠的事向丈夫和盘托出。最后她对丈夫说："刚开始，我是觉得欠刘忠天大的人情才和他在一起的。后来你的事业发展起来了，我也把 20 万退还给了刘忠，以为自己可以就此抽身离开他，可我……佳伟，是我对不起你，我们离婚吧！"

陈佳伟傻了似的看着妻子，他不敢相信这是事实。终于，他爆发出来，揪着妻子的衣领，狠狠地挥过去一记耳光。陈佳伟疯了似的指着妻子咆哮着："想离婚，休想！我永远不会同意的！"

陈佳伟开始变了。他和妻子开始了冷战，郭薇薇做好的饭菜，他看都不看全部倒进马桶；郭薇薇洗好熨好的衣物他从不上身。有时间就和朋友喝得烂醉如泥，回家倒头便睡。朋友们都劝他和妻子好好谈谈，可陈佳伟说什么都接受不了妻子背叛的事实。陈佳伟越这样折磨自己，郭薇薇心里越难受。她很清楚，自己并非想离婚。在那种情势下，满心羞愧的她不知怎样才能缓解丈夫的愤怒。只是陈佳伟决绝的态度令郭薇薇真心忏悔的想法又退缩了回去，不久，她搬回了娘家。郭薇薇的父母对女儿的行为痛心不已。父母告诉女儿，陈佳伟之所以会这样，是爱之深痛之切，要给他一段时间。在父母的劝说下，郭薇薇决定彻底了断和刘忠的关系。她想，即使不能和丈夫重新开始，她和刘忠也该结束了。

一个星期后，父母将郭薇薇送回了家。临离开陈家时，郭妈妈满怀歉意地请陈佳伟网开一面，原谅他们的女儿，并说她已真心知道错了，会尽快结束和刘忠的关系的。纵然如此，陈佳伟的态度依然没有改观。

大义救赎

2004 年 5 月 1 日，郭薇薇一早告诉陈佳伟，她要和朋友出去办件重要的事。陈佳伟没说什么，独自在家里上网。下午 1 点左右，一个陌生的号码打进了陈佳伟的手机。"你是陈佳伟吗？""是，您是哪位？""我们是沈阳市交警支队东陵大队的，你认识一个叫郭薇薇的吗？"陈佳伟顿时紧张起来："她是我妻子。"

电话那端沉默了一下："我正式通知你，你妻子在从棋盘山返回市区的公路上发生了车祸，她和同车的男子都被卡在一辆灰色尼桑轿车里，你马上来一趟吧……"

当陈佳伟赶到现场时，消防人员正在用重型设备撬开刘忠的轿车，在狭窄的山道上，尼桑轿车因为突然变向与一辆卡车迎面相撞，车头严重变形。后面又有一辆小车跟着追尾。虽然刘忠和郭薇薇都系了安全带，但仪表盘还是把二人死死压住。

刘忠已经昏迷不醒了，郭薇薇还保持着意识。见到陈佳伟，她尴尬地笑了笑："终于都见面了。真不巧，我今天是来和他谈判的……"陈佳伟什么也没有说，伸出手紧紧握住郭薇薇的手。

下午两点，郭薇薇和刘忠被救出并立即被抬上救护车送往沈阳市急救中心。经过初步检查，郭薇薇双腿骨折，前胸被硬物划了一道很长的伤口，暂时没有生命危险。但刘忠的情况就不那么妙了。因为撞击，他的颅内有大量淤血，腹部受伤严重。

下午 2 点半，刘忠和郭薇薇分别被推进了手术室。这时，刘忠的妻子张敏接到电话也冲进了医院，她一进医院就高喊：刘忠呢？他是不是没救了？

值班医生见张敏来到医院，忙请她为刘忠办理住院手续，但张敏一口回绝，随即离开医院。临走时她告诉医生：我都要和他离婚了。不用治，他死了比活着强！

下午 3 点半，手术医生焦急地从手术室里出来高喊："刘忠的家属来了吗？"这时一直守候在外面的陈佳伟忙站起身来："刘忠是我朋友，有什么事情和我说。"

原来由于方向盘的严重撞击，刘忠腹内的肠破裂，最严重的是两个

肾脏全部被撞裂，完全丧失了功能。目前情况十分危急，必须马上找到合适的肾源进行换肾手术，否则病人将很快因急性肾衰竭死亡。

陈佳伟此刻已经来不及多想了，他抓住医生的手问：到哪里可以找到肾源？医生告诉他，医院马上和国内一些大医院联系，通过互联网把刘忠的血液配型资料公布出去，在全国范围内寻找合适的肾源。现在时间也非常紧迫，如果超过 6 小时，刘忠将随时面临死亡。

时间一分一秒地过着，4 点刚过，郭薇薇从手术室推了出来，她的双腿缠满厚厚的纱布，前胸缝了几针，还没从麻醉期苏醒过来。

4 点 10 分左右，一名医生匆匆来到陈佳伟的身边："合适的肾源找到了，在北京中华肾病医学会康复中心医院。"陈佳伟几乎跳了起来，"那马上把肾源送来呀！"医生用一种异样的目光看着陈佳伟："先生，这不是你想象的那么简单，首先你需要准备 20 万手术费用，然后你还需要把病人立即送往北京。"

陈佳伟蒙了，五一长假，上哪弄这笔巨款？但他很快镇定下来，开始给每一个在沈阳的朋友打电话，他只是告诉朋友们郭薇薇出了车祸，需要送往北京急救。不到一个小时，20 多万元现金摆在了陈佳伟的面前。下面面临的就是技术问题了，普通航班已经来不及了。就在陈佳伟一筹莫展时，一名在民航工作的朋友突然捶了他一下："我想起来啦，今天，航空公司有一架包机在沈阳备行，这是家专门提供私人商务航空服务的公司，有随时起飞的放行令，我们碰碰运气吧。"

陈佳伟马上让朋友和航空公司取得联系。当航空公司了解到刘忠的病情后，立即向空管当局提出了请飞申请。空管当局立即召开紧急会议，制定航线，并通知航空公司：马上改装飞机，等待放飞命令。半小时后，一纸临时飞行命令送到了机长的手中。

航空公司立刻给陈佳伟的朋友回电：飞机随时可以起飞，费用人民币 10 万！陈佳伟毫不犹豫地说：好！马上就去北京！与此同时，沈阳市急救中心与北京中华肾病医学会康复中心医院取得了联系，对方将在首都机场的停机坪上等待患者的到来。

考虑到郭薇薇的父母此时正在海南旅游，陈佳伟没有将这个情况告诉二老。他在请示医生后，决定带妻子一起前往北京。下午 5 点左右，仍处在术后麻醉状态的郭薇薇和刘忠被抬上急救车。这时大伙看见有一位陌生的男士被抬上急救车都备感诧异，几位好友围上来追问，陈佳伟只好说出实情，最后大家都异口同声嚷起来："你疯了吗？"陈佳伟双手抱拳，一一鞠躬："事情都到这份上了，我顾不了这么多，救人要紧！"晚间6点，经过简单改装的专机升空，向北京飞去。

真情回归

晚7时50分，中华肾病医学会康复中心医院肾外科的古玉江医生对刘忠的情况进行迅速诊断后，将他推进了手术室。手术完成时已经是5月2日凌晨，当主刀大夫蔡敏强教授唤醒坐在外面的陈佳伟，通知他手术成功时，陈佳伟的表情异常复杂。此前的他一直处于忙乱和紧张之中，没有时间停下来梳理这陡然发生的一切。

在刘忠被推出手术室的那一刻，陈佳伟突然有一种冲动，他想冲上去把昏迷中的刘忠拽起来暴打一顿，但他根本无法挪动脚步，看着医生和护士们把浑身插满导管的刘忠推向重症监护病房。

蔡医生来到陈佳伟身旁，他告诉陈佳伟刘忠的两个肾脏都已经摘除，移植的肾脏颜色很红润，已经发挥了作用，但需要度过24小时的急性排斥期，这就完全看刘忠的体质和新肾脏的生命力了。

手术已经成功，该去看看住在康复病房的妻子了。此刻，陈佳伟还清晰记得昨天处理车祸的交警的话："据车上的女士反映，她在出事前和开车的男士发生了激烈的争吵，开车的男士一度情绪失控，撞上了大卡车……"陈佳伟打了两份早餐，推开了妻子病房的门。

郭薇薇昨晚已经醒了，当她苏醒过来时发现自己已经躺在北京的医院里，护士告诉她，和她一起被送来的还有一个需要马上换肾的危重患者。郭薇薇一夜无眠，呆呆地望着天花板。她听见陈佳伟走进病房的开门声，忙把脸转向另一个方向，眼泪不知不觉落了下来。

陈佳伟没有在她的床头坐下，只是把刚刚打来的早餐轻轻放在床头。他知道郭薇薇已经醒了，便轻声说道："刘忠的手术非常成功，现在已经转入了重症监护病房。"郭薇薇的身体微微动了一下，她突然将头转向陈佳伟，歇斯底里地喊叫起来："你为什么要这么做？是想要报复我们吗？我承认对不起你，让我们死了不就一了百了吗……"

陈佳伟被这突然的发作吓了一跳，但他没有生气，反而微笑着在郭

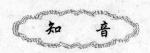
薇薇的床头坐了下来："当时决定救他的我真没想太多。事情都过去了，你先安心养病吧！"看着陈佳伟疲惫的表情，郭薇薇再也无法控制自己，挣扎着扑到他怀里失声痛哭起来。

接下来的一天刘忠能自主排尿了，但一直在发烧，蔡医生告诉陈佳伟这是新肾脏在排斥期内的正常反映，需要每天注射一支高达4000元的抑制排斥药物。陈佳伟二话没说就在医嘱单上签了字。

手术后的一星期，刘忠从重症监护病房转到了一般病房，陈佳伟为他请了一名陪护，而刘忠也和郭薇薇一样呆呆地看着天花板一言不发。其间，刘忠给生活在沈阳近郊农村的父亲去了电话，请老人家不要担心。两天后，刘忠突然对护工说：我想见一见陈佳伟！得知刘忠的要求，陈佳伟当即拒绝了。他请护工转告刘忠：他不会做见死不救的事，所以请刘忠不必感激他。但他永远不会原谅刘忠对他家庭的伤害，永远不会！

这一个多星期的时间里，陈佳伟精心护理着郭薇薇，每天都主动告诉她刘忠的恢复情况，有一次，郭薇薇的泪水再也忍不住夺眶而出："你为什么要告诉我这些?"陈佳伟的回答重重落在妻子心上："只有刘忠恢复了健康，你才能获得安宁。我也觉得不欠他什么了！"5月19日，考虑到刘忠的病情已趋于稳定，陈佳伟推着轮椅上的郭薇薇飞回了沈阳。

7月13日，蔡医生给陈佳伟打来电话，告诉他刘忠已康复，只是必须终生服用抗排斥药物。次日陈佳伟夫妇和刘忠的父亲一同飞往北京。带上妻子是陈佳伟为自己出的一招险棋，已不太自信的他想看看妻子再面对刘忠时的反应，从而获得重新开始生活的信心。

陈佳伟为刘忠办理了出院手续，他前后全部支付了刘忠的手术费、医疗费、康复费、陪护费共计26.5万元。这时，两个男人终于面对面了，出乎意料的是，见面的场景没有一丝火药味，相反有些沉闷。陈佳伟和刘忠或许都不知该说什么，只略略互相点了点头。劫后重逢，郭薇薇的表情也很平静。一切仿佛在顺理成章地默契地进行着。临上返回沈阳的飞机前，刘忠主动握住了陈佳伟的手，他说："谢谢！再见了，可能这辈子不再见。"

目前，郭薇薇向单位提出辞职，专心在家迎接新生活的到来。卷走刘忠财产的张敏已经提出和他离婚，刘忠的朋友正在为他的离婚官司奔忙着。

当街自杀后的紧急拯救，
逃亡重犯忏悔了

郑宜辉

他曾经凶残地制造灭门惨案，畏罪潜逃18年。2004年2月，当慰藉他冰冷心灵的"红颜知己"终于弃他而去时，他彻底绝望了，在异乡举起尖刀剖腹自杀！

异乡涌动的爱心却如潮在他命悬鬼门关的危急时刻，激荡着他罪恶而绝望的心灵：为救他，街头群众多次拨打110、120，陌生的路人将他抬上救护车；公安干警接警后为他跑前跑后，自费垫资数千元；医生、护士全力抢救，精心护理……于是，当公安干警再一次出现在他面前时，他激动地说："我是赵朝营，18年前河南宜阳的杀人案是我干的。"

异乡爱心汹涌，街头自杀者抖出惊天"秘密"

2004年2月29日中午11时许，青海省西宁五四大街虎台三路一偏僻的小巷里，路过的人们突然发现一个腹插尖刀浑身是血蜷在地上的一动也不动的中年男人。

"哎呀！这个人怎么了？满身是血，肠子也流出来了！"首先是一个老太太惊恐万分的声音。

地上的男人正在努力地抬起他的右手腕——他已经抬不起他的手腕了！他是想阻止前来救他的热心人。虽然已经轻度昏迷，但混沌中他还是依稀听到了老太太惊恐的声音。

"快打120！不，还有110！"街道口一群男女闻声围了上来，接着一阵忙乱的脚步声在他周围四散开去：有人操起手机在打急救电话和报警电话，有人从附近拿来毛巾为他止血，还有好几个男人试图拦截过往的车辆，以便尽快将他送进医院。围观的人渐渐聚成了一圈人墙，于是有懂点法律常识的人又在圈里吆喝着："向后退！大家向后退，不要破坏了事发现场……"

不知过了多久，自杀者渐渐苏醒过来，看四周，已是一片雪白的世界：雪白的墙，雪白的被褥，匆忙进出的医护人员，还有两位身着警服的年轻干警。他明白了：他没有死，他被救下来了！

他立即粗暴地拔掉了输液的针头。护士过来，发现针头掉在地上，又熟练地换上新的针头，为他扎上。

一阵刺痛，睁开眼发现护士又在给他输液，他更加恼怒，护士刚粘好的胶布，他一把就撕下来，再一次拔掉了针头，并大声呵斥："滚出去！谁也不要救我，谁他妈救我小心我骂谁！"如此连续数次，护士被气哭了，但仍耐心地劝他说："不管你是谁，发生了什么天大的事儿，都必须接受治疗。"

"我要死，不要活，刀伤是我自己捅的，与任何人无关，死活是我自己的事情，谁管我我跟谁急！"说完他憋着难看的脸色躺在床上，对所有人置之不理。医生和干警过来百般劝说，他仍拒绝治疗，拒绝饮食，拒绝回答任何问题，沉默着等死。

3月1日，协助医院抢救他的西宁市公安局城北分局的民警周浩、张新民再次来到他的病房，又一次耐心询问他的真实身份和事发经过，并郑重地向他承诺：无论是谁伤害他，公安机关都将全力以赴严惩凶手，维护他的合法权益。

沉默了良久，他只告诉民警说他叫"苏峰"，身上的伤全是自杀所为。至于为什么自杀，他依然拒绝回答。

警察们摇着头离去了，此人的伤情却更加严重。西宁市第二人民医院的入院记录显示：病人入院时腹部、胸部共有二处刀伤，长十余厘米，深达心脏，触击肠胃；入院30多个小时内，病人一直持续昏迷不醒，醒来之后，则大喊腹痛，却拒绝治疗。

第三天，医院向这个不明身份者下达了病危通知书，并将他送进特级护理病房，更加细致地为他治疗。尽管他身无分文，孤身一人，院方仍然全力以赴地救治着他。多名女护士被他辱骂，男医生遭他呵斥，但是医护人员还是耐心地为他精心治疗，擦洗身子，一勺勺地给他喂饭，喂药……

一周之后，虽然他依然不太配合治疗，但曾经濒危的生命还是顺利地度过了危险期。

被再一次转入普通病房后，他才渐渐了解到：在他住院期间，那两个接警的干警不但用自己的工资为他垫付了 2000 多元的住院费，还多次自费来看他，为他带来了水果、奶粉等营养品。医院为救他，至今也已垫支一万余元医疗费！

警察第四次走进病房时，他终于告诉警察，他自杀只是为了一个他深爱的女人，那个女人名叫梅桂英。然而，对于他本人的情况，他依然讳莫如深，不肯多谈。

事实上，这些天来，来自四面八方的温暖已让他坐卧难安：同病室病友帮助他上下病床；其他病房的好心人也经常到他的病房给他送来水果，规劝他，最令他感动的是他的房东，听说他住了院，房东大妈不仅一下子免去了他三个月的房租，还多次到医院给他送饭送汤，房东家的四个小姑娘轮流到医院看他。

渐渐地，他改变了顽固不化的抵触态度，开始积极配合医护人员疗伤，并慢慢增强了活下去的勇气。

2004 年 3 月 9 日，在他入院后的第十天，当民警周浩、张新民再一次带着礼物来看望他时，他抑制不住愧疚的心情，对西宁市城北分局的警察诉说了埋在心底 18 年的惊天秘密："我的真名叫赵朝营，是河南省宜阳县人，18 年前我在老家杀过一家人……"

灭门十八年，"红颜"离去后举刀自残

1986 年 2 月 23 日清晨，河南省宜阳县发生了一起恶性凶杀案：村民王政德家三间房子被烈火焚烧得一片狼藉。王政德全身血肉模糊，已经死亡。王的妻子周勤、儿子王涛等人，面部、全身被烈火大面积烧伤，还有好几处枪伤，均生命垂危，整个场面十分凄惨。

30 分钟之后，河南省宜阳县公安局局长、刑警队长带领干警赶到现场，成立专案组。通过两天的内查外调，专案组很快查实：这一灭门血案系宜阳县韩城镇自行车修理铺 26 岁的青年赵朝营所为。

原来，1985 年年关，为跟哥哥换一片能改作门面的责任田，赵朝营与一贯与自己不和的嫂子王霞又一次发生了矛盾，由于话不投机，他一气之下打了嫂嫂几下。受了委屈的王霞，哭着跑回娘家，搬来老父亲王政德以及哥哥、弟弟等救兵，痛打了赵朝营一顿。

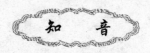

　　挨了打的赵朝营恼羞成怒。2月23日凌晨1时许，赵朝营就开始了他罪恶的复仇行动！他将两桶汽油放在自行车后座上，肩扛猎枪，跨上自行车，在夜幕掩护下，30分钟就到了王政德家。悄悄打开大门后，他用喷雾器往王家的玉米秸秆上喷上大量汽油。为防止屋里的人外逃，他又悄悄地用小棍从门外别上了屋门，然后引燃了大火。

　　年逾花甲的王政德从家里冲过来，刚用力摇开屋门，便被门口的赵朝营残忍地挥刀砍去……不一会儿，老人便倒在了血泊里。为达到灭门的目的，赵朝营又爬上墙头，用猎枪对着王家的窗子，一连打了四五枪……然而毕竟是做贼心虚，他在墙头上稍停片刻后，便发疯似的冲向公路，拦了一辆摩托车，连夜逃到洛阳火车站，赶在天亮之前坐上了开往西安的火车……

　　事实上，血案发生后，宜阳公安机关一刻也没有放松对他的追捕。在查询他的下落无果后，将他的照片、基本情况和犯罪事实在网上公布，在全国范围内通缉。同时他们还密切关注着他的妻子儿女……这一切，注定着赵朝营的逃亡之路是条辛酸的不归路。

　　从洛阳乘上火车后，他花50元钱购买了一张火车票。到了陕西省西安市，一下火车，他便身无分义了。沿路乞讨了两个多月后，才勉强被陕西铜川一个小煤窑收留。

　　1989年6月，他大着胆子来到西安打工，不久却在街头墙上发现了一张敦促犯罪嫌疑人投案自首的通告，他不敢细看，逃到了郊外。经打听，当时全国正在搞严打，杀人嫌犯全部上网，网上还有照片。他吓坏了！

　　逃离家乡的第五年，1991年11月，赵朝营购买了一张去乌鲁木齐市的车票，匆匆登上了西去的列车。然而，在西宁车站，因乘警正在各车厢搜查一个逃犯，他以为自己被发现了，于是跳窗而逃。谁料这次跳窗后，他竟遇到了让他痴爱了13年的"红颜知己"。

　　在西宁街上，他买了一张"苏峰"的假身份证后，便又开始了新的职业：卖菜。

　　一天，几个当地菜贩欺生，要撵他出菜市场，并当场掀翻了他的菜摊。只因有案在身，他不愿与人争斗，不禁万分屈辱地打算收摊走人。"住手，不许欺侮人。"一个清脆的女声在他耳边响起。赵朝营扭头一看，一个身穿米黄色上衣、20多岁的女人挺身而出，喝住了几个当地菜

贩。

五年了，赵朝营逆来顺受，受了多少次欺侮，他都默默地忍受。可今天，看到自己遭人欺侮，竟然有人出面为自己撑腰，他的心不由得为之一颤，一种多年没有过的异性的关怀霎时弥漫了他的全身。

她叫梅桂英，四川人，虽然个子不高，但面容姣好。自从那次接触之后，赵朝营十分感激她，每当她从外面拉回蔬菜，他就主动前去帮忙，遇有重活、累活，赵朝营也心甘情愿地承担。梅桂英看"苏峰"踏实肯干，对他竟也有了几分好感，有什么好吃的也给他捎点，有时饭做好了，干脆叫赵朝营去她的租住房一起吃。

不久后，他们同居了。这一同居就是12年。12年中，他们相亲相爱，虽然赵朝营每天都要不辞辛苦地去离西宁很远的中小城市郊外贩运蔬菜，但爱情的温暖却几乎使赵朝营忘记了自己的真实身份，在异乡的租住房里，他过上了"苏峰"的幸福生活。

然而，"苏峰"遮遮掩掩的历史并不能使小梅释然，因为虽然同居了很多年，但苏峰却从不给自己任何承诺，既不办理结婚手续，也不同意她生孩子！渐渐地，生活中他们有了越来越多的争吵。

从2002年开始，赵朝营开始自暴自弃，沉溺于赌博，不久他就输光了全部家当。一次激烈的争吵后，绝望的小梅终于弃他而去。

失去了小梅后，生活重新变得一片灰暗。2004年春节，已经习惯了和小梅过春节的赵朝营在出租房里孤苦一人地过了一个绝望的春节。没有钱，没有亲人，没有一点儿温暖……18年了，有家不敢归的感觉像一座山，压得他喘不过气来；现在，失去了唯一还能给他温暖的小梅姑娘，对他真的是一次致命的打击。

他不愿继续流浪下去，对生活，他已经彻底绝望了！于是他想到了自杀。

2004年2月28日晚，他分别给房东大娘、小梅和"法律"留下了三封遗书，还准备了一把尖刀。他到街上买了一袋二两装的青稞酒，迷迷糊糊地来到小梅家，径直敲开了她家的房门。开门的正是小梅。赵朝营想好好看看她，肚子里有很多话要对她说。哪怕不说一句话，只是让他在她家坐上一小会，他心里也会舒服得多。然而，让他始料不及的是，一看站在门外的是赵朝营，小梅一句话也没说，冷着脸，砰的一声

就重重地关上了那扇厚厚的防盗门。

这重重地一关，彻底关闭了赵朝营活下去的生命之门，没有温暖了，没有人爱他了，他彻底绝望了！老家，是到死都不能回的；温暖的"新家"，现在也没有了！

他恍恍惚惚挪动着无力的脚步，觉得连走路也没有了任何意义。下楼后，只走到一个街角，他就高高地举起尖刀，用力向自己的腹部一捅，剧烈的疼痛使他站立不稳，然而他意识到没有捅到要害部位，于是他再次用刀往心脏部位一捅，并用力来回地向里摇了摇……一阵天旋地转，他终于重重地倒在了远离家乡2000公里的异乡大街上……

爱心在继续，杀人重犯良知复苏忏悔迟

一口气说出了埋在心头18年的秘密，赵朝营的心头好像掀掉了一座大山。18年来，他心头从没有这样的轻松。说完犯罪事实，警察走后，他就倒在床上踏踏实实地睡着了，足足睡了两天两夜。18年来，他从来没有这样无牵无挂地休息过。

一觉醒来，已是第三天的中午，阳光照在病房里，床头上依然摆满了水果、早点。他原以为，大家知道自己是杀人犯之后会改变对他的态度，医院不会再给他治疗，然而医生仍然在病房进出着查看他的伤情，护士还在一丝不苟地为他擦洗伤口、喂药喂饭，看不出有丝毫的改变。

警察全天候守在医院里，对他的出入有了限制，但对他的关爱却没有一点儿减弱。周浩每次来都要给他买来各种营养品，极力安慰着他。特别是梅桂英，得知他自杀后，尽管不愿再见面，她还是托警官为他带来了一束鲜花和许多营养品。"听说你伤得这么重，外面那姑娘流泪了。"民警张新民告诉他。

3月26日，赵朝营伤情稳定后，被西宁警方宣布逮捕，关押在西宁市公安局看守所。2004年4月15日，宜阳县公安局干警赵建伟等一行来到了青海省西宁市，押解赵朝营回宜阳。

2004年4月18日，逃亡18年、被宜阳警方追捕18年的赵朝营终于被家乡的警察押解着，登上了回家的列车。四天后，赵朝营被送进了宜阳县看守所。在看守所，虽然不能和亲人见面，但闻知儿子终于被抓回来的70多岁的老母亲还是来到了看守所，她托管教干警给儿子捎了23.

5元钱，并转告他儿媳已改嫁，他的孩子也已成人。赵朝营手捧着18年不见的老母亲亲手转给他的一把零碎的毛钞，忍不住放声痛哭，这么多年，他都在为自己不能尽孝而深深抱愧！

2004年7月29日，洛阳市人民检察院以赵朝营涉嫌故意杀人罪和放火罪向洛阳市中级人民法院提起公诉。8月17日，洛阳市中级人民法院依法开庭审理了赵朝营故意杀人、放火一案。

被害人王涛含泪宣读了长达十余页的刑事附带民事起诉书，声泪俱下地控诉了赵朝营给他家带来的灾难：父亲王政德死去，被烧伤的其他三个人痛不欲生，18年来，一家人过着生不如死的痛苦日子。现在弟弟王志海已年过三十，但由于面目丑陋，仍未找到媳妇。治疗烧伤需要花费大量钱财，全家人只好东挪西借，如今债台高筑，生活难以为继。最后王涛要求赵朝营赔偿各项经济损失十余万元。

听着王涛的血泪控诉，赵朝营深深地低下了头。在他的噩梦中出现过无数回的王家人，今天终于面对面地站在了他的面前！在陈述前，他嗫嚅着向王家人再三地认错，真诚地表达自己的忏悔。他对杀人、放火罪的犯罪事实供认不讳。但他却提出，在西宁，他是主动交代了犯罪事实的，应认定为"自首"。

然而，公诉方却认为，赵朝营在自杀未遂后，是在公安机关多次询问的情况下，才交代了公安机关早已掌握的犯罪事实。因此，不应认定为自首。

最后，法庭采纳了公诉人的意见，认为"自首情节不能成立"。8月17日，洛阳市中级人民法院依法作出判决："被告人赵朝营犯故意杀人罪，判处死刑，剥夺政治权利终身；犯放火罪，判处有期徒刑15年，剥夺政治权利三年。数罪并罚，决定执行死刑，剥夺政治权利终身。同时判决：赵朝营赔偿原告各项经济损失五万元整。

8月26日，笔者见到了赵朝营。尽管在一审中没有被认定为自首，但他依然表示，在人们爱心的感召下交代了犯罪事实，无论结果最终如何，他都不会后悔。他说："人们对我越好，我越感到愧疚对不起他们，但我会永远记住他们：西宁市公安局城北分局的民警周浩、张新民、宜阳县公安局的阿海涛、赵建伟、周焕朝，还有西宁市第二人民医院的多名护士、医生和许多不知名的好心人……"

知　音

父亲上刑场命运突变，
儿子入考场悲壮圆梦

——一个死刑犯儿子的艰难大学之路

陈泽文

2004 年 7 月 24 日上午，湖北省荆州市一所高中的高考学生张峰（化名），收到中南大学录取通知书时，他脸上不但没有笑容，反而泪流满面！原来，2002 年，张峰相依为命的父亲为了给儿子筹集学费，一念之差抢劫杀人，而就在他命运逆转之际，学校和老师向他伸出了大义之手，用爱抚平了他心灵的重创，2004 年 6 月上旬，就在父亲上刑场之际，张峰含着泪走进了考场……

一念之差，父亲为儿子筹集学费抢劫杀人

1956 年出生的张文涛是一个苦命的人。那年，妻子生下儿子张峰后，因难产大出血而离开人世，他一把屎一把尿地把孩子拉扯大。后来，张文涛先天性青光眼发作，好在他有一身的力气，生活勉强维持。

1998 年长江发大水，张文涛家的土屋倒了一间，把母亲砸成重伤，在医院里抢救了十多天还是"走"了，留下了几千元的债务。尽管如此，张文涛毫不气馁，他发誓一定把儿子培养成有用之材。

2001 年 9 月，张峰考取了荆州市一所高中。张峰知道今天能在学校读书，是一件很不容易的事。他暗暗发誓一定考上大学，用优异的成绩回报爸爸。但由于张峰被家庭困难和学习压力所累，学习成绩一直处于中等偏下。

张文涛为了儿子的学费急得焦头烂额，张峰因常拖欠学杂费而被学校点名。

2002 年 10 月 12 日，张峰看到橱窗里贴着一张公告，是公布拖欠学杂费学生的名单。张峰却没发现自己的名字，自己明明还欠学杂费 120

154

元呢！晚自习后，班主任刘理风老师将他叫到办公室说："张峰呀，我考虑到你家里确实困难，没有将你的名字公布出来，请你下个双休日之前交清欠费。"对此，张峰十分感激，他对刘老师许诺，双休日回家后一定把钱带来。

回到家里，张峰将情况告诉了爸爸。张文涛很是犯难，但他仍许诺保证周一交钱。其实，张文涛是违心的承诺。当年两亩地的棉花收入，除了交清提留和农业税之外，还剩下30多元偿还给母亲治病的欠债。不过，凡是儿子读书的事他从不含糊，就是砸锅卖铁也要办到。

时值枯水季节，张文涛还是想去碰碰运气。当天吃过晚饭，他带上捕鱼渔具下河了。说来运气不错，当晚就捕到8斤多鱼，第二天又捕了10多斤。他将卖鱼所得的50元钱交给儿子，说再过几天把剩余的钱送来。

当张峰将手中50元钱交给老师的时候，他深感自责，对刘老师说，过几天爸爸会把剩下的钱送来的。

张峰哪里知道，父亲以后连续几天下河捕鱼都不走运，不但没捕到鱼，渔网还被锋利的护岸划破了。

10月20日下了一天的雨，张文涛想下雨涨了水应有鱼，他下午5点多就下了河，可干到晚上10点多钟只捕到1斤多小鱼。当张文涛拖着疲倦的身子回到家里，他躺在床上难以入睡，儿子的学费像一块石头压在他的心头。可他几乎想破脑壳也想不出一点办法，准备小解时，刚一拉亮灯他却被墙上挂的油壶吸引住了。

原来，张文涛突然想到上午邻居吴大妈刚买回两壶食用油，她是个孤老，何不将她的油弄来，卖了钱给儿子做学费呢？于是，他不由自主地向邻居吴大妈家走去。由于他第一次做贼，浑身颤抖。当他进屋提着吴大妈的油往外走时，竟将桌上的一只茶杯碰倒在地！熟睡中的吴大妈被惊醒了，立刻拉亮电灯，一看是张文涛，便问道："文涛，半夜三更在搞什么事呀？"

张文涛丢下油壶拔腿就跑，转念一想，如果此事传出去多丑啊！读书的儿子又怎么抬头？他越想越觉得不对劲，于是他跑回屋里，突然像疯了一样用被子捂住吴大妈的头部，并用双手掐其颈部……

因为张文涛系第一次作案，在作案过程中留下不少证据，当警方接

到报案后不出几个小时就将他抓获这时，张文涛正准备将两壶食用油拿去卖掉。

按预定的时间，张文涛应在 11 月 22 日下午给儿子把钱送去，可张峰盼望了一整天却没盼到爸爸。11 月 25 日下午 6 点多，张峰仍然没见列爸爸的影子，他心里焦急万分，只好站在校门口等候。

大约等了半个小时，张峰被班上任刘老师叫到办公室，刘老师先给他倒来一杯开水，然后神色黯然地说："张峰呀，有一件事你听后一定要冷静。"张峰瞪大了眼睛，刘老师过了许久，才吞吞吐吐地说："你的爸爸为你筹学费杀了人……"还没等刘老师说完，张峰就昏倒在地。

爱心如潮，受伤学子在原罪感中奋起

张峰自从得知父亲为他筹集学费而沦为杀人犯后，本来就性格内向的他，变得更加沉默寡言，整天躲在寝室里唉声叹气。一连好几天，张峰都没去学校上课，自己一个人在寝室里蒙着被子哭得死去活来。

刘理凤老师从高一开始就是张峰的班主任，对他的家庭和他在学校的表现最为清楚。刘老师一直认为张峰本质很好，这次张峰遇到人生最大的不幸，她决定像母亲一样对他倾注最真挚的爱。

11 月 29 日早晨，刘老师在街上买来 4 个肉包子吩咐一个学生给张峰送去，张峰只看了一眼，一个都没有吃。中午，刘老师在家亲自下厨炒了一碗青椒肉丝，另外盛了一大碗米饭，亲自给张峰送去。张峰见刘老师亲自送饭来，他就起了床，刘老师乘机说："张峰，你听我的话，天大的事把饭吃了再说。"张峰只是一个劲地流着泪水，他端起饭碗勉强吃了几口就放下了。晚上，刘老师又特意煲了一钵鸡汤给他送去。

刘老师像母亲般地对他说："张峰，你如果还把我当你的老师看，请你把这碗鸡汤喝了，否则我就不走！"张峰再也无话可说，他终于将那一碗饱含真情的鸡汤喝了。刘老师用手绢擦去他脸颊的泪痕，说道："孩子啊！你要想清楚，你爸爸是为了你读书才走向邪路，如果你还这样消沉下去，既对下起你爸爸，也对不起老师和同学们。从现在起你应该振作起来，用实际行动替你爸爸赎罪，从明天起就去教室上课。"说完，刘老师没等张峰说什么就走了。

当晚，张峰睡在床上，刘老师对他母爱般的关怀让他警醒了，是

啊，消沉下去更对不起爸爸了。第二天上早自习，他第一个来到教室。

开始几天，学校里许多同学并不知道张峰的爸爸杀人的事情，一切风平浪静。张峰以平常的心态和同学们一道学习，参加班里各项文体活动。刘老师还和其他几位科任老师商讨了帮助张峰的计划，不管在公共场合及课堂上时常给予表扬，使其逐步走出阴影。

可是，一个星期之后，当地的报纸、电视，几乎同步报道了张文涛抢劫杀人的消息。一时间，张文涛为筹集儿子的学费而抢劫杀人成为人们的谈资。

第二个星期天之后，张峰在相关部门的陪伴下，回家处理了一些相关事宜后就按时回到学校。可是当他走进校门，就发现不少同学以奇特的目光看他，有的甚至在他的后面指指戳戳。当张峰在教室里坐定后，班上像炸了锅似的议论开了。张峰顿时感到了莫大的侮辱，恨不得打个地洞钻下去。承受了半天精神炼狱，张峰再也坚持不住了，两手捂着耳朵冲出教室。

张峰本想找个地方清净一下，但到处都有人在谈论"张文涛杀人一案"。这样。他无法躲藏了，此时的他竟想到死。于是，张峰来到江边，大约站了20分钟之后，他紧闭双眼纵身一跳，急流湍湍的江水很快将他卷走……

这时，在堤边搞护岸工程的十来个民工发现了张峰，连忙将他救起，并用拖行头的工程车将他送到医院抢救。医生根据张峰胸前的校徽，随后将消息通告其学校。正在寻找张峰的学校领导和刘老师接到电话立即赶往医院。

经过医治，张峰很快脱离了危险。面对老师热切的关怀，张峰很是感激，表示不再轻生。

这时，该校的龙斌校长紧急召开校委会，专题讨论帮教张峰的问题。学校强调从即日起严禁任何人对张峰进行人身侮辱。发现一个处分一个。另外，学校决定免去张峰的学杂费的同时，还成立了以刘理凤老师为组长的帮教小组，派专人在医院陪护张峰。

同学们也纷纷对张峰伸出友爱之手。张峰也慢慢地找回了自我，开始抛开了一切杂念步入正常的学习轨道，他的学习成绩也逐步在提高。不久，张峰在一次统考中总成绩由原来全年级的41名上升到28名。为

鼓励他继续努力，学校还特地给他颁发了"学习进步奖"。

正当学校领导及刘老师为张峰的进步而庆幸时，羁押张文涛的看守所孙传荣所长来到校长的办公室，孙所长告知张峰的爸爸从羁押到现在情绪极不稳定，经常口里念着儿子的乳名——星儿，有时半夜三更突然叫喊着："星儿，你要为爸爸争气啊……"

针对上属情况，孙所长对张文涛进行多次开导，张文涛终于说出了心里话："我因为尝尽了没有文化的苦头，才将一切希望寄托在儿子的身上，但儿子又因为家庭贫困学习一直落后。我现在一生完了，但我仍希望儿子把书读好，将来考上大学为张家争光！"

这就是一个杀人犯的心声啊，虽然其罪当诛，但其情也动人！该校的龙校氏和孙所长经过商讨，决定校方和警方联合展开一场特别的爱心活动，定期将张峰的学习情况告知张文涛，促使他安心认罪改造。从此，每当张峰取得进步，他们都及时转告给高墙里的张文涛。通过儿子的进步，张文涛看到了儿子的希望，从而平静下来，异常配合警方的调查和看守所的管教。而张峰通过老师得知父亲最后的期望，学习更加努力了。

期中考试时，张峰的成绩义大大地跨了一步，总成绩由全年级的第28名上升列第16名。尤其可喜的是他的物理成绩名列全年级第二张文涛得知这一消息，脸上第一次露出了笑容，他流着泪对孙所长说："社会上有这么多的好心人帮助张峰，我死而无憾啊！"

悲壮圆梦，父亲上刑场儿子进考场

2002年12月25日，张峰收到荆州市中级人民法院送达的通知，通知上写明：2003年1月7日公开审理张文涛抢劫杀人一案，并告知被告的直系亲属按时参加旁听。此时，张峰心里十分矛盾，自从爸爸被抓后，他就没见到爸爸，但他怕上法庭承受不了巨大的心理压力，他实在无法定夺，就去找刘老师商量。

根据这一特殊情况，刘老师与张峰一道去市律师事务所找邓律师请教。邓律师建议张峰还是到庭与爸爸见面，否则再难得有机会相见。由于法院指定邓律师为被告的辩护人，张峰真诚地说："邓律师啊，请您为爸爸好好辩护，争取不让他判死刑啊。"

　　2003年1月7日上午，张峰在律师的安排下在法庭上与爸爸见面。张峰见到爸爸后什么都没说，只是一个劲地落泪，张文涛却显得出奇的平静，他对张峰说道："星儿，我已知道你的学习成绩大有进步，我放心了，你一定要好好学习，为爸爸争气。"开庭后，张峰差点情绪失控，在刘老师的陪护下离开了庭审现场。

　　2003年1月16日，法院作出一审判决：张文涛犯抢劫罪，判处死刑，剥夺政治权利终身，并没收其个人全部财产。刘老师代表张峰签收判决书的时候，时值期末考试的前两天，为了不影响张峰的考试，经请示校长，暂时没将判决书交给他本人。结果，张峰在考场上发挥得不错，考试成绩比以前更好了。

　　考试结束的第3天，张峰从刘老师手中接过判决书，他的情绪也一落千丈。张峰等同学晚上都睡觉之后，给刘老师写了一封信，趁着夜色离开了学校。

　　在信中，张峰真诚地写道："刘老师，感谢您多年对我的教育和培养，特别是当我的爸爸犯罪以后，您没有嫌弃我，更加热情地给予了我母亲般的呵护。现在我爸爸已判死刑，我再努力也不起什么作用了，我还是外出打工挣钱偿还爸爸留下的债务吧。至于帮爸爸的上诉一事请您和邓律师帮一下忙……"

　　第二天，刘老师看到这封信之后，赶紧派几个同学去寻找张峰，但找遍车站、旅社，都没见到他的人影。到张峰的老家，他的亲戚和邻居都说没看见他。

　　张峰离开了学校之后，连夜乘南下的火车到了广东，后转汽车来到东莞市厚街镇他表哥打工的制衣厂。由于时值年底，好多厂都已放假，张峰好不容易在一家小型家具厂找到一份会计工作。

　　老板得知张峰是高中生，人又长得精明，便将160多个职工的工资决算交给他。可张峰在学校读书时数学成绩就不理想，但没有办法只好硬着头皮上岗。结果一个多月下来，他就出现了3笔错账，倒赔了1000多元钱，自然也丢了工作。无奈，表哥只好给张峰先垫上，等过了春节再给他找其他的工作。

　　春节之后，工作较好找，正巧东莞市公安局面向社会公开招聘武装押运员。张峰当即接受了面试，1.81米的他使招聘人员十分满意。然

而，当张峰填写政审表时，那政治身份和社会关系的严格条款却把他难住了。是啊，哪个保安部门愿意请一个杀人犯的儿子呢？

回到表哥的住处，张峰忧心如焚，他想命运为什么对自己这么不公啊！从小就失去了母亲，父亲又犯下了大罪……想到伤心处，他大声呐喊："天哪，我该怎么办？"在走投无路的情况下，张峰拨通了刘老师的电话，刘老师在电话那头一个劲地问："是谁，请讲话……"可张峰张开嘴不知道说什么好，"嗯"了几声便把电话挂了。

其实，春节之后，新的学期一开始，学校就派人到处打听张峰的下落。刘老师也委托张峰的亲友和邻居，若有消息就通知他回校来，并说学校已经免去张峰的全部费用，而且将派专班为他补课。

张峰又静静地想了3天后，再一次拨通了刘老师的电话。这次，师生之间谈了大约1个小时后，张峰终于解除了一切顾虑，第二天就踏上了回校的路。

张峰回到学校时已是4月下旬了，学校在张峰随班上课的同时，让各科老师利用全部双休日和节假日为他补课。与此同时，学校还先后对他举行了4次献爱心活动，后勤科专门给张峰更换新被单和蚊帐，还帮他还清了5600多元的债务。

张峰感激涕零，决心将一切精力放在学习上。除自订学习计划之外，他还将父亲的死刑审判书带在身边，上课就放在桌子上，用这一特殊方式督促自己学习。

2004年5月，张文涛的二审裁定下达了，结果是"驳回上诉，维持原判"。张峰对这一判决没有感到意外，反倒感受到了法律的严肃性和公正性。

2004年6月，对张峰来说是一个不平凡的月份，按规定6月7日—8日是高考的日子，而法院通知他的父亲张文涛执行死刑的时间则定于6月11日，离高考的时间只有3天。刘老师尽量减轻张峰的思想压力，从各方面给他提供方便，从6日开始到11日行刑，张峰的饮食起居全部由刘老师亲自负责操办。

高考期间，刘老师和一名校医组成服务组，全天候跟随张峰，每门学科的考试，刘老师都守候在考场外面。

第一门学科开考时，张峰进入考场之后，就强迫自己镇定下来。然

而，一见到维持治安的警察从窗外走过，他就联想到几天后爸爸将要行刑的情景，他简直心乱如麻。守候在门口的刘老师见此情景十分焦急，示意他快动笔，他却视而不见。10多分钟过去了，张峰仍未下笔，刘老师立即给监考领导反映，将考场窗子放下窗帘，把现场的警察调开，要监考员不间断提醒张峰："高度集中精力。"这一招果然奏效，张峰开始下笔如飞了。

两天的考试结束后，张峰向刘老师汇报："自我感觉很好，估计不低于500分。"6月14日高考分数公布了，张峰的考分是661分，刘老师异常激动，特地下厨为张峰做了一桌可口的饭菜，师生俩喜极而泣。

6月11日上午，荆州市区万人空巷，张文涛等6名罪犯被执行死刑。

7月24日上午9点，张峰流着泪从邮递员手中接过"中南大学录取通知书"，他终于实现了人生第一个梦想。听闻消息，刘老师找到张峰，把几位老师为他捐的500元钱交到他手中，并鼓励他好好学习，报效国家。面对恩重如山的老师和学校，张峰深深拜谢，泪如雨下。

为爱"典妻"：
一场婚变的美好结局

慕野 张育

一个年轻的女性在遭遇了下岗、破产后，又因丈夫无生育能力而遭到了一系列家庭暴力。在这一连串的打击下，她终于情感出轨，与情人"私奔"了。3个月后，她回来准备办理离婚手续时，却突发脑溢血，生命垂危。

丈夫在愧悔和悲痛之际，倾其所有，全力挽救她的生命。然而，当用尽了积蓄又陷入借贷无门的境地时，却与一直深爱着他妻子并前来搭救的情敌"不期而遇"……在万般无奈之下，为了挽回妻子的生命，他含泪签下了屈辱的"典妻协议"，并与情敌一道联手救妻……

家生变故，丈夫的
暴虐让贤妻情感出轨

1988年元旦，吉林市机械厂技术科职员梁志辉与厂办文秘李淑珍举行了简单的婚礼。婚后，厂里分给他们一间40多平方米的宿舍，梁志辉的心里却很不是滋味。他对妻子说："我一定要让你住上宽敞明亮的楼房，过上幸福的生活……咱们年轻，好好干，等分到了楼房后再要孩子也不迟。"

看着丈夫有如此"抱负"，李淑珍就答应了。婚后，梁志辉起早贪黑地把精力都扑到了工作上。1993年，他如愿以偿地破提拔为副科长，并按规定分到了两居室的住房。

搬进了宽敞明亮的新居，李淑珍想该要个孩子了，就把避孕药停了。然而，半年过去了，她却仍然没有怀孕的迹象。为此，她偷偷地到市医院妇科检查，但结果是她一切正常。为了不影响夫妻感情，李淑珍总是避免提及要孩子的事。那时，梁志辉正雄心勃勃地往科长的位置上努力，也没把此事放在心上。

知　音

　　然而，1998 年岁末，厂子效益下滑，进入了"关停并转"的行列。李淑珍和梁志辉先后下岗了。失去工作并没有让夫妻二人气馁。在经过一段时间的考察后，1999 年 5 月，两人拿出多年积攒的 6 万元钱，在吉林市的大东门兑下一家小火锅店。不到一年，不但收回成本还赚了 10 万多元。生意的成功，使梁志辉又找回了自信，脸上也整天挂着灿烂的笑容。

　　2002 年 12 月，梁志辉把老店兑了出去，在柴草市投入 20 多万元开了一家 1000 多平方米的新店。然而，由于地点不利、火锅品种单调，新店不见收益。2003 年 6 月，他们不得不把饭店低价兑出……

　　那天晚上，梁志辉失魂落魄地回到家。在酒意蒙眬中，他看着满脸愁容的妻子，突然发起了怨气，"我算个啥男人？科长当不成，生意黄了，还连个做爹的资格都没有……"

　　一句话，正说到了李淑珍的痛处。她含泪申辩道："生意赔了，我也有责任，但没孩子不能怪我……"闻听此言，梁志辉愤怒地一把掀翻了桌子。

　　第二天，两人来到了医院。检查的结果是：梁志辉的精子成活率低，活动能力差，属于不育症。

　　从医院回来后，梁志辉的性情变了，经常在家喝闷酒，醉了不是摔东西就是又哭又闹。这些，李淑珍都忍了。为了减轻丈夫的负担，她开始一个人到外面找工作挣钱。

　　2003 年 8 月，她在手机市场找到了一个为人收旧手机"拉单"的活。谁知就在她刚干了半个月时，就因收了一部赃物，被带到了派出所。幸好一个开手机店的老板看见了她收购的情景，证明不是她偷的，她才免去了一场麻烦。

　　出于感激，李淑珍当晚请了那个好心的老板吃饭，才知道他叫张文军，比她大 5 岁，黑龙江伊安人，也当过单位的领导。五六年前下岗在这边收货，妻子在海拉尔卖。那天晚上，他们聊得很晚，当他得知李淑珍的经历后，争着把账结了。

　　当晚 10 点，李淑珍回到家，一进门就差点被满屋酒气呛倒。见丈夫眼睛红红的还要喝，就一边劝他一边去拿酒瓶，但没想到，梁志辉突然一举把她打倒在地，"这么晚了，你去哪里鬼混去了？……"

李淑珍摔得头脑轰鸣、眼冒金星。见丈夫竟然到了动手打她的地步，她不由得悲从中来。那一刻，内心和身体的疼痛让她泪流满面。

第二天，为了掩饰受伤的脸，她在头上特意戴了一条纱巾。张文军关切地问她怎么了。她一边掩饰地说没什么，一边眼泪却不由自主地流了下来……

进入2003年10月以后，张文军关切地说，从前我也站在外面收过手机，风吹雨淋的落下了风湿病……我看你还是进我店里做吧。李淑珍听了心生感动，答应了。

梁志辉闷在家里，除了睡觉就是喝酒。孤寂和烦躁，使他变得多疑，每晚都要盘问李淑珍一天都干些什么。有几次，李淑珍回答得不痛快，被他一顿好打。尽管第二天早上他又赔礼又道歉的，但李淑珍的心却在折磨中一次次受伤。

张文军见她隔三岔五地不是脸上青了，就是手背肿了，心情也挺压抑……

2003年11月3日下午，张文军急着发一批货，两人一起忙活引11点。张文军说："收尾事我干，你快回家吧！"李淑珍停住手，长叹一口气说："大哥，你也不是不知道，哪还是家呀，早回去就早受罪……"说着眼泪不知不觉流下来。张文军起身走到李淑珍面前，低声劝道："别难过了，身体是自己的……"体贴的话催发了李淑珍在心头积淤多日的委屈和酸楚，她一头扑入他的怀里。那天夜里，他们跨越了男女间的鸿沟……

妻子被迫离家出走，
孤独男人悔不当初

凌晨2点，张文军把李淑珍送到她家的楼下，满脸愧疚地说："对不起……你回家他会不会再打你？"李淑珍却恨恨地说："和你，是我自愿的。他要是再敢动我，我就离婚！"说完，她一步一回头地上了楼。

几天以后，张文军对李淑珍说："我想回海拉尔干，这个店就送给你吧。"李淑珍一愣："这怎么行？"张文军说："不值几个钱，到时我还来取货……"

张文军的决定，让李淑珍再次流下了泪水。她说什么也不接受他的

"馈赠"。她看出来张文军是个负责任的男人，为了让没有结局的"爱情"不再发展下去，他才含泪退出。

正在这时，梁志辉突然闯了进来，大声喊道："我盯着你几天了，终于让我堵上了。"说完操起一个木柄，疯了似的冲张文军扑去……李淑珍让张文军快跑，但张文军像个木头似的，任凭梁志辉的木柄落在身上。

梁志辉被众人拉开之后，发现妻子已没了踪影，手机也关机了。第二天一早，他又来到张文军的店里，也没见着人！他急了，随后找遍所有的亲属和朋友，也没见到妻子。

原来，把张文军送进医院包扎后，李淑珍就在临江门的一个招待所住了下来。她要静静地想想，下一步该如何在情人和丈夫之间做出选择。5天后，她刚打开手机，就接到张文军的电话。他在电话里哽咽了——店被砸的事已经传到了他的家乡，妻子一怒之下扣留了他的全部货款，并要起诉离婚，他没钱再在吉林发展了。张文军问她："我走了，你怎么办？……"

"我跟你走！你要是离了，我下半生伺候你，你要是不离，我就向你妻子请罪，让你们和好。"李淑珍想都没想就说出了这句话。随后，她急切地赶到火车站，搀着满脸伤痕、一瘸一拐的张文军登上了火车。

然而，事情并不像李淑珍想象的那么顺利。张文军的妻子认为这些年丈夫在外肯定攒了不少钱，一定让他拿出20万来再谈离婚的事。张文军拿不出来，而他妻子既不谈离婚的事，也不让他进门。

这时，张文军的病情由于连日折腾更加严重了，两条腿站都站不起来，李淑珍就和张文军在他的一个朋友家住下来。她和张文军商定：等他的病好一些了，她就回吉林市和丈夫办理离婚手续。

而此时，在吉林的梁志辉却因为妻子的出走陷入了困境：他没了经济来源，为了生活，找了一份蹬三轮车送货的活。在孤独时光里，他开始反思——以往妻子对自己种种的好处全都浮现眼前：因为孩子的事，妻子受了不少委屈；自己落寞的时候，妻子天天安慰鼓励；自己心情不好，她就忍着赔笑脸，醉酒了，还对人家拳脚相加……

整个春节，梁志辉就是这样痛苦不堪地熬过的。

为救"叛"妻，与情敌
签下"典妻"协议

2004年2月7日晚，梁志辉拖着疲惫的身躯打开家门，惊喜地发现李淑珍在家里，但妻子冷漠的目光让他有种不祥的预感。他小心翼翼地问道："这三个月，都去哪了？"李淑珍答道："黑龙江，和张文军在一起。"完了！他脑子里一片空白，好长时间后他才问；"那我们……""离婚！"妻子说得斩钉截铁。

第二天是个周日，一大早，他揉着红肿的双眼下楼为妻子买早餐。回来后，李淑珍说："下午早点收活，晚饭咱去外面吃，我请你！明天咱们把手续办了！"见妻子坚定了决心，梁志辉只好忍着泪快步走出门。

那一天，梁志辉没去送货，处于极度痛苦中的他直接去了当年和妻子结婚的平房。那里早已变成了楼房。他绕着那楼走了好几圈，想起以前一起度过的艰苦又快乐的时光，眼睛不禁又湿润了。

当晚，两人去了离家不远的小饭店。点菜后，李淑珍问："怎么不喝酒？""好久不喝了！"他回答着，眼圈突然红了，"以前喝那玩意，做下不少错事，真是对不住你！"

一听这话，李淑珍的眼睛也湿润了，说："那你今天喝点吧，我也喝。"她跟服务员要来一瓶白酒，斟满两杯，然后举杯说了声："干，就为最后的晚餐吧！"没等梁志辉举杯，她一口全喝下去。

梁志辉怕妻子喝多了，就把剩下的酒拿了过来，三两下便喝完了。在醉意蒙眬中，他看到妻子红红的一张脸，竟然是那么妩媚。

借着酒劲壮胆，他小心翼翼地说："咱们不离不行吗？离开你，我心里太难受了……"闻听此言，李淑珍突然落下了眼泪："我不离怎么对得起他呢？他那边正闹离婚啊！"说完，竟一头栽倒。梁志辉慌忙去拽，可面色紫红、喘着粗气的李淑珍躺在那不能动了。

饭店老板闻声赶过来说："别动，好像脑溢血。"说完马上打了120电话，把她送往市医院。医生检查后，告诉梁志辉说李淑珍的出血量不是很大，打了止血和颅内降压的针便送入观察室。

当晚，梁志辉守在妻子旁边，痛苦中他反而生出了一种欣喜——李淑珍要是这样昏迷下去，就永远也不会离开自己了。但看着她紧闭的双眼和涨得通红的面颊，又不禁为她祈祷。妻子的突遭变故，让梁志辉生出一种深深的负罪感，他日夜守候在妻子床前。

　　2月11日晚，李淑珍睁开了一直闭着的双眼，但神智还是不清，医生说溢出的血压迫神经，得被吸收后才能好些。梁志辉把她接回家，每天给她按时喂药，接护士来打针。李淑珍便溺不知，像一个不懂事的孩子那样任他摆布。他想，就这样不离开地照顾着，李淑珍就永远都是他的妻子了。

　　李淑珍住院带后期治疗，花完了他仅有的一点积蓄，还欠下2000元的外债。但他没有一丝后悔，觉得这是上天赐给了他赎罪的机会。

　　2004年2月23日，李淑珍在下床走动时突然摔倒，再次昏迷过去，梁志辉赶忙把她送到丰满区医院抢救。这次由于出血量大，并伴有水肿，需要立即做手术。医生让梁志辉交5000元押金。他在外面折腾了一上午才借来1000元，医生说得抓紧再凑，不然病人会有危险。他急出了一头冷汗，转身出门去，却在楼道里和张文军不期而遇。

　　只见张文军一脸焦急地问道："她怎么样了？"

　　原来，张文军离婚未成，便着急来吉林把店兑出去。他想见李淑珍，但打电话却总是关机，就到她家一打听，才知李淑珍出事了，就立即赶到了医院。

　　见了昏迷不醒的李淑珍，张文军止不住泪水涌了出来，他着急地对梁志辉喊："为什么还不快手术？"梁志辉低着头，说他正要出去筹集手术的钱。

　　张文军急忙问需要多少钱。看着这个热心的情敌，梁志辉不但觉得憋在心里的那些愤恨烟消云散，还突然生出一些好感来：他们在一起不到4个月，相处的感情似乎比自己十多年还要深！他心头一热，突然作出了一个决定。他说："还差4000元，你要是能拿，她病好了你就领走……你要是不信，我就给你立个字据。"说完这句话，他虚脱了一般靠在墙上。

　　张文军没有理会他，直接到缴款处交上了剩下的4000元钱，随后，帮医生把李淑珍送进了手术室。

　　梁志辉为了兑现诺言，就在浑身颤抖中，写了一份《协议书》——"本人因无力给妻子李淑珍治病，在张文军愿意拿钱的情况下，我愿意

在李淑珍病好后和她离婚，给她自由。梁志辉，2 月 23 日。"然后把《协议书》交到对方手上。

两个小时后，李淑珍被推出手术室。医生说："血块已经取出，静养几个月后就可以恢复，但一定要避免激动和生气……"听完，张文军意味深长地回头看了梁志辉一眼，那目光里竟有些对他的不信任……

3 月 15 日，医院又通知家属交钱，张文军把身上最后的 3000 元钱都交上去。这 7000 元钱是他的全部财产。十几天后，李淑珍终于度过了危险期，梁志辉跟医院商量，让她出院回家。一想到李淑珍恢复后，就将不再是他妻子，他禁不住有些泪眼婆娑了。

真情复活，大义
"情敌"慷慨退出

张文军因为没了钱，梁志辉就让他也一同住进了家里。但没几日，张文军的风湿病就犯了，每天要靠敷药几个小时才能下地。梁志辉就请了一个护士，每天定时为两个人上门打针。

一下子要照顾两个病人，梁志辉有些喘不过气来。为了能多挣钱，维持这个特殊的"三口之家"，他不只送货，还给一家煤气站接送煤气罐。

由于李淑珍还处在半昏迷状态，只能吃流食。梁志辉有时中午喂的时间长了，自己都吃不上饭，就急匆匆地干活去了。晚上回来，尽管很累，梁志辉还是坚持给李淑珍按摩和活动关节。张文军因为动不了，也插不上手，只能在一边看着……

4 月 12 日一早，李淑珍有些清醒了。当看到两个男人在她身边时，眼里生出了像雾一样的困惑和不解。待明白过来后，她想说话，但努力了半天也没说出来。

见妻子能活动了，梁志辉就每天在她的床前故下足够的药、食品和水；晚上睡觉前，他都要用温水为妻子擦身、洗头。每当这时，李淑珍都任他"摆布"，眼里却噙满了泪水。

张文军的脚也渐渐康复了。4 月末的一天，张文军搀扶着李淑珍走到镜子前，见到镜中的自己面容惨白又憔悴，李淑珍突然用含糊不清的话语问道："我这么难看，你还要我吗？"张文军若有所思地说："你先

把病养好，别的事先不要想了……"

　　5月30日下午，梁志辉感到心里堵得慌，就回了家。一开门，就听到里面传来张文军与妻子的说笑声。屈辱和失意一起涌上心头，那一刻，他真想冲进屋去，把"情敌"摔出屋外。但他一想到和他的协议书和医生的叮嘱，就悄悄地来到小屋，禁不住哭出了声来。

　　见有动静，张文军连忙过来，把哭得泪水涟涟的梁志辉扶了起来。悄悄问他："协议"的事你要是后悔就算了，我不会难为你的。说着，把那张梁志辉写的《协议书》递了过来。梁志辉一见，连忙推开了他的手，"不，我是为我从前的行为后悔……我若不是那么犯混，怎么会闹到今天这个地步……"

　　两人的话却被守在门边的李淑珍听到了，她走过来拿起那张纸，看完后顿时泪如雨下。怕她旧病复发，两人连忙把她扶上了床。

　　当晚，张文军躺在床上睡不着了。两个多月来，梁志辉不辞劳苦地照顾他和妻子的情景一幕幕地出现在他眼前。他亲眼看到了一个愧悔男人所经受的磨难和真诚，内心禁不住一次次地震颤了。他实在不忍心看到对方再次陷入孤独和绝望。再想到自己，眼下还没有离婚，弄得连个住的地方都没有，并且，自己身体也不健康，还怎么能让李淑珍恢复呢？让李淑珍留在丈夫身边，是她快些恢复的最好办法。

　　2004年6月15日，见李淑珍的精神很好，张文军就和她进行了一次长谈。李淑珍听了张文军的决定后，一句话也说不出来，只是默默地流泪——其实，在这两个月中，通过两次灾难，她感受到了丈夫的变化。丈夫于愧悔中的劳作和真诚，一次次让她心生感动。更让她的选择陷入了两难。她问张文军："你说句实话，是不是怕我日后恢复不好了，拖累你？"张文军当时就掉下了眼泪："不，我感到你只有在他身边，才能恢复得更好……他确实是个好人。"

　　2004年6月20日，李淑珍到医院复查，大夫说："可以停针了，再吃些恢复的药就行了。"当天晚上，梁志辉高兴得下厨炒了几个菜。见李淑珍吃饱了，张文军就示意她退出去。一对"情敌"在酒意中开始了一场深刻的谈话。

　　张文军说："我打算后天就走！你们还是夫妻，好好地过日子吧……"梁志辉听后吃了一惊，"你走？"随后，他明白了，眼泪刷的一下

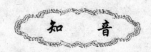

落了下来。"大哥，我对不住你……你花了那么多钱，我也还不上你呀。"张文军说："给她治病，是我愿意的，就算我帮她一回吧。"那一夜，两个男人的双手紧紧地握在了一起。

李淑珍悄悄地问丈夫，得知花了张大哥 7000 元钱，便说："咱把这个两室的房子换成一室的，用差价把欠大哥的还上……他到了现在这个地步，可真不容易啊。"

听妻子这么说，梁志辉明白，他的真诚终于换回了妻子的心。他一把紧紧地抱住妻子，一边流泪一边说："钱我一定要还，可欠他的情可能一生都还不完哪！"

2004 年 6 月 22 日，张文军在梁志辉夫妇的泪光中，踏上了返回黑龙江的列车。十几天以后，他打来电话说：妻子在家人和亲友做工作下，终于理解并原谅了他，他们又和好如初了。

听了这个消息，梁志辉和李淑珍再一次泪光莹莹。

海归未婚女孩，
叫您一声"妈妈"泪涟涟

杨湖

11 岁时，一场车祸将美丽的小公主变成了丑小鸭，恩师不仅从物质上帮助她，更从精神上鼓励她。13 年后，女孩从法国留学归来，寻找记忆深处的恩师时，却得知恩师一家因遭遇车祸，夫妻俩共赴天国，患有再生障碍性贫血、不满 5 岁的儿子冉起成了孤儿。

她将冉起接到了上海，为他治病，让他接受最好的教育。4 年来，她倾其所有，为小冉起共花费了近 30 万元……然而，当男友要求她一同出资买房结婚时，作为金领的她却拿不出钱来。她的爱心，能挽留爱情吗？

小公主变"丑小鸭"的日子里有师爱相随

1977 年，杨慧出生在一个干部家庭，父亲杨成城是江西省宜春市金融系统的领导，母亲吴枚是当地一名机关干部。

杨慧 8 岁的时候迷上了摄影，母亲吴枚通过同事介绍，找到了在某机关工作的陈勇做女儿的摄影老师。陈勇当时年仅 22 岁，已是一个小有名气的青年摄影家了。他很乐意地收下了这个天使一般的小徒弟，并亲昵地称她为小公主。

1988 年暑假，杨慧高高兴兴地跟随舅舅去昆明旅游时遭遇不幸，一辆小轿车在杨慧身后将她撞飞十几米远……

一个月后，杨慧才醒过来，她的眼睛却看不见任何东西，医生说由于剧烈震荡，已经损坏了视神经系统，在当前的医疗技术下，没有办法恢复。杨成城夫妻俩不敢把这一结论告诉女儿。

"慧慧，陈勇老师来看你来了。"一天，杨慧迷迷糊糊躺在床上时，母亲兴奋地告诉她。惊喜的杨慧立即坐了起来，紧紧拉着陈勇伸过来的手："陈老师，真的是你吗？可是我看不到你……"

171

"我一直想着来看你，你的眼睛会好起来的。我给你带来了一个更好的相机，等你眼睛好了，我们再去郊外摄影。"杨慧轻轻地抚摸着相机激动不已。

半年多时间里，杨成城夫妇四处打听治疗女儿眼睛的好途径。终于，一个在日本工作的朋友回国探亲，说日本东京可以做视神经手术，但仅手术费用就需要近10万元。为了治好女儿的眼睛，杨成城夫妻俩几乎倾家荡产，陈勇知道这件事后，主动送来了3000元钱，这几乎是他全部的积蓄。杨成城夫妇十分感动。

1989年9月，杨慧远赴东京治疗。在东京泰和医院，手术进行得很顺利，杨慧的双眼奇迹似的复明了。睁开眼的一刹那，看到洁白的床单和护士小姐的笑脸，杨慧欣喜若狂。可是，当杨慧看到镜子中的自己时，原来美丽的模样变得难看了，她一下子又失去了欢笑。由于脑震荡损坏了部分脑组织，她的面部生长不平衡，昔日的小公主一下子变成了"丑小鸭"，术后反应一切正常，双眼裸视0.8。不久，杨慧回到了家里。第二天，陈勇就来看她了，给她买来了鲜花和巧克力。这让小杨慧受伤的心倍感亲切。

1990年9月，杨慧的姑姑接她到上海读书。陈勇经常写信给她，鼓励她安心学习。每年寒暑假杨慧回到江西老家，陈勇都会约她一起去郊外摄影。1994年，杨慧考上了上海外国语大学，这一年，陈勇结婚了。

海归的天空因为恩师遗孤的不幸而凝重

1998年7月，杨慧大学毕业，怀着出国梦想的她来到法国留学。从小爱画画、对美学有偏爱的她选择家居设计专业。两年后，临近毕业时，一个偶然的机会，杨慧在巴黎认识了北京一家大型家装公司的总裁何先生。何先生对她的设计理念很赞赏，诚心邀请她回国加盟。杨慧决定回国发展。

在国外，杨慧与陈勇之间的联系很少，只通过两次电话。回国前，她没有给他打电话，想给他一个惊喜。回家的第二天，杨慧便去看望思念中的恩师陈勇。她来到那层熟悉的楼房，敲门很久却无人应，对面邻居说："这家人早就不在了，半年前夫妻俩遇车祸死了，小孩被送到了孤儿院。"杨慧立在那里，整个人都呆了。

知　音

　　杨慧忍着悲痛回到家，翻出以前与陈勇一起拍下的照片，想起他给她童年带来的欢乐以及后来对她学习上的鼓励，她痛恨上天不公平。车祸给了她太多的不幸，现在还是车祸夺走了恩师夫妻俩的生命。

　　当天下午，她赶到了宜春市孤儿院，寻找恩人的儿子。孤儿院的阿姨却告诉杨慧，小冉起（进孤儿院后改的名）一星期之前不慎摔了一跤，出血不止，到医院治疗时检查出患有再生障碍性贫血，现正在医院接受治疗。

　　杨慧一听更着急了，赶到宜春市第一人民医院找到小冉起。小冉起快5岁了，因患病脸色苍白。他见到杨慧第一眼就说："阿姨，我见过你，我爸爸的影集里有好多你的相片。"这让杨慧有些不敢相信，双眼情不自禁地模糊了，一种无法言喻的爱意在心中升起，仿佛她与小冉起的缘分与生俱来。她找到主治医师询问小冉起的病情，得知再生障碍性贫血是骨髓造血功能衰竭所导致的一种全血减少综合征，是一种严重危害儿童健康、生命的疾病，尤其是急性再障，病死率较高，小冉起的血色素不到4克，属于较严重的一类症状。医生说，由于当地治疗条件有限，最好是能到上海大医院接受治疗，但冉起是孤儿院送来的，不具备去上海治疗的经济条件。同时患者更需要亲情的关爱，充实而愉快的生活有利于病情的稳定和好转。杨慧连续几天都来医院陪伴小冉起，给他买来各种水果，给他讲童话故事。"阿姨，我不想在孤儿院里住，我想跟你在一起。"看着小冉起充满童真和向往的眼神，一个坚定的念头在杨慧的脑中闪现：到孤儿院领养冉起，然后再带他去上海治疗。

　　杨慧回到家里，向父母亲说出了自己的想法，父母说啥也不答应。父母说，资助小冉起一部分治疗费用可以，但不能领养。"你现在领养一个孤儿，而且患有重病，随时有生命危险，今后还怎么谈男朋友？""你以后还要结婚，这样的事必须夫妻俩同意才行，你现在犯糊涂以后一定会后悔的。"父母亲轮番劝说杨慧。

　　"以后的事我无法预见，但我会认真面对。小冉起需要的不只是治疗费用，他更需要亲情的关爱，不管他能不能好起来，也不管他能活多久，我要让他的生命从此充满快乐。"见父母亲不松口，杨慧也不作让步。

　　第二天，杨慧就独自来到了孤儿院，但由于杨慧未婚，不具备领养

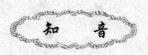

资格，任凭她怎样解释，孤儿院也不同意将小冉起交给她带走。杨慧知道父母亲在这件事上不会帮助她，她便给上海的姑姑打了电话。电话里，杨慧详细讲述了陈勇对她的恩情以及小冉起的可爱，最后她说出了自己想领养小冉起的想法。

"你要想清楚，领养一个孩子会涉及到很多问题的，特别是他还是个患儿，再生障碍性贫血是很难治愈的。"姑姑一开始也劝说她。

"我不能把冉起丢在孤儿院不管，当地医院的治疗条件也很有限，姑姑，你一定要支持我……"

杨慧的真情感动了姑姑。姑姑从上海赶来办理了领养冉起的手续。随后，杨慧又带着姑姑来到医院，办好了出院手续后，她一把抱过小冉起："走，跟阿姨回家。"

上海瑞金医院对再生障碍性贫血的治疗效果较好，杨慧向姑姑借了两万元钱，安排冉起住进了瑞金医院。同时她向北京那家装饰公司老总请假，推迟一段时间上班，留下来陪伴小冉起治疗。

护士给他打针，如果是以前，小冉起会显得很紧张，现在看到杨慧紧张的表情，他反而扮鬼脸逗乐杨慧。小冉起每次吃东西时不能多吃，吃多了头晕得更厉害，杨慧细心地调配好他的饮食，买来一本营养食谱书，针对小冉起的病症，挑选能补血活血的菜肴和水果给他食用。杨慧与小冉起的关系被同病房的人知道后，很快传遍了整个医院，不少热心的病友及家属纷纷过来看望小冉起。医院领导了解杨慧的情况后，建议杨慧去北京上班，医院会派最好的护士照看冉起。

两万元医药费一个多月的时间就花完了，小冉起治病的费用还是一个很大的未知数，杨慧采纳了医院的意见，根据需要将治疗费用打到医院的账户上，医院承诺，将在费用的收取上给予优惠。

"要听医生叔叔和护士阿姨的话，我要去北京上班，等你病好了我来接你出院。"杨慧抱着小冉起，依依不舍地说。小冉起紧紧拉着杨慧的手，"阿姨，反正我没什么事，我就整天想着你。"杨慧心里酸酸的，如果说以前她对小冉起是感恩，现在则是由衷的喜爱。

情到深处，叫一声"妈妈"泪涟涟

到了北京上班，公司发给了杨慧 3 万元的安家费，她留下 5000 元钱

开支外，将其余的 2．5 万元都打到了上海瑞金医院的账产上。一个多月后，小冉起的病情终于稳定了，医生建议可以出院。杨慧从北京赶到上海，将小冉起从医院里接了出来。在姑姑的操心下，小冉起被安排在一所可以全托的学校读学前班。

杨慧的工资每月 7000 元，但想到小冉起的病情难以痊愈，随时都有可能复发，杨慧不敢乱花钱。虽然不能与小冉起在一块生活，但杨慧经常打电话给姑姑，询问冉起的生活状况。这一年春节，小冉起的病情复发了，再一次住进了医院。杨慧打电话给父母说，她到上海与姑姑一起过春节。尽管她的心里很想念父母，但她感到小冉起这时候更需要她。

第一次在病房里过春节，外面的喧闹和病房里的冷清让人伤感。然而，看到小冉起失血而无力的神情，杨慧又格外心疼，她上街买来红灯笼和各色汽球，把整个病房装点得格外温馨。医院领导来给他们拜年，送来了鲜花和精美的食品以及美好的祝福，小冉起一下子开心起来，杨慧也暂时忘记了忧虑。这是一个别样的新年，她与小冉起有了一种相依为命的感觉。

杨慧不想离开小冉起，便想留在上海找一份工作，但上海的家居设计理念跟她所学到的以及北京的理念相差太大，她感到自己的事业在北京。姑姑建议说，经常与小冉起在一块未必是好事，可能会给他的心理造成依赖和因为感恩而带来压力。于是杨慧回到了北京上班，但她心里十分牵挂小冉起。

一年之后，杨慧还清了小冉起治病和读书向姑姑借的钱，原以为命运会给她和小冉起一个新的开始，但就在 2002 年 4 月，小冉起因为重感冒再一次引起了再生障碍性贫血发作，这一次比前两次更加严重。

杨慧匆匆赶到上海，医生告诉她，冉起的病反复发作，很难治愈，且治疗费用很高，她个人的能力是有限的，不如向媒体求助，获得一些好心人的资助。杨慧与在上海工作的一位同学聊天时，把自己的事编成一个故事讲给同学听，谁知同学半认真半开玩笑地说："哪有这么好的女孩子，该不会是她的私生子吧？"

同学的一句话说得杨慧心里凉凉的，她放弃了求助媒体的念头。安置好小冉起后，含着泪回北京，她不能再耽搁上班，必须有足够的钱继续冉起的治疗。

杨慧决定再找一份工作，在朋友的介绍下，她在一家出版社找了一份文字翻译工作，白天在公司上班，晚上她推掉一切应酬，回到住处将一本本厚厚的法文书籍译成中文。杨慧每天晚上工作到深夜。但出版社的翻译工作是不固定的，一个多月后，便没活干了，杨慧又同时找了两份家教工作。

这一次小冉起在医院住了整整半年，杨慧也为他一共花费了医药费8万余元。小冉起回到学校时，医生交代杨慧说，不能让他劳累，也不能让他感到忧郁，否则容易反复发作。"阿姨，我不再跟小朋友们做游戏了，摔倒了就会发病的。"小冉起仿佛是个懂事的大男孩，但杨慧分明看到泪水在他的眼里打转。

2002年9月30日，杨慧接到上海的电话，电话那端传来小冉起稚嫩的声音："阿姨，我们明天表演节目，老师通知爸爸妈妈都来参加，我可怎么办呀。"杨慧听了一愣，是呀，该怎么办呢？别的孩子爸爸妈妈去了，小冉起表演节目时却看不到亲人，他该有多难受啊。

第二天，当杨慧突然出现在上海的校园时，小冉起惊喜地叫着从小朋友中间跑出来："妈妈，妈妈！"杨慧的眼泪刹那间夺眶而出，她紧紧地抱着小冉起，浓浓的爱意漫过心头，她没想到小冉起会把她当做妈妈。她决心与小冉起永远不分开。

有一种爱是爱情最好的凝固剂

由于杨慧的心思全都放在小冉起的生活和治疗上，兼职工作又占去了她的休息时间，尽管周围的男孩子不时向她发出约会邀请，她都因没空而拒绝了，但她并没有因此而感到寂寞。

2003年5月，杨慧出差到武汉，清晨时分在武汉街头行走时，突然一名男生从拐弯处骑着自行车冲出来，杨慧避让不及，被撞倒在地。好在没有大碍，这名男生将她送到附近的宾馆。杨慧得知他叫李锋，华中科大毕业班学生，赶着去参加人才交流会，她便催他快点去应聘，别耽搁了。

两个月之后，杨慧都快要忘了这件事的时候，接到李锋的电话，他说他应聘到了北京中关村一家电脑公司上班，想约杨慧出来喝茶。杨慧颇感惊讶的同时答应了李锋的邀请。

知　音

随着了解的加深，杨慧与李锋开始品味着初恋的滋味，但杨慧心里有了隐隐约约的担忧。李锋如果知道了小冉起的事，会不会退出这场刚刚开始的恋情？就在这时，杨慧又一次接到姑姑的电话，小冉起住进了医院，她顾不上想许多，安排好工作后就赶到上海。主治医生建议说："你已经为这孩子花了不少费用了，他的病反复发作难以痊愈，我估计他的生命在进入倒计时，能不能实行保守性治疗？"

"不，只要有一线希望我都不会放弃，你尽可能用最先进的治疗方案和最好的药品！"杨慧连想都没有想就说。

小冉起在医院每天接近500元的医疗费，使钱对她来说眼前是最重要的。她减少了与李锋的约会时间和次数拼命工作，这样李锋很是不解．担心杨慧是不是会远离他。"你没必要做那么多工作吧？钱难道对你是最重要的吗？"杨慧此时找不到最好的解释，好多次她想把事实真相告诉他，却又犹豫不决，她爱李锋，害怕李锋把小冉起看成是负担离她而去。而且，当年同学的话也再一次提醒杨慧：李锋会不会认为小冉起是她的私生子呢？

杨慧没空陪李锋，李锋就在她译书的时候，捧着本书陪着。一天夜里杨慧起身倒水时，突然晕倒在地，吓得李锋赶忙叫来了救护车。"不能再这样下去了，我们工资也够高的了，难道还不够吗？"李锋心疼地说。

见自己劝不动杨慧，李锋便打电话告诉了她的父母。杨成城夫妇俩一听更是着急，原以为女儿在北京工作好好的，想不到她竟然瞒着父母还是收养了这个小孩，但事已至此，埋怨也没有用了，他们也只好接受这一现实。杨成城夫妇特意赶来上海看望了他们的"外孙"，老两口也感动不已。临走时，他们留下一封信和一张银行卡。信上写道：这张卡里存有5万元钱，钱不够我们一起想办法。真是苦了你了，孩子……

读着读着，杨慧的眼泪就下来了，她一直以为父母亲不会理解她，所以几年来从没有向他们说过小冉起的事，从父亲的信中她仿佛找到了一份信心和安慰。

2004年5月18日是杨慧的生日，李锋约她在一家酒吧共度美好时光。当服务生推来亮着烛光的生日蛋糕，李锋捧着鲜花出现在她面前时，杨慧高兴得像小女孩一样叫起来。当她对着烛光默默地许下心愿之

后，李锋在她的耳边轻声说："小公主，嫁给我吧。"

接下来的日子两人讨论如何筹备婚事，李锋提出将两人的钱加在一起购买一套大户型的房子。这可难住了杨慧。见她吞吞吐吐，李锋沉不住气了："你还有什么不放心的？房产证写你的名字。"他这么一说，可真把杨慧急得直掉眼泪。

近四年来，杨慧为了小冉起的治疗，差不多花去了 30 万元，这也是她的全部收入。杨慧向姑姑诉说了目前的处境，自己拼命工作挣钱，如今却拿不出钱来买房，不解释清楚恐怕李锋的误会更深。姑姑安慰她说，与其因误会给两人带来伤害，还不如把事实说出来，让李锋自己作出选择。

一夜无眠，杨慧终于向李锋说出了领养小冉起的事实。"隐瞒到现在是因为我不想失去你，但你现在可以选择离开，因为从一开始我就没想到过放弃小冉起。"那一刻，李锋呆住了。这一种故事只在小说里见到过，眼前这个让他心仪的女孩真是故事的主角吗？真是，那又该怎么办呢？他得好好考虑考虑。

三天后，李锋找到杨慧说："你应该早点告诉我这件事，两个人的力量总比一个人强吧！我们一起来承担这份责任……"那一刻，树慧觉得，她是天底下最幸福的人。她紧紧抱住李锋，浑身颤抖不已。

6 月 1 日，李锋与杨慧来到了小冉起读书的学校，看着小冉起开心的笑，李锋说："今天是你的节日，我与慧阿姨要满足你一个心愿。""挑最大的心愿说，可别便宜了你李叔叔。"杨慧在一旁鼓励小冉起。

"放暑假后我想去北京天安门，还有长城。"

2004 年 7 月 2 日，北京的天空是晴朗的。当第一缕阳光从地平线冉冉升起的时候，杨慧、李锋和小冉起登上了长城。小冉起无比兴奋，他一手牵着杨慧，一手牵着李锋，一步一步坚定而缓慢地向上攀登。太阳升起来了，游人越来越多，雄伟的长城，见证着这三个平凡而不平常的游客的幸福与快乐。

千万元祭神催命：总经理夫人离奇死亡

张大奎

　　山西侯马一位近乎文盲的少妇，自称是"五皇大帝的三女儿"，骗得当地人敬之为神！一位大学毕业的总经理夫人也信以为真，不停地拱手送钱。由1元、千元、万元至数十万元，长达五年时间内从不间断，"玉女"竟然诈骗累计达千万元。最后，当总经理夫人刚要明白过来这是一场骗局之时，突然在成都身亡。

　　2004年7月22日，山西省临汾市中级法院开庭审理了这起旷世奇案。

儿子患病，总经理夫人
遭遇"玉帝女儿"

　　年近五旬的王丽珍早年毕业于山西大学，时任山西侯马市一家著名企业的部门经理。丈夫是该企业的总经理，17岁的儿子陈霖正读高三。

　　王丽珍与"玉女"认识缘于儿子陈霖的一场小病。1997年2月17日中午，陈霖放学回家说头疼，王丽珍急得饭也顾不上吃就打电话叫来公司的医生。医生看后告诉王丽珍，头疼只是学习紧张所致，吃点补脑的药就好了。

　　下午，王丽珍到市里一家大药房给儿子买保健药，遇到儿子小学时的班主任任小玲。任小玲问家里谁病了，王丽珍说明缘由后，任小玲说："前段时间我一个学生也是闹头疼，什么药都吃了，都不管用，最后让'玉女'瞧了瞧，一剂药吃好了。"

　　"'玉女'是谁呀？"王丽珍看到任小玲一副神神秘秘的样子，有点惊讶地问。"'玉女'是'五帝的三女儿'嘛，在侯马名气大得很，你怎么连她都不知道？"任小玲又特意补充道，"她法力无边，神通广大哩。"

　　王丽珍甚感荒唐，可任小玲却说："刚开始我也不信，可她就是那

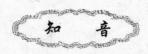

么神。不信，你去瞧瞧。"王丽珍未免有点好奇，就让任小玲领路，两人来到位于侯马市西郊的东庄村西南头的一个独院前。

"到了，'玉女'就住在这里。"走下车，她们穿过小院，一缕缕香雾缭绕其间，屋内，在一尊菩萨背后，露出一张模糊的女人脸。任小玲小声告诉王丽珍："这就是'玉女'仝彩青。"说完，任小玲匍匐三拜。觉得好笑的王丽珍刚要转身出门，盘坐在菩萨后面的仝彩青发了话："求财还是求官？求子女平安还是求父母健康？"王丽珍不知道如何回答，任小玲说道："她是总经理的夫人，她正上高三的儿子老头疼，请您帮忙指点。"仝彩青一听，当下心中又喜又惊。

在侯马，王丽珍的丈夫陈垣任总经理的企业不但资金雄厚，而且级别是地厅级，在侯马乃至山西有很大的影响力，陈垣自然是当地政府和媒体关注的红人。仝彩青早就对王丽珍的家产垂涎三尺，曾悄悄对其家庭成员情况进行过了解，并且一直幻想着攀上这棵大树。

仝彩青决定使尽浑身解数，迷惑住王丽珍。她双目紧闭，口里念念有词："我已收到'王母娘娘'的旨意，你的儿子被她开过脑，她将收走你的儿子为徒。"王丽珍问："那你知道我儿子的名字吗？""叫陈霖，头疼得不轻啊。"仝彩青说。任小玲急忙问："你说我们该怎么办？"

"给神灵押钱，多多益善。"仝彩青话音刚落，外面响起了"噼里啪啦"的鞭炮声。原来，在屋里装神的仝彩青与丈夫张跃刚有约定，只要听到她说"押钱"两个字，就立即放鞭炮。鞭炮声中，仝彩青递给王丽珍一个折成三角形的金黄色锡纸包，说："里面有神药，回去剪去三角，用开水冲后让孩子早晚各喝一次，连续三天。"

王丽珍打开纸包，见里面包着一些浅黄色的颗粒状固体，当即想扔掉，又怕不礼貌，就在菩萨前丢下一元钱，嗤之以鼻地起身往外走。"夫人别走！"仝彩青冲着王丽珍的背影，突然喝了一声。待她转回身，仝彩青又声若游丝地说："你的家庭很好！丈夫有官运、财运。你正直善良，也是有福的人。"仝彩青停了片刻，自信地说："家家有本难念的经。别看你人前风光，但你背后常流泪。"王丽珍心中一沉："此话何意？"

"你婚姻不幸福，丈夫有外遇。"仝彩青说完，似乎用尽了"神力"，疲倦地靠在椅子上，半眯着眼。王丽珍怔怔地看着仝彩青。仝彩青说：

"你可以不信我，但我身为'玉帝'的女儿就是为民消灾除难的，你的忙我还是要帮的。"王丽珍把手机号留给她，离开了。路上，王丽珍想：这个"玉女"也真神了，她怎么知道我的婚姻不幸福呢？

回到家，在任小玲一再叮咛下，王丽珍把"神药"让儿子喝下。半月后，王丽珍突然接到"玉女"的电话："我在'王母娘娘'面前苦苦求情，她已放过你儿子，半月之内你必须前来还愿，否则将有家事不和之报应。"儿子放学回来，王丽珍看儿子的精神好多了，就问他头还疼不，陈霖说一点也不疼了。王丽珍轻笑了一声："难道还真显灵了？"笑完，内心仍然不信。

其实仝彩青玩弄的只不过是一些雕虫小技。1966年10月出生于山西省侯马市丰城乡西汉村的仝彩青，由于家穷，小学二年级就辍了学，于1988年与张跃刚结为夫妻，不久生下一儿一女。婚后，仝彩青和丈夫做过多项生意，均以赔本关门。1996年，仝彩青的弟弟因捅死妻子而被枪决，她感觉门风不兴，于是拜邻村一个有名的"神婆"为干娘，寻求"神灵"保护。

半年后，仝彩青托人从南方买来两本万年历，每天早早起来，专心背诵。随后，仝彩青摇身一变，成了"玉皇大帝三女儿"。

开始，仝彩青心里还有点不踏实。开张后，来烧香求佛的人连绵不断。仝彩青以"玉帝"的女儿发几句话，香客就乖乖地掏出钱，对她唯命是从。仝彩青的胆子渐渐大起来。遇到香客问医求药时，仝彩青就将一些止痛片和维生素片碾成碎末，再掺一些麦乳精或白糖，用金黄色的锡纸包成包，折成三角形。在香客押钱许愿后，把纸包丢在他们面前。这种药不但没有副作用，还能捎带着治头疼发热的病。香客在精神作用下，疾病也可能不治而愈。如此一来，"玉帝"女儿的名声大噪。

家事"摆平"，经理夫人的心智为"神灵"所探

半月后，王丽珍把还愿的事儿早忘到九霄云外了。

3月12日晚上，下班回家后的王丽珍做好晚饭，却不见丈夫陈垣。她等到半夜，丈夫回来了，却莫名其妙地大发雷霆，还把东西摔了一地。王丽珍说了两句，不想更惹恼了陈垣，他当下就要离婚。

王丽珍极爱面子，她处处维护丈夫的地位和家庭的荣誉。听闻丈夫

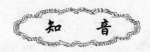

和女大学生关系暧昧，她没有吵闹，只把婚姻的不幸暗藏心底独自咀嚼，只是规劝丈夫悬崖勒马。为了自己的地位，陈垣也不好太放肆。但他动辄就向妻子发脾气。而陈垣发火的时间，正巧暗合了"玉女"预言的日期。这时，王丽珍突然想起"玉女"的话："半月内不来还愿，会有家事不和之险。"王丽珍一个激灵："儿子的病被她说中，现在刚过还愿期，她的话又验证了。难道她真是'玉帝'的女儿？"学过辩证唯物主义的王丽珍被弄糊涂了，心想：难道冥冥中真有神灵操纵一切？

第二天一早，王丽珍独自一人来到"玉女"处。仝彩青盯住她愁苦的脸看了一会儿，说："让你还愿你不信，遭报应了吧。"王丽珍说："我昨晚刚和丈夫吵了一架，你有没有办法让他回心转意？"仝彩青说："你回去吧，三天后，保你丈夫对你恩爱有加。"王丽珍丢下一个红纸包，说是还愿，半信半疑地走出了仝彩青的家门。

仝彩青打开红纸包倒吸一口气：天哪，竟是5000元！她抑制不住狂喜对丈夫说："咱们遇上冤大头了。"张跃刚感叹："王姐咋这么憨呢？亏她还是大学生！""越富的人越迷信，越有钱的人心灵越空虚，这两种人最好骗。"

仝彩青找来堂弟，自己口述，书写了几份陈垣有"男女关系"的大字报。在大字报的最后，仝彩青让人写道：朗朗乾坤，神明在上；法律无情，苦海无边！记住，你和女大学生的事玉皇大帝已经知晓。你若再不与之了断，我等把你告到纪检委，告到检察院，将你绳之以法。大字报写完，仝彩青指示丈夫趁着月色张贴在陈垣的公司附近。几天后，仝彩青给陈垣打电话："你做的一切，各路神灵都看得明明白白，请你好自为之。"

仝彩青这个"神仙"之招吓得陈垣以为自己的政敌知道了自己的花事，当即狠心与女大学生一刀两断。回到家后，他对妻儿百般讨好，自己下厨做饭，还对王丽珍倍加关心。王丽珍欣喜之余，心里竟有一种悚悚的感觉：看来正如"玉女"所说，真有神灵存在啊。

这时，王丽珍又想起那天"玉女"的话："半个月再不还愿，会有更大的祸事缠身。"3月20日，王丽珍一早来到"玉女"家，烧了一炷香，然后虔诚地跪在"神灵"前心里默念感谢词，并把一红包放在"神灵"前对"玉女"说："一点小意思，希望大家都好。"等王丽珍走后，

仝彩青和丈夫迫不及待地拆开红包，竟是一万元！

王丽珍这时的心理已发生了很大的变化，她以前完全摒弃迷信的心被一种很神秘的东西占据着。王丽珍在"玉女"的蛊惑下，请来一尊菩萨像供在屋里。做任何事前，王丽珍都要在菩萨前烧香鞠躬。为保住家里财运和丈夫的官运，王丽珍经常到"玉女"的家中让她指点，不惜重金地押上红包，少则数百元，多则上万元。

1998年6月20日，陈垣的公司里出了个小事故。这本是很正常的生产事故，王丽珍却吓得不行，固执地认为是神灵有意对他们的惩罚，于是心急火燎地找到"玉女"。"玉女"闻言，很沉着地找来4枚硬币作铜钱用。天黑后，她与王丽珍来到公司的厂区内。"玉女"用一个铁钉在4枚硬币中间钻了孔，分别埋在厂区的东南西北角，又将一面铜镜放在厂房顶。然后，"玉女"面对铜镜，举右拳，嘴里念念有词，将右拳张开、合上，反复数次。王丽珍看得入神，脸上现出敬畏的表情，就问"玉女"这是干什么的，"玉女"一脸严肃地说。在看天书，拳头张开一下，就是翻过一页天书。

王丽珍对"玉女"的敬佩之情更浓了，她竟能用拳头看天书！只有仝彩青自己知道，哪里有什么天书，这只是为应对王丽珍而拖延时间的伎俩。事后，王丽珍递给"玉女"一个红包。"玉女"拆开一看竟是2万元钱！

一个月后，王丽珍满面喜气地又找到"玉女"说，她丈夫的厂子经她的"法手"指点，事故已经消除，经济效益直线上升。王丽珍高兴之余，执意要还愿，就在神像面前又押了2万元钱。抑制不住狂喜的仝彩青和丈夫张跃刚为能钓上这条肥鱼而沾沾自喜。

借刀杀人，"玉女"罪恶终于浮出水面

认识王丽珍之前，仝彩青也时有进项，但只是小打小闹地收点小钱。自迷惑上王丽珍后，仝彩青开始财源滚滚。她不但在侯马市区购置了一套别墅，而且还买来一辆桑塔纳2000轿车。虽然仝彩青的生活发生了翻天覆地的变化，但贪婪成性的她看到王丽珍送的钱财不过是九牛一毛时，她不满足了，决定用魔法控制王丽珍的心灵，让她把钱财全部送到自己的手中。

知 音

　　1998 年中秋，王丽珍脖颈上起了几个疙瘩，到医院检查，是肿瘤。王丽珍立即向"玉女"讨主意。仝彩青说："这是在考验你对玉帝的心诚不诚。你以前给'神灵'押的钱太少，只有押够 1380 万元，才能身体健康，家庭和睦，一生平安。"仝彩青又解释，"3"即"散"，意为灾难消散，"8"即"发"，意为多多发财。

　　这本是仝彩青信口雌黄，王丽珍却信以为真。从此，王丽珍连班也不上了，不断地押钱，少则万元，多则数十万。每一次押钱后，"玉女"就给王丽珍唱赞歌，意思"玉帝"已开始降福，她的肿瘤将不治而愈。

　　王丽珍的心已陷进仝彩青心灵诈骗的圈套不能自拔，她每押一次钱就获得一次心灵的快感，以至于押钱的频率不断地增加。有时手头没有现钱，就把家中的高级摄像机或首饰等贵重物品押在"神灵"前。

　　看妻子被"玉女"的"魔法"迷了心窍，作为丈夫，陈垣痛心不已。为了彻底把妻子从"玉女"的心灵桎梏中解救出来，1999 年春节刚过，陈垣就申请调离了侯马，在成都的另一家公司任总经理。

　　王丽珍随丈夫到成都后，仝彩青哪里肯割断这份财源？她频频打电话给王丽珍讲经传道，继续迷惑其精神，实行心灵控制。王丽珍也多次邀请仝彩青去成都。在王丽珍出钱买单下，仝彩青和丈夫多次乘飞机往返于成都与侯马之间。这期间，仝彩青继续给王丽珍"看运"，王丽珍押钱的数目也一路飙升。

　　成都毕竟是大都市，不同于偏僻的县级市侯马。王丽珍在这儿接触的也是一些性情开朗、生活积极向上的人。她听从丈夫的意见，每天早起跑步，散心。丈夫还给她找了一份很轻松的工作，日子过得很充实。

　　不久，王丽珍报了驾驶学校，周末练习开车，慢慢地，把"玉帝"女儿抛到了脑后。仝彩青急了，她想尽量留住王丽珍对自己心理上的信赖。可每次给王丽珍打电话，让她前来看运，王丽珍老说太忙。

　　自 2001 年下半年后，仝彩青再打电话时，王丽珍不仅一口拒绝与她交往，而且开始向她索要以前押在她那里的钱财，并说自己押的每一笔钱都有记录。王丽珍的醒悟像在仝彩青膨胀的财心上剜了一刀。想了几个日夜后，最终产生了一个邪恶的念头：杀人灭口。

　　2002 年 1 月 21 日，仝彩青找到侯马市中心医院的退休老中医关水平配了一剂具有安眠药效的中药丸，然后自己在里面加了一些剧毒农

药。

22 日，仝彩青给王丽珍打电话说，她再次受"王母娘娘"的旨意，要给她观运，让她回侯马一趟。王丽珍这时已不再信仝彩青的把戏，就称脱不开身，拒回侯马。仝彩青却说，她不能违背"王母娘娘"的旨意，就于 23 日和丈夫一起，自太原乘飞机飞到成都。

仝彩青抵达成都时，王丽珍拂不去面子，接待了她。仝彩青故意装着一副严肃的神情说"这是经过'神灵'处理过的药水，喝下去，肿瘤就会好转。"王丽珍想：喝完这次，以后再也不见她，就算给她做个了断吧。遂拿起瓶子，一饮而尽。仝彩青称"王母娘娘"在唤她，就急忙飞回侯马。王丽珍回家后，突然昏迷倒地。经过紧急抢救，昏迷了 33 个小时才脱险。这时，家人和王丽珍都认为是脖子上的肿瘤所致，也就没有在意。

仝彩青得知王丽珍抢救过来后，很焦心。5 月 17 日，仝彩青再次到成都，打电话给王丽珍："上次你说出不忠神灵的话语，得到了昏迷之报应。现在我受'王母娘娘'之旨，来救你于危难之中。"王丽珍经过一次生死的考验，那颗曾受过神灵迷惑的心又开始动摇了。

王丽珍这样想着，就再次去见仝彩青。仝彩青见到王丽珍没说太多话，就把添加了更多农药的中药丸递给她说："这是我最后一次给你看运，你喝下这瓶神药，会保你以后官运、财运顺利。"王丽珍果然按照仝彩青的吩咐，等"玉女"走后，拿回家在没人处喝下。

当晚，王丽珍娘家接到女儿去世的噩耗。悲痛的家人这时还都以为是王丽珍肿瘤恶化导致死亡。

陈垣对妻子的死却心有疑虑。王丽珍的遗体火化前，他请求妻子生前所住院的院长提取了她的胃液，并请四川华西医学技术鉴定中心进行分析检验。结果是，妻子胃液里竟有大量剧毒农药"氧化氯果"的成分。陈垣悲痛地想，可能是妻子不堪忍受折磨，自杀而死。

送走妻子，陈垣泪水模糊地收拾着妻子的遗物。2003 年 2 月，一个笔记本引起了陈垣的注意，里面王丽珍详细记载着几年来她向"玉帝"女儿仝彩青所押的财物、仝彩青夫妇往返成都和侯马的费用。

陈垣这时才知道，原来，家里莫名失踪的东西，一件件全送到仝彩青那里了。粗略合计，妻子几年来押给仝彩青款项多达 732.8171 万元，

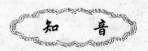
美元达 22 万多元，港币 95 万多元，另有高级手表、摄像机、纯金或钻石饰品数十件，累计达上千万元。陈垣又发现，笔记本上面记载仝彩青夫妇最后两次来成都的时间和王丽珍昏迷、死亡的时间竟如此吻合！陈垣想妻子的死必另有隐情。

陈垣决定为妻子的死讨说法。2003 年 2 月 12 日，他回到山西，向侯马市公安局报案。侯马市公安局于 5 月 9 日将仝彩青和张跃刚抓获归案，6 月 12 日将其逮捕。10 月 8 日，案件移交临汾市检察院。

2004 年 7 月 24 日，"玉帝"女儿仝彩青与其丈夫张跃刚及提供药剂的侯马市中心医院退休职工关水平被押上法庭。检察机关指控，仝彩青以"神灵"名义骗取王丽珍等人财物数额巨大，构成诈骗罪，为杀人灭口，又将王丽珍毒死，手段极其残忍，情节特别恶劣。

相信，等待这位"玉帝三女儿"的，必将是法律的严惩！

14 岁女孩做了妈妈，难倒上海两家人

柳达

2004 年 4 月 28 日，上海南汇区人民法院开庭审理了一起全国罕见的未婚成年爸爸向未成年少女妈妈追讨儿子抚养费的案件。案件的两个当事人，一年前正式走到一起时，一个是 14 岁的未婚少女，一个是 18 岁的未婚少男。但就是这样两个人，如今已经带着一个被他们视为"爱情结晶"的儿子过了一年多酸甜苦辣，一言难尽的"围城"日子。少女的母亲眼见别的女孩此刻正坐在初中的课堂里过着天真浪漫、无忧无虑的孩童时代，而自己的女儿却过早地踏上了一条充满艰卒和苦难的"养子"之路，痛心中屡次含泪逼女走出"围城"，但女儿竟对这过早到来的"围城"恋恋不舍⋯⋯

情路早涉，未成年少女要生下"爱情结晶"

2002 年 3 月 21 日，对在上海某服装厂上班的张玲来说是一个"天崩地裂"的日子。这天，她女儿明礼的班主任打电话告诉她，她那一向乖巧的女儿逃学了。张玲赶到学校望着女儿那空空的课桌，半天不敢相信这一事实。随后，她找遍了学校附近的网吧、茶楼、咖啡厅，最后在一家迪厅门口看到女儿跟一个男孩勾肩搭背地走了出来，俨然一对亲密无间的情侣。那一刻张玲只觉得天旋地转，差一点栽倒在地。

张玲曾有过一段不幸的婚姻，婚后才发现丈夫是一个蛮不讲理，还到处拈花惹草的小人。张玲愤然走出围城后，发誓要给女儿最好的教育，让她懂道理、明是非，并将女儿的名字改成"张明礼"，意思是希望她从小明白做人礼节，长大了成为一个有出息、有前途的好孩子。作为一个在工厂三班倒的单身母亲，她含辛茹苦十多年，独自将女儿拉扯长大，如今女儿已经读初一，不仅身材高挑、长得漂亮，而且学习成绩也很好，眼看着离成人成材的日子已经不远了，可偏偏就是在这个时

候，女儿却偏离了母亲的期待，跟一个社会上的小青年"谈情说爱"起来。

努力使自己镇定下来之后，张玲冲上去就将女儿拉到自己身边，同时对那个刚刚高中毕业，名叫李杰的待业青年大声吼道："从今以后不许你与我女儿来往!"接着她拖住明礼就往家走。

回到家，关上门后，吓破了胆的明礼告诉母亲，她一个月前在一个同学家认识李杰，今天李杰邀请她去迪斯科舞厅跳舞，就去了这一次。并且她向妈妈保证，从今往后再也不与李杰有任何来往。

2002年9月1日明礼报名的这一天，张玲特意告诫女儿，初二是关键一年，打好基础，将来考重点中学就不会太吃力。明礼也很争气，有时她邀些女同学来家里温习功课，有时她也去女同学家温习功课，不过每每明礼去同学家总要留张小纸条，告诉上夜班的母亲，她去了哪个同学家，好让妈妈放心。每次看到女儿留下的小纸条，张玲都倍感欣慰，觉得女儿比从前懂事多了。

然而，两个月后的一天深夜，张玲下班回家，发现女儿仍然没回来。张玲打着雨伞找到了那个女同学家，不料那个女同学早已熄灯睡觉，并且告诉张玲，明礼从没到她家里温习过功课!

张玲的心在这个风雨飘摇的深夜破碎了，女儿竟然欺骗了她这么久!她在家等明礼等到子夜过后，打着伞再一次冲出了家门，前往上次那家迪厅打听下落。不去不知道，一打听吓一跳，女儿和李杰刚刚才走!现在迪厅里的人几乎人人都认得李杰和他的"女朋友"明礼!张玲听得心惊肉跳，不等别人说完就朝那些人提供的李杰的住处——碧柳新村奔去，她想赶在李杰和明礼到达新村之前，阻止女儿进入李杰的借居处。

张玲赶到时，李杰和明礼打着伞搂得紧紧地走来。

"明礼!"张玲大喊一声，明礼为之一震，见是张玲，想逃走，但被李杰一把拉住了。他大言不惭地说："明礼妈，我和明礼是真心相爱的。"

"相爱?你凭什么相爱?你负得起相爱的责任吗?你连份工作都没有，你连自己都养不活，凭什么爱我女儿?我女儿还不到14岁啊!"张玲一边上前拉住女儿，心里阵阵发痛，她做梦都没想到李杰竟然会说出

如此荒唐的话。

然而，张玲万万没料到，身高1.60米的女儿毫不犹豫地甩开了张玲的手。她竟然要跟李杰走！张玲还来不及作出反应，女儿和李杰就已经消失在绿阴丛中，无影无踪了。张玲独自站在一颗树下泣不成声，双腿发软，在暗黄的路灯光下痴呆地望着散落在地上被雨点打湿的几片树叶。

当晚，李杰和明礼不敢再回住处，一起"逃"到了长途汽车站，扒开一辆车的门，两人就躲在里面过夜。明礼因为害怕回家挨妈妈骂，所以躺在李杰的怀里时就更感觉特别温暖和安全，而且，还浪漫。

"走！这样不是办法，到我家去住。"李杰发出了邀请。"你父母会不会说我？"明礼问。

"不会的，我以前也谈过朋友，我是真心喜欢你才带你回家的。"李杰信誓旦旦。

李杰的父亲是位送水工；母亲在纺织厂工作，家里还有一个瘫痪在床的70多岁的外婆。儿子读不进书，又不好好寻找工作，父母对李杰很失望，好话说尽也无济于事，只好由他去了。虽然李杰以前也往家中带过女孩子，但是对于这次明礼的到来，李杰父母却格外警觉，因为明礼看上去年龄很小。

"我17岁了，家住南汇区，现在正在找工作。"明礼简单地对李杰的父母介绍说。

明礼在李家安顿下来后，不出几日，李母便发现明礼有呕吐现象，像是怀孕反应，便要儿子带明礼去医院检查。他们俩到医院一检查，结果13岁半的明礼已经怀孕两个月了。要不要打胎？李杰和明礼商量许久后，竟然决意瞒着家里所有的人不打胎，他们要生下这个"爱情的结晶"。

母亲的悲哀：14岁女儿心系"围城"

沉浸在"爱"中的李杰和明礼竟然像许多新婚夫妇那样，将怀孕当成了一件喜事。从医院出来的那晚，他们就准备去卡拉OK厅唱歌"祝贺"。不料，就在他们去歌厅的路上，被从派出所打探女儿消息的张玲看见了。她吸取了以往的教训，不声不响地跟在他们身后。当她挨近女

儿时，猛然伸出双手，将明礼死死地抱住。心碎了，泪干了，她还是不能没有女儿！

"明礼，妈妈不恨你，不打你，不骂你，妈妈只是要你回家，继续完成学业，没别的要求！"张玲一脸痛心地哀求女儿回家。母女连心，在母亲的恳求下，明礼心软了，就随同妈妈回到了家中。

在张玲的恳求下，明礼答应了妈妈的要求，重返课堂。不过晚上睡觉时，平时与张玲睡一张床的明礼却坚决不与母亲同睡一床，她已经习惯了身边睡着的不是母亲，而是她的恋人李杰！

然而，明礼不再是过去的明礼了，尽管班主任苦口婆心劝导明礼好好读书，不要辜负老师的厚爱和母亲的期望，但明礼却再也无心坐在课堂上，更不想看到同学们异样的眼光。三天后，明礼又逃学了，这下班主任对她再也没有信心了，张玲也心灰意冷，懒得去管她，只暗自企盼她不要出什么意外。

2003 年 5 月初的一天，张玲推开洗手间的门时，正好看到明礼从马桶上站起来。天哪，女儿的肚子竟然又圆又鼓！明礼见再也瞒不住，只好向母亲告知，她已经怀孕 7 个多月了。"什么? 7 个多月了?!"张玲端详着女儿的肚皮，简直不敢相信这是从才 14 岁的女儿嘴里说出来的话。如果不是女儿亲口说出来，打死她都不会相信女儿竟然已是一个 7 个多月的孕妇！

"走，找李杰去，快去引产！"张玲拉着女儿就要出门。可是明礼告诉张玲，她和李杰都需要这个孩子，他们早就商量好了，准备生下孩子！

一时间做母亲的张玲真是痛心疾首，心碎百片。14 岁女儿要生下孩子做妈妈，这叫她脸往哪儿放啊？张玲顾不得女儿同意不同意就赶到了李家。而李杰的父母也是前几天才发现明礼身怀六甲的。当时李母气得火冒三丈，对明礼吼道："明礼，生孩子是大事，你没告诉你妈?"

"我会去说的。这事不用你管了。"明礼说完就将房门关上不理李母了。

"这孩子生下来怎么办? 由谁带? 我们都有工作啊!"李母只好向丈夫倒苦水。李父老实本分，拿儿子没办法，只能听天由命。没想到仅隔了两天，明礼的母亲就赶到家里了，李母直到此刻才知道明礼住到她家

时还不到 14 岁！

"孩子不懂事，叫我们做大人的苦不堪言，我支持你，明礼必须去做引产。"李母态度相当坚决。双方长辈达成一致意见，难办的事情也就变得容易了，两位母亲分别做李杰和明礼的工作，说了许多孩子生下后要负的责任，终于将李杰和明礼说动了。他们在双方母亲的陪同下，来到了上海南汇医院。经检查，明礼竟然有 8 个多月的身孕！医院拒不引产，因为不到一月孩子就要生产了，引产下来的孩子是一条活生生的生命，不能杀死的，否则就是犯罪行为了。

"明礼啊，你为什么要生下孩子?!"张玲抱着女儿，使劲摇晃，欲哭无泪。这一天，母女俩发生了有史以来最大的一次争吵。明礼一气之下回到了李家，张玲又赶到李家，向李杰父母提出按照"民俗订亲"，这样脸面上才说得过去，不至于被人家闲言碎语。

尽管李杰父母每月只有 1000 多元的工资，但他们不得不千方百计筹集了 1 万元钱，亲手送到了张玲的手中。"亲家"虽然认了，但是张玲说好，孩子生下来后就送人，因为李杰才 18 岁，明礼才 14 岁半，哪有什么能力承担做父母的责任。

"明礼，生育后不要给孩子喂奶，否则体形都要变的！你还年轻，这回你千万要听妈妈的话。"张玲叮嘱女儿道。她知道事到如今，如果再放弃对女儿的管教，事情将会越来越糟！

6 月 28 日，14 岁零 6 个月的明礼在南汇医院生下了一个健康男婴。当护士将一个活生生的生命抱到李杰面前时，这位年轻的爸爸顿时起了恻隐之心，舍不得送人了。他叫明礼敞胸喂养儿子。

"不行，我妈妈说不能喂养，孩子一定得送人。"

"我不会送人的，这是咱们俩爱情的结晶，你不肯喂我叫我父母人工喂养。"李杰毅然决然要下了这个孩子。7 天后，是明礼出院的日子，张玲前往医院接女儿回家，生下的孩子由李家处理。不料，李杰雇来了一辆面包车，非要叫明礼去他家坐月子不可。张玲急得提高嗓门对女儿说："明礼，你还年轻，你现在走出来还来得及。现在，我站在这儿，你只要往前迈出十步，跟着我回家，一切还可以重新开始！"

"明礼已经是孩子的母亲了，她除了担起责任回家照顾儿子，还有什么资格重新开始？你不想认这个孩子，我们就当没你这个外婆，明

礼，我们走!"面对李杰的训斥，张玲顾不得与他理论，她眼睛一眨不眨关注着的是女儿的脚步。她想知道，这一步到底是迈向她而来，还是迈向那辆面包车。

"妈，你们不要吵了，我会回来的!"明礼说完，忍着生产后的疼痛，一步一步地迈向了那辆面包车。

"从今后我没有你这个女儿，你也没有我这个妈，我们一刀两断!"好久哭不出声来的张玲，这回伤心过度，在医院门口当街痛哭起来。

话虽这样说，但张玲每次上班路过学校，看到跟明礼一般大的女孩都还在高高兴兴地上学、蹦蹦跳跳地玩耍时，心里都会有说不出的酸楚。自己的女儿此刻正在受苦受难啊!哀痛中，她还是忍不住屡次给女儿打电话，恳求她尽早离开李杰，重新回到学校。但她每次得到的都是女儿的断然拒绝。女儿竟然对那种生养儿子的日子恋恋不舍!

走出"围城"，抚养费官司击碎爱情童话

李杰和明礼生养孩子这件事情，不仅严重伤害了张玲，同样也影响了李家的生活。为了照顾孙子，李母不得不辞掉纺织厂的工作，家里从此少了一份收入，却又多出了一份供养孙子的支出:买衣服、买尿布片、买奶粉;还要买鸡鸭鱼肉等营养品，滋补产后的明礼。

"唉，为什么她妈不让她给孩子喂奶，这样也可以省不少开支和精力啊。"李母整天对着李杰唉声叹气，满腹怨言。李杰知道这是母亲太劳累所致，因为她要照顾包括外婆在内的上下四代人。李杰感到了生活的压力，明礼也不得不面对现实。她主动与李杰商量，煮牛奶、喂孩子、换尿布这类的事由她负责上半夜，李杰则负责下半夜，这样也能分担李母的压力。此时，这对少男少女企图学做父母了。

然而，他们毕竟是一对贪玩贪睡的孩子，还没到晚上10点，两人便呼呼大睡，身边孩子哭声震天都惊醒不了他们。被惊醒的总是隔壁房间的李母，有一次她跑去一看，吓了一跳:稚嫩的孩子挤压在他俩中间，压得快喘不出气来了!心疼孙子的李母只好将孩子抱起就走。而此时李杰和明礼依然睡得雷打不动!

熬过了艰难的"月子"，李杰和明礼又恢复"童心未泯"的岁月，半夜时分还在床上打情骂俏，你拧一把，我咬一口，像是两个玩家家的

小朋友。一不小心，"扑通"一声，明礼从床上滚落到地上，她孩子一样哭了起来。这一哭不要紧，隔壁的儿子心灵感应似的也哇哇大哭起来，吵得李母心烦意乱地说："喂，你们还像不像做父母的！"李杰的火也来了，恶狠狠地叫明礼别哭，可明礼依旧撒娇地哭个不停，李杰一气之下，挥起拳头就朝明礼打去，打得明礼顿时鼻青眼肿，鼻子里鲜血直淌。满腹委屈的明礼穿好衣服就往楼下走，她长到 15 岁，还没受到任何人的殴打。

"你走之后就不要再进这个家门！"李杰火气越来越大，而明礼的娇气也越来越重，她匆匆地下楼，走到了街上。随后她拨通了张玲的电话："妈妈，你要救救我啊！"接到电话后的张玲叫女儿千万别走开，她打的来接她。不一会，张玲赶到了，当她看到已是母亲的才 15 岁的女儿时，泪如雨下，爱恨交织。张玲紧紧抱着女儿，心痛得一句话也说不出来。

带着悔恨，明礼回到了自己的家。张玲还是劝告女儿重新拿起课本走进学堂。她对明礼说："9 月份开学后你就可以上初三了，现在没张初中文凭在社会上哪还有立足之地啊。"

可明礼回家第二天，李杰就气势汹汹闯上门来了。张玲明确告诉李杰，明礼不想回李家，想回学校读书，从今以后不要再来骚扰她。而李杰却说，明礼现在是母亲，她有抚养儿子的责任。为此，张玲和李杰隔着门争吵起来，张玲一气之下拨了 110。当赶来的民警了解真相后，也觉得难以处置，但还是劝退了李杰。

此后李杰又多次赶到张玲家，将门都砸坏过好几次。张玲觉得这样下去不是办法，便托一亲戚在上海市区帮明礼找了一份电子器件厂的工作，还交了 1000 多元押金。就这样明礼远离南汇，独自来到市区生活。跟厂里那群十七八岁，天真单纯的少女们住在一起，明礼仿佛又回到了从前无忧无虑的少女时代。她渐渐从心里断了回到李杰和儿子身边的念头。

李杰找了几天没找到明礼，就整天吵着叫张玲交出人来，而张玲则故意反过来找李杰要人。李杰一怒之下扬言出去，他不仅要找到明礼，还要她担起做母亲的责任，支付儿子的抚养费，并退回当初"结亲"的 1 万元现金。这时张玲连忙与律师联系，咨询她们母女能否用法律来保

护自己。

2004 年 3 月 29 日，已经在电子器件厂开始了半年新生活的明礼在监护人张玲的陪同下，来到上海市南汇法院，一纸诉状将李杰告上法庭，请求法院判令"明礼是未成年人，儿子抚养费由李杰自负"。

2004 年 4 月 28 日，上海南汇法院开庭审理了这起罕见的因未婚成年爸爸向未成年少女妈妈追要儿子抚养费而引发的民事案件。法庭上就孩子的抚养费到底由谁支付这一问题原被告双方间产生了争议。

因为此案在上海尚属首例，合议庭最后也产生了两种不同的意见：一种认为，少女妈妈虽系未成年人，但终究是母亲，应按婚姻法的规定，承担相应的义务。若其无力支付抚育费，则应由少女妈妈的父母即孩子的外祖父母承担。而另一种主流意见则是，未成年的少女妈妈本身就是需要父母监护、管理的对象，如何去抚养他人？若孩子的父亲系成年人、有抚养能力，在少女妈妈未成年之前，则应由孩子的父亲独自承担抚养教育的义务。

2004 年 5 月 19 日，在法院的主持下，曾经是一对心心相印情侣的明礼和李杰又坐到了一起。但这一次，他们不是谈情说爱，而是就一个将他们之间那本不牢靠的情感击得粉碎的现实问题针锋相对。最后，这对已形同陌路的少男少女在双方家长的声援下还是达成了一个书面协议：一、在明礼未满 18 周岁前，儿子抚养费由李杰独自承担；二、明礼退还李杰 4000 元订亲金；三、50 元诉讼费各自负责一半。

一场曾经海誓山盟的少男少女之恋，至此终于无情地画上了一个句号。而此时一心想帮女儿走出"围城"并终于如愿的张玲，在疲惫、无奈和心酸中感觉到的，依然是一个母亲的失败。虽然明礼最终还是从那座曾令她极其留恋的"围城"中走出来了，但是一个本有着大好前途的花季少女的人生却从此改写了！凡是目睹了这起少男少女早恋剧情的人们，包括他们的老师、同学和亲人，都无不为中止了学业的少女妈妈明礼感到痛心和惋惜。

但愿天下的少男少女都从明礼、李杰的人生教训中受到启示，珍惜自己的学业和人生；但愿天下父母都从张玲、李母等身上吸取痛入骨髓的教训，任何时候都不要放松父母身上监护人的责任，不要让自己的子女制造出这殃及几代人的悲剧！

娶回"画皮"新娘：
血腥的纵恶啊怎不谋杀加身

凌寒

一位出身望族、本有着大好前途的优秀青年，意乱情迷地爱上了一个坐台女。坐台女扬言，自己为了贞洁"卖笑不卖身"。一边是家人、亲朋好友的苦口婆心，一边是坐台女的信誓旦旦。男青年不仅相信了坐台女，还相信她婚后会是一个好妻子。但是他万万没有想到，他以众叛亲离、前程尽毁为代价换来的婚姻，却是一场噩梦的开始！妻子不仅是一个风尘女子，而且新婚不久他就被莫名卷入一场命案！更令他始料不及的是，三年后的今天，自己会命丧妻子26下心狠手辣的"追魂刀"！

2004年8月1日，在案发31小时后，坐台女被郑州市城管分局刑侦大队抓获。虽然等待着她的将是法律的严惩，但是男青年勾勒婚姻蓝图时的意气风发却再也不可能重现……

恋上"坐台女"，青年才俊"铤而走险"

今年26岁的李建强1978年出生在郑州荥阳市一个世代行医、颇有影响的大家族。1999年李建强大学计算机系毕业之后，应聘到郑州一家科技有限公司做产品销售，一年后便因出色的工作业绩被提升为市场部经理。初出茅庐的他意气风发，计划在两年之内做到公司副总，五年之内进入集团董事局。

2000年"十一"期间，因为忙于一个销售方案的收尾工作，李建强没有回距郑州只一个小时车程的父母家。10月3日那天，终于将手头工作做完的李建强心血来潮，跟几位同事吃过晚饭之后，提议去唱卡拉OK。一位经常出入风月场所的同事王星平趁着酒兴，将这一行人带到了他的"老根据地"——嵩山路上的恋歌房，开了一个包间。

22岁的李建强没想到是来这种地方，很不习惯。王星平见状专门吩咐吧台："给俺们的李经理找一个温柔一点儿的！"不一会儿，就进来一

个身着一袭白色连衣裙的女孩，低眉顺眼地坐在了李建强身边。尽管包房里的灯光很昏暗，但李建强还是被这个年轻女孩出水芙蓉般的容貌惊呆了。这个自称名叫"楠楠"的女孩，清纯得让初次到这种地方的李建强不敢直视她那双含情脉脉的大眼睛。

那晚因为走时魂不守舍，李建强竟然把手机忘在了恋歌房。第二天下午他就接到了楠楠用他的手机打来的电话，说她现在就在他们公司的大门外，专门给他送手机来了。这让李建强在昨晚对楠楠的好感上，又生出了几分敬意。当下，他就将楠楠约到绿茵阁茶庄，和她聊了一下午……

那天下午，楠楠告诉李建强，她真名叫杨娟，今年20岁，因为家里实在太穷，父母又多病，还有一个正上高中的弟弟和一个上初中的妹妹，万般无奈之下，她才去恋歌房当了坐台小姐。但是她对天发誓说，自己只是陪人唱唱歌、跳跳舞，从没跟客人做过别的。

一个下午的时间不知不觉就过去了。等到华灯初上、杨娟该去上班时，李建强已经对她依依不舍。尤其是分手前李建强得知杨娟和他竟然是相距不到20里地的"老乡"时，更是觉得这一切都是上苍冥冥中有意的安排。他认定杨娟是个心地善良、洁身自爱的好姑娘，实在是被逼无奈才暂时栖身风月场所。此后，李建强便隔三岔五地去恋歌房找杨娟，一段时间之后，一天不见杨娟，他就寝食不安——他发现自己爱上杨娟了！

这件事顿时像颗重磅炸弹在郑州和荥阳两地炸开了，他的父母气得要跟他断绝关系，他的同事和朋友也都劝他不要犯傻。

面对家人和亲朋好友的竭力相劝，李建强的"爱情"没有丝毫动摇，他相信杨娟是清白的，并且相信本性纯良的她婚后会是一个好妻子。他不仅没有在众多的压力下跟杨娟分手，反而决定要娶她为妻。

"洞房"藏阴谋，新娘身份扑朔迷离

李建强拿出了所有的积蓄，开始迅速筹办起婚事来。因为杨娟逼着他"明媒正娶"，到他的荥阳老家结婚，无奈，李建强就回荥阳跟父母商量。李建强在当地德高望重的父母早已因为儿子找了个坐台小姐谈朋友而出门都抬不起头来，如今见儿子居然还敢回来跟他们商量结婚的

事，勃然大怒，扬言如果李建强非要跟杨娟结婚不可的话，他们就永生永世不踏进这个家门！

果然，等李建强一意孤行地租了一辆货车把他在郑州购置的家具、家电等结婚用品运回家里时，已经退休的老两口当天就搬到了荥阳市郊他们早些年居住的一处老宅子里，再也不回这个家了。李建强觉得父母只不过是一时之气，等他和杨娟木已成舟并有小孩之后，早晚他们会回来的。

其实，自从李建强爱上杨娟之后，他也多次要求杨娟换一个职业，但是杨娟总是说："我也想改行，可是，你总得让我找到一份体面点的工作再离开吧。"李建强不止一次地说："你就是啥也不干，凭我一月2000多元工资，也能养得起你。"但是杨娟总是不屑地说："你养得起我，养得起我全家吗？"对此李建强无话可说。但在他心里，杨娟坐台小姐的身份总让他如鲠在喉。

因为李建强一直忙着筹办婚事，还要装修荥阳老家的房子，所以很长时间没回他们在郑州的出租屋。2001年3月，李建强回到郑州，忽然发现杨娟身上多了钻戒、耳环之类的女性饰物，同时，杨娟还柔情蜜意地对李建强说："结婚是咱俩的事儿，也不能光让你一个人花钱，现在你爸你妈不管你了，你也不容易。我自己给自己先置办了一些首饰，这个钻戒，你就对你的朋友说，是你送给我的订婚戒指吧。你看，我还给你买了一套'雅戈尔'西服，快来试试，看合身不？"

李建强当即被杨娟的通情达理和对自己的关心感动得一塌糊涂，但随后，他问道："你家里那么穷，你也没有什么积蓄，哪儿来的这么多钱啊？"

杨娟镇定自若地说："我有一个亲如姐妹的朋友，很有钱，她说我结婚是件大事，现在我没钱，她先给我撑脸，以后等她结婚时，我再帮她……"

李建强对杨娟的话深信不疑，随后就带着杨娟回到荥阳他已经装修好的房子里住了下来。但是让李建强稍感不快的是，杨娟居然把她说的那个好朋友刘欣丽也带过去了，说是李建强走后一个人闷得慌，让她跟自己做做伴儿。李建强见刘欣丽在经济上帮过自己的未婚妻，对此也不好说什么。

三个人就这样住在荥阳。李建强自己本来就没多少家底，现在置办结婚用品和装修房子，手中那点积蓄很快就告罄了。2001年"五一"，襄中羞涩的李建强东挪西借了一笔钱，终于凑合着办了一场简朴而又低调的婚礼。参加婚礼的几乎都是杨娟的朋友，李建强家的亲戚朋友一个也没来。他的父母因为无法原谅儿子，自始至终没有露面。

经杨娟提议，刘欣丽在婚礼上做了杨娟的伴娘。婚礼结束后，刘欣丽提出要离开荥阳回郑州，杨娟挽留道："欣丽，咱俩是最好的姐妹了，我的家还不就是你的家？等蜜月度完了，咱们一块儿回郑州嘛……"就这样，刘欣丽又留了下来。

新婚之夜，李建强最关心的那个时刻终于到了。令他万分激动的是，杨娟果然还是个处女！那一晚，他紧紧抱着杨娟，为这几个月来因为自己相信杨娟的"清白"而遭遇的所有"不公正"待遇流下了酸楚的泪水……

2001年6月5日，李建强在一大堆冬天的衣物中翻找自己的一条裤子时，发现杨娟一件大衣口袋里有张纸露出了一个角，他随手取出来一看，竟然是一张"李楠"感染衣原体病毒的化验结果！而"李楠"正是他刚开始认识杨娟时，她在恋歌房的化名！

李建强拿着那张纸如遭雷击，发了半天呆之后，才想起来去找杨娟。正好杨娟出去买菜了，刘欣丽一个人在看电视。失去理智的李建强面色铁青地问刘欣丽："杨娟到底是不是处女？你们在恋歌房究竟干的什么勾当?!"说着，他"啪"地把那张纸片拍在了刘欣丽面前！

刘欣丽愣了一下，明白是怎么回事之后，脸上露出幸灾乐祸的表情："李哥，现在你才想起来问这个啊？晚了！现在什么技术没有，你真相信杨娟是处女啊？嗤——"霎时，李建强什么都明白了，他歇斯底里地抓住刘欣丽的胳膊疯了一样吼道："说！你给我说清楚，这乌七八糟的病究竟是咋回事，说啊！"

"冲我凶个什么劲儿啊？问你老婆去！"刘欣丽站起来指着李建强的鼻子骂道，"你以为你娶了杨娟就是得到了一块宝贝？嘿嘿……绿帽子你不知道戴了多少了！这个时候才想起来问这事儿，怪不得你的哥们儿都说你脑袋缺根筋。我告诉你，我还没跟你算账呢！你以为杨娟前一阵子大手大脚地花钱，真是我在帮她啊！她知道我的银行卡密码！我卡上

的3. 2万元钱,她连个招呼都没打,一分不剩地取光了!要不是前几天我发现卡不是放在我原来放的地方,我压根儿都不会想到打电话去查询!今天我就把话说在这里了,你们啥时候清账了我啥时候走人!"

当晚,李建强独自一人跑到一家小酒馆里,喝得烂醉如泥。等他晕晕糊糊回到家里时,发现杨娟和刘欣丽都不见了。遭此打击的李建强彻底失去了理智,当天夜里,他把新婚喜气尚未褪尽的新房砸了个乱七八糟……

真相大白,坐台女执导一案接一案

2001年6月7日下午,又在外边喝得酩酊大醉的李建强回到家里,发现杨娟已经回来了,但是刘欣丽却没有跟她在一起。接着,杨娟扑通一声跪在李建强面前,泣不成声地说:"建强,刘欣丽是因为自己喜欢你才想故意拆散我们的,我那病就是跟她共用一个盆子时传染上的,她害苦了我不说,现在还想污蔑我,她自己不要脸,竟把脏水全往我身上泼,我一恨之下把她勒死了……"

李建强闻言吓得酒醒了大半,睁大眼睛使劲瞪着杨娟,不敢相信这是真的。他万万没有想到,此前自己一直以为冰清玉洁、柔情似水、楚楚可怜的弱女子,竟然是这样一个心狠手辣的"画皮"女人!一时间,他万念俱灰,只喃喃地说道:"你走吧,你走吧……"

"我走?我往哪儿走?这是我家,我是你老婆!别忘了,咱们领过结婚证的!现在人就躺在咱家院子里,一旦被发现,我会一口咬定是咱俩一起杀死的!"

李建强惊得目瞪口呆,还没待他反应过来,杨娟又接着说:"还不快帮我把人埋了!刘欣丽是在咱们家死的,被人发现了你也难逃干系!"

李建强在荥阳的家是个单门独院,被杨娟逼得六神无主的李建强无奈之下,当天夜里和杨娟一起,把刘欣丽的尸体埋在了他们那个院子的厕所旁边。因为身上莫名其妙地背负了一条人命,此后,他再也无心去追究杨娟的那些真相了,整天心事重重,疑神疑鬼,害怕刘欣丽的尸体被人发现。不久,因为他工作中连连失误,有一次因为报错价格还给单位造成了一笔30万元的经济损失,终于被单位忍无可忍地开除了。

而且,他再也不敢住在荥阳那个院子里了,一回到那个家就会心惊

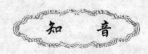

肉跳，夜里也是噩梦连连。无奈之下，他把大门一锁，又和杨娟搬回了
郑州原来的住处。

　　由于两个人都没有了工作，李建强的父母又跟他断绝了关系，两人
的生存就又成了大问题。回到郑州不久，杨娟就又重操旧业，骗李建强
说她在一个夜市上找到了一个餐馆服务员的工作，继续辗转于郑州的一
些风月场所，当起了坐台小姐。李建强则整天浑浑噩噩地从杨娟手里拿
到一点钱就泡到酒馆里醉生梦死，与一年多前那个刚刚上任、意气风发
的市场部经理判若两人……

　　2003 年 12 月的一天，李建强到一家公司去应聘，出去的时候把钥
匙忘在了屋子里。等他找到印象中杨娟给他说的她所在的农业路那家饭
馆所在的地方时，竟发现那一带除了一个"洗浴城"，没有任何饭店、
酒楼之类的餐饮部门！等他不顾一切地冲进那座洗浴城时，忽然看见一
个壮汉子拥着穿得极其暴露的杨娟，勾肩搭背地进了一个小包房。李建
强不顾服务生的阻拦，一脚踹开那间包房的门之后，骤然在昏黄的灯光
下看到杨娟已经脱得一丝不挂！

　　就在那一刻，李建强对杨娟的真实身份彻底清醒了，正如王星平和
刘欣丽所说，她的卖笑不卖身，从一开始就是一句鬼话！

　　而杨娟见身份已败露，索性不再遮遮掩掩，第二天干脆换好了衣服
出门，不像从前那样偷偷摸摸地穿一套还要带一套。李建强看着眼前这
个打扮得花枝招展、妖里妖气的风尘女子竟然是自己不惜一切代价迎娶
回来的"妻子"，仰天长笑几声之后，愤然离家出走了……

　　2004 年 6 月，去河南各大寺庙转悠了半年的李建强又回到了郑州。
当他像个幽灵般打开郑州租住房的家门时，赫然发现杨娟和一个五大三
粗的男人同居在此！原来此人是她在娱乐城坐台时，认识的一名嫖客。
这个名叫杨建设的男人因为贪图杨娟的美色，手里一有点儿余钱就来找
杨娟。他们见李建强出去个把月都没回来，为了省点包房费，就干脆搬
到这套出租屋里同居，如今已有半年了。

　　杨建设见状仓皇出逃，杨娟想一起走却被李建强一把拉住了。他恨
自己曾经满怀激情的梦想全都毁在了这样一个女人手上！当即，他第一
次扬起手狠狠地甩了杨娟两耳光。此后，只要想到愤恨处，也不管杨娟
是否正在酣睡，都要将她从床上拖起来一顿暴打。

2004年7月30日下午，再也受不了李建强这种折磨的杨娟找到杨建设说："杨哥，我受够他了。干脆，你帮帮我，把那小子宰了算了。完事之后我给你一万块钱。你敢不敢干?"杨建设犹豫了半天，最后心一横就答应了。当晚11时左右，两个人合谋好后，就双双来到了那套出租屋。趁李建强开门之际，杨建设抢起藏在身后的一把锤子，兜头就给了他一下，由于用力过猛，锤把与锤头当即就分家了。一下子反应过来的李建强猛然意识到自己面临的危险，突然抱着脑袋大叫："杀人啦，快来人救命啊——"

李建强这一喊，两个人慌了，各自抢了一把菜刀，劈头盖脑地朝李建强一顿猛砍，李建强和他们搏斗了一阵之后，终于在声声惨叫中倒了下去……

看看李建强终于不再动弹了，杨娟和杨建设用拖把草草地把喷溅在地上的血迹拖洗一遍后，又抱来两床被子裹住了李建强的尸体，然后仓皇逃离了作案现场，并准备下一步再想办法移尸灭迹。然而，那晚听到救命声的一个邻居第二天一大早就将此事告诉了社区民警，还没等杨娟二人再次回来，郑州市公安局管城分局刑侦大队就封锁了现场。根据居民提供的线索，案发31小时后，两个杀人凶手就先后落入了法网!

杨娟被抓获后，在警方的讯问中，心理防线彻底崩溃，顺带交代出了三年前杀害伴娘刘欣丽的"案中案"。

后据警方勘验，李建强死前身上被砍26刀，全身皮开肉绽，惨不忍睹。

一个原本前途无量的男青年，就因为迎娶了一个"画皮"新娘，最终不仅前程尽毁，还命丧黄泉，成了"追魂刀"下的冤魂。这一切不能不令人扼腕叹息!

千万警惕啊：
"线人面具"下令人发指的罪恶

有一

2003 年 11 月至 2004 年 3 月，河南新乡原阳县和获嘉县境内接连出现 三具无名女尸。这是一起性质恶劣的系列杀人案！

河南警方在侦破过程中，竟发现惨案跟郑州火车站附近的蜜蜂张派出所有关！杀人疑犯落网后，警方深挖余罪，再爆三命案！一时间，郑州市震惊，河南省震惊，公安部震惊！社会上的种种传闻更不绝于耳。5 月 11 日，新乡市公安局就疑凶王怀义身份作出正式声明："没有固定职业，曾向个别民誓提供过吸毒和卖淫嫖娼的线索"，即派出所的"线人"。

蜜蜂张派出所作为重要的国家执法机关，肩负着捍卫人民群众生命、财产等合法权益免受非法侵犯的神圣使命，在使用人员时应是严肃谨慎的。而王怀义在成为"线人"以前，已身负四条命案。王怀义这样一个丧失人性的社会渣滓又是怎样拉大旗作虎皮，戴着"线人面具"继续炮制惊天血案的？

骇人听闻！恶魔在
派出所里找个"位置"

今年 40 岁的王怀义是河南焦作武陟县人，其妻周翠芝（化名）38 岁。他们有两个孩子：儿子 17 岁，在郑州某中专学校学习；女儿刚刚 4 岁。王怀义的家庭平和真实，但王怀义却是个偏激残忍、狠毒阴森的人。

王怀义是个孤儿，10 岁时父母就先后去世。后来，远在北京的伯父将他接去抚养。

高中毕业后，王怀义来到郑州，在火车站一带卖起了书报杂志。干这一行虽然利薄，艰辛，但本钱小。那几年，他吃尽苦头！有了积蓄，

知　音

王怀义又在火车站附近开起了理发店，接着又张罗个小饭店。他总算做成了小老板。幸运之神这时也眷顾了这个身世坎坷的年轻人：1985 年，身高 1.80 米，外表温和，英俊的王怀义赢得了爱情，他与同乡周翠芝相恋结婚。

1986 年，王怀义念及"江湖义气"，替人保存一批盗窃来的物资，后因窝赃被郑州市公安局车站分局劳教 1 年。1989 年底，王怀义带着不到 4 岁的儿子在火车站闲逛时，偶然遇到一个衣着讲究、花钱小心的女子。王怀义将该女子骗到一僻静处，丢下儿子，对其实施了抢劫。当晚，周翠芝从儿子口里得知情况，悲愤中果断地提出离婚。王怀义痛哭流涕，跪地哀求。为表示"改邪归正"，他挥刀砍掉了自己的右手小指。周翠芝一时被眼前"悲壮"的场面吓蒙，不禁为丈夫的"忠诚"而感动。1990 年 7 月，王怀义为自己的恶行付出了代价：武陟县人民法院以抢劫罪判处其有期徒刑 5 年。周翠芝痴痴地守候丈夫 4 年。1994 年，王怀义获假释出狱。

受到法律的严惩，王怀义不仅没有反思，没有悔悟，反而灵魂骤然裂变。

2000 年初，王怀义结识罗洁（化名）。罗洁 26 岁，禹州人，在郑州打工。两人发生了性关系。不久后的 7 月 19 日，罗洁突然向王怀义要钱，而且言辞里夹带着要挟。两个人发生了争吵，争吵中，他用一条裤带将她勒死。慌乱过后，王怀义借来一辆车，将罗洁的尸体拉过黄河，趁夜色远远地抛于新乡境内的人民胜利渠里。

这次杀人行径没有败露。随着时间的推移，王怀义最初的恐惧渐渐缓解，与此同时，内心还滋生出一股发泄后的快感。

此后的两年间，惶惶中的王怀义有意无意地就要留意身边的警察有什么动静。这时，他发现那些积极为警方提供破案线索的混混往往"底气"十足，有时甚至吆喝着"派出所的"去吓唬人。王怀义心驰神往。于是，凭着在火车站厮混多年的经历，他积极为两个派出所提供线索，并帮警方成功破获了多起案件。跟警察按上话茬，王怀义心头的不安已荡然无存。

2002 年 3 月 20 日夜 11 时许，王怀义驾车途经火车站附近的大同路，遇上了开美容美发店的女青年张静（化名）。恶胆包天的王怀义于是以

"派出所的"名义将张静诱骗上车。来到郊外的公路上后，他将张静奸杀、抢劫，并再次北越黄河，抛尸于新乡境内人民胜利渠附近的一处机井里。张静时年29岁，郏县人。

这次暴行仍没有败露，王怀义的杀人恶胆和宣泄欲望不断膨胀。

2003年3月21日凌晨3时许，王怀义驾车途径二七区京广北路金水河东岸，遇见了33岁的女子丁媛媛（化名），他将丁媛媛诱骗上车，拉到黄河北大堤的一条偏僻的小路上，实施奸杀、劫财，随后抛尸于新乡境内107国道附近的一处水沟里。丁媛媛系二七区某公司职工。

"第一次"与"第二次"时隔两年，"第二次"与"第三次"时隔一年，王怀义的杀人频率以阶梯状上升，他已经走向疯狂。

2003年11月12日凌晨2时许，打工妹朱红霞在郑州火车站下了长途汽车，节俭的她没有舍得乘出租车，而是步行离去。不幸的是，在大学路与中原路交叉口，朱红霞被驾车的王怀义遇上，王怀义以"派出所的检查身份证"为借口，强行将其拉上车后又北越黄河，在黄河北大堤上将其强奸后勒死，抛尸新乡原阳县原武镇的一处路基上。

就是这样一个杀人恶魔在手上的血迹还未干时，却迎来一个改变命运的"机遇"。

2003年12月初的一天，一个叫孙战军的人突然找到王怀义，说蜜蜂张派出所需要人手，问他愿意不愿意去。王怀义欣然答应。

原来，为确保春节治安大局平稳，郑州警方正开展"狂飙行动"，以严厉打击攀爬夜盗和涉毒的各类违法犯罪行为。于是，位于郑州火车站附近的蜜蜂张派出所副所长王建国给他的"线人"孙战军打电话，要其帮忙再发展几个"线人"，以获取更多的破案线索。

春节前夕，孙战军把王怀义带到王建国办公室，并介绍："这人很聪明，曾给另外两个派出所做过'线人'，对火车站地区的情况了如指掌！"年轻的派出所副所长工建国只简单了解了一下王怀义的情况，就同意了使用王怀义做"线人"。

但让王建国做梦也想不到的是，自己新起用的"线人"王怀义当时已背负了四条人命……

管理疏漏，"线人面具"下令人发指的罪恶

1997年10月1日我国颁布实施的《刑法》、《刑事诉讼法》规定，只有正式民警才属法定的公安执法主体。随后，河南宣布公安机关的"治安员"等非执法人员全部被清退。另外，警方在使用管理"线人"时也有严格、具体的规定。但是，蜜蜂张派出所却把国家的法律和使用"线人"的规定抛到了脑后。

王怀义等"线人"在蜜蜂张派出所常常以"派出所的"身份跟随正式民警一起抓捕犯罪分子，并协助做一些社会治安工作；他们在蜜蜂张派出所进进出出，于是，这些"线人"在人们印象中就成了"治安员"；王怀义的妻子周翠芝对丈夫已成了派出所"治安员"更是深信不疑。

跟蜜蜂张派出所负责人熟悉起来后，王怀义等"线人"在他们的默许下，开始驾着派出所的警车单独去"执法"。不过，他们每次"执法"回来，都会偷偷将一部分"收入"塞进派出所负责人的口袋。因为能得到"好处费"，派出所负责人对本不能执法的"线人"到底干了些什么就睁一只眼闭一只眼。

模糊的身份、疏漏的管理、负责人的腐败使王怀义等"线人"在派出所里找到了一个灰色的"位置"，也为自己的非法营生找了张唬人的"面具"。"放鹰"和"干拍"就是其从事的两项非法营生。

所谓"放鹰"，就是"线人"与卖淫女勾结，敲诈嫖客；所谓"干拍"，就是在没有证据的情况下，强迫他人承认有卖淫嫖娼、吸毒贩毒等不法行为，进而敲诈钱财。这些见不得阳光的违法勾当，侵害的对象都是本身有劣迹者或胆小怕事者。郑州火车站地区每天都聚集着南来北往的过客，其中许多环境陌生、精神紧张的外来人员，便成为王怀义等"线人"的"放鹰"和"干拍"对象。

郭明（化名）和女友温晓丽（化名）在郑州火车站的遭遇，就是王怀义等人的一次"干拍"。

2004年1月11日，河南商丘民权县青年郭明送女友温晓丽回家。21岁的温晓丽是南阳市南召县人，在民权打工并与郭明相恋，两人感情很好。由于民权没有直达南召的客车，郭明这一送便送到了郑州。

中午，郭明牵着温晓丽的手在火车站银基商贸城逛悠，他打算把女友送上返乡的客车后再分手。不料，一场横祸从天而降。

就在两人刚刚走出银基商贸城时，一辆面包车突然在他们身边停下，车上跳下四个壮汉拦住去路，问："我们是派出所的！你俩啥关系？"郭明回答："朋友。"对方斥道："啥朋友！我看不像，走吧，到所里去说。"郭明和女友被几个人按住脑袋，塞进了面包车。

十多分钟后，面包车开进一个小院，郭明被单独带进一间屋子接受盘问。他详细介绍了自己与温晓丽的恋爱过程。可对方不信："真是谈恋爱吗？你怎么证明你的说法？女方的解释跟你可是矛盾的！你们是不是卖淫嫖娼？不说实话，治安拘留你10天！"

郭明想，也许女友没见过这种场合，吓傻了，不知道说实话。但"卖淫嫖娼"的帽子对于这个二十来岁的小青年太沉重了，再因"卖淫嫖娼"而被治安拘留，岂不更耻辱？他只好苦苦求饶："大哥，你们放了我吧，我确实没做违法的事呀！"对方的态度这时缓和下来，说："不为难你，罚款吧，交了钱，马上叫你回去，也不会通知你的家人。"

无奈之下，郭明只好同意交钱。在把身上仅有的2500元钱留下后，他被放行。

临走，郭明问："我女朋友呢？"对方训斥他："啥女朋友！再不快走真拘留你！"

这伙人就是王怀义、孙战军、陈卫东、李明红等蜜蜂张派出所的"线人"。

回到火车站广场，郭明等了又等，找了又找，再也没有见到温晓丽。最后他想："可能是派出所把她遣送回去了。"带着惊惧、羞辱、愤懑，郭明踏上了返乡的客车。当时，他做梦都没想到，这天竟是自己与恋人温晓丽生离死别的日子。

傍晚时分，孙战军、陈卫东、李明红等人"干拍"了郭明，四散而去。王怀义却以送温晓丽回家为借口将她骗上面包车，直奔黄河北岸开去。温晓丽察觉行驶的方向不对后，要求下车自己打的回家。王怀义将车停在黄河北大堤的一条小路上后，突然露出狰狞面目，强行将温晓丽奸污后杀死，并抛尸于获嘉县境内的人民胜利渠9号桥下。返回郑州后，王怀义还从劫得的温晓丽的银行卡上提取现金1600元。

2004年3月26日，王怀义再次炮制惊天血案。

当晚，王怀义在郑州南三环一家洗浴中心聊上了女服务员李小红（化名），又以送李小红去火车站为由，开车将其拉到郑州郊外一公路旁，实施强奸、杀人灭口并掠得现金1700元。随后，他照例越过黄河，将李小红的尸体抛到人民胜利渠10号桥下……李小红年仅17岁，河南上蔡县人。

丧心病狂的同时，王怀义没忘记"享受生活"。4月20日，他和孙战军请王建国去湖北神农架旅行。

23日，王怀义一行路过湖北十堰市，住进一家宾馆。当晚，王建国突然接到他的主管领导、郑州二七公安分局副局长周延新的电话："快赶回郑州！"陪伴其左右的王怀义立即猜测到"有事情发生"。随即，他回到自己的房间拨通家里的电话，向妻子打探风声。

此时的王怀义还没意识到自己的恶行已经败露。

24日凌晨，郑州市公安局刑侦支队副队长牛健用电话再次联系上王建国，明确告诉他："你身边的那两个线人涉嫌杀人，将他们控制住！"王建国便把王怀义和孙战军叫到自己的房间，暗中予以监视。

24日早上6时，郑州警方驱车赶到，在王建国的配合下，一举将睡梦冲的王怀义、孙战军抓获。

王怀义落网，河南警方
苦战160余天

王怀义四年惨害六弱女无人知晓，为什么他突然间就落入了警方手里？

原来，2003年11月12日和2004年1月12日，新乡原阳县和获嘉县境内的两具女尸被人发现。新乡警方鼎力破案，但迟迟困于基本案情无法突破：这是一起系列杀人案，受害人年龄在20至25岁之间，死前曾被抢劫、强奸，凶手拥有汽车之类的运输工具。

新乡地处黄河北岸，与南岸的省会郑州一桥相连。两具女尸苦苦找不到尸源，使新乡警方意识到，不能忽视案发黄河南岸、抛尸黄河北岸的可能。

2004年2月2日，新乡市公安局局长丁保东、副局长尹向东率领专

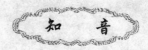

案组赶赴郑州，向河南省公安厅汇报情况，向郑州市公安局通报案情，请求增援。郑州市公安局决定，抽调优势兵力组成专案指挥部，配合新乡警方全力攻破此案。

2月4日，专案民警在郑州市公安局110指挥中心失踪人员资料库中偶然筛选出一条信息：朱红霞，女，22岁，舞钢市人，2003年11月11日夜9时从舞钢乘坐开往郑州的长途客车，12日凌晨2时30分在郑州火车站地区下车后失踪。

由于朱红霞的失踪时间与原阳"11·12"案件相吻合，专案组立即组织朱红霞的亲属对女尸进行辨认，并很快确认，被抛尸原阳的受害人是朱红霞。

结合"凶手拥有运输工具"的判断，郑州市公安局派出大量民警，将经常在火车站一带载客的40多辆出租车和所有"摩的"逐一排查，但一无所获。

就在侦破工作陷入僵局时，4月16日，新乡获嘉县人民胜利渠10号桥下，李小红已经腐烂的尸体又令人惊悸地摆在了新乡警方面前。专案指挥部倍感压力。

4月19日，南召县温晓丽失踪的信息偶然传到了专案指挥部。指挥部马上组织温晓丽的亲属辨认尸体，这才证实，获嘉"1·12"案件的受害人是温晓丽。

按照温晓丽的嫂子提供的线索，专案民警赶赴民权，找到了郭明。

郭明向专案民警详细讲述了他和女友在郑州火车站被派出所"罚款"的遭遇，并回忆说，他在接受"审讯"时，那伙人中有人喊了一声"卫东"，有人应声。

温晓丽最后在男友视线中消失的地点竟然是派出所！专案组民警个个难以接受！可火车站附近的蜜蜂张派出所又确实使用着一个叫陈卫东的"线人"。

案情重大，刻不容缓！4月22日夜，河南省公安厅副厅长杨得胜坐镇指挥，郑州市公安局出动百余名警力，布下天罗地网，将蜜蜂张派出所控制起来。

23日零点，陈卫东在家落网。31岁的陈卫东对自己伙同王怀义、孙战军、李明红等人敲诈郭明、温晓丽的犯罪事实供认不讳。至于温晓丽

的下落，陈卫东供出是王怀义开车把那个女子送走的！

王怀义的去向更让参战民警大跌眼镜！这边，他们重兵包围蜜蜂张派出所，深入调查一起恶性系列杀人案；那边，王怀义作为重大疑凶却正与副所长一起在旅游……

6个小时后，旅途中的王怀义终于落网！

二所长被捕，惨痛的教训值得反思

王怀义、孙战军被押解回郑州后，警方立即组织突审，同时抽取了两人的血样进行 DNA 鉴定。警方证实：新乡境内三具女尸体内的精液是王怀义所留！

铁的证据面前，王怀义的心理防线彻底崩溃，供述出其杀害六名女青年的犯罪事实，甚至承认三次开着派出所的警车作案、抛尸！因前三起命案受害人尸体均不曾被发现，警方随后按其口供进行了搜寻，罗洁、张静、丁媛媛的三堆累累白骨终见天日！

法网恢恢，王怀义、陈卫东、孙战军于4月25日破刑事拘留。李明红逃窜，河南警方正全力追捕。惊闻丈夫是个杀人恶魔，周翠芝跌入了懊悔、恐惧和悲痛的深渊，她带着年幼的女儿回了娘家。

不久后，警方又在蜜蜂张派出所所长范景诗家搜出现金近百万。范景诗解释：这是派出所的罚款，因派出所没有账户，暂时存放在自己家里。但警方没有采信这个说法，他们怀疑这笔巨款里就有"线人"的贿赂，并决定另案对此细挖。

伴随连环惨案的胜利告破，"派出所里揪出疑凶"的传闻不胫而走！全国顿时震惊！

5月11日，新乡市公安局作为该案的主侦单位，召开新闻发布会，就犯罪嫌疑人王怀义身份介绍说："开过理发店、饭店，没有固定职业，曾经向个别民警提供过吸毒和卖淫嫖娼线索。"即派出所"线人"。同时，公安部督察局也派遣工作组赶赴郑州，对此案暴露的问题展开调查。

6月5日，原蜜蜂张派出所所长范景诗因涉嫌"巨额财产来历不明罪"、原副所长王建国因涉嫌"敲诈勒索罪"分别被检察机关批准逮捕。

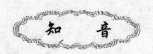

经过 5 个多月艰苦的战斗，河南警方终于成功破获惊天大案，然而他们未喝庆功酒，却反而随即大力整顿警风警纪。按照法律规定，非紧急情况下，民警执行公务应主动出示《警官证》，如果所有的警察对此规定都认真执行，王怀义吆喝一声"派出所的"还能吓唬住谁？他哪里会有《警官证》出示呢？

而在对"线人"的管理和使用上，蜜蜂张派出所和王建国本人难辞其咎。正像王建国在 4 月 26 日写给郑州市公安局领导的一封信里所说："得知我所临时使用的人员犯下如此严重的罪行，震惊之余我深感不安。虽然我利用他们抓获了一批犯罪分子，做了一些微不足道的工作，但此案所造成的恶劣影响却是我用十倍、千倍的努力也无法挽回的。由于我在用人、工作方面的不察与失误，给公安机关抹了黑……"

7 月底，河南警方宣布：8 月 31 日起，各地公安机关不再使用任何形式的治安员。

9 月 3 日，公安部向全国公安机关发出通知，要求各地公安机关对聘用的治安员（包括联防员、协警）进行专项清理：一律不得从社会上招聘治安员；对于现有治安员用 3 年时间陆续从公安机关清退出去；2008 年 1 月 1 日以后，各级公安机关一律不得再以任何名义留用治安员。

总经理嫖娼殒命：哪里有安全的地方

改华

　　郑州市某通讯公司原副总经理刘志辉（化名）可谓英俊潇洒，才华横溢。在刚刚被提拔为河南省某通讯公司大客户部总经理后，这个正处级青年干部忘乎所以，一次竟鬼使神差地随按摩"小姐"到其租房处嫖宿，然而，随着他身份和信用卡密码的泄漏，他不仅葬送了自己的名声、前程，甚至卿卿性命！

青年干部神秘遇害

　　刘志辉出生于一个干部家庭，今年34岁。1990年，他从北京邮电大学毕业后，任郑州市某通讯公司总经理秘书，因工作成绩突出，不久被破格提拔为该公司副总经理。2002年下半年，刘志辉再次被破格提拔为河南省某通讯公司大客户部总经理。作为一个国有大型企业的高级管理人员，他在事业上可谓一帆风顺，前程无量。

　　但随着事业的成功，官运的亨通，以及收入的不断丰厚，刘志辉在生活上却慢慢放松了对自己的要求，贪图享受、贪恋酒色。因为业务和交际的需要，刘志辉晚上的饭局较多，免不了饮酒、娱乐、洗洗桑拿。

　　2003年6月19日晚6时许，刘志辉的妻子董海燕（化名）突然接到刘志辉打来的电话，说他晚上又要陪朋友吃饭，不回来了。但是丈夫这一去便再没回来。

　　第二天上午9点，省公司领导电话找董海燕，问刘志辉为何没来上班，手机也一直关着。董海燕拨打丈夫的电话，果然没开机，她这才意识到情况不对。经询问昨晚与丈夫在一起吃饭的朋友，董海燕得知，丈夫在郑州兴亚大酒店吃过饭后。与朋友一起回到单位，然后自己开车走了。

　　直到下午，焦急万分的董海燕和家人、朋友才在郑州市章菲特大酒

店停车场发现了刘志辉的汽车，但仍然没能见到刘志辉本人。

到该酒店内打听，该酒店桑拿部的工作人员告知董海燕，刘志辉昨晚确曾到这里洗澡、按摩，结完账后便离开了。

寻人的线索至此戛然而止。一片不祥的阴云笼罩在董海燕心头 6 月 21 日上午 9 点，她含泪向郑州市公安局金水区分局报了案。

6 月 24 日，郑州市公安局邙山分局在花园口镇黄河生态园黄河河床内发现两包被粉碎的不明尸体经鉴定，正是刘志辉。

金水区公安局于是紧紧围绕索菲特大酒店桑拿部开展了侦查。很快，当晚为刘志辉提供按摩服务的女服务员、操东北口音的"张慧"纳入了警方的视线。接着，侦查员顺藤摸瓜，于 7 月 5 日在黑龙江桦川县将"张慧"及其男友张文东抓获。7 月 9 日早，本案另一名嫌疑人，"张慧"的哥哥王叶臣也在其黑龙江七台河市的家中落网，至此，本案告破。

"张慧"，身高 1. 72 米，体态丰盈，皮肤白皙，风情万种。当其落网后，人们无论如何也不会把这样一个绝色女子跟残忍杀死刘志辉的凶手连在一起。

魔鬼情人实施"结婚计划"

初审时，"张慧"泪眼婆娑，一副痛悔和无奈的模样。她交代："刘志辉是个彻头彻尾的流氓，我为他做按摩时，他一直在猥亵我，后来甚至把我摁倒在地，企图强奸……愤恨中，我决定报复，于是将他骗回我的住处，并偷偷约来哥哥和男友……谁知竟失手将其打死……"

但是，警方随后却挖出内幕：这是一个令人毛骨悚然的阴谋！

原来，"张慧"真名王叶平，28 岁，黑龙江省七台河市人，初中毕业后来郑州打工，做过服务员、按摩小姐、"坐台小姐"。2000 年，王叶平又去重庆市"坐台"时，住在好友张慧家里，并以张慧的名义办理了假身份证。其间，她还与人非法同居，生育一女。

2003 年春节，经人介绍，王叶平认识了比她小 6 岁的酒店服务员张文东。她的美色令涉世不深的张文东无法抗拒。很快，二人便确立恋爱关系，并同居。

2003 年 4 月间，王叶子和张文东谈婚论嫁，但又苦于没有钱来把婚

礼办得体面气派，两人心里不禁着急万分。

5月份的一天晚上，在七台河市良种场王叶平的家中，王叶平向张文东提议利用自己的美色抢钱。

原来，王叶平起初"坐台"时，经常被人打劫，有一次甚至差点连小命都丢了。但是，因为钱财都是违法所得，她又不敢报案。非法分子也正是盯上了这一点。不仅是她，她的"同行"几乎都有此遭遇。后来，她就与"同行"合伙，敲诈、勒索、抢劫嫖客。因要顾忌颜面，更怕受到公安机关的打击．嫖客们也往往忍气吞声。后来，王叶平总结：在这个"行当"里，虽然时有危险，但"弱肉强食"！

所以，王叶平制定这样一个计划：由她到娱乐场所"坐台"，勾引那些对她图谋不轨的男人，然后领回到自己租住的房子内，伺机抢劫。

此时的张文东已彻底拜倒在王叶平石榴裙下，言听计从。当晚，二人又商定了两点意见：一是王叶平可以陪客人唱歌、喝酒、按摩，但不能"出台"：二是要找那些有钱又好色的男人，确保成功！

担心张文东势单力薄，一人应付不了，王叶平又把自己和张文东的想法告诉了哥哥王叶臣，并请他入伙。

王叶臣，34岁，曾因抢劫、强奸多次被判刑，2002年7月5日刚服刑期满释放，正在家苦无门路发财妹妹的计划正中王叶臣下怀。他立即表示同意，并催促妹妹赶快启程。

2003年5月下旬，王叶平把孩子托付给家中的父母照顾，与王叶臣、张文东一道踏上了南下的火车，开始实施她的"结婚计划"。车到沈阳，三人商定第一站去温州。因为，三人认为温州人有钱。

从沈阳到徐州后，三人换乘长途汽车取道浙江义乌，又从义乌坐汽车直达温州。5月25日晚，三人到达温州。先在宾馆住了三天，后在温州市新桥乡一偏僻的都市村庄租了一间房子。第二天，王叶子到温州国贸大酒店桑拿部上班，并伺机寻找抢劫对象。其间，张文东在温州市的大街上买了两把20多公分长的水果刀，王叶平也买了当地的手机卡号备用。

然而，十来天过去了，王叶平并没有能够从酒店带回家来一个"客人"。原因是王叶平他们的住处偏僻，"客人"不敢来；另外，王叶平服务的"客人"当中，也没有人看着特别有钱。这令王叶平无计可施。

眼看着带来的盘缠越来越少，王叶臣首先坐不住了，他提议到温州的大街上去抢点钱花，被王叶平、张文东二人劝阻。

6月11日晚，王叶臣提出去郑州试试，因为妹妹在郑州呆了三年，对那儿比较熟悉。三人一拍即合。

6月13日下午，三人乘坐长途汽车到了郑州。王叶平领着二人在郑州市燕庄村一户人家的502房间租了个一室一厅的房子。安排停当后，王叶平到郑州市索菲特大酒店桑拿部应聘做按摩小姐；张文东又到街上买了一把菜刀；王叶臣买了一部数字传呼机自己带着、并与妹妹约定：发传呼"444"，表示"客人"马上带到，让作好准备。

就在王叶平到郑州索菲特大酒店上班的第四天夜里12点左右，王叶臣和张文东正在燕庄村里的一个夜市上喝啤酒，突然王叶臣携带的传呼机响了，是妹妹王叶平发的，上面清楚地显示：444。

"有鱼上钩了！"王叶臣对张文东说张文东迅速结了饭钱，提起一瓶尚没喝完的啤酒，急忙往家赶到了家后，王叶臣持刀埋伏在卧室里，张文东藏在厨房里，拉熄了电灯，专等王叶平领着猎物上门。

大约过了30分钟，楼梯上一阵脚步声响过，王叶平开始拿钥匙开门打开门后，王叶平与一个男人一前一后走进了里间的卧室。

这个倒霉男人，正是河南省某通讯公司的刘志辉

总经理飞蛾扑火

原来，2003年3月间，刘志辉迷恋上郑州索菲特大酒店桑拿部的叠式按摩。该酒店是郑州市的四星级大酒店，其按摩价格不低，但刘志辉有钱，所以仍然乐此不疲。

为了享受酒店桑拿部的"优惠待遇"，2003年3月22日，刘志辉花5000元钱办了一个该酒店桑拿部的会员卡。六天后，刘志辉在此持卡消费，花了598元；5月4日，刘志辉再次洗澡按摩，花费620元；5月19日，刘志辉第三次到索菲特大酒店桑拿部持卡洗澡、按摩，花费296元。6月19日晚，刘志辉在郑州市兴亚大酒店与朋友一块吃饭后，回到单位，趁着酒兴，他又偷偷来到索菲特大酒店桑拿部。

晚上10点左右，见是"老客户"来了，值班的梁经理特地为刘志辉安排了一名刚刚来到酒店四天的绝色美女替他按摩。这名按摩女就是

王叶平。

　　初见王叶平，刘志辉眼前一亮，顿时起了邪念按摩当中，刘志辉就迫不及待地对王叶平动手动脚，并要求当场与其发生性关系。

　　王叶平故意吊刘志辉的味口，她旁敲侧击探听刘志辉的虚实："老板是做什么的呀？我可是第一次出来做，你享受得起吗？"同时，她使出浑身解数，极尽风骚之能事，以勾引刘志辉上钩。

　　刘志辉为尽快得逞，更是口无遮拦："我包里现金顶你爸爸一辈子的血汗……"王叶平窃喜，钓到一条"大鱼"！于是，一个钟点结束后，王叶平与刘志辉商定：一起外出嫖宿，条件是要到她在燕庄的租住房里。

　　色迷心窍的刘志辉不知是计，不仅表示同意，而且在结账时还通过吧台为王叶平多结了 500 元的小费。这次洗浴，刘志辉共在此消费 965 元。

　　就在刘志辉在前台结账的时候，在该酒店的更衣室里，王叶平正在给哥哥王叶臣发传呼，内容是 444。

　　征得梁经理同意，刘志辉将王叶平带出了大酒店。考虑到开自己的车不方便，二人便打的来到了郑州市燕庄村不远的金水路和东明路。下车后，刘志辉怀疑王叶平的被褥不干净，提出到宾馆开房嫖宿。王叶平当然不依，于是一副娇滴滴的模样说："大哥，你再有钱，也要省着花呀，宾馆多贵！再说，碰到公安啥的咋办？"她坚持要回其燕庄的租住处。欲火中烧的刘志辉同意王叶平的意见。

　　唯恐哥哥王叶臣没有收到自己的传呼，当二人走到燕庄村口时，王叶平再次给他发了传呼暗号。

　　凌晨 1 点左右，二人来到了燕庄村。王叶子爬上五楼，进入了她租住的 502 房间。其身后的刘志辉不假思索便一脚踏进了王叶平的卧室。还没来得及让王叶平拉开电灯，他就被从黑暗中冲出、手持利刃的王叶臣和张文东逼住。

　　刘志辉本能地反抗，一脚踢翻了张文东放在门后的那瓶啤酒。打碎了的啤酒瓶发出清脆的爆炸声在凌晨的寂静中分外响亮。与此同时，一把冰凉的尖刀已顶到他的前胸："不许反抗，动就杀了你！"

　　刘志辉吓呆了！早有准备的两名壮汉迅速用绳索捆住了刘志辉的双

手、双脚，并用胶带封住了他的嘴。几秒钟的功夫，刘志辉便被捆成了一个圆圆的皮球，被王叶臣一脚踢到了卧室的床上。

突然，门外传来敲门声。三名劫匪不知所措，一阵忙乱。王叶平故作镇静，硬着头皮上前开门。来者是楼下402房间的女房客，刚才啤酒瓶的爆炸声吵醒了她未满周岁的孩子，她便跑上楼来提出抗议。

"对不起，刚才是我们夫妻吵架，不小心打翻了东西。"王叶平赶快表示歉意，支走了愤愤的女房客。

平息一下惊恐的情绪，王叶臣和张文东开始对刘志辉搜身。他们搜出了现金900元，工商行和广发行的银行卡各一张，驾驶证、手机和工作证等物。工作证显示其为河南省某通讯公司大客户部总经理！三个歹徒的眼瞪圆了：他卡里一定大有"油水"！王叶臣马上持刀威逼刘志辉说出银行卡的密码，并引诱："我们只图财，不要命，取出钱后，自会放你回去。"

此时的刘志辉早已吓破了胆，望着明晃晃的尖刀，听着劫匪"不杀人"的保证，再想想卡里的一点钱不算什么，他马上便将两张银行卡的密码和盘托出。

王叶臣马上下楼去验证密码的真伪。在工商银行和广发行的自动柜员机上，王叶平证实密码正确，并清晰地看到，一张卡内有现金1.5万元，另一张卡内有现金5000元。他便从中取出现金4000元，带回来。

刘志辉不会想到，他说出密码，就意味着死期到了！

因为银行卡每天只能取出部分现金，为防止刘志辉出去后挂失，三歹徒随即决定杀人灭口，并约定在天亮人声嘈杂时动手。

6月20日早上，城市恢复了喧嚣。王叶臣向张文东使了一个卡脖子的手势。张文东会意，二人便走进了捆绑刘志辉的卧室。

王叶臣让刘志辉背向自己，并假意说："你坐好，我们把你捆起来，我们就走了"。突然，王叶臣用他的休闲裤裤带套住刘志辉的脖子，又打了个结，再把刘志辉背起来猛勒。张文东则按住了刘志辉的双腿。可怜刘志辉，只折腾了二三分钟的功夫，便气绝身亡。

为防尸体被人发现，王叶臣和张文东二人又把刘志辉的尸体拖入厨房，并肢解……

末日里兄妹相煎

上午11点多钟，三人收拾行李，提着两个装尸体的编织袋打的到黄河边抛尸。编织袋放入后备箱里。出租车司机先把三人拉到了黄河游览区，后又拉到了花园口镇的"黄河旅游点"。

汽车向东开了约两公里后停住，三人用100元钱打发走了司机后，将尸体连同刘志辉的驾驶证，钱包以及杀人用的刀等物，一同抛入了滚滚黄河。

为逃避公安机关追捕，排遣内心的恐惧，王叶平等三人经新乡前往南京、温州、上海游玩。6月20日、21日、22日，王叶平先后在新乡和南京分三次将刘志辉银行卡上的钱取出共两万元。

6月27日，他们又从上海坐火车到锦州。在锦州时，王叶臣拿了其中的4000元钱，与王叶平、张文东分手，直接回东北老家。王叶平和张文东则去了佳木斯。直到7月5日和9日，三人先后被公安机关抓获。

2003年10月份的一天，王叶平和张文东感觉自己末日来临，突然翻供，均否认参与了杀人碎尸，称杀人碎尸的行为均是王叶臣个人所为，王叶平和张文东未参与，当时二人只是在门外望风等。二人还否认抢劫杀人的主意首先由王叶子提出。

2003年12月12日，王叶平妄想抓住一根救命的稻草，不惜将自己唯一的哥哥置于死地，又主动向看守人员检举王叶臣以往的犯罪事实。

但有关机关认为，王叶平的这一行为，并不能构成立功或重大立功。郑州市人民检察院的起诉书最终显示，王叶平是酿成刘志辉血案的元凶。

2004年7月上旬，当郑州市中级人民法院提审被告王叶平，并向其送达开庭传票时，王叶平又突然向人民法院揭发哥哥王叶臣此前还有故意杀人的犯罪行为。为慎重起见，人民法院决定暂时推迟案件的庭审。但等待王叶平等人的必是法律的严惩。

"嫖娼之路"注定是一条阴暗之路，堕落之路，任何人走上这条路，必将意味着他不仅会葬送自己的人格、灵魂，甚至会葬送自己的生命。年轻有为的刘志辉嫖娼终成野鬼，可叹可悲，世人当戒。

知 音

不得爱你的情人?
与姐夫私奔情仇何解
——本刊紧急出击了断山东一起姐妹情仇

齐清园

2004年6月7日,本刊热线(027。87129115)接到山东烟台一个叫马丽娜的姑娘打来的电话,她说:姐姐是一家贸易公司的副总经理。马丽娜在频繁的接触中爱上了姐姐的司机。孰料遭到姐姐百般阻挠,原来司机竟是姐姐多年的"地下情人"。马丽娜气愤不已,为了报复姐姐,她把真相告诉了姐夫,并主动勾引姐夫。5月26日,她和姐夫一起私奔到了莱州,她给姐姐发了一则短信:"我也让你尝尝失去丈夫的滋味。"姐姐看了后,伤心异常,回复说:"我做梦都想不到,我们是亲姐妹啊,你竟用这么卑鄙的手段来报复我。"

望着那条短信,马丽娜茫然若失,想到和姐夫私奔以来的尴尬,心头充满悔恨和痛苦,无奈之下,她拨通本刊电话求助:"我对不起姐姐,可我该怎么办啊?冤冤相报何时了,何况我们是亲姐妹啊……"

爱上姐姐情人,
火热的恋情遭遇百般阻挠

26岁的马丽娜最佩服的人就是比自己大4岁的姐姐,姐姐马玉兰虽然只是中专毕业,但是对自己的未来和事业都非常有主见。1996年毕业时,马玉兰放弃了父母费尽心思为她找的教师工作,毅然到烟台丰泰实业贸易公司做了业务员,6年后,就依靠过人的能力荣任公司主管销售的副总经理。姐夫崔振涛在市直某机关工作,两人有一个刚满4岁的女儿。事业成功,家庭美满,很叫人羡慕。

2002年7月,马丽娜大学毕业后久未找到合适的工作,马玉兰便鼓励她自己创业。在姐姐帮助下,马丽娜创办了一家美容连锁中心。创业

初期，由于人手不够，姐姐便常叫她的司机付晓东来帮忙。

付晓东是马玉兰的中学同学，刚满30岁，英俊帅气。他原是烟台市一家工厂的普通职工，2000年被马玉兰通过关系调到丰泰公司任自己的专职司机，因此对马玉兰心存感激，百依百顺。2000年8月，付晓东和妻子离婚，原来的家产和女儿都给了前妻，自己则住在单位的单身宿舍。所以马玉兰让他到马丽娜的店里帮忙，他也从不推辞。

在交往中，马丽娜逐渐发现付晓东是个很不错的男人，虽然学历不高，但很有思想，性格也很温和。半年下来，她竟深深地爱上了付晓东，可几次想表达爱意都被他巧妙回绝了。

马丽娜很苦恼，2003年春节期间，她向姐姐倾吐了心事，希望姐姐帮她出出主意。谁知马玉兰一听，立刻火冒三丈，说她没出息，眼光太低，竟然会看中一个没有文化甚至还离过婚的司机。马丽娜简直被骂昏了头，她做梦也没想到姐姐竟是这种态度，并且对付晓东的评价这么低。

2003年6月的一天，马丽娜趁付晓东开车拉她到青岛进货的机会，大胆地向他表白了。付晓东显得特别惶恐，语无伦次地说："丽娜，别这样，你姐姐不会同意的，不会同意的。"

马丽娜一听不禁心有不满："付晓东你说实话，你到底爱不爱我？我姐姐虽然是你的上司，可是她管不了我们的爱！"

"可我只是个司机，又离过婚，配不上你。"付晓东一脸忧郁。

"我不在乎，我只要你这个人，我就要和你在一起。"马丽娜的话真挚而热烈。面对漂亮的丽娜和她火热的爱情，付晓东已没有任何拒绝的理由，胆怯地接受了她的爱。

可没过多久，姐姐马玉兰还是感觉到了他们关系的异样。2003年9月的一天，马玉兰突然来店里找马丽娜，气愤地问她是不是和付晓东在一起。马丽娜便借机说道："是的，我们正想找机会告诉你呢。"

"你这个贱货，你没有男人不能过吗？"没等她把话说完，马玉兰突然破口大骂起来，"凭你的条件为什么要看上他？"接着马玉兰在她面前大肆诋毁付晓东的人品，说他酗酒，而且是因为赌博离了婚，在原单位混不下去了，才求她调到公司来开车。现在继续用他，是看在同学的面子上不好意思把他赶走。

　　马丽娜觉得异常委屈。姐姐走后，她打电话给付晓东，谁知话筒里却传来姐姐的声音："你真是贱啊！以后不准再打电话。"说完就挂了。

　　从那以后，马玉兰开始积极地给马丽娜张罗对象，她为妹妹找的小伙子条件都很不错，而马丽娜却因为心里装着付晓东，一概看不上眼。姐姐看出了马丽娜的心思，又发怒了："你真是鬼迷心窍，那些小伙子哪个不比离婚的男人强，你就死了那条心吧！只要我活着，你们的事就别想。"

　　这回马丽娜也固执己见：现在都什么年代了，连父母都无权干涉儿女的婚事，何况是姐姐。

　　2004年元旦到了，这天是全家人团聚的日子，马丽娜决定借此机会向家人摊牌。她觉得姐姐再怎么反对也不会在今天做出格的事。

　　没想到那天傍晚，马丽娜和付晓东刚走进家门，正在做饭的姐姐便脸色突变，猛地把手中的饭碗摔得粉碎，对着两人破口大骂。付晓东被骂得无地自容，转身离去，马丽娜不由放声痛哭。

　　这次变故后，付晓东一直躲着马丽娜。可令马丽娜意外的是他和姐姐的关系没有改变，马玉兰也没有像她发狠时说的那样换掉司机。

　　2004年元宵节那天，马丽娜请客户吃饭。正当她在酒店门口等客户时，竟吃惊地看到姐姐和付晓东成双入对地从里面走出来，两人有说有笑，样子非常亲密。那一刹那马丽娜简直不敢相信自己的眼睛。

　　当晚，她找到付晓东，流着泪问他："你和我姐姐到底是什么关系？"在她的再三追问下，付晓东只好说出了事情的真相。原来，马玉兰和付晓东在中学时代就互有好感。在1999年的一次同学聚会上，两人不期而遇旧情复燃，马玉兰想尽办法把付晓东调到自己身边做起了秘密情人。付晓东还为马玉兰离了婚。可慢慢接触下来，付晓东发现马玉兰并没有离婚的打算，她根本就舍弃不了现在的家庭，付晓东结婚的梦想非常渺茫。可霸道的马玉兰又不肯给他重新选择的机会，她既不愿舍弃丈夫，又想占有情人，所以才对付晓东、马丽娜的爱情横加干涉。

　　"难道你就这样在她的阴影下过一辈子吗？"马丽娜哭着说。付晓东却一脸无奈地说他也想接受马丽娜的爱，可是面对马玉兰的威胁他只能放弃，因为他在离婚时，房子、家产和孩子都给了前妻，如果现在再失去工作，就真的一无所有了。

失恋心生报复，
与姐夫私奔遗恨绵绵

马丽娜失望地回到家后，她怎么也睡不着，说不出是怒是恨还是悲。她猛然觉得现实如此残酷，一向被她视为偶像的姐姐竟为了一已的私欲，用尽各种手段来摧毁妹妹的爱情，一点都不顾姐妹情义——马丽娜越想越气愤，报复姐姐的念头也越来越强烈。

可是该怎样报复姐姐？马丽娜觉得最好的办法就是也让她尝尝被人横刀夺爱的滋味。思来想去，她把报复的目标锁定在姐夫崔振涛身上。

姐夫崔振涛是个老实忠厚的男人，由于妻子经常出差，家里的一切几乎都是他在打理。马丽娜抓住马玉兰工作忙，经常出差的特点，主动接近姐夫。只要马玉兰不在家，她就和崔振涛一起领着4岁的小外甥女一起逛商场，一起到海边玩耍，一起到饭店吃饭，回到家还忙着给姐夫和孩子洗衣服，崔振涛享受着从妻子那里从未得到的关心体贴，心里的天平自然倾向了小姨子。

2004年4月中旬的一个周末，喝酒回来的崔振涛终于没有抵抗住马丽娜的主动进攻，超越了最后的底线。半夜时分，崔振涛从梦中醒来，望着躺在身边的马丽娜不由悔恨交加。马丽娜则鄙夷地看着他，用一种快意的口吻说："你说什么对不起？你以为我姐姐这些年对得起你吗？"她把马玉兰的隐私添油加醋地和盘托出。那一刻崔振涛几乎不敢相信，睁大眼睛惊恐地问道："你说的是真的？"马丽娜冷冷地一笑："我真为你这样的男人感到悲哀，夫妻同床这么多年，竟然不知道自己没有得到妻子全部的爱。我告诉你，马玉兰现在在威海，如果你现在赶去，一定能把她和付晓东堵在床上！"

2004年5月22日中午，马丽娜和崔振涛正在家缠绵时，崔振涛突然接到马玉兰打来的电话，说她已经从沈阳飞回了烟台，过一会儿就到家了。崔振涛不由大惊失色，急忙赶马丽娜走。马丽娜却觉得这是个绝好的报复机会，她趁崔振涛不注意，在浴室的洗脸台上和卧室的枕头下面留下了几缕长发，和崔振涛告别时，还轻轻地在他衣领处留下了一个隐隐约约的唇印。

风尘仆仆的马玉兰回家后，果然发现了这些"证物"，可她不动声

色，装着不在意地问丈夫："今天有谁到咱家里来了？"崔振涛支吾着说没有人来过。马玉兰便没有再问下去。晚上，她假装领孩子到超市去买玩具，低声询问孩子这些天有谁来家里了。孩子天真地说这些日子都是爸爸和小姨带她出去玩，妈妈不在的日子里都是小姨陪着她睡。

马玉兰回家后便质问丈夫到底是怎么回事？为什么不敢承认丽娜到家里来过？可是崔振涛却咬紧牙不承认。丈夫越不承认马玉兰越怀疑，第二天一早便去找妹妹质问。马丽娜正等着她来呢，一问便爽快地承认和姐夫有了私情，还幸灾乐祸地说："你抢我的男朋友难道我就不能抢你的男人么？"姐妹俩顿时争吵起来。最后，马玉兰满脸惨白地走了。

姐姐走后，马丽娜心里还是有些胆怯的，她知道姐姐绝不会善罢甘休。果然，5月25日，崔振涛垂头丧气地找到了她，说马玉兰今天到他的单位去闹了个天翻地覆，他的丑事已经传遍了整个单位。马丽娜知道这仅仅才是开始，如果他们留在烟台，姐姐是不会放过他们的。于是，两人简单地打点了行装，偷偷地登上南下的汽车，来到了崔振涛的老家莱州。

5月27日，马丽娜品尝着复仇的快意给姐姐发去了短信："让你自私，干涉霸占我的婚姻，我也叫你尝尝失去丈夫的滋味。"姐姐很快给她回了个短信，语气哀婉凄凉："我做梦都想不到，我们是亲姐妹啊，你竟用这么卑鄙的手段来报复我。"看到短信的一瞬间，马丽娜竟有些怅惘。

姐妹相煎何急？
《知音》出击了断恩怨情仇

然而，私奔的生活并不像他们想象的那么简单，在莱州住了还不到5天，马丽娜锐感到了沉重的压力。崔振涛只带着马尔娜田家吃了一顿饭，就差点被家人疑问的眼光击倒，别的时间他们只好住在宾馆里，连房门也不敢出。

崔振涛这么多年一直是个好父亲，4岁的女儿几乎一天也没离开他。现在却好几天见不到女儿，在难捺的思念中，他几乎每天都要给家里打去电话，可马玉兰一听是他的声音便不顾女儿的哭喊"砰"地挂断电话。崔振涛原本在单位里工作出色很受赏识，现在负气私奔，20多年的

努力眼看就要毁于一旦，心里自然多了几分悔恨，每天唉声叹气。

　　马丽娜出走后，原来苦心经营的美容店自然处于无序状态，心里也十分着急，再一听说父母因此气急交加住进了医院，更增添了几分负疚。她这才觉得人活在世上除了感情之外，还有许多事情值得珍惜。两个原本只是因报复而走到一起的人不由得互相埋怨，彼此都觉得疲惫不堪。马丽娜几次想拨通姐姐的电话，但又不知如何开口。

　　无奈，2004年6月7日，马丽娜拨通了《知音》的热线求助，讲述了自己的烦恼。接到求助电话，本刊特约记者立刻奔赴莱州采访了马丽娜和崔振涛。望着他们伤心、悔恨的神情，记者只好先劝慰他们平静下来，面对现实，寻求妥善的解决办法，并答应帮他们给马玉兰打电话。

　　记者联系上了马玉兰，一听记者说明意图，马玉兰的语气马上变得激愤起来，她大声地说："我不跟他们说话，也不跟他们见面，他们能跑就不要回来。"等她火气过后，记者又耐心地劝她，希望她能平静下来检讨自己的错误。事情发展到今天这一步，她毕竟也有不可推卸的责任，现在马丽娜和崔振涛都已经后悔了，也希望她能认真地反省一下。马玉兰怒气难消，说他们已经造成了很大的影响，恐怕难以收场。站在记者身边的马丽娜听着姐姐的声音，泪水顿时夺眶而出，她猛地把话筒抢在手里，哭喊道："姐姐，我对不起你，我想回去。"而马玉兰哭泣着说不出一句话，匆匆收了线。

　　此时的崔振涛和马丽娜一样也是满腔悔恨，他说，自己是一失足成千古恨，当初得知妻子的背叛后，真的非常气愤，和小姨子在一起谈不上爱，完全是出于报复心理，出来这些日子，冷静下来一想，感觉对不起妻子，从心里说妻子还是很爱自己的。说到这些，崔振涛对自己的鲁莽悔恨交加。其实这件事情完全可以用另一种方式解决，可现在到了这种地步，不但给自己也给妻子带来了沉重的负面影响，他们共同陷入了舆论压力中，真的不知该如何解脱。

　　2004年6月8日下午，带着马丽娜、崔振涛的重托，记者又亲赴烟台，见到了马丽娜、马玉兰的父母，两位老人也在记者面前泪流满面：他们就这么两个女儿，曾经是他们的荣耀和骄傲，现在却成了耻辱与心伤。这件事一天不妥善解决，他们的心就一天悬在嗓子眼上。当记者提出要老人劝劝马玉兰时，两位老人满口应允。

　　2004年6月17日，在各方面的努力下，记者接到了马玉兰的电话，她同意和丈夫、妹妹见面，也同意他们先回到烟台共同商量这件事的解决办法。只是这件事给她心灵上所造成的阴影恐怕一时难以消除，再说自己是公司的领导，造成这么大的影响，她不知该如何面对员工的目光。当记者进一步追问她的打算，是和崔振涛分手，还是和解时，马玉兰沉默了，良久才说，她真的没有想过离婚，离了婚又怎么办？他们还有孩子。如果离婚后，妹妹和丈夫结合，她更加无法面对。

　　马玉兰还说她可以原谅妹妹及丈夫，但是她有两个条件：1. 她可以离开付晓东，但妹妹不能再和付晓东来往，更不能恢复关系；2，崔振涛不能以前面的过错要挟她，也不能干涉她在付晓东重新谋职期间对他的帮助。马丽娜和崔振涛一听便接受了。

　　2004年6月20日晚，在记者的陪同下，马丽娜和崔振涛回到烟台。当晚6点30分，记者等三人按约定来到"怡香园"饭店，马玉兰却迟迟未到。直到一个小时后她才带着女儿一言不发地走了进来。记者正不知该如何打破这难言的尴尬，他们4岁的女儿突然怯怯地叫了声"爸爸"，崔振涛再也忍不住了，一下子把女儿抱在怀里失声痛哭，姐妹俩也控制不住自己了，不顾记者在场抱在一起大哭起来……

　　2004年6月23日，记者再次拨通了马丽娜的电话，她在电话里向《知音》表达了深深的谢意：她说姐姐和姐夫的心情日趋平静，他们已各自回单位上班了；而她正在莱州筹备美容分店，她将把所有精力投入到工作中，她需要平静更需要反思。至于她和姐姐、姐夫和姐姐之间的隔阂，她相信随着时间的推移会消除的，毕竟冤恨该了，亲情难断！

抱一个私生子回上海：
哪里有家何处有爱

阿雅 甘平川

2002年11月，上海女商人吴兰兰出国经商，寂寞的日子里，她与马来西亚已婚华人男子张光宗激情燃烧并轻率地生下私生子。没想到，张光宗竟翻脸无情，不仅不承认孩子是自己的，还在矛盾激化后夺走孩子，以逾期非法逗留之名将吴兰兰送进警察局。吴兰兰以死抗争终于夺回儿子，在大使馆及当地媒体的声援下回国。然而，等待她的却是上海家中曾经恩爱的丈夫提出离婚。吴兰兰又因逾期非法逗留的不良记录，五年内不能去马来西亚，这就意味着她起诉张光宗支付孩子抚养费和追回被该男子骗去的钱款将面临泡影。

2004年7月，走投无路的吴兰兰找到本刊特约记者，倾诉了自己的悲惨遭遇，提醒出国的中国女孩不要轻易上当受骗。

产下私生子，漂亮女商人情陷异国

大专毕业的吴兰兰长相漂亮，身材苗条。10多年前，她曾活跃在上海演艺界，录过音乐磁带，做过年画模特，还是上海一家名牌企业的广告形象代言人。但是作为高级知识分子的父母坚决反对独生女儿吃演艺这碗饭。1990年初，吴兰兰到上海一家五星级宾馆工作。

1992年，经人介绍吴兰兰与上海某服装公司经理李晓结婚，两年后生下一个儿子，从此在家相夫教子。1995年，李晓的服装公司遭遇挫折损失近百万元，危难之际，吴兰兰经商搞粮油批发，才弥补了损失。1997年，吴兰兰看了电视连续剧《上海人在东京》，她被外面的精彩世界所吸引，一直梦想到国外去工作，这样既能领略异国风光，又能有经济收入，岂不是两全其美。

2002年10月，吴兰兰跟丈夫商量后决定到马来西亚寻找商机，并办妥了为期半年的商务签证。同时，吴兰兰购置了服装样品，11月底，

她带着两张国际信用卡和几千美金现钞，从上海飞往吉隆坡。

吴兰兰好不容易在吉隆坡市区租到了房子，不料，房东因欠了不少债务，讨债人天天上门索要，房东躲债不知去向，吴兰兰天天处在惊恐之中。不久吴兰兰认识了马来西亚华人张光宗，张光宗一见到风情万种的吴兰兰就眼前一亮。得知吴兰兰的烦恼后，张光宗相当热心，几天后，就帮吴兰兰落实了房子，令吴兰兰感动不已。吴兰兰将自己准备在马来西亚经营服装生意的事告诉了张光宗。"你人地两生不容易，我可以帮你联系客户。"张光宗许下承诺。吴兰兰于是将张光宗的联系方式告诉了在上海的丈夫李晓，又将李晓的电话、手机告诉了张光宗，以方便彼此通报商情，及时发货。

与张光宗通过几次电话后，他的诚恳热情给李晓留下了非常好的印象。妻子走后，李晓十分担心，现在有张光宗这个慷慨相助的朋友他终于放心了。

张光宗正当不惑之年，在一家小型汽车销售公司从事销售工作，有两个读小学的儿子，还有一个三岁的女儿，张夫人在家操持家务管教孩子。

张光宗信奉佛教，每月初一、十五两天吃素；经常备好了食品去看望患老年痴呆症的远房亲戚；每天下午4时，工作再忙，张光宗也要开着轿车到学校接两个儿子回家。而且每次来住处看吴兰兰时，他总是先打电话："吴小姐，起床了吗?"经同意后方才上楼。懂礼节，有善心，责任心强，张光宗给吴兰兰留下了良好印象。

一天，为了生意上的事，张光宗带吴兰兰来到他的家里，正遇上个女人抱着一个小女孩回来。女人上穿汗衫，下着短裤，脸上绷得无一丝笑容。吴兰兰还以为是保姆。经张光宗介绍，吴兰兰才知道这竟是他的妻子。当天晚上，在一家咖啡馆里，两人倾心交谈。张光宗对人老色衰的妻子怨气冲天，很不满意，同时流露了他对吴兰兰的爱慕。而吴兰兰十分看重夫妻间的爱情质量，于是，两个人再次找到了共鸣。

从此，张光宗对吴兰兰呵护备至，使吴兰兰感觉到了远在异国他乡的温暖。两个月后，吴兰兰深情投入了张光宗的怀抱。他们像一对热恋中的情侣，开始成双成对出席朋友聚会。

2003年4月，吴兰兰发现自己怀孕了。正在缅甸谈生意的张光宗接到她的电话当天就飞回吉隆坡，告诉她把孩子生下来。吴兰兰着急了：自己没有马来西亚国籍，生下的孩子无法成为马国公民，而且上海还有丈夫李晓和9岁的儿子勇勇，又不可能把孩子带回国，孩子岂不成了没有国籍的"黑户"了？

张光宗耐心地给她解释说，等孩子生下后，他以养父之名办理认养手续，孩子就会成为马国公民。深爱张光宗的吴兰兰被说动了，决定在马来西亚生下孩子。但生孩子必须办延期签证。为了与心上人长相守，吴兰兰将钱和护照全部交给了张光宗，让他去办理签证事宜。之后，每当张光宗借钱，吴兰兰总是有求必应，当信用卡上的钱用完时，吴兰兰不得不打电话给上海的家人，叫父母和亲戚朋友汇钱。

2004年1月5日，吴兰兰在华人医院顺利产下了一个健康的男婴。张光宗非常高兴，并为儿子取名亮亮。2月5日儿子满月，张光宗邀请亲朋好友，举办了满月酒会。除了妻子的"名分"之外，在吴兰兰的眼里一切都是那么美好、和谐、浪漫、温馨。

沦落天涯，中转站里艰难度日

然而，孩子出生证上的父亲一栏始终是空白，张光宗迟迟不办认养手续，这引起了吴兰兰的不满。这时吴兰兰又接到上海家里的电话，她的八旬老母患肺气肿住进了医院，要吴兰兰速回国。吴兰兰催促张光宗赶快为孩子找个奶妈或者保姆并尽快办妥孩子的认养手续。

可是，张光宗嘴上满口答应，却仍然迟迟不办。一边是幼小孩子的身份，一边是八旬高龄病危的母亲，吴兰兰心急如焚坐立不安。

终于，吴兰兰与张光宗为孩子的事争吵起来。张光宗开始故意逃避，来的次数明显减少了，探望的时间也短了。吴兰兰再也无法容忍，她警告张光宗，如果他故意逃避的话，就直接去找他的夫人。

出乎吴兰兰意料的是，张光宗竟坦然带她去见夫人。当吴兰兰抱着儿子出现在张夫人面前，告诉她孩子是张光宗的亲生骨肉时，张夫人却并不感到惊讶。

"吴小姐，你真傻啊，你真的很傻，今天你先回去吧。"张夫人说。张夫人的态度让吴兰兰一头雾水。在她的追问下，张夫人告诉她，张光宗是个专门猎取漂亮女人的高手，他就以这个为乐。吴兰兰将信将疑。

眼看时间一天一天过去，吴兰兰不断打电话催促张光宗，张光宗终于跟她彻底摊牌说，他老婆无法接受他与别的女人生孩子，与他争吵，并告诉了娘家人，他和老婆一家人闹得不可开交。他已经没有办法管儿子入托和认养问题了，连她的延期签证一事也没心思解决了。他叫吴兰兰抱着儿子赶快回国。

仿佛晴天霹雳。吴兰兰痛哭流涕抱着儿子连夜冒雨去找张光宗的母亲。张光宗的母亲不在家，他的弟弟对吴兰兰很是同情，劝她回去，说不要让孩子淋雨着凉，他一定叫他哥哥给一个满意答复。

然而，张光宗的满意答复迟迟没来，吴兰兰却收到了上海丈夫李晓的电话："兰兰，我接到一个马来西亚男人的电话，说你在马来西亚与人生下了一个私生子，叫我劝你回国。兰兰这是不是真的？"李晓在电话里急得说不出话来。吴兰兰判断肯定是张光宗使坏，在马来西亚只有张光宗有她丈夫李晓的通讯号码。吴兰兰感到他实在太卑鄙、太恶毒了！

"我坚信自己的妻子不会做出这种事的。不过，商场如战场，得罪人在所难免，你要小心啊。"丈夫李晓的信任，令吴兰兰十分感动。

就在吴兰兰与张光宗为孩子身份争吵不休时，3月18日，张光宗突然开车来找吴兰兰，说孩子入托谈妥了。吴兰兰禁不住一阵欣喜，跟着张光宗一同驱车前往。可是办手续时，张光宗却不肯留下身份证作担保，吴兰兰又与张光宗争吵起来。

"你连为亲生儿子都不愿作担保，你还是父亲吗？你还是人吗！"吴兰兰气愤至极，她抱着儿子就上了张光宗的轿车。张光宗一脸恼怒，驾车就上路了。

不一会，轿车停在了警察局内的停车场。吴兰兰以为张光宗是来这里找朋友帮忙的，突然，一名便衣警察走了过来，要检查吴兰兰的护照。吴兰兰说，护照在张光宗那里，他帮她去办延期签证了。她正解释着，张光宗突然从她怀里抱过儿子，与此同时，警察拿出一副冰冷的手铐将吴兰兰铐住了。"儿子，还我儿子！"吴兰兰顿感不妙，一边试图挣脱，一边叫着孩子，不料此时张光宗抱着儿子已经驾车走了。

吴兰兰破关进了拘留所。她这才知道拿走钱的张光宗并没有帮她办逾期签证，现在反以她逾期非法逗留之名，将她送进了警察局。

吴兰兰在拘留所内度过了十天艰难的日子。3月29日，吴兰兰被转

移到遣送回国的中转站。突遭意外使吴兰兰觉得不能丢下儿子一走了之。她要带儿子回国，给予苦命的儿子母爱，弥补自己的过错！

吴兰兰与张光宗电话取得联系，叫他把儿子送来。张光宗告诉吴兰兰儿子寄养在孤儿院里，只要吴兰兰拿出儿子的出生证，他就可以将儿子带来，让他们母子团聚一起回国。此时的吴兰兰仍然侥幸地以为张光宗对自己爱意犹存，叫张光宗去向房东要，出生证由房东妥善保管着。

可是，左等右等等了大半个月，吴兰兰也没见张光宗将孩子送来。4月18日，吴兰兰打手机给张光宗，可是张光宗一听是她的声音就把手机关掉。吴兰兰发短消息给他："一年前的今天，我们有了亮亮，今天你把我送进了警察局。我求求你把孩子还给我，他还在吃奶呀！"然而，吴兰兰撕心裂肺的呼唤，也无法打动张光宗的铁石心肠，吴兰兰仍然见不到日思夜想的儿子，她后悔不已：早点看清张光宗带儿子回国，也不用遭受如此磨难了。

社会声援回国，却无颜面对家中亲人

万般无奈中，吴兰兰通过朋友向吉隆坡媒体通报。4月24日当地报纸对此作了报道。吴兰兰成了当地新闻媒体的焦点，引起了马来西亚移民厅的重视，他们叫吴兰兰先回国，儿子问题回国后再处理。

"不见到孩子我死不回国！"吴兰兰态度坚决。

张光宗在接受媒体采访时说，他是个守法商人，与吴兰兰仅是认识，并不熟悉，与其生儿子更是无稽之谈。吴兰兰是个从事色情业的三陪女。

至此，吴兰兰终于看清了张光宗的真实嘴脸！她向媒体进一步透露，张光宗的性器官有"胎记"。而且，当初在警察局，一名警察亲眼看到张光宗抱走孩子，张光宗不承认孩子是他的，可以做DNA鉴定。吴兰兰还拿出从上海汇款到吉隆坡的证明材料，证明自己是上海女商人而不是三陪女，如果自己是三陪小姐，决不会将钱由上海汇到吉隆坡。吴兰兰还拿出了她与张光宗的电话录音，以此证明张光宗和吴兰兰生下儿子亮亮，同时证明张光宗向吴兰兰借钱以及其护照也在他那里。

可是，事情的进程相当缓慢，在中转站失去自由的吴兰兰度日如年，更加担心孩子已经被张光宗卖掉了，或者他为了毁灭DNA证据，把

孩子杀掉了。

"亮亮，你在哪里啊？妈妈好想你啊。"绝望的吴兰兰两次自杀均彼及时发现。6月13日，吴兰兰咬破手指，写下"救救孩子"的血书，强烈要求张光宗归还儿子，同时向马来西亚警方报警！

吴兰兰的不幸遭遇，引起了中国驻马来西亚大使馆的关心和高度重视，使馆派人前往中转站探望吴兰兰，给予她道义上的支持。马来西亚议会的一位议员也出面调解。迫于媒体压力和议员的威望，张光宗终于承认孩子是他的亲生骨肉，并承认为了逃避责任，他又以逾期非法逗留之名将吴兰兰送进警察局。事到如今，他愿意买机票让吴兰兰母子俩回国。6月21日，张光宗不得不连同护照，出生证和儿子亮亮一起交出，以死抗争的吴兰兰终于见到了3个多月未见的儿子，她将儿子紧紧抱在怀里泪如雨下。

中国驻马来西亚大使馆为吴兰兰母子俩开具了回国证明，吴兰兰十分感激。6月23日早晨，在马国移民厅官员的护送下，她抱着儿子，来到吉隆坡机场。等候登机的时候，吴兰兰抱着儿子又不由得发愣了：难道就这样将孩子带回家吗？丈夫知道真相后，会怎么样呢？

吴兰兰不寒而栗！三个月来她一心要回孩子，而没去想孩子回到上海将会怎么样。思来想去，她决定先不告诉丈夫和父母，自己带着私生子回国。她打电话给上海的一个十分要好的女友胡玫梅，说5个小时后将到浦东国际机场，叫她开车来机场接一下，暂时在她家里住几天。离开丈夫和儿子勇勇一年半，为什么不回家，却要住朋友家？胡玫梅百思不解，还以为吴兰兰带了个外国情人回国不方便说。

"到时候你就知道了，你要有思想准备，我在马国遭遇惨不忍睹啊！不过，你千万别告诉任何人我今天回国，尤其不能告诉李晓。"她千叮咛万嘱咐，弄得胡玫梅云里雾里，不知所以然。

下午2时许，吴兰兰终于走出浦东国际机场。她一眼就发现在接机人群中的胡玫梅，令她惊讶的是，胡玫梅的身边站着李晓。吴兰兰正想抱着孩子转身躲避时，胡玫梅已经喊了起来，吴兰兰想躲也躲不了了。

李晓说，上午9时左右，马来西亚有个男人打电话通知他，吴兰兰今天上午带着她的私生子乘8点25分的班机回上海，祝贺他们夫妻团聚。

李晓说话时一直打量着孩子，那眼神像一根根鞭子抽在吴兰兰的身上。

事已至此，吴兰兰只得说出了在马国一年来的遭遇，希望得到李晓的谅解和接受。说到伤心处，她泣不成声，泪流满面。性格内向的李晓一句话都不说，但看他的眼神，已经到了怒不可遏的地步！

胡玫梅开车载着吴兰兰和李晓，往市区飞驰而去，吴兰兰的心都快跳出嗓子眼，马上就快到家了，吴兰兰多么希望回家啊。可李晓却在中途下了车，说要去公司。吴兰兰心冷了，望着李晓渐渐远去的身影，她又是一番哭泣：结婚12年的丈夫是不想让她回家了。

胡玫梅腾出女儿的房间，让吴兰兰母子安顿。夜深人静时，吴兰兰久久无法入睡，身边的亮亮是自己的儿子，她多么想回家看看一年多未见的10岁儿子勇勇啊，母子连心，她同样无法割舍。可她又担心丈夫不悦，不敢前往惊扰儿子。一星期后，吴兰兰再也无法忍受思子之痛，拨通了家里的电话，告诉李晓她想看看儿子。

"你随时都可以回来，但你带来的孩子不能进家门！"吴兰兰只好放弃了回家看儿子的想法。

吴兰兰万没想到，李晓将吴兰兰带着私生子回国的事情告诉了岳父岳母。八旬老人拄着拐杖找到胡玫梅的家，吴兰兰见到年迈的父母非常难过，老人家在人到中年时才有了她，想不到在他们风烛残年之时，自己却要让父母提心吊胆。

"兰兰，李晓哪一点对不起你，你为什么要这样伤害他啊？"父母说完，拄着拐杖走了。

又过了一星期，李晓将儿子勇勇带到杨浦公园，母子俩终于见面，抱头痛哭。然而，就在这次与儿子见面之后，李晓提出了离婚。

7月中旬，吴兰兰和李晓签订了离婚协议。吴兰兰主动放弃了所有财产，包括房子在内，带着亮亮在几个朋友家轮流居住，过着流浪的生活。

吴兰兰的遭遇引起了胡玫梅等朋友的义愤，纷纷叫吴兰兰去马国追索张光宗抚养儿子亮亮的费用。但按照马来西亚的法律，逾期非法逗留遭遣送回国人员5年内不准重返马来西亚，这就意味着吴兰兰根本没有能力来为自己讨还公道，只有每天以泪洗面，独自吞咽轻率的苦果……

博士院长别失踪，"爱"惨了小情人就想溜？

袁燚

一次车祸"事故"，一名时尚的北京美眉认识了她的"梦中情人"。尽管他比她大不少，但情窦初开，从小缺少父爱的她还是和他同居了。不久，她怀孕了。做着"安全婚外情"美梦的他却被惊飞了……

一个偶然的机会，她在北京一家知名医院的办公楼下发现了他的汽车。原来，他竟然是这家医院的院长。2004 年 6 月 5 日，讨说法受辱割腕自杀未遂的她，向本刊打来电话，表示将与他同归于尽。接到电话后，本刊记者赶至北京紧急斡旋……

"车祸"遗情，时尚美眉邂逅神秘"白马王子"

那颜今年 23 岁，家住北京海淀区，是一位漂亮时尚的女孩，母亲是一家医药器材公司的经理，那颜在很小的时候，父母就离了婚，那颜和母亲一起生活。

1998 年，那颜考上了中央工艺美术学院，学习服装设计专业。2002 年 7 月，大学毕业后，准备出国的她在北京一家高档大酒店暂时应聘当了一名领班。

2003 年 7 月的一个雨夜，那颜在下班后独自一人步行回家。在横穿一个路口时，忘了看红灯的她被一辆刹车不及的小轿车撞了一下倒在地上。

司机是一个 40 多岁的中年男子，汽车停下后，脸色煞白的他赶紧从车上跳了下来将她搀起，紧张地问她："姑娘。你没事吧，快看看伤着哪儿了。"

惊魂未定的那颜活动活动了身体，幸运地发现自己只是胳膊和腿被蹭破了点儿皮。肇事司机长舒了一口气，但还是关切地问道："要不要我送您去医院？"那颜宽宏大度地说道："我没什么大事你走吧。"那名

男子在问清了她的单位后，两人客气了几句后分手了。

两周后的一个晚上，值班的那颜忽然接列服务生转来的一束玫瑰花，服务生说是一位先生特意送给她的。那颜看到，在离她不远的一个茶座上，一位一身白色西服的男士正很绅士地向她挥手致意。正是几天前开车将她撞倒的那位男士。

下班后，那名男士一脸粲然地来到她的身边对她说："请原谅我的冒昧打扰，我今天是特意来向您表示道歉的。"他笑着告诉她说，那天出事后，他的心里一直忐忑不安。他好几次到这家酒店找她，但一直没有看到她，今天晚上终于看见了她。

那位男士自我介绍说叫何颢，北京人，45岁，早年毕业于北京医科大学，又赴英国留学，在英国获得博士学位后回国，现在海淀区一所著名高校的医学院任教。何颢还苦笑着向那颜透露说，妻子因为不愿回国和他离了婚，现在他还一直是个"钻石王老五"。

在那颜的眼里，何颢看上去比实际年龄要年轻许多，他的头发梳理得一丝不苟，说着一口纯正柔和的北京话，显得非常儒雅和有品位。他幽默的谈吐和头上的博士光环，让那颜刮目相看。

此后，何颢立即对那颜展开了火热的攻势。每到周末，何颢就开着自己那辆漂亮的白色帕萨特轿车，带她到郊外的一些高级娱乐会所游玩。不久后，那颜把自己的第一次献给了这个认识不久的男人。

亲热之后，看着给了他处女之身的那颜娇媚的容颜，何颢紧紧地搂着说："那颜，我发誓，我要用我的生命呵护你一辈子。"

听着他这番动听的话，那颜禁不住心醉神迷。她在日记中悄悄写道："从情窦初开之时我就幻想有一天能有一个像父亲一样的男人好好爱我。今天我终于找到他了。将来，我愿意做他的妻子，为他生一个孩子，我要让他带着我一起在生命的旅程中快乐地飞翔……"

第一次亲密接触之后，两人的感情再度升温，何颢将一套两室一厅房子的钥匙交给那颜。两人开始经常在这里同居幽会。

2004年初，那颜发现自己身体有异，去医院一检查，化验单显示她已经怀孕两个月了。她打电话让何颢回"家"，她撒娇说："亲爱的，我要做你的新娘……"

得知那颜怀孕后的何颢脸色很难看，说："我们每次都避孕，你怎

么会怀孕?"那颜对他说:"亲爱的,因为我喜欢你,所以我欺骗了你,我想早点儿当妈妈。"

何颢不高兴地对那颜说:"你怎么这么傻?你现在年龄还小,这个孩子还是趁早做掉。"那颜一怔,她说:"你已经40多岁了,我想为你生个孩子,你答应我吧。"但何颢无论如何都不同意她把孩子生下来。

几天后,何颢自作主张要带那颜到医院做流产手术,但那颜坚决不肯。何颢发火道:"如果你执意要这个孩子,那我们就分手,孩子的事我一概不管。"当头被泼了一瓢冷水,那颜伤心地流下了眼泪。一气之下,那颜回到了自己家。

找不到那颜,何颢频频给她打电话,发短信,依旧软硬兼施地劝她把孩子打掉。每次看到他打来的电话,那颜都生气地挂掉。其实,那颜也并不是决意想把孩子生下来,她想通过这件事来试试何颢是不是真心爱她。但何颢的态度让她非常伤心。

僵持了一个月后,何颢的态度忽然发生了改变。他情意绵绵地发短信对她说:"宝贝,对不起,我们的小宝宝还好吗?现在我想好了,我没有权利不让他到这个世界上来……"

不一会儿,何颢又打来了电话。那颜犹豫了一下按听了他的电话。那颜原谅了他,又重新回到了他们同居的小屋。那天晚上,何颢下班后回到"家",手里拎着一个袋子。从不拿东西回来的他让她深感意外,便问:"你拿着什么?"何颢说:"治病的药。"那颜说:"我没病啊!"何颢说:"你不是月经不正常吗?"她哭笑不得:"我不是不正常,是怀孕了。"他说,"吃了这药就好了,就像来一次月经,没事的。"她头嗡地一下,脑子一片空白,她知道他要给她吃的是堕胎药,泪水止不住地流下来,"你不是说过尊重我的选择吗?"他拉过她拥在怀中,无奈地说:"你还小怎么带他?我工作不稳定,随时可能调到外地或国外,那时你怎么办?你执意要,我也不能强迫你,你考虑一下。"她想着过去点点滴滴,丝丝缕缕的爱,为了能长久地拥有这份爱,她含泪答应他拿掉孩子。闻听此讯,他开心地背着她在屋里走了一圈。伏在他宽厚的背上她撒娇地问他:"一个月后就是情人节了,那天你陪我好吗?"他爽快地答应了,说:"但不能去太远的地方。"

第二天一早,何颢看着那颜服掉他拿来的药后,就走了。不久,那

颜突然感觉到腹部一阵剧痛，下身流血不止。被吓坏了的她赶紧打的到附近医院。由于出血过多，那颜的情况很危急。经诊断，她是由于流产导致大出血。在对她进行吸氧、补液后，又对她进行了输血，她的情况才稳定下来。

医生告诉她，她是由于大剂量服用了流产药物后导致大出血的。医生责备她说："这种堕胎药只能在怀孕49天之内、而且必须在医生的观察下才能服用，你已经怀孕超过3个月了，只能进行手术流产，幸亏你被及时送来医院。"

听到医生的话那颜赶紧拨打何颢的手机，但却已经关机。一天后，那颜在医院里排出了早产的胎儿。那颜又气又怕，只好给妈妈打电话求助。妈妈赶来后，得知女儿的遭遇，气愤地说："那个男人是存心玩你，他怕你把孩子生下来，怎么能给你随便吃药呢，太阴险了！"

但那颜却发短信息给何颢痴情地表白："人生是不是注定是无穷无尽的遗憾呢？缘分由天注定，当你真正爱上一个人的时候、不会想那么多，并不求他给她什么，也不知道他们可以在一起多久。虽然很想和他有一个家，但她不是自私的人。"

三天后，何颢又突然出现在出租屋里，为那颜买了内衣和睡衣，这是他第一次买礼物给她。尽管她不希望她与他之间有利益关系，但看到他为她买的漂亮衣服，尚在疼痛中的她还是很高兴，她觉得只要拥有他的爱，就算有再大的痛苦她都有勇气去面对。何颢确定那颜拿掉了孩子，陪她聊了会天，便说："我还有事，要走了。"他从皮包里拿出一万元钱，"过年了，你拿去买喜欢的东西。"那颜觉得他和往日不同，神情怪怪的，他从未当着她的面给钱。她推辞，何颢说："你这样就不对了。"她把头扎在他怀里，紧紧抱住他，泪水又涌了出来……

春节很快来临了，那颜和家人在一起过年，当新年的钟声敲响时，她给何颢发短信："我把这份爱看得很重，觉得美极了，美的感觉很怪，心里甜甜地想着一个人，眼泪还是会止不住地流下来。"但让她觉得惆怅的是，她始终没有收到何颢祝福的信息。

那颜越想越觉得不对劲，何颢从没这么久不打电话。她不断地发信息，可他没回一个电话，最后干脆关掉电话。她伤心欲绝，她不相信那个曾经那么疼爱自己需要自己的男人会这么绝情地离开她。

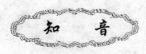

更让她绝望的是，因为心情郁悒和堕胎留下的后遗症，因此，那颜经常到北京一家有名的大医院去看病。2004年3月的一天，那颜路过医院的停车场吃惊地发现，何颢的那辆白色帕萨特轿车竟然停放在那里。

向管理停车场的师傅一打听，那颜更是大吃一惊：这辆车的主人竟然是这家医院的院长。看到何颢的车和熟悉的车牌号，那颜顿觉一阵眩晕。她来到医院的办公楼，找到了挂有院长牌子的办公室。

何颢果真是这家医院的院长，他对那颜所说的自己的情况，除了名字和博士头衔是真的，其余全是编造的。履历不凡的他，从国外留学归来后，一步步被提拔为科室主任、副院长。2003年夏天，45岁的他又被提拔为医院院长。何颢不仅是一个称职的院长，而且有一个幸福的家庭，妻子是中关村的一家跨国公司的高级员工，收入丰厚，儿子正在读高中。

看见径自走进自己办公室的那颜，正在打电话的何颢怔在了那儿说不出话来。反应过来之后，何颢赶紧把办公室的门关上，尴尬地堆起笑脸说："那颜，你怎么找到这儿来了？这段时间我太忙一直没有去看你……""别演戏了。"那颜两眼冒火。

"你找我有什么事吗？"何颢心虚地说。"我要让这里所有的人都知道，你这个道貌岸然的院长、博士，是一个感情骗子。"那颜情绪激动地说。

"你想干什么？我们已经分手了。"何颢摆出院长的架子说。"我要去告你，告你让我怀孕，又让我堕胎，我一定要让你受到惩罚！"那颜吼道。"你有证据吗？你能把我怎么样？我不认识你，你再不走我就报警了。"何颢换了一副嘴脸对那颜吓唬道。

看到那颜还在办公室里痛哭"赖"着不走，何颢果真拿起电话拨通了辖区派出所的电话。过了一会儿，一名警察匆匆赶到，软硬兼施地对那颜说："你在这里哭闹，会影响何院长的声誉和威信，有什么问题我给你们私下调解……"但那颜根本听不进去，依旧坐在那里痛哭。

看到劝阻无效，那名警察一把将她从沙发上拉起，对她大声呵斥道："快出去，你这个酒吧女，如果你再在这里闹事，我就拘留你。"说着还掏出手铐。

"何颢，你这么无情无义，今天我就死给你看，我要让你后悔一辈子。"人格被侮、悲愤到极点的那颜猛然抓起何颢办公桌上放着的一把手术刀，用力在自己的手腕上划了一下，顿时，那颜手腕上鲜血喷涌而出。何颢大吃一惊，赶紧抱起那颜向楼下的急救室跑去。白大褂上染满了鲜血的何颢被吓得几乎瘫倒在地上。

悲情弱女求助《知音》，
危情平息博士院长痛悔"安全婚外情"

那颜在院长办公室割腕自杀的事件在医院闹得沸沸扬扬，让何颢很难堪。他主动提出给那颜5万元钱的"精神赔偿"，和她"私了"，但被那颜拒绝。此后，那颜又多次到医院找何颢"讨说法"，但何颢总是避而不见。

知道女儿找到了何颢又割腕自杀的事，那颜的妈妈气愤不已，她首先来到法院，以他给那颜吃堕胎药导致她身体受到损害为由，准备以伤害罪起诉何颢。但由于拿不出任何证据，法院未予立案。

起诉无门，那颜的妈妈又到何颢所在医院的上级主管单位作了举报，但当上级领导找何颢谈话时，他拒不承认自己和那颜的关系，还说那颜是一名三陪小姐，自己只是在一次应酬中和她认识。那颜之所以纠缠自己，是为了向自己敲诈勒索钱财。因为那颜拿不出真凭实据，此事就不了了之。

6月5日，投诉无门，那颜无奈之下拨通了本刊热线。在电话里，那颜激愤地说："过几天我要到何颢的办公室最后一次找他'讨说法'，如果何颢不向我低头认错，如果他仍然'逍遥法外'，我就杀了他再自杀。我要让他知道，我不是一个任他欺凌宰割的羔羊……"

接到那颜的电话，记者迅即赶赴北京采访那颜。那颜还向记者出示了她刚刚和何颢通话后获得的一盘录音磁带。在录音带里，记者听到这样的对话："你究竟要怎样？你要多少钱才不再找我的麻烦？""我不要钱，我要你先向我认错，写悔过书……""我有那么傻吗？我写悔过书让你拿着证据去告我？""我就是要告你，告不倒你我就用自己的方式解决。""你尽管去告吧……"

在记者的安慰和劝说下，那颜同意由记者调停这件事。她表态说，如果何颢诚心向她悔过道歉，她愿意以一种平和的心态来了断此事。

随后，记者来到医院采访何颢。在那家医院，记者顺利地找到何颢。何颢感到很意外，他说："我不希望被媒体知道这件事。我只能告诉你一句话，那颜所说的一切都是假的，她不过是想敲诈我而已。"

记者向他提交了那颜托记者转交给他的录音带。听了录音后，何颢表情极为尴尬。记者提醒他说，那颜的情绪现在很不稳定，他应该以一个端正的态度和真诚的心态来处理好这件事。何颢没有明确表态，表示要"再考虑考虑……"

一周后，何颢主动给记者打来电话，答应向那颜"赔罪"。记者随即将他的意思向那颜做了转达。6月25日，那颜在母亲的陪同下来到记者下榻的酒店房间，何颢也如约前来。在记者和那颜保证不拍照、不录音的情况下，何颢正式向那颜表示道歉。他痛苦地忏悔道："那颜，因为我怕你生下孩子要挟我，所以我只好给你吃流产药，选择离去。我一错再错，我的心里也很难受。现在希望你能原谅我，给我一个悔过的机会……"

何颢主动提出，自己愿意拿出一笔积蓄来赔偿那颜。在和母亲商量后，对何颢的态度比较满意的那颜表示同意。在记者的调解和见证下，双方达成协议，何颢答应在一周之内将赔偿金打到那颜的卡上，那颜母女也答应和保证不再对何颢进行追究。

7月5日，那颜给记者打来电话，她说，何颢已经兑现了自己的诺言，她已经拿到了赔偿金。虽然她的内心依然很痛苦，但对结果还是比较满意。她说："其实从一开始，我并不想将何颢怎样，我只是想让他向我认错，但他的态度激怒了我。感谢《知音》对我的帮助。我现在正在办理出国手续。今后，我一定要通过这件事汲取教训，争取早日走出这段人生阴影，重新开始自己的生活。"

何堪富豪"妻妾同堂"，
小女子逃离路茫茫

南 剑

今年 30 岁的冯晓莺，从一所名牌大学毕业后，为了爱情，她跟随大学男友来到广西北海，没想到却让一个有钱的女孩子夺去了男友。痛苦之余，她赌气选择了一个狂追她几年的千万富翁，更没想到从此步入连续不断的噩梦：富翁爱她，却要她与他的两个前妻"妻妾同堂"……不堪屈辱和悔恨，最后她愤然离开了锦衣玉食的生活，带着儿子走上了孤苦的人生之旅。

今年初，面对留学回来的前男友的重新追求，阅尽沧桑的她无心重温旧梦。而此时，年过五旬的富翁拿儿子来威胁她结婚。她面临着两难选择：既希望有心理阴影的孩子能得到正常的成长环境，又不能再任由自己的尊严被践踏在那种窒息的环境里……

2004 年 7 月 18 日，痛苦无助的她拨通了本刊新闻热线（027。87129115），倾诉了自己的烦恼——

真爱背弃而去，成功男人为我圆上"水晶梦"

1996 年夏天，22 岁的我从中山大学毕业。大学男友陈一林来自广西北海。为了爱情，我不得不离开了远在乐北的父母，来到北海一所外语学校教书。当时，陈一林家里很拥挤，我们只好在外租房住下。我们计划着再过几年积攒一些钱就分期付款买房结婚。

参加工作后，我的人生价值观慢慢发生了改变。就在那年底，我遇到了杜明刚。他是我所在班上一位女生的家长。时年 46 岁的他是北海市一家会计师事务所的创办人，除了在岛内把业务做得声名鹊起外，他还担任了广州和香港好几家知名外资企业驻当地的资深顾问。

那是深秋的一个黄昏，当他匆匆地开车来校门口接 16 岁的女儿时，刚好遇到我要回家。长发飘逸清纯大方的我给他留下了深刻的印象。也

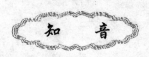

许是他刻意的，之后，他就经常为女儿学习的事来学校找我。

此后每天回到学校，我都能收到卡片签名为"杜明刚"的11朵香水百合与11朵黑色玫瑰。那是成功男士才有的示爱方式。

可是，出于理智和现实，我拒绝了他的追求。虽然他的金钱地位可以让绝大多数女子趋之若鹜，但是我不愿意成为这样的角色。当我把意思婉转地告诉他时，他却很诚恳地表示，只要我还有一天没结婚，他就会继续表达心中如火的爱。他对我的追求又继续了两年多，而我依然不为所动。

可是，辛苦的坚守，却换来了男友的变心。1999年秋的一天，陈一林突然对我提出分手，说：他已经与南宁一个很有钱的女孩办理了出国留学的手续……

我痛哭，万万没想到：为了爱情，我与他一起来到北海这座城市，却面临着被他抛弃的凄惨结局。我哀求他："我真心地希望你能与我一起走过创业的这些年，让我们同甘共苦、风雨相伴，像燕子衔泥一样慢慢建设我们的新家，然后生儿育女……"

然而，面对我的哀求，陈一林无动于衷。他只低下头对我说一声："晓莺，是我对不起你！"

失恋的我几乎痛不欲生，人显得非常憔悴，这让杜明刚喜出望外。他把我接到了他的家里，见了他的父母，佣人和保姆，他还让我看了他的离婚证书。当我置身于他那座可以远望海景落日的别墅时，我突然渴望自己能成为这里的女主人。

之后，一切都像童话般，我的生活彻底改变。杜明刚每次来找我，都会带着我出去购物，我看中的东西他都会大方至极地买下。

那年春节过后，杜明刚为了让我的信心更坚定，他带我去瑞士看雪。雪花飞舞的时刻，他把一个劳力士名表戴在我的手腕上，另外还给我买了一枚炫目的钻戒。那次欧洲之行，开始让我体会到"没有深厚的物质生活就不可能有精神文明"的至理名言。

回国后，杜明刚专门与我长谈了一次，他说他不想再离第三次婚，所以希望我能给他写一个保证书，并且到市公证处作了公证："本人自愿嫁给杜明刚，不为他的金钱和地位，不因他的年龄变老而嫌弃，更不会在婚后做出背叛他的行为。无论以后如何变化都会照顾他，听从他并

且热爱他。若本人主动提出离婚，本人将会一无所有。"

那时的我更相信这样的婚姻才不易破碎，于是没有多想就写下了自己的大名。拿到那纸保证书，他非常高兴。

我的"赌气下嫁"让家人心酸不已，父母以断绝关系为最后通牒。于是我就抱着先同居再看看的态度，2000年春天，我搬进了杜明刚的家里。

遭遇妻妾同堂，
何堪面对那耻辱的"大红灯笼高高挂"

同居后不久，我怀孕了。为了保胎，我辞职做起了"家居少妇"。苦心追求我整整四年的杜明刚感到非常骄傲，为了更好地照顾我，他给我请了两个保姆。

2000年5月的一天，杜明刚在我没有任何准备的情况下，竟然把他的两位前妻阿兰和阿霞领回到家里。那晚，他像开家庭会议那样，正经八百地坐在大客厅里对我们说："以后我们四个时不时要聚会一下，大家都是一家人嘛，多打打麻将，多一起玩玩，还可以沟通一下友谊和亲情。"

我惊讶至极。让我与他，还有他的两个前妻打麻将，还要欢聚一堂如同亲人，这叫什么啊！

我无法接受"妻妾同堂"的荒唐安排，当即回到楼上房里生闷气去了。

谁知不到5分钟，杜明刚的第二个老婆阿霞就慢悠悠地走到我身边，轻言细语地劝我："10年前我与你也是一样的，不过后来我想通了。刚哥这个人唯一的好就是对自己的女人和孩子都很有责任心，从不像那些有钱人那样在外面乱搞。你说我们几个，这10多年来还不是相安无事啊。你年轻有学识，看得出刚哥是把你当宝贝来疼的，你咋就不愿和我们一起友好相处呢？这已是他杜家一条不成文的规矩了。"

从她口中我了解到，原来，近50岁的兰姐和杜明刚在桂平农村订下娃娃亲。那时，杜明刚并没有什么钱，兰姐在给他生下子女后，因身体多病，人迅速憔悴，杜明刚不便带她外出应酬，所以两个孩子读中学后，他答应负责兰姐一生的开支，另外给她买一套房子单独居住，说好

后两人就离了婚。而40岁的霞姐曾与杜明刚风雨与共，一手创办会计师事务所，好不容易扶正的她却因多次流产生不了孩子，在找到了我这个"替补"之后，杜明刚迅速与她离了婚，前提是给了她五分之一的财产，另外再买一套房子，但她永远不能再嫁，她必须要与我这个"接班人"好好相处。杜明刚用这两个方法解决了两个前任妻子，于是才带她们上门来。他要从今以后真正地实现他的梦想：一视同仁，爱人围绕，和平共处。

听完这一切，我抬头从她的容颜上可以看出她当年的风采，然而她为什么还要死心塌地守着这种没有尊严的生活呢？霞姐叹了一口气说："唉，你说女人一生能嫁多少次？你以为下次遇到的男人就能有刚哥那么好那么有钱吗？起码他能保障我们一生无忧。我们都到这个岁数了，还能求什么呢？"

那晚，杜明刚见阿霞请不动我，就亲自上来要我下去。我生气地骂道："你这是用你的前妻们来欺负我，一起来践踏我的尊严，你以为你是皇帝，可以随意怀拥后宫三千佳丽呀？你真是不知羞耻！"

这时，他拿出了那张我在同居前给他写好的公证书，一字一句地念给我听，然后反问我："这不是你自己亲笔承诺的吗？我前面的两个妻子都能做到，你为什么不肯？你就那么高贵吗？"

我这时才知道他为什么要让我写保证书的用意。我大骂他无耻和卑鄙。这时，他的两任前妻却一起上来力劝我不要生气，习惯了就好！

而这样的情境，此后几乎每隔十天半个月就会有一次，只要杜明刚心情好，就来享受"妻妾同堂"。

我满腹辛酸无处可诉。我父母若是知道我与一个年近50岁的老头子同居却要与他的两个前妻共处，他们肯定会说我一定发了疯。我只好打电话跟一个最要好的大学同学说说，她惊讶无比地反问我："你为了保全这样的物质生活而忍气吞声，你真的觉得很幸福吗？你想过勇敢地离开吗？就像我们一样，独自奋斗，坚强自信地在社会上争到自己的真正位置，你敢吗？"

同学的话给了我鼓励，我想与其这样长期委屈地过下去，还不如分手算了。但是杜明刚似乎早有这样的思想准备，当听我说完，他轻轻地一笑，把我那份保证书的复印件送到我面前说："晓莺，不要再发这种小孩脾气了，若是你要分手，你一分钱都得不到的，因为我们这样的同居关系是不受法律保护的。我现在真的是很爱你的，听话，把孩子生下来。"

那时候我的腹部已经高高隆起，若是要引产会有生命危险。我也咨询过律师，律师说："既然保证书是你自己亲笔签下的，那就具有法律效力，若是你主动提出分手，自然就分不到他的一分钱财产了！"想到这我后退了。

我在 2001 年初生下了一个漂亮儿子。杜明刚开心极了。儿子让他留在家里的时间增加了许多。而这样一来，他想打麻将的时候，他就打电话让司机把我的两个"姐姐"接来住下，她们也很喜欢我的这个孩子，杜明刚看到这样"美好的场景"更开心了，就对她们说："以后大家也不用来回跑了，干脆你们在这里就住上个十天八天，也好陪陪晓莺。"

2002 年夏天，这样的局面还是被我突然前来看望外孙的母亲看到了。母亲心疼地问我："女儿啊，你还有尊严，还有双手，枉你还是个名牌大学生！这样的'四人行'，你就不觉得无地自容吗？"

生气至极的母亲才住了几天就回老家去了。之后，她几次三番地说让我想清楚最好与杜明刚趁早分手。

2002 年秋天，杜明刚为了讨我的欢心，说想带我到美国和加拿大去散散心。然而，让我万万想不到的是，他居然在临走时才告诉我说，他也给第二个前妻阿霞办理了护照和签证，另外若是下次我们再到别的地方去玩，就轮换阿兰陪同前去。

听着他那么平静自然地宣布决定和安排，震惊与愤怒之余，我一巴掌狠狠地打在了他的脸上！我的泪水奔涌而下，对他叫了起来："你把我摆在什么位置上啊？！"

他却平静地对我说出了这样的话："没有阿兰和阿霞当初默默无闻的奉献，会有你风光无限的今天吗？你还自命清高，连'正品夫人'的位置都不愿意坐，而她们都懂得牺牲，为什么你就不能？"

他又拿出那纸要命的"保证书"，精神几乎崩溃的我只有满腔悲苦与他和阿霞一道坐上了飞往美国的班机。在那里，他开了两个房间，每到晚上他就"轮流上岗"！

满怀委屈与痛苦的我，回家后心情一直不好。我再次提出了分开。

这回，杜明刚没有出声，不到一个星期，让人意想不到的事情却发生了：我以前的一个同事前来看望我时，吞吞吐吐地对我说："好像前些天，我们学校里的一个女同事收到了你先生送的鲜花，与当年追求你时如出一辙，那女孩子刚刚才毕业……"

他已经在寻找"候补人员"了。我很难过，当晚我在他面前失声痛哭，他却平静地说："我不想和你分开的呀，是你整天喊着要和我分手的。那你要走了，我自然得找新人补上。看看你们女人就是这么贪心不足——无情想有情，无钱时想有钱，有钱渴望平淡……你现在后悔还来得及，那就是快些和我真正注册结婚。其实你可以和我很好地相处！"

我对杜明刚说："我想你能还一份尊严给我，永远不要用'妻妾同堂'来骚扰我们的生活，好吗？"

在沙发里看报纸的他只吐出了三个字："不可能！"

这样的日子真是让人欲哭无泪。我终于痛下决心：一定要分手！

为儿征求父爱，爱情路茫茫
可有我通向理想的地方

从2002年11月开始，与杜明刚分手的我身处困境。按照我与杜明刚的"公证书"，我没有得到他的一分钱。而且他为了逼我回头，居然请到了最好的律师找我谈判，提出要不就是我同意和他结婚，要不然的话，孩子太小了抚养权归我所有，他一分钱都不出。

为了独立，我既要一个人上班又要带孩子，劳累至极。父母不忍心，于是把我的孩子带回老家去了。可是在这座城市里，关于我与他离婚的各个版本在传来传去，让我心烦。

2002年12月的一天，杜明刚却突然找到了我，他说他想儿子了，希望能把孩子让给他，他绝对会给儿子一个优良的成长环境。我想都没想就断然拒绝了。一个星期后，他又来了，这次他提出，他想在南宁市一个著名的小区里买下一套房子让我们母子安家，但有两个要求：一是我得与他保持情人关系；二是他能随时去看儿子。我坚决反对了第一个条件，于是他只好怪怪地看了我一眼。

这时，很是困顿的我接受了他的安排，只想着尽快离开这座埋葬我青春、爱情和梦想的城市，所以也就没有再往深处想。但是，在2003年

1 月到了南宁后，他却把一份买房契约放在我面前，说这套房子是他故意分期付款买下的，因为我不愿意做他的情人，当做对我的一个惩罚。这个房子一个月供加上物业管理费等要 1600 元，因而我得拼命努力地工作才能付得起。若是我不工作的话，我就没有饭吃！

他的算盘打得太精明了！可我依然不会服从。他气鼓鼓地走了。以后，他付了几个月的生活费后就不再管我了。

我已经没有退路了，天下之大，我除了能来到陌生的南宁重新开始外，我还能去哪里呢？我默默地告诉自己：从此以后，依靠自己！

我很快就在南宁市的一家报社找到了一份做记者兼广告员的工作。这份工作的劳累自然不必说了，加上我几年来都没有上班，那份苦累与艰难经常让我感觉到自己随时有可能被社会淘汰。

从 2003 年 8 月起，退休了的母亲带病从老家来给我看孩子。每当我回到家里，看着老的老、小的小，劳累了一天的我连哭的力气都没有了。

来到南宁后，我又经历了两段没有开始就结束的感情，我更明白一点：现实太残酷，翻脸如翻书。

2003 年 10 月，我去接一个广告文案时遇到了一个茶庄小老板，他说他爱上了我。他比我大 3 岁，没有结过婚，可看到我年幼的儿子，他就退却了。他给我的分手语是："如果你没有孩子，别的我都不在乎，我一定和你在一起，可是现在史能表示抱歉！"如果不能接受我的孩子，那这样的爱还有什么好谈的呢？

2004 年春天，在朋友的鼓励下，我在新桂网社区中心认识了一个在广西某机关的工作人员，他有一官半职，但离了婚。因女方不能生孩子，所以才想另结婚生一个。但是，短暂的热情过后，一天晚上，他突然吞吞吐吐地对我说："我很喜欢与你在一起，但如果另外让你给我再生一个，像我这样的公务员要抚养两个孩子会有很大的压力。我左思右想，最后我决定还是放弃。很抱歉……"

看着这个男人在夜雨中离开的背影，我狠狠地痛哭了一场。我算是懂得了：我若要想有家庭就得放弃我的孩子。但儿子是我的心头肉，他是我生命的唯一希望与欣慰，我绝对不能放下他去追求自己所谓的幸福啊！

我既要挣钱养房子、孩子，还要备受情感的折磨。我太压抑了，我真怕有一天我会疯掉。

其实早从2004年春天开始，杜明刚又不停地来找我，他说他希望能与我结婚，他已经50多岁了，很想儿子陪在他身边，但我严词拒绝了。那种没有尊严的耻辱生活我发誓不回头。

2004年6月底，因一个大学同学要到美国读博士，广州的一位同学打电话来希望大家能小聚一回。于是我到了广州。在这次聚会上，我竟然见到了当年抛弃我的陈一林。一别5年，沧海桑田，我才知道他虽然如今事业有成，却早已在美国时就被那女孩子抛弃，他是依靠苦苦地洗碗打工才完成学业的。2003年5月回到广西后，他曾经找过我，而我已离开北海……

那天晚上，陈一林表达了他的后悔之情，并希望我们能重新开始。朦胧的灯影下，他还一字一句地说起了我当年挽留他时说的那些话，我听得恍如隔世。可是，当我告诉他，我已经生下了一个近3岁的儿子时，他脸上的神情马上变得很失望。我就知道，这回头的所谓的爱，早已带上了太多现实的成分。

2004年放暑假前，孩子的班主任打电话给我说："孩子应该多和爸爸在一起，看得出来他和男性接触大少，性格有些女性化，又不爱说话，再这样下去很不好。"

放下电话，我心里好难受。有的东西不是通过我的努力就可以给他的，我真怕孩子成为问题儿童，那么我就更没有希望了。

2004年夏天的阳光特别强烈，我的心却总像被一层沉重的乌云所笼罩。儿子新新就要报名去读英语班了，那天我牵着他的小手从学校里交完报名费回来，他一直很委屈地问我："妈妈，我的爸爸到底在哪里？以后他会像我的同学那样，也开车来接我送我吗？"看着孩子渴盼父爱的眼神，我的心在颤抖。

我同在一个报社的好友总是在我最失意的时候鼓励我：一定要顶住种种风霜打击，一定要向往爱情，相信爱情，早日遇到一个真心对我好的男人。

可是我已经不相信爱情了。都说此情可问天，可是为什么上天却偏偏让年轻的我要经受这么多关于"丈夫与孩子、尊严与人性、荒唐与震

惊"的折磨呢？我只是想在我太累的时候能有一个男人在我身边，让我倚靠在他的肩膀上休息；我只想让我的儿子能得到一份正常的家庭之爱；我只想要哪怕是一份最平实最温馨的正常人的生活，为什么就是不给我呢？

现在，我把自己这段不堪回首的经历向我最喜欢看的《知音》诉说出来，希望年轻的女同胞们汲取我的教训：富贵不能保证感情的厚度，平等才是感情尊严的底线；赌气只会使爱情之花过早凋零！同时希望圆我一个梦：有哪一位真心愿意与我交往的男子，能让我带着儿子嫁给他，给我一个温馨平淡的家呢?！

"董事长"同病相助，
英勇的哥彻底有救了

——关于《濒死的哥爬过来，钢钉穿颅亦复还》一文的后续报道

李作明

《知音》2004年8月下半月版推出辽宁铁岭的哥王世海"钢钉穿颅亦复还"的纪实报道后，不少读者通过编辑表达了对这位英勇的哥的敬意。同样，他的事迹也感动了一位与他有着同样生命经历的读者——广州一家工程公司的董事长，在得知王世海无钱进行颅骨修复手术的时候，他毅然决定捐款为他实现这个企盼已久的心愿。

这位不愿透露姓名的董事长是一位"上海老知青"，上世纪80年代末来到广州创业。在拼搏事业的紧张生活中，《知音》杂志成了他忠实的朋友。2004年7月下旬的一天，他在读了"英勇的哥"的事迹后，深受感动。一方面深深地为王世海对生命的追求感到钦佩，一方面更引起了他对往事的回忆——原来，"上海老知青"竟与王世海有着同样起死回生的生命历程。

6年前，"上海老知青"将业务发展到了湖北武汉。这年9月，他在武汉南京路边，突然被一辆失控的汽车撞飞，当时头部遭受重创。几家医院的医生都表示"脑浆溢出，没有抢救价值"，最后他在武汉协和医院接受生还希望几乎为零的脑部手术。最终，他的命保住了，只是术后一直处于植物人的状态中。22天后，他竟奇迹生还，但此时他已失去了巴掌大的颅骨。疗养一年多后，他到北京天坛医院进行了颅骨修复手术。后来，在记忆能力很差、情绪易波动的情况下，这位坚强的"上海老知青"克服了种种身体上的不适，重新融入商战的洪流，在紧张的生活和积极的锻炼下，随着事业的发展，他的身体状况也越来越好……

当这位"上海老知青"阅读了王世海的故事后，一种"同病相怜"的感觉涌上心头。很快，他通过《知音》与王世海取得了联系。

知　音

在电话里，"上海老知青"说："兄弟，你是中国所有的哥的骄傲，看了《知音》杂志上的报道后，我非常感动。和你一样，我也是一个死里逃生的人，希望我们今后能成为朋友。"随后，他了解了王世海的身体情况，并说："尽管去大医院做手术吧，用多少钱，我都给你拿，我一定帮你这个忙。我先给你汇 2000 元，先做一下检查，如果具备手术条件，就告知需要多少钱，我及时汇款。记住，当今补颅骨的最先进材料是钛钢，一定要用这种。"

当天，在广州的"上海老知青"立即给王世海电汇了 2000 元钱。收到钱后的王世海夫妻激动万分。两天后，王世海来到铁岭市中心医院做术前检查，结果是可以做手术。在得知这一信息后，"上海老知青"委托"英勇的哥"一文的作者李作明在省城联系一家脑科方面条件最好的医院，作者将这个爱心手术联系到了这方面的权威医院——沈阳军区总医院。经了解，这种手术需要近 3 万元。

7 月 23 日，得到消息的"上海老知青"立即给王世海电汇了 3 万元。王世海夫妻感动得流下了眼泪。

沈阳军区总医院脑科医务人员对"上海老知青"的爱心行动深感钦佩，他们安排了两位手术能力最强的留日医学博士为"英勇的哥"主刀。7 月 26 日上午 10 点，手术开始了，医生打开了王世海第一次手术时的头颅创面，然后用 8 颗金属铆钉将比人骨还硬的钛钢板固定在了创面上……3 个小时后，手术宣布成功！

8 月 2 日，王世海终于健康地出院了。他当即将这个消息第一个告诉了"上海老知青"。老知青说："兄弟，我希望你再多加锻炼，早日重新当上的哥！"

如今，在家疗养的王世海每天都在坚持刻苦锻炼，以早日走上工作岗位。他对记者说："我一定更加努力，让行动更灵活，不辜负'上海老知青'的期望。在此，我真诚地感谢他，感谢《知音》杂志。他们让我再次看到了人间的美好和生活希望。补过颅骨，我的头顶上也就有了一把'保护伞'了！"发稿前，本文编辑特意与"上海老知青"联系，他坚持不留姓名。他说："今后，我还会认真阅读《知音》，感谢《知音》这么多年给我很多人生的启示。不久，我会去铁岭看望王世海，我们都是补过颅骨的人，那时，我们兄弟一定痛快畅饮一番……"

"小丈夫"相处太难，
当断难断爱情事故如何了

锦丽

2004年7月5日一早，本刊热线（027—87129115）骤然响起，记者接听后，一名男士有气无力地说："我叫张兵，我被人给耍了，我不想活了！"记者大吃一惊，赶紧相劝，对方丧气地说："作为一名北大生，我竟然被一个大我16岁的女人给甩了，太让我感到耻辱了，我今晚就去死，临死前，我要让《知音》记录下我的故事，把我的故事当做天下所有大学生的反面教材！"

人命关天，记者一面通过电话对张兵进行心理疏导，一面紧急联系北京的特约记者帮忙安抚。没想到，记者的耐心开导，启开了张兵的话闸，他和记者进行了长达数小时的电话谈心，最后他答应记者，只要记者出面做通女友的工作，前来见他或接他回家，他就不寻死……根据张兵提供的电话，记者联系了他的女友李锦姗女士，她却铁定心对记者说："我和张兵已经玩完了！"并向记者倾诉了心中的苦恼。原来这是一场没有任何准备的"姐弟恋"，张兵当断不断，该如何引领他走出感情的迷途呢？

初恋受伤，孤独流浪者
投进了大姐的温暖怀抱

今年33岁的张兵，在家排行老六，上有五个姐姐。由于是独子，张兵自幼深受父母和姐姐们的宠爱，养成了任性、爱依赖的性格，但他天资聪颖，书读得很顺。1989年，他考入老家一所大学管理专业。

1993年，张兵大学毕业，感觉自己的"含金量"不够高，他又考入北京大学继续深造。1996年，获得第二学位的张兵走出校门，雄心勃勃，和同学合伙成立了一家开发公司，并自任总经理。几年间，他赚取了人生的第一桶金，还拥有一辆价值20多万的轿车。

1998年的一个周末，他来到公司邻近的北京外国语学院打篮球。身高 1. 86 米的张兵，在场上表现不凡，吸引了不少女生的目光。突然，他一个远投，由于用力过猛，球越过篮板，径直射向了一位女生。见女生一只眼睛红肿，张兵赶紧开车送她去医院清洗包扎。

没想到这次"事故"给张兵带来一场爱情。受伤女孩叫琳莉，长春人，上大二。当得知两人是东北老乡时，两人都兴奋不已，于是一见如故，不久火热地恋爱起来。

2000 年 3 月，凭借张兵坚强的经济后盾，琳莉去了加拿大。张兵做梦也没想到，琳莉竟然骗他，说是去留学三年，毕业后回来和他结婚，实际上她悄悄办了移民。张兵受到极大的愚弄，人简直要发疯。

张兵开始日夜泡吧、酗酒……几乎所有可能用上的发泄方式他都用上了，他唯一的想法就是想把自己彻底毁掉。由于无心做事，生意一件件泡汤，3 个月下来，公司无奈倒闭，张兵把车子卖了，成了一个潦倒的受伤者……

2000 年 6 月，在朋友的关心下，张兵又找到了一份工作，但他并没有从初恋的阴影中走出来，觉得一天天的时光孤苦难挨。偶然间，他来到附近的美容美体院休闲，在这里他认识了 45 岁的老乡——美容医生李锦姗。两人一见如故，很快结拜成姐弟。

1955 年出生的李锦姗，2000 年和丈夫离婚后，来到北京成为北漂一族，和合伙人开了这家美容公司。

每次给张兵做美容时，李锦姗的手温柔无比，让张兵身心舒坦，所有的痛苦都似乎无踪无影……两人各自谈了感情的不幸，李锦姗泪眼婆娑地说："唉，都怪我们命苦啊！"然后，用许多宽心的话来安慰他，张兵感觉似乎回到了妈妈的怀抱……

从此，张兵成了这里的常客。次数多了，李锦姗竟对他生出一些情分来。如果张兵几天不来，她就十分牵挂。但她对此不敢往深处想。

2001 年 4 月的一天，李锦姗哭泣着找到了张兵，说有人欺负她。原来，合伙人龚某想一人独揽美容院的经营权，逼李锦姗离开……听完李锦姗的哭诉，张兵怒不可遏地说："你的事就是我的事，我来摆平它！"于是，他花钱找来几个混混，把龚某收拾了一顿。从张兵那儿，李锦姗找到了男人的依靠和安全感……

李锦姗成了独立的法人代表后，张兵每次再来这里都像是回家。6

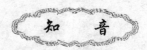

月的一天，张兵再次向李锦姗诉说自己的情感郁闷，见他如此痴情和茫然，李锦姗情不自禁地把张兵的头抱到胸前，大粒的泪珠洒在张兵的脸上，这让张兵十分冲动，他突然起身，将李锦姗抱到怀里，语无伦次地说："大姐，干脆我们一起过吧，你最了解我的心！"

李锦姗用手抱紧了像孩子似的张兵，有些为难地说："张兵，大姐喜欢你很久了，但我们岁数相隔太多，我都45岁了，早过了女人的花季！"

"我不管，只要我们两个人心灵相通就行！"说着，张兵把李锦姗抱得更紧了。

打拼事业，红红火火
"姐弟恋"却难觅一份体贴

最初的结合，李锦姗怀疑是两人一时的冲动，但看到张兵精神焕发的样子，她还是相信他们之间有爱。张兵像个贪婪的孩子，夜夜都要和她亲热，李锦姗也似乎找到了年轻时的激情。

为了让女友舒心，张兵决定将店面搬迁到人气很旺的地段。同时，他们合伙在邻近买了一套公寓。为表诚心，张兵坚决把户主写上李锦姗一人的名字。

买完房子后，注册公司时，张兵为注册资金为难起来。这时，李锦姗拿出"养老钱"说："我可全都赌上了啊！"张兵不好意思地说："公司是你的，我挂个做事的职位就行！"在张兵的坚持下，法人代表仍为李锦姗一人，张兵出任董事长，李锦姗担任总经理和技术总监。公司开业后，李锦姗感到压力空前，张兵却信心十足地说："为了报答你那浓浓的爱，我一定有办法让生意红火，别忘了我是堂堂北大生啊！"

为了扩大公司影响，张兵进行了一系列的精心策划，他设计制作了精美的广告宣传卡片，然后贷款购买了一辆王子吉普。为招揽生意，张兵和李锦姗亲自上街散发卡片……

每天很晚回到家，两人洗去一身疲惫，然后相拥而卧，李锦姗总想和张兵说些心里话，但张兵似乎没有讲话的兴趣，而是直奔主题要做爱，完事后，他常常把头搁在李锦姗高耸的胸前，美滋滋地说："我一直在找这种温暖的感觉，我现在找到了！"他向李锦姗讲述，他有五个姐姐，他很大时还一直和妈妈睡在一起，他喜欢像这样把头放在妈妈的

胸前安然入睡……

张兵所说的，李锦姗开始并没有觉得什么异样，为了公司，张兵付出很多，他爱说什么做什么她都能理解、满足。但是，时间长了，她感到她不像是他的"妻子"，而是母亲。尽管他们也不断行夫妻之事，但更多时间，他习惯于理所当然地承受她对他的抚爱，而不去以"丈夫"的身份温柔体贴地照顾她。

两人之间，到底是激情还是真情？每次等到张兵在她怀里呼呼大睡后，李锦姗总禁不住想来想去。李锦姗常常自我安慰：毕竟自己不是青春年少的年纪，别再多和他计较什么情啊爱的，有他陪着就应该知足了，但心中渐渐感到一丝失落。

此后，李锦姗除了忙生意，还有意识地挤出一些时间，想和张兵像其他恋人一样，散散步、看看电影，营造一些浪漫，来弥补他们中间似于存在的隔阂，谁知每次都被张兵找借口推托。

李锦姗越来越觉得张兵怕和她一起抛头露面，她明显感到他们之间存在一种不可逾越的年龄障碍，没有平等可言，她不敢想象：如果张兵对她的这种敬重代表爱情的话，如果为了赚钱而将精神忽略不计的话，那就太悲哀了。他是有书上所说的"恋母情结"？还是过分贪恋金钱？李锦姗感到害怕，对自己的"婚姻"丧失了信心……

相处太难，在种种不适之中那份"情"走向末路

随着时间推移，两人没预料的矛盾说来就来了。

在张兵的精心打理下，公司的知名度大大提高，生意日见兴隆。每天看到李锦姗盘点一天营业额，张兵总是讨好地说："怎么样，钱哗哗地流进来了吧！"而李锦姗未盲目高兴，此时她已有了分手的准备，为了避免日后可能涉及到的经济纠葛，她说："我俩虽处对象，但毕竟是合伙人，赚的钱咱俩平分了吧！"没想到，这句话像是给张兵带来极大的打击，他委屈不已，丧气地说："你就知道分钱，你知不知道这很伤我的心。我感到最幸福和最快乐的事就是帮你赚钱，然后看着你花！"此后，为了体现他对钱的淡漠，公司所有涉及到钱的事情，张兵都不沾边。

除去了亲戚朋友对李锦姗善意的提醒，她觉得眼前的他和她在一

起，绝不是为了钱。那他又是为了什么呢？李锦姗想再少和张兵计较，和他结婚算了。两个人开始有意识地向各自的家人提起这门婚事，没想到双方家里就像炸了锅。

张兵的父亲气得直捶自己的脑壳，他母亲则在电话里哭诉："儿啊，她都快50岁的人了，你是不是昏了头啊！"李锦姗的老父老母干脆直呼张兵是个骗子，存心来骗李锦姗的钱……

令李锦姗意想不到的是，张兵并没有在意家长们的态度，反而想尽了办法说服自己的父母，甚至以寻死来威胁父母。见张兵一番诚心诚意，李锦姗也极力做父母的工作。

李锦姗再度有了结婚的念头，她把想法告诉了张兵，张兵对她动情地说："为了你，我可全都豁出去了！你信不信，为了你，我还愿意去死！"李锦姗很感动，但同时也感到一丝心灵的战栗，觉得张兵骨子里有一种可怕的倔强。

2003年，李锦姗48岁了，更年期临近。虽然生意做得很顺，但她情绪却愈来愈烦躁，动辄爱发脾气，在性生活上尤为力不从心，而且更多时候根本没有那方面的兴趣，而张兵却时常"性"趣盎然。见李锦姗常常不应景，他显得非常郁闷。李锦姗暗示张兵说："这方面你早应有思想准备的啊！"张兵不说话，经常当着李锦姗的面自慰，弄得李锦姗精神很受刺激，但无能为力，也只有听之任之。

原以为生意稳定了，两人能够过几天舒心的日子，没料到，张兵精力越来越旺盛，每天布置完日常工作后，他开始迷恋网络，热衷于和网上一些美眉聊天。

李锦姗担心的事情终于发生了。每天晚上，张兵开始借口外出，所去的地点无一例外就是酒吧，李锦姗紧跟在他身后探究竟，发现在包厢里，张兵像纨绔子弟，和花枝招展的小姐们左拥右抱。李锦姗再也忍不住了，和张兵进行沟通，张兵说话再也不像原先那样含蓄文雅，而是冲着她说："现在什么年代啊，谁叫你这么老土啊，我们之间有代沟！"李锦姗气得一时说不出话来。

2004年5月，张兵过33岁生日，远在外地的同学给他打来祝贺电话，当得知同学的孩子都七八岁上小学了，张兵顿时觉得自己白活了一回：作为一个男人，竟然连自己的亲生骨肉都没有……那天，他喝了很多酒，跌跌撞撞回到住处，强行要和李锦姗做爱，口里嘟哝着："来，给我生个孩子，我就真的对你好！"李锦姗哭泣说："你明知道我早过了生育年龄，却还来气我！"张兵却发出低吼："我不管，我要孩子！"说完，强行将李锦姗按在身下……

此前，张兵也曾几次接到母亲打来的哭诉电话，老人想要个孙子。思来想去，张兵有了包养一个女人的念头。

5月底的一天，张兵深更半夜回到住处，见李锦姗没有睡，就对她说："告诉你一声，我在外头物色了一个！"见李锦姗没吭声，他补充道："你放心，找还是爱你的，有孩子后，我和孩子还是回到你身边，和对方断绝任何关系。我和人家谈好了6万元钱的代劳费，你帮我一把吧，就当做'希望工程'的投资……"

"你休想从我这儿再拿到一分钱！"面对莫大的侮辱，李锦姗愤怒了，立即向张兵提出分手。

寻死觅活，记者紧急中止
一桩突发"爱情事故"

2004年6月底，李锦姗正式提出和张兵断绝任何关系。起初，张兵还以为是开玩笑，等到他回住处发现门锁都换了时，他才感到李锦姗这次是玩真的，他顿时六神无主起来。

第二天，占有公司所有股份的李锦姗，在公司里向全体员工郑重宣告：张兵不再是公司的董事长，公司此后和他没有任何关系。

张兵面临一个残酷的事实：现在，他除了一辆由他先前贷款购买的小车外，他不仅身无分文，连一个居住落脚的地方都没有了，如同丧家之犬。

第一夜进不去家，张兵在车子里将就了一夜。第二天，等到李锦姗进屋后，张兵前去敲门，没料到，她绝情地说："你走吧，我们已完了，你去寻找自己想要的一切吧！"

昔日和李锦姗相敬相爱的一幕幕，像电影一样在张兵的头脑中反复闪现，他不甘心，他对着门高喊："你再不开门，我就从这里跳下去！"情急之下，李锦姗报警了，见此，张兵却下楼开车溜了。

7月3日，张兵再次前来哀求，李锦姗心一软，就把张兵放进了屋，想和他彻底谈清楚。谁知，张兵一进屋，就使劲抱住李锦姗的大腿，恳

求她不要赶他出去，李锦姗的弟弟将张兵拉开，张兵从口袋里掏出一把刀子，威胁说："今天，谁让我离开这屋子，我就死给你看！"李锦姗的弟弟赶紧报警，当地派出所民警赶到时，张兵已经用刀子将左手动脉划破，血流了一身。民警赶紧把张兵送往医院，所幸切口不是很深，包扎完毕后，民警将三人带回派出所。在民警的调解下，张兵"违心"签下《协议书》。答应此后离开公司，不再干扰李锦姗的正常生活和工作……

从派出所出来后，张兵成了一个无家可归的可怜人。7月4日夜里，他开着车来到郊区的一条河边，停下车后，他向黑咕隆咚的河中跳去，所幸那条河水太浅，根本淹不死人；他又开车来到十三陵水库，望着深不见底的碧水，他真的有死的冲动，但他始终不甘心，为什么他堂堂一个北大生，竟然被一个大自己16岁的女人给耍了？于是，他拨通了本刊热线，他说，他已经绝食3天了，人快支持不住了……

记者当即委托北京的特约记者紧急处理这起突发事故。7月5日上午，特约记者迅速联系了李锦姗女士，她告诉记者说，别听他的，他是在使用"苦肉计"逼她就范，并委托记者劝说张兵死了这条心。

记者随即打通张兵的电话，他一会儿说人饿得虚脱了躺在医院，一会儿说要跳湖自杀，一会儿说要和李锦姗同归于尽……为了尽早扫除潜在的危险，记者请求李锦姗一道来北大见张兵一面，先稳定他的情绪，李锦姗答应前往，并向派出所民警作了申请报告，出于人身安全考虑，请求被民警阻止。

为了不失去信任，记者决定一人前往，在北大未名湖畔见到了形容枯槁的张兵，他对记者凄惨地说："我被骗得一无所有了，活着还有什么意思！"

记者打埋伏说，记者有一位朋友，是一位高人，他能看清每个人今生今世的缘分深浅。

"那叫他看看我这辈子和谁有缘，那个人是不是李锦姗！"张兵很快就上了"套"。

记者赶紧趁机行事，把他带到了北京一家医院心理咨询部，见到了记者事先打过招呼的蔡教授。

蔡教授给张兵设计了一系列的提问："你家里的成员情况怎样？""你在什么情况下和李锦姗相爱？"张兵一一作了回答，说完就急切地

问："我和李锦姗到底有没有缘啊？我们合不合适？"

蔡教授帮张兵分析说："你自小生活在女性偏多的家庭里，又是家里的独子，你身上明显带有恋母情结。所谓的恋母情结，就是容易爱上年纪比自己大很多的女性，因为她十分成熟，在你委屈时，能给你抚慰和温暖。你处在失恋的情况下和李锦姗相好，这是一种情感饥渴的表现，你急于要填充感情的空虚，李锦姗正好满足了你。你对和李锦姗两人的感情前景，根本没有做过任何的考虑，譬如年龄的差距带来的性冲突、对方绝育与生儿育女的矛盾等等，由于你这方面没有任何的心理准备，就注定在日后渐渐显露的问题面前，你的思想会动荡不安，甚至会使你误入歧途，而这一切又势必将婚姻逼向末路……"

在一桩桩铁的事实面前，张兵不得不承认自己和李锦姗相爱过快，现在遭遇的困惑越来越多。

蔡教授说："这种老少婚配，我们一般是不主张的，爱情不仅需要精神上，还需要心理和生理上般配、吻合，而这种婚姻，潜在极多的后遗症。如果硬要坚持的话，就意味着其中一方要作出极大的牺牲，而你根本做不到，这说明你不适宜这种婚配方式，尽早走出来是正确的选择。"

蔡教授最后总结说："你的教训不是被李锦姗给耍了，而是你对这种感情没有任何的思想准备，就让它匆匆而来，再匆匆而去吧！"

张兵最后提问，他能否向李锦姗索要一笔钱作为"青春损失费"或者这几年的酬劳。

蔡教授分析说："这要看李锦姗的个人意见，因为所有的户头都是李锦姗一人的，如果你强行索要，法律是不会支持你的。"

告别蔡教授后，张兵一再向记者表示，蔡教授让他思想开了窍，他不值得去为一场原本不合适的感情付出生命的代价……

2004 年 7 月 10 日，张兵再次给本刊新闻热线打来电话，他说，没有《知音》，他说不定早就成了死鬼，他告诉记者，他已经开始振作，他要有男人的骨气，不准备去找李锦姗要钱了，他要彻底告别这场"姐弟恋"。另外，他告诉记者，在朋友的帮助下，他已经在一家咨询公司当上了执行经理，生活已经向他掀开新的一页。他表示，他还会去追求新的爱情，不过他一定会非常现实，再也不会这么冲动，而是要有准备地去追求自己的真爱！

知　音

纯洁爱恋当前，
你可有勇气告别风尘

苏江

为了帮助全家人摆脱经济困境，单纯美丽的钟清清初中未毕业便到上海打工。打工之初，钟清清便被一个无耻之徒诱奸。抱着"破罐破摔"的思想，钟清清堕入风尘成了坐台女。一次偶然的机会，钟清清通过网络结识了沈阳大学生王维旭，彼此产生了纯美浓烈的恋情。而坐台的肮脏历史成为钟清清无法排遣的剜心痛楚。在饱受了长时间的情感折磨后，她竟选择自杀以求解脱，因抢救及时而与死神擦肩而过。

2004年5月27日，把自己关在黑暗房间一个多月的钟清清拨通了知音热线，把自己凄苦无助的心事向《知音》倾诉，希望本刊能挽救她于生死绝境。接到钟清清的电话后，本刊特派记者连夜赶赴上海，辗转找到钟清清……

打工路上迷失方向，
纯洁美少女不慎身陷风尘火坑

1982年12月，钟清清出生在南京郊区一个农民家庭，家中还有一个聪明好学的弟弟。钟清清的母亲患有严重的心脏病，常年不能劳作。一家四口仅靠父亲种田打工维持生计。1997年3月14日，父亲在工地上出了意外工伤而无法继续劳作，只能呆在家中养伤。

时年15岁，正读初中二年级的钟清清知道全家人的生计都压到了她的肩上。3月17日，钟清清哭着告别校园，在表姐的帮助下，进入江阴市华士毛纺厂做了一名临时挡车工。由于连续的高强度作业，钟清清的腰椎和胛骨受损，只好辞工回家休养。

2000年春节后，钟清清忍着没有完全复原的伤痛，踏上了前往上海的打工之路。到耻上海，钟清清找了十多天工作，也没有如愿，只好决定再去无锡试试。可是当她准备买火车票时，才发现身上仅有的100多元钱连钱包一起被偷了。钟清清无助地坐在车站附近一个台阶上暗自流泪。这时，一个慈眉善目的中年男子走过来"关切"地询问。这个自称是老师的王姓男子答应帮助钟清清找一份工作。钟清清毫无防备地跟着他来到一间空荡荡的房子里。此时，这个披着人皮的狼将她残忍地强奸了……

第二天上午，钟清清看到一家歌舞厅招收服务小姐的启事，就抱着试试看的心情走了进去。对方告诉她每个月有几千元的收入。如此高的薪水让钟清清激动万分，她毫不犹豫地和歌舞厅签订了工作协议。签完协议，钟清清被带进包间。此时，纯真的钟清清才发现自己的工作就是坐台。想到自己的身已被玷污了，想到一家人都在眼巴巴地等着她汇钱救急，她只能咽下泪水接待"客人"。

第一个月，钟清清因为"放不开"，只挣了几百元钱。第二个月，钟清清挣到了1500元。她当即全部汇回家中，并谎称自己在一家公司做白领。家人都相信了她。空闲时间，钟清清用挣来的血泪钱报名参加基础文化课的远程教育，以充实和提高自己。

有爱滋润的日子，
生活就像一块浓情巧克力香浓甜美

2001年3月上旬的一天，钟清清在网吧听远程教育课。下课后，外面下起了大雨。她只好进入网易聊天室，一边聊天一边等待雨停。这时候，一个署名"爱心侠客"的男生主动和署名"爱心公主"的钟清清搭话。

言谈中，钟清清得知"爱心侠客"真名叫王维旭，吉林长春市人，在沈阳工业大学冶金专业读大一，比她小一岁。听说对方是一名大学生，钟清清羡慕地说：我从小就向往大学校园，要是能在大学读一天书，死也值得了……临下网时，两人互留了电话，并相约每周末都上网聊天。

7月，王维旭放暑假回到长春，经常上网和钟清清谈心，为钟清清解答参加远程教育遇到的难题。7月22日晚上，王维旭没有在约定的时间上网。此后的好几天也没有打电话。8月5日，钟清清终于盼到了王维旭的电话。原来，王维旭为了给她买学习资料，在穿越一片拆迁工地

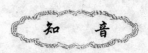

抄近路去教育书店时，被落下来的枕木砸中后腰，在医院住了十几天才出院。钟清清哭着说："维旭，你要照顾好自己啊！"王维旭笑着说："没事，大难不死，必有后福。"下了线，钟清清心痛极了。此时，她真切地体会到王维旭在她心中无法替代的位置。

8月9日晚上，钟清清和王维旭互发了各自的照片。王维旭收到后惊呼："你好胖哦，以后就叫你猪八戒了。"钟清清也笑他瘦得像个猴子，送他雅号"孙悟空"。王维旭还由雅号的启发创作了漫画在《沈阳日报》上发表，拿到稿费后就去买了四盒巧克力寄给钟清清。

当钟清清收到巧克力时，巧克力已经融化成糊状。钟清清笑着对王维旭说：你馈赠的巧克力糊糊已经被我笑纳了。王维旭有点尴尬：有机会我去上海买好多巧克力给你吃。对了，我什么时候才能见到你呢？钟清清被触到了痛处，她说：该见面的时候我会对你说的。

2002年寒假前几天，王维旭打电话对钟清清说他过两天到上海来看她。钟清清担心王维旭发觉她的坐台经历，就说上海冬天没地方玩，建议一起到无锡去玩。2月2日上午，王维旭从沈阳乘火车赶到上海。在车站出口处，他们目光对视的同时就认出了对方，激动地相拥在一起。很快，两人转车前往无锡。

下午，他们到达无锡。王维旭问：如果你信任我，就开一个房间吧？钟清清几乎未加思索就答应了，两人一直聊到夜晚11点多钟。这时候，两人都觉得肚子饿了，王维旭说出去买些吃的回来，让钟清清先休息。可是过了一个多小时，一辆警车才把王维旭送了回来。下了警车，王维旭的怀里还抱着一碗饺子。

原来，王维旭好容易找到一家没有打烊的饭店，买了一碗饺子后就往回走，可是越绕越远，幸好看到派出所，只好向警察求助。这时候，钟清清才发现王维旭只买了一碗饺子。王维旭解释说他吃过了。钟清清信以为真，吃完就和王维旭下象棋。细心的钟清清听到王维旭的肚子咕咕乱叫，王维旭尴尬地笑道："真相都被肚子揭露出来了。我出门时忘带了钱包，身上的钱只够买一碗饺子。其实，只要你吃饱了，我也就饱了。"钟清清泪水涟涟地说："你怎么这样傻啊！"

第二天，两人来到灵山大佛游览。钟清清选了一炷聪慧香，王维旭则笑着说：还是烧一炷好运香吧，让好运天天围着八戒转！由于不知道该磕多少个头，两人索性连磕了十几个。一旁的香客笑着议论：瞧这两个年轻人好像在拜堂成亲。两人一听，脸"刷"地红了。此时，钟清清心里一阵酸楚，她多么希望有一天和这个纯善的优秀男孩走进洞房啊，可是，这似乎只是幻想而已。凄楚万分的钟清清借口上卫生间，躲在里面痛哭。

2月4日，在父母的催促下，王维旭得回家了。他先送钟清清上了回上海的火车。进入候车大厅时，王维旭忽然抓住钟清清的手说："清清，做我的女朋友吧，我会对你一辈子负责的。"钟清清极力忍住悲伤："我们都还小，感情的事顺其自然吧。"那一刻她的心仿佛撕裂了一样痛彻心肺。

想爱不敢爱啊，
悲问苍天哪里才是我的情爱家园

到了10月，钟清清坐台挣的钱除去汇给家中的了，手头也有了5000多元的积蓄。在爱的滋润下，钟清清对美好生活的渴望开始萌生了。她离开歌舞厅，参加了西洋酒调制培训班。学习结束后，钟清清到酒吧找工作，结果因为英文成绩不好被拒。钟清清又报名参加新娘化妆班学习。然而，学成后发现影楼只青睐名师带出来的学生。此时，钟清清工作没有着落，手头的积蓄也用得差不多了，她一时整天在宿舍里愁苦落泪。

王维旭在网上等不到钟清清，便给她打手机，手机通了却没人接。他又拼命发短信，结果还是没回复。王维旭只好天天在聊天室里发寻人启事，悲凄地呼唤"爱心公主"，每天给她发一封心情日记电子邮件，并将日记放在BBS论坛上，很多网友读后无不为之唏嘘动容。

11月12日下午，钟清清接到父亲的电话说她的母亲住院了，能不能汇些钱。钟清清只好向坐台姐妹借了几千元汇回家。在她们的劝说下，钟清清含泪重新开始了坐台生涯。当晚，钟清清打开手机，王维旭的短信不断传进来，钟清清的心情越发苦闷起来。

2003年3月下旬的一天深夜，钟清清送走客人后，进入休息室歇息。想起远方的大学生男友每天都在学习，而她却如同行尸走肉，钟清清骤然觉得自己肮脏得无法承受王维旭纯洁的爱恋。悲怨交加的钟清清

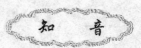

连吃了50粒安眠药，然后抓起玻璃杯摔到地上，捡起一块锋利的碎片狠狠地划向手腕。看到鲜血汩汩地往外流，钟清清忽然有了一种解脱感。突然，她眼前一阵发黑，很快瘫倒在地。其他小姐进去休息时，发现了她，随即将她送往上海瑞金医院救治。

在医院昏迷了两天两夜，钟清清终于苏醒过来。醒来后的第一个念头就是打开手机。手机一开，王维旭充满强烈思念之情的短信迎面扑来。钟清清忽然有了一种"活下去"的强烈愿望，她决定重新开始充满阳光的生活。

4月，钟清清坐台挣的钱已经有一万多元。她再次跳出风尘泥潭，报名参加了插花艺术学习班。结业后，钟清清顺利进入上海米拉卡茶社从事插花艺术表演，每月连同小费平均有1200元的收入。

钟清清无比珍惜这来之不易的工作，工作非常认真。可是，好景不长。7月中旬，茶社老板因为卷入一场经济纠纷，不久就把店面转让给别人开了卤菜店。好不容易谋到的工作就这样离她而去，钟清清悲怨不已。

9月初，钟清清接到父亲的电话。原来，家里盖房欠的一万多元债还没有还清，债主开始上门要债了。钟清清当即从银行拿出两万元积蓄还清了所有债务。

9月下旬，钟清清从报纸上看到南京郊区一家商场柜台招租的消息，拿出剩下的积蓄，租了一个偏僻价廉的柜台、沉下心来做服装生意。凭借薄利多销的优势，生意相当红火。11月3日，钟清清正在浙江温州进货，一个工人打电话告知，她的父亲在拖运建筑材料时，被一辆工程车撞成重伤，正在医院紧急抢救。

钟清清哭着赶回家。10多个小时后，父亲终于度过了危险期。钟清清把服装柜台低价转让，把所有的钱用来为父亲支付医药费。在请求父亲的工友帮忙照看父亲后，她匆匆赶回上海，第三次走进歌舞厅坐台。

一旦挣到钱，钟清清就及时打到医院的账户上。但是她的坐台费还不足以支付每天的医药费。钟清清只好借债。2004年1月下旬，经过两个月的有效治疗，钟清清的父亲终于在春节前夕出院了。

2004年2月20日，在朋友的推荐下，钟清清进入上海黄浦区大学城工艺坊做了一名插花艺术设计师。这期间，王维旭每天频繁地发短信给她，传递思念之情。钟清清一直不愿回复，希望他淡忘自己。即便如此，王维旭的每条短信都被她抄录在日记本上珍藏起来。

2月下旬的一天，钟清清打开QQ信箱，惊异地发现QQ信箱里塞满了王维旭的邮件。在邮件中，他总是在首行留下一个"博客"网站的链接地址。进入"博客"后，钟清清发现，在中断联系的一年多里，他每天都在写爱情体验日记，并在"博客"上公开发表，有1000多位网友留言同情他，也有一些网友谴责钟清清的无情。王维旭则替她开脱：钟清清一定有她的苦衷，我不希望大家对她多有微词。钟清清感动万分，但仍然没有勇气去接受这份纯美的爱情。

2月底，钟清清的母亲打电话说邻居要给她介绍对象，让她抽时间回家相亲。钟清清回到家，甚至连对象的长相也没有看清楚，就答应了媒妁之约。

晚上，全家人坐在一起商讨钟清清的弟弟考大学的事情。仅以8分之差与大学失之交臂的弟弟准备复读备考。钟清清对弟弟说：小弟，你只管安心复习吧，复读费姐姐替你解决。第二天，钟清清就赶回了上海，辞去大学城的插花工作。再次含泪走进歌舞厅的坐台间。

3月26日晚上，王维旭给钟清清发短信说：你为什么要回避我？希望你能给我一个理由，否则我一辈子都不会心安的。钟清清还是没有回复。王维旭说：我打算去上海找你，我每天都在为你担忧。钟清清担心王维旭到上海不仅影响他的学业，还可能了解到她坐台的真实境况，便很快回拨了过去。王维旭激动地说：清清，真的是你吗？我是不是在做梦啊？钟清清说：是我，请你不要来找我好吗？因为我已经有男朋友了。王维旭沉默了好半天，颤抖着说：那好吧，祝你幸福！

3月29日晚上，王维旭写了一首自创的词牌体诗《寒夜思》通过短信发给钟清清：长夜冷，玉窗冰，梦回江南烟雨中，枕衾寒，复又醒，恍然哀生叹梦空，冬风伴我醉，谁人愿醒，只待悄然重入梦，再相逢。轻颂着《寒夜思》，钟清清泣不成声，泪如雨下。

4月4日，钟清清忽然接到王维旭母亲的电话：维旭这几天病休在家，饭不吃，水不喝，发高烧的时候还在念叨你的名字，你能不能来长春劝劝他，我们都担心他挺不过去啊！钟清清听了后，连夜乘车赶往长春。

当钟清清看到床上骨瘦如柴的王维旭时，忍不住悲泪喷涌，王维旭惊喜地抓住她说："清清，我以为这辈子再也见不到你了。"两人再度激情相拥……

记者倾情相助，
迷途少女的悲情天空重现曙光

4月7日，从长春回上海的路上，钟清清的泪水一刻也没有断过。王维旭对她的缱绻痴情让她感动和愧醒，凡是一个有良知和自尊的女性都不可能再自甘堕落下去，否则就是对神圣纯美爱情的亵渎玷污。

回到上海，正好有一家中等规模的饭店招聘大堂经理。凭借着秀丽的外形，钟清清很顺利地被录用了。4月16日，是钟清清的生日，同事专门订了一桌火锅宴为她祝贺。宴会上，有同事发现钟清清的手臂上有多道触目惊心的刀疤。钟清清借着酒意如实相告。此事传到老总那里，很快她被辞退了。老总说不会任用有坐台经历的人做大堂经理，否则就是对顾客的侮辱。

钟清清怨愤地回到宿舍，痛哭了整整一夜。第二天早上，王维旭忽然打电话给钟清清说：我参加省里英语写作比赛获得二等奖，还获得500元的奖金。随后，王维旭兴奋地说：我今年就要毕业了，我已经和爸爸妈妈都商量好了，他们对你的印象很好，希望我到上海工作，你是一个纯洁的好女孩，谁娶到你谁幸福呀！钟清清哽咽着说：谢谢，我还有事情。说完就挂了电话。

这时，强烈的自卑感和良知撞击着钟清清的心。钟清清再也无法遏制狂乱的思绪，取出一大把安眠药吞下，随后取出锋利的水果刀往右腕狠狠戳去，鲜血喷涌而出。她担心死不成，拉开门跑到大路中间撞向来往的汽车，口中歇斯底里地大叫：把我撞死吧，我活得太累了。那凄厉悲苦的叫嚷声让闻者动容心碎。在好心路人的帮助下，钟清清被送到最近的医院紧急抢救……

4月20日，出院后的钟清清每天醒来的第一件事，就是拿着她与王维旭的合影遥思王维旭的音容笑貌，想到动情处，她就会情不自禁地恸哭。就这样一直煎熬到5月27日，身心俱焚的她没有勇气去接纳她与王维旭之间的纯洁爱情，更没有勇气去割舍这份恋情。钟清清把最后一丝

希望寄托于她最钟爱的《知音》杂志，渴望本刊能挽救她。

接到求助电话后，本刊立刻派记者于 5 月 28 日专赴上海见到了钟清清。她那疲倦苍白的脸掩饰不住优雅的气质。记者以大哥哥的身份与钟清清倾心相谈并提出建议：首先，你多次想从"坐台"的泥潭中跳出来，这说明你具有向善之心。但许久以来，你之所以想挣脱而挣脱不了，是因为卖淫是种挣钱快、不费心力的捷径，它容易让人形成心瘾，很难再去从事其他要靠智慧和吃苦耐劳才能完成的工作，因此一遇挫折，就容易重回泥潭。因此，要想彻底告别风尘，就必须具有极大的韧性和毅力，而且不论处境如何艰难，都不能再回头。同时应尽快确定人生的新起点，不论谋职还是求学，都要以健康乐观豁达的心态对待。

其次，要勇敢地接纳让你倾心的男孩的纯真感情，这是你的幸福机缘，也是你的权利。在感情上，你可做双重选择：对待现在的男友，因为你与他谈朋友的同时仍身陷坐台泥潭，因此如果你不告诉他真相，对他将是不公平的。而且今后他一旦知道你曾经的欺骗，必将无法接受。这也就成为你们今后幸福生活的一个定时炸弹。不如现在就让爱情接受考验，当断则断。如果你觉得无法启齿或不愿伤害男友，不如向他主动提出分手，彻底告别过去，重新做人，然后以一个新我的姿态去寻找新的爱情。逝者如斯，当你以坦然、健康之心交往新男友时，倒不必再提及过去坐台的经历。记住，无论如何，做一个洁身自好的女孩，迎接充满阳光的生活与爱情，永远都不晚！

在记者至情至理的苦心劝慰下，钟清清含着热泪表示愿意听从建议。钟清清表示，她一直很神往校园生活，很想到校园里学知识。考虑到钟清清只有初中文化，记者决定帮助她物色一所合适的学校，让她培养健康的价值观，为今后谋职就业夯实基础。经过对江苏省的技能培训学校进行筛选考察，记者最后确定了连云港一家教学质量一流的计算机学校作为她的首选学校。5 月 31 日，钟清清从上海赶到连云港参加该校电脑广告设计专业的入学考试。6 月 8 日，被学校正式录取的钟清清报到入学。

走进阔别多年的校园，和她住在一起的都是一些活泼开朗、求知欲极强的学生，浓厚的学习氛围让钟清清备感温馨。领到课本的那一刻，钟清清情不自禁地哭了。

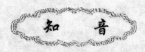

　　6 月 21 日，学校正式开学。钟清清怀着朝圣的心走进教室，开始了她的求学生涯。在班上，钟清清是年龄最大的学生，同时又是学习最刻苦的学生。在选举班长时，同学们一致推举她为班长。钟清清激动地告诉记者：我从没有像今天这样对未来充满了美好的憧憬，谢谢《知音》挽救了我，让我脱胎换骨重新找到了自我，我要刻苦学习，把握真爱，做一个堂堂正正干干净净的女孩，用汗水和智慧创造美好幸福的生活！

　　6 月 27 日，王维旭又给钟清清打来电话说，7 月份他就要大学毕业了，准备在哈尔滨报名参加暑假电脑广告培训班学习，然后到南京找一份工作，那样就方便见到心爱的女友，不用再饱受相思之苦了。钟清清听了，苦涩地笑了笑，终于到了该面对的时候，到底是告诉他真相还是狠心地与他分手呢？亲爱的读者，希望你能拨打 027—87129049 知音热线，告诉钟清清你真诚的想法……

知 音

网络陷阱无边：夺命一条夺去贞操无数

扶 摇

2004 年 1 月 18 日深夜，湖北省襄樊市樊城区基峨巷内发生一起凶杀案，死者为一名叫杨柳的年轻男子。他被人砍杀了 30 多刀，而身上的 1000 多元现金却分文未失……

这是一起典型的报复杀人案。襄樊市公安局樊城区分局刑警大队经过缜密侦查后发现，死者生前有两大爱好：一是喜欢上网；二是喜欢结交女网友。经过调查，他先后与 20 多位女网友发生过性关系，被称为风流多情的"网恋杀手"。

那么，杨柳的死是否与这些女网友有关呢？2004 年 6 月 18 日，随着一名叫"蓝月亮"的女网友落网，凶杀案终于真相大白——

情愫萌动，"缘分天空"
里出现了一轮"蓝月亮"

"蓝月亮"是张雪儿的网名。她家住襄樊市襄阳区张湾镇，今年 17 岁。2001 年，读完初中二年级的张雪儿就辍学回家。一来因为家里贫穷；二来她实在读不进书了。

2003 年 7 月，在别人的帮助下，张雪儿来到襄阳一家棉纺厂上班。由于效益不好，张雪儿不久就失了业。

很快，张雪儿又在家乡张湾镇的一家超市找到了一份工作。下班后，无所事事的她，不是找人打牌，就是看闲书。

2003 年 9 月的一天，张雪儿被几个中学同学约到网吧去玩。在这里，她第一次领略了网络的无穷魅力。在同学的言传身教下，她很快就学会了上网，给自己取了一个好听的网名叫"蓝月亮"，并很快就沉迷于其中。

2003 年 10 月 5 日晚，张雪儿刚进聊天室，就被一个叫"缘分天空"

的网友吸引住了。两人在网上聊得非常起劲，都有一种相见恨晚的感觉。

　　第二天下午一下班，张雪儿就径直往网吧里跑，一进聊天室，"缘分天空"早已等候多时了。这一次，两人聊了许多知心的话题。张雪儿知道了"缘分天空"的真名叫杨柳，今年22岁。他的经历很惨：10岁时父亲去世，不久母亲改嫁，他成了一个孤儿。后来，舅舅收养了他。舅舅在襄樊市做生意，赚了一些钱。因此，杨柳尽管没父没母，但舅舅就是他的银行，他一直不缺钱花。初中毕业后，他就没有读书，整天在外游荡。舅舅怕他惹事，就把他安排在自己的公司里帮忙照看生意。生意上的事不多，杨柳大部分时间都泡在网吧里。

　　同样，杨柳也知道了张雪儿的经历，还知道了张雪儿刚满16岁，身高1.75米，有着模特儿一般的身材。二人互相吸引着，便在网上约好了见面的时间。

　　约定见面的日子到了。一大早，张雪儿便乘车从张湾赶到约会地点——火车站广场。此时，刚刚早上8点。张雪儿抑制不住激动的心情，给杨柳打了一个电话。过下一会，杨柳带着一个十六七岁的同伴来接她。一见张雪儿，杨柳眼前顿时一亮。留着学生头的她，清纯靓丽，大大的眼睛透出一派天真烂漫的神情。她的身高，天啊，比1.72米的他还高！此时，张雪儿也在打量着杨柳，他虽然相貌并不出众，小眼睛，单眼皮，但神情举止却有一种勾人心魄的力量，她的心怦怦直跳……

　　相互介绍后，三人来到一家面馆，杨柳请客。

　　吃完早餐，张雪儿问："我们去哪儿玩？"

　　杨柳说："这么早还能去哪儿？走，到我家去玩。"既然出来了，张雪儿也就言听计从。

　　杨柳家里没有其他人，三人就一边漫不经心地看着电视里的节目，一边天南地北地胡吹神侃。中午，杨柳潇洒地让附近的餐馆送来上百块钱的菜，几瓶啤酒。很显然，他这是在张雪儿面前摆阔。

　　三人正吃喝得热闹时，杨柳的手机响了。他接过电话后，对张雪儿和另一男孩说："你们继续喝吧，我有急事先出去一下。"

　　其实，杨柳接到的是一名叫安安的女网友的电话。安安是一名实习护士，与杨柳已经交往过好几次。安安见他这几天冷落起她来，就打来电话叫他过去，并威胁他："你不过来，小心我整你的人。"杨柳与张雪儿的网恋刚刚开始，不想节外生枝，只好屈从安安，息事宁人。

这一切，张雪儿当然不可能知道，她只是隐隐觉得杨柳让人捉摸不透，只好兴味索然地离开了杨柳的家。

玩过就散，这边痴情寻找
那边却网恋如火如荼

第一次见面虽然让张雪儿有几分不愉快，但没过几天，她却对杨柳产生了几分思念之情。

三四天后，张雪儿忍不住又一次走进了网吧。她刚进入聊天室，就碰到了杨柳。没聊几句话，杨柳就发出了邀请："去我家玩吧。"此时，已是下午4点多钟。

张雪儿犹豫了一下，就勉强答应下来。

到了杨柳的家，杨柳拿出一部生活片放起来。家里没有别人，两人一边嗑瓜子，一边看碟片闲聊。随着情节的展开，碟片里的内容渐渐不堪入目，看得张雪儿面红耳热，很是难为情。毕竟，她是一个比较传统的女孩，对碟片里的男欢女爱一下无法接受，便站起身对杨柳说："我要回家去了。"

杨柳一把抱住张雪儿说："雪儿，我爱你，我们做朋友吧。"说罢就要亲吻张雪儿。

张雪儿一把推开杨柳，红着脸说："我还小呢，你可不能乱来呀！"

杨柳哪管张雪儿年龄小不小，把她抱得更紧了，同时，强行脱掉了她的衣服。张雪儿知道接下来会发生什么，就拼命挣扎着把衣服穿上。然而，受碟片的挑逗，杨柳此时已欲火焚身，不能自己，他将张雪儿按在床上，压到她的身上，喘着粗气说："雪儿，我这样做完全是为了更好地爱你呀！男女之间的爱情如果不经过这一步，就不会完美。你难道不希望我们的爱情完美无缺吗？你要相信，我对你海枯石烂都不会变心。"

张雪儿正值少女窦初开之际，对杨柳火辣辣的爱情表白早已不能自持，加上刚才受黄色碟片的影响，张雪儿还真的以为这就是所谓的爱。因此，她渐渐地放弃了反抗，浑身软绵绵地任由杨柳摆布了。

张雪儿就这样结束了自己的处女时代。事后，她一边伤心地流泪，一边穿好衣服想尽快离开，但杨柳又一次把她抱住，柔情无比地说："雪儿，我爱你，我会对你负责的。"

难道这就是宝贵的初恋？她怎么一点儿也没有从中体会到快乐？这太可怕了！张雪儿不敢往下想，她穿好衣服，一声不响地离开了杨柳家。

此后，张雪儿一连几天都没有上网，也没有与杨柳进行任何方式的联系。杨柳也一样，仿佛他们之间，什么事也没有发生过。张雪儿想，他不是说要爱我海枯石烂不变心的吗？难道占了我的便宜就不理我了。张雪儿越想越气，就给杨柳打电话。

杨柳却在电话那头说："我现在很忙，有什么事以后再说吧"。说完就挂断电话。

此后，张雪儿跟杨柳联系，他要么找托词说很忙，要么态度不冷不热，说话言不由衷。这使张雪儿的自尊心受到极大的伤害，她愤怒极了，自言自语地说："你这样对我，小心我搞你的人！"

张雪儿在这边黯然神伤，杨柳却在那边如火如荼地开始了他新的一轮网恋攻势。这一次，杨柳又换了一个"跑跑跑"的网名上网，很快吸引了一名网名叫小草的女孩。小草是一名大学舞蹈系的学生，没聊几句话，就被杨柳哄得团团转。在网上仅仅聊过几次后，小草就被杨柳约出来喝咖啡。

一见小草的面，杨柳立刻被她的美貌惊呆了。因此，他自然就冷落了张雪儿，而把全部身心都放在追求小草上。为了让张雪儿找不到自己，杨柳上网连网名都改了，可怜张雪儿对此全不知情。

杨柳不仅与小草搞起了网恋，还同时与多名女网友来往，关系密切的共有20多人。这些女网友，不知到底吃错什么药，对杨柳竟然如此迷恋。像小草，她是大学生，又是学舞蹈的，气质美貌都是一流，却心甘情愿地称杨柳为"老公"，并动手给他织了一件毛衣，织了一条围脖儿，专程给他送去，其对杨柳的关怀体贴之细微，不是妻子，却胜似妻子。像网名叫豆豆和可可的女网友，她俩多次与杨柳发生性关系，竟都怀上了他的孩子。对杨柳，她们爱不是，恨也不是，终日患得患失，备受情感的折磨。

刀夺命，伤情少女"替天行道"了断网恋孽缘

张雪儿独自吞咽着网恋的苦果，慢慢疗治自己内心的创伤。然而，业余时间实在太难打发了。2003 年 12 月中旬的一天，她再次走进网吧。

说来也真巧，张雪儿竟然在网上遇上了她的初中同学卜忠华，两人都很兴奋。卜忠华问了张雪儿一句："你最近怎么样？"张雪儿本想说很好，突然想到杨柳给她留下的心灵创伤，便对卜忠华说："我被人欺负了，你能不能来教训他一顿？"卜忠华当即爽快地说："怎么不行！"

卜忠华没过几天就从丹江口市回到了襄樊。他以前就对张雪儿有一种朦胧的爱慕之情，现在张雪儿对他说受了别人的欺负，他觉得这是对他的信任，正好借此接近张雪儿，也好向她表明心迹。

卜忠华在襄樊的时候，大部分时间就住在姑妈家。他把张雪儿约到姑妈家来，以情侣的身份开始了同居。

不料，卜忠华很快就发现了张雪儿的底细，他一惊一乍地说："怎么，你不是处女了？你才 16 岁啊！"

经这一问，张雪儿立刻哭了："我不是跟你说过我被人欺负了吗？"随后，她把自己如何受杨柳欺骗玩弄的经过向卜忠华哭诉。卜忠华火冒三丈地说："以后逮着机会，老子一定要好好地教训这个王八蛋！"

再说杨柳与小草开始恋爱以后，很快又勾上了网名叫可可的女孩。对于外甥的行径，杨柳的舅舅看在眼里急在心上，怕他继续瞎胡闹，就把杨柳叫到他在谷城县开办的分公司，让杨柳给他看货，希望这样能够对杨柳的行为起到一些约束作用。

临近春节时，杨柳在舅舅的安排下回到了襄樊。2004 年 1 月 17 日，杨柳一回到襄樊就把豆豆叫到他家里去，要豆豆跟他过夜。豆豆去后，还没坐稳，杨柳就急不可待地要脱豆豆的衣服。豆豆抵挡说："我怀了你的孩子，才打胎没几天，还在小月子里呢。"听到这句话后，杨柳顿时像一只泄了气的皮球，他恼羞成怒地骂了豆豆一句"神经病"，就再也不理她了。

杨柳回到襄樊的消息经朋友之口传到可可的耳中，可可就要朋友帮忙带她去见杨柳。

可可是南京某公司驻襄樊办事处的业务员，两人于 2001 年 5 月开始

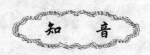

网恋，一直谈了两年。已有两个月身孕的可可急切地想见到杨柳，跟他商量肚子里的孩子该怎么办。

然而，可可好不容易找到杨柳时，杨柳却与一名叫艳艳的女孩一起逛商场。艳艳是杨柳新结识的女网友，她身高 1. 60 米，时髦前卫，美艳娇媚。一看杨柳的表情，可可就知他正对艳艳着迷，她伤心极了，扭头就走。杨柳尽管有了新欢，但怕由此得罪了可可，就急忙追了上去。可可流着委屈的泪水，强装欢颜说："你以后再也不要找我了，我现在过得蛮开心。我尽管怀了你的孩子，以后也用不着你负责！"杨柳对网上恋人始乱终弃的本来面目再一次暴露无遗，他同样恶狠狠地甩下一句"神经病"，转身就走，将伤心欲绝的可可扔在寒风中无声地流泪。对着杨柳远去的背影，可可恨恨地骂道："你没有好下场的，小心有人搞死你！"

可可的诅咒很快就变成了现实。她没有能力"搞他的人"，但是，有人正在寻找着机会。

杨柳丢下可可后，仍旧和艳艳一起逛商店。当他们来到新襄江商场时，不料与张雪儿碰了个正着。

张雪儿一见杨柳，肚子里的气一下子又蹿了上来，见杨柳慌慌张张地想开溜，张雪儿说："我们的事到底怎么办？也应该有个了结吧。"杨柳说："你晚上再给我打电话。"说罢，拽着艳艳扬长而去。

吃晚饭的时候，张雪儿把碰见杨柳的事告诉了卜忠华。随后，卜忠华约上张雪儿，还有他一个哥们——未满17岁的光头，一起列人民广场一带玩耍。卜忠华和光头在台球厅打台球，张雪儿则在网吧上网，把杨柳要她打电话的事忘得一干二净。不料，杨柳却在网上主动地与她搭讪起来。张雪儿这才想起下午碰见杨柳的事。一想起杨柳身边那个新潮艳丽的女孩，张雪儿心中又不平起来，便恨恨地说："我每次跟你联系你都不理我，也难怪，你有了新欢，就忘了旧人！"杨柳知道她生气了，就哄她说："你今晚到我这儿来住，我会对你解释清楚的。"

这一次，杨柳的确是真心想见一下张雪儿。因为，他回到襄樊后，约见豆豆，豆豆刚打胎；见到可可，可可已有了身孕；本想给艳艳买套时装哄她开心，可艳艳见到他跟可可与张雪儿的情景，与他十分决绝地分了手。他想，马上就要过年了，不能连个过夜的女朋友都没有吧。于

是，他把最后的希望放在张雪儿的身上。

然而，杨柳的如意算盘打错了。张雪儿明白，杨柳约她去他家，无非是为了满足他的性欲。经过几个月的反思，她充分认识到，杨柳不愧是一个网恋杀手，与他接触的女孩子，没有几个能够抗拒他的杀伤力，受他欺骗的何止她一个人！突然，她心中涌起一股豪情，她要阻止他，她要"替天行道"，不能再让一个个的女孩儿蒙受他的欺骗！正在这时，卜忠华和光头打完台球已站在她身后看她上网。她觉得伸张正义的机会到了，就对卜忠华说："我对你说的那人正在线上，他约我去他家，你说我到底去不去？"

卜忠华毫不犹豫地说："去！"晚上吃饭时，卜忠华听张雪儿说起碰到杨柳的事后，就有了教训杨柳的打算。他背地里对光头说："你嫂子被人欺负了，她说要捅那人两刀，你敢不敢？"光头拍着胸脯说："怎么不敢！"于是，二人各揣了一把刀在身上，准备随时用来教训杨柳。眼见杨柳主动送上门来，卜忠华正求之不得。

张雪儿如约来到杨柳上网的网吧附近，在一个公用电话亭把杨柳叫了出来。与张雪儿见面后，杨柳不由分说拉起张雪儿的手就往通向他家的小巷走去。正在这时，埋伏在黑暗处的卜忠华和光头拿出早就准备好的刀，挥刀向杨柳狠狠砍去。砍了30多刀后，三人仓皇逃跑。刚跑几步，卜忠华怕杨柳还没死，就又重新返回对准杨柳的要害部位补了几刀。

痛定思痛，虚无缥缈的网恋
究竟害了多少痴情人

杀人偿命的恐惧让张雪儿和卜忠华、光头三人像惊弓之鸟，他们仓皇逃离现场，当晚一路狂奔到襄阳区古驿镇。他们不敢在这里久留，用高价雇了一辆三轮车逃到牛集，再从牛集乘坐公共汽车到双沟。在双沟镇，三人草草吃了点饭填饱了肚子，随后乘车逃到河南新野。在这里，他们在卜忠华的一个亲戚家里呆了几天。在惶恐不安中度过了2004年春节。

2004年正月初六，三人乘上了去新疆的火车。在新疆伊犁一个县，他们隐姓埋名，在一建筑工地上打工。卜忠华、光头辛苦一天，所得才

25 元工钱，根本不够三个人的生活开支。张雪儿吃不了这样的苦，邀上卜忠华，回到了襄樊。为了躲避警察的追捕，他们很快又逃到了福州。在福州，他们找了几天都没有找到一份像样的工作，无可奈何之下，卜忠华叫张雪儿到桑拿浴室去当坐台小姐。这时候，张雪儿才充分体会到自由的宝贵，体会到身处绝境的难堪。如果不是为了复仇，她哪里会沦落到这种地步？现在，仇人已死，但她却没有从中体会到一丝一毫的快感，相反，成天担惊受怕，她实在受不了这种精神折磨，偷偷地回到了襄樊。

2004 年 6 月 18 日，张雪儿在网吧里被警察生擒。随后，卜忠华、光头也一一落网。

在办案民警面前，张雪儿流下了愧悔的眼泪。

杨柳通过网恋游戏人生，玩弄女性，不料却成了刀下鬼，这是他做梦也没有想到的结局。

值得一提的是，与杨柳谈过恋爱的女网友，虽然没有想到杨柳会是这么一种结局，但对于这种结局，她们并不感到意外。因为杨柳欺骗了她们纯真的感情，占有了她们的身体，让她们永远走不出受伤害的阴影。网友可可，有两个月身孕后，家人都把杨柳当成了未来女婿，正在给他们筹备结婚事宜。网友豆豆，1 月 17 日晚因为拒绝了与杨柳同房，被杨柳大骂一通，伤心之余，春节一过就到广东打工去了，目的是为了永远摆脱伤心之地。网友安安，失恋后放弃医院的工作而远走浙江去打工……

可以说，这些受到伤害的女孩，她们每个人都有杀死杨柳的理由，如果不是张雪儿借着别人之手"替天行道"，那么，难保没有其他女孩选择这一方式。

但是，张雪儿选择的这种方式，难道真的就是"替天行道"，伸张正义吗？张雪儿的结局，无疑敲响了警钟。

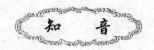

痴爱悲歌：
女大学生命丧"危险恋人"

胡义翔

2004 年 2 月 18 日，刚刚从中南民族大学毕业的女大学生陈茹被人掐死在其住处。3 月 11 日，陈茹生前的男友李威被抓捕归案，他对自己杀害陈茹的行为供认不讳。6 月 22 日，李威以涉嫌故意杀人罪被武汉市江岸区人民检察院提起公诉。

在该案的侦查过程中，警方在陈茹生前住处发现了一份由武汉市精神卫生中心心理治疗科为李威开具的治疗诊断书，表明李威是重度自恋型人格障碍症患者。据李威案后交代，陈茹对他的病了如指掌，在掐死陈茹的前两个月内，他还有过两次掐晕陈茹的经历。在问讯中，李威说了一句很耐人寻味的话：她其实该早点离开我，这样她至少是安全的……

这起惨案背后，是留给人们的震惊，家人无尽的悲恸和治疗医师们的深深扼腕……

纯情少女牵手"白马王子"
爱情如歌掩盖"不和谐音符"

陈茹今年 23 岁，生于湖北省汉川市沉湖镇，家境很殷实。作为家中的独女，陈茹被父母视为掌上明珠。从小乖巧可人的陈茹，成绩优秀，善良懂事，还很能吃苦，5 岁开始学弹钢琴。

1999 年夏天，陈茹如愿考进中南民族大学外语学院。开朗的她还参加了学校乐队，成为钢琴手。

2001 年新年，陈茹像往年一样给考进了同一所大学的高中同桌张鹏送去贺卡。在张鹏那里，她竟意外地遇到了另一位高中同学李威。

李威也是汉川市沉湖镇人，比陈茹小一岁。父母都是工人，家中还有一位哥哥。在哥哥成绩不济只念完初中后，全家人将全部希望都放在

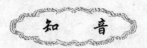

李威身上。而李威也不负众望，高中三年一直担任班长，成绩更是没有出过年级前三名，会学会玩的他还是校足球队队长。高考时，李威因发挥失常，没能考取他一直向往的清华，但他还是以前十名的成绩考入了武汉科技学院最热门的工商管理专业。不过，李威本人对自己的表现非常懊悔和失望，在低调进入大学后，从没主动和任何高中同学往来。

张鹏在高中时是李威的好朋友，上大学后，他找过李威好几次，发现好友一直对高考失利耿耿于怀。所以趁陈茹过来的机会，把李威也叫来了，希望老同学的见面能让李威快乐。果然，那一天他们谈得非常投机。当得知李威一进大学就又被选为班长时，张鹏和陈茹由衷地为他高兴。离开时，李威与陈茹互留了联络方式。

送走李威后，陈茹的心里不禁泛起了小小涟漪。在高中时，陈茹对李威印象非常好，觉得他不仅俊朗聪明，还勤奋上进。但由于学业紧张，朦胧而青涩的暗恋只能掩埋心底。已是大学生的陈茹决定向李威表白。

2001年情人节前夕，陈茹鼓足勇气给李威发出一封电子邮件："全世界都知道我爱你，只有你不懂我的心……我不想伪装矜持，因为我不想后悔，如果你真的不懂，我还是为你祝福……"

发出邮件后，陈茹开始了忐忑的等待。但一直到2月15日零点，她都没收到李威的回邮。那一夜，陈茹伤心得彻夜未眠。几天后，陈茹到李威的宿舍找他，但被室友告知李威和女朋友出去吃饭了。陈茹悄然离去。

几天后，陈茹突然收到了李威的电子邮件："茹，我明白你的心，给我一点时间好吗？我们学校这个月举办足球比赛，来为我加油吧！"陈茹不禁心潮澎湃！到了足球比赛日，李威参加的每一场比赛陈茹都在场边为他呐喊助威。最后，李威率领系里的足球队夺得了全校冠军，他本人也获得了最佳球员奖。在庆功晚会上，当着队友的面，李威举着酒杯深情地对陈茹说："我刚刚结束了一段盲目的感情，从今天起，我只想和你幸福地在一起笑了……"陈茹感觉自己幸福得像位公主。

正当陈茹陶醉于美妙的爱情时，一个人却给她泼了盆冷水，她就是李威以前的女友。她告诉陈茹："李威远不如大家看到的那么好，他很危险，可能心理有问题！"并劝她离开。陈茹礼节性地笑了笑。在她眼里，李威绝对是优秀的，他利用所学，兼职为两家企业做财务预算，还与人合伙开了家书店，多次获得奖学金。陈茹觉得她是记恨被李威抛弃才诋毁他，没容她再说什么就离开了。

和陈茹恋爱以后，李威费尽心思地取悦陈茹，他常常订大把的玫瑰送到陈茹寝室；周末带她去旅行摄影；换着餐厅与她共享晚餐。李威告诉陈茹：我要让所有人都知道你很快乐，甚至羡慕、妒忌你……陈茹却说：相爱的人更在乎彼此的感觉，没必要刻意追求这种太过铺张的浪漫。但李威不以为然，照旧乐此不疲。陈茹只好苦笑着，像宽容任性的小孩一样宽容李威。

暑假到了，李威给陈茹发了封电子邮件："我的天使，能和我一同去登长城吗？"陈茹愉快地接受了邀请。于是，一同去了北京。他们在长城上留下了甜蜜的合影；手牵着手穿行在北京的胡同巷口；相拥在霓虹璀璨的王府井夜色中……在回武汉的列车上，陈茹拉着李威的手动情地说："谢谢你给我的爱，让我这么快乐！"李威亲了亲她的手，承诺道："我会让你永远幸福的！"

"完美男友"背后有隐疾，痴情女真情相依不计苦与乐

暑期中的快乐旅行让陈茹和李威更加亲密。因为中南民族大学与武汉科技学院仅一街之隔，他们常常是谁先下课就到对方大学去等候，然后一起去吃饭，一起去图书馆自习。这样的朝夕相处，让他们无话不谈。李威告诉陈茹，虽然没考上清华，但他一定要成为武汉科技学院最优秀的一个。陈茹为男友高兴。

一次两人在一起上自习时，陈茹无意中发现李威书中夹着一张"2002学年大学学费贷款申请表"，她不解地问李威：明明从家中带来了5000元学费，为何还要贷款？李威告诉她：他与人合伙经营的书店需要进一批新书，已经把学费先付出去了。陈茹笑道："可你不符合条件呀！"李威却胸有成竹地说："我自有办法……"

果然，李威的贷款很快下来了，而他同寝室的一位贫困生却没申请到贷款，因无法筹齐学费只好请假回老家想办法。善良的陈茹动员李威把名额让出来，没想到李威很反感地说："弱肉强食，没必要同情弱者

……"原来，作为班长的他谎称哥哥突患重病，家中只好先用学费替哥哥治病，很轻松地得到申请表；为了申贷成功，他又改了两个同学的家庭收入情况，还把同寝室那位同学不及格的科目揪出来，让室友丧失了申贷资格。

李威竟如此算计朝夕相处的同学！陈茹心头掠过一丝不安，马上想起李威前女友形容李威的那个词——危险。晚上，痛苦的她给李威发了封电子邮件："我的爱，你能做回我心中那个真挚、正直的大男孩吗？……"第二天清早，陈茹刚下楼，就看见李威带着一盒心形巧克力等在宿舍门口，一脸疲惫的他愧疚地说："茹，我错了！"原来，为表示改过的诚意，李威在陈茹的宿舍楼下站了大半夜。陈茹感动得满眼含泪，不再去与李威理论他的做法。她在日记里写道："李威是爱我的，我相信冷漠不是他的本性，我的爱能让他保持纯洁……"

但令她没想到的是，随着交往的增多，他们之间出现了更多不和谐的音符。一次陈茹在校音乐会彩排时认识了一位拉小提琴的男生，爱好音乐的两个人一见如故，高兴地笑谈起来。陪陈茹彩排的李威对这位男生却大为光火，他趁校乐队中午休息时跑到大礼堂，竟将那位男生的小提琴偷出来砸烂，并扔到礼堂顶上。之后，他要求陈茹退出校乐队，见喜爱弹琴的陈茹没有立即答应，李威生气了："你不和乐队分手，那我们分手！"

虽然李威的狭隘让陈茹不满，但深爱着李威的陈茹还是无原则地原谅了他，她将李威的过激做法归根于他对自己爱得太深。她在日记中告诫自己："相爱容易相处难，我需要调整心态，不仅要做他的女友也要像姐姐一样包容他……"

但长期刻意地自我加压和多方经营，让李威的学业因无力顾及而退步。2002年4月，李威在参加专业课调考时，才如梦初醒嫂发现竟有很多题不会动笔！眼看考试结束，他抢过一位已离去考生的试卷抄起来，结果被老师当场抓住。自尊心极强的李威遭到当头一击。

此后，李威一直郁郁寡欢，他坚持认为是那位老师故意整他。所以，每逢那位老师上课，他就旷课。恰在这期间，与李威合伙经营书店的朋友们因效益不佳提出将书店关闭，敏感的李威很伤感地对陈茹说："他们一定是听说了我作弊的事，嫌弃我人品不好，真是墙倒众人推呀!"颓丧的李威让陈茹心痛不已,除了上课,她全部的时间都陪在李威身边,鼓励他振作起来。但曾经的阳光好像已经从李威身上溜走了,他变得极度消沉。

2002年6月14日,备战考试几天没见李威的陈茹抽空来到了武汉科技学院。谁知李威的室友却告诉她:"已有三四天没看到李威了!"陈茹急打电话到李威家,可李威母亲说他根本没回去。他的父母心急如焚地赶到学校,和陈茹一起找遍了所有他可能去的地方,仍毫无线索,只得报了警。此时,同学们才想起:李威手上还有全班刚交的夏游费用5000多元。

陈茹日夜担忧着李威的安危,疯狂地给李威的邮箱发邮件,有时甚至一天发出6封。她在信中痴情地写道:"威,你在哪里?我日夜都在思念着你,快回来吧,不管发生了什么,我永远等着你……"在李威失踪后的第七天,他获得的"全院优秀班干部"证书发了下来。

2002年10月1日,陈茹惊喜地发现了李威的邮件:"茹,我很想你,但不想回去!我不再优秀和成功了,我憎恨这个世界!"在这封充满仇恨的回邮之后,李威又消失了。任凭陈茹怎么用邮件呼唤他,他都不再回复,陈茹心痛不已,不敢想象李威会出什么事。

不知不觉,2003年的第一场雪迎来了新的一年,而此时李威已是失踪了半年之久。学校作出决定,如果他在2003年2月的新学年不能按时报到,就将被开除。陈茹马上将此消息发给了李威。李威不安地回复道:"我该怎么办?"陈茹当机立断地说道:"威,你在哪,我们见个面好吧!"李威松动了,告诉陈茹他在成都打工。

陈茹连夜踏上开往成都的列车,找到了半年没见的李威。当得知李威携款出走,只是为了报复"讥笑"他的教师和同学时,陈茹清楚地意识到李威思想上的那股偏激令人不安。她对李威说:"不管发生什么,我都会站在你身边。"在陈茹的开导下,李威和她回到武汉。

重回校园后,李威被告知要重修一年课程。看到班里的同学已找到工作开始实习、而出色的自己却成了留级生,他心中本已失衡的天平开始倾覆。他整天郁郁寡欢,一方面觉得别人看不起他,另一方面又鄙视任何人。这种自卑与自负的情绪让李威身心俱裂,对陈茹也变得烦躁起来,有一次还举起了手,准备打她。

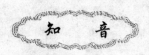

对李威的变化，陈茹看在眼里，急在心上，建议他去看心理医生。李威找到武汉市精神卫生中心的心理治疗科主任童俊教授。经过诊断，童教授认定李威已患上了严重的自恋型人格障碍症，需要住院治疗。但李威却不同意，在他看来，只有疯子才上那里住院。

2003 年 7 月，在陈茹和李威家人的合力劝说下，李威住进了医院。为了让李威及早康复，陈茹寸步不离地在医院照顾和鼓励他。一天晚上，陈茹得知当晚将会出现流星雨的奇观，她虔诚地守候在医院的窗棂旁，当流星划过时，她许下心愿：让自己心爱的男孩好起来……

凶残噬爱的呼唤，啼血悲歌是善良还是糊涂

2003 年 9 月，陈茹大学毕业，成为武汉一所中学的老师。而李威因为需要上课而出院，改为接受门诊心哩辅导。这时，李威的情绪明显好转。他们正式同居。

然而，在就诊中的一件小事又使李威对治疗失去了信心：他觉得治疗费用中有些项目多列或不存在，而医生的解释又不能让他满意，于是他认为自己被利用和愚弄了。2004 年 1 月 13 日，他自行停止治疗！

鉴于李威的病情，童俊教授打电话让陈茹来医院进行了一番长谈。童教授十分肯定地告诉陈茹，李威的症状十分严重，必须进行系列治疗。否则，对他自己和身边的人都有危险。在那次长谈中，陈茹不安地向童教授谈起了李威的情况：自陈茹参加工作后，两人在一起的时间比大学时少很多，李威对她变得越来越不信任，经常查她的手机，盘问有没有男孩追她。有一次，因为临近期末考试，加班回来晚了，李威竟不问青红皂白将她摁倒在地，狠命地掐她的脖子，掐得她差点背过气去。过后，李威又拼命地打自己，骂自己不是人，请求陈茹原谅。陈茹为此很伤心，心里也感觉很累。但她诚恳地告诉童教授：她知道那全是因为爱的缘故。现在李威心理还有问题，她觉得自己有责任把他拉出泥潭。陈茹动情地说："我就要像天使拯救魔鬼一样拯救他。"

多么善良的姑娘呀，陈茹那句情深义重的话让童教授隐隐有些担忧。她想起李威给她讲过的一个梦，在那个梦里，李威看到从房间的厕所里飘出了一具腐尸，按照心理学上的分析，这一般预示着病人有暴力企图。她一再提醒陈茹，自恋型人格障碍患者往往自私并且偏激，重度

患者更是如此。身边人给他们帮助时，一定要有自我保护的意识，特别要防备他们的暴力伤害。

为了拯救李威，陈茹将李威的病及医生的话告诉了张鹏。此时的张鹏已经毕业是一名警察，她希望张鹏能帮忙劝一下李威。长鹏找到李威后，委婉地提出让李威去看心理医生，李威热情地陪着老朋友喝酒畅谈，对看医生的事不置可否。张鹏走前他悄悄地提醒陈茹将李威送回他父母家，她一个人与李威在一起不安全。谁知，张鹏走后，李威却认为陈茹不该多事，气恼之下，将陈茹拖至床头，不顾陈茹的哀求和挣扎，死命地掐着她的脖子，直到她毫无反抗才惊慌地住手。这时，陈茹已昏了过去。

真心的付出却得到如此回报，陈茹心寒不已，她收拾好衣物含泪离去，住进了单位宿舍。第二天，发现陈茹已走的李威发疯似的往陈茹单位跑。在陈茹的办公室，李威双膝跪在陈茹面前，痛哭着说陈茹就是他的天使，请求给他最后一次机会。善良的陈茹于心不忍，又给了李威一次机会，却断送了自己所有的机会！

2004 年 1 月 26 日，在家过年的李威无意中翻到了陈茹的密码日记本，这极大地引起他的好奇，他想尽办法打开日记本，看到这样一段话：与李威相爱让我付出太多，从前快乐的我没了，而我要的幸福又在哪里……这些悲伤的字眼刺痛了李威的心，他觉得自己很无能，让陈茹生活得那么痛苦！一个可怕的邪念突然在他脑中闪现：既然这场爱让两个人都饱受折磨，那还不如两人都解脱算了！也算是跟心爱的人同年同月同日死！于是，李威开始穿梭于各个小门诊，收集一粒粒安眠药，对于他而言，就是在一点点积攒死亡的资本！

因为春节，陈茹参加了同事的一些聚会。接连几天她都是深夜回到住处，有好心的男同事把她送到了家门口。而这一切，又被李威尽收眼底，并深深刺激了他原本脆弱的心，加快了他"带走"陈茹的行动。

2004 年 2 月 18 日晚上，他与陈茹缠绵之时，试了很长时间，却都无法成功，陈茹安慰着他，一会儿就睡着了。但李威却辗转难眠，终于，他将那双失去理智的手伸向了睡梦中的陈茹……随后，李威吞下了那积攒的 30 多颗安眠药……

第二天中午时分，李威因药力不足醒了过来。但他没有选择自首，

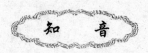

而是买了张飞往成都的机票，转辗北京和成都重温昔日与陈茹留下的幸福足迹。

2月24日下午，陈茹的同事意外发现了被掐死在床的陈茹，随即报案，随后，李威被警方列为重大嫌疑人。

得知陈茹的死讯时，同事和同学们都扼腕叹息，她的父母更是哭得死去活来。她父亲痛苦地说："我们早就告诫她，李威的病很危险，可她总认为，李威爱她，不会伤害她，结果把命搭进去了。"让人唏嘘的是，他们昔日的好友张鹏参与了此次侦破行动，看着铁窗中的李威，他感慨万千，如果当初能理智地帮陈茹分析她与李威的关系，这场悲剧或许可以避免。

童教授对悲剧进行剖析时认为：李威对自身人格的放纵和陈茹对爱情失度的妥协是悲剧的根源！同时，她指出，心理问题也是一种疾病，对待心理疾病的正确态度是治疗而不是忌讳，而与心理疾病患者相处时，人们也应意识到他（她）是病人，了解心理疾病患者的预期危害，用一种理性的态度对待他们，在给他们提供帮助的同时，应该根据病人的特点保护好自己。她认为，随着近年来心理疾病患者的增多，怎样对待心理疾病患者，怎样与他们相处的问题也应引起大家思考。

目前，李威正羁押在江岸区看守所，等待他的将是法律的制裁。年迈的父母对这个曾寄予厚望的儿子心寒不已，而陈茹的双亲此时正在痛不欲生的丧女大悲中挣扎。一个花季少女糊涂的善良，最终葬送了两家人永远的幸福。

心灵的抗拒：
解读富翁之子的莫名瘫痪

任艳霞

2004年6月28日，浙江省瑞安市初一学生余子轩在父母的陪伴下终于走出了瑞安市精神病医院回到家里。几个月前，这位千万富翁的儿子曾莫名瘫痪，相继在温州、杭州、上海等地大医院就诊都无法确诊。经专家诊断，这位少年的瘫痪并不是肌体或大脑的病症，而是由于巨大的补课压力产生的精神性的"癔症"！如今，经过心理、药物及针灸治疗，这位瘫痪的"癔症"少年终于可以站起来走路了……

千万富翁失败的教子计划：给补课老师打"×"的厌学儿子莫名瘫痪

2002年10月的一天晚上，浙江省瑞安市某服装贸易公司总经理余庆龙和妻子在市内一家最豪华的酒店招待几位客人。客人不是政界要员，也不是商界巨贾，而是市区一所小学的几位老师。原来，余家12岁的儿子余子轩一直成绩不佳，焦急的父母不得不再次求助几位老师，让他们多加关照。

席间，余经理动情地说："说实话，我这个独子，从小就聪明，生活又很优越，可他就是贪玩儿，所以学习越来越差。直到现在只是个中等生，这怎么能行？"

他的妻子也叹息着说："儿子的姑姑家在农村，人家的儿子与我的这个儿子是同年同月生，家里条件很一般，但人家的儿子学习就是好。我们眼热得不得了！现在，他爸爸的资产可说是到了千万，如果这孩子不成器，将来怎么继承家业！"

原来多年前，年轻且事业有成的余庆龙总盼望膝下能有一个儿子。直到1990年6月，妻子的第五胎才如愿以偿。全公司曾为此大大地庆贺了一番。从这天起，余庆龙一边忙着事业的爬坡，一边规划着儿子的成

长。他清楚，对于他这样一个家产雄厚的大老板来说，子承父业的"工程"要及早抓起。于是，让儿子吃最好的、穿最好的、玩最好的，以及给儿子找最好的幼儿园、最好的学校，让儿子享受最优越的受教育条件成了他

非常投入的事情。从上学的第一天开始，儿子总是有豪华的轿车接送，而且好多时候他都是亲自陪着。

可是，最好的条件没有换来孩子最好的成绩。小学一二年级的时候，余庆龙总感到孩子还小，大一点就会好了。可到三年级，儿子的成绩仍然毫无起色。这时，余庆龙才感到了焦急。越来越着急的他为此反复求助老师们，并以厚礼相赠，请他们多加关照自己家的孩子。

此后，老师们对这位学生格外照顾。课堂上，老师请他发言的机会明显增多，甚至好多时候老师都过多地给他提供锻炼的机会。

刚开始，余庆龙的教子计划颇有成效。老师的关注给了孩子一种新鲜感，学习成绩也有所提高。这种情况给余庆龙一种极大的兴奋，他说："好，过去太忽略了，看来还是应该给孩子加码才对！"几乎每一天，余庆龙都要细致地过问儿子的学习情况。

可是过了一段时间，余庆龙发现，儿子的情况很快出现反弹。原来，新鲜感一过，本来就不爱学习的孩子这时已越来越难以承受高负荷的压力，这种压力让他愈加感到心烦意乱。每天下来，属于他自己的时间已经很少。而每天补完课，按规定完成一本本的作业之后，儿子总是乱发脾气。在这种情况下，余庆龙终于忍不住训斥了儿子一番："从前太娇惯你了，现在必须严格起来，按老师的要求去做！"

慢慢的，儿子的性格渐渐地内向了。他不再调皮，但他却越来越憎恨天天都要给他补课的老师。一次妈妈意外地发现，儿子的一张演算纸上，画着几个扎着辫子的小人，小人的旁边都分别写着陈××、金×和庄××，原来这几个人正是经常为他补课的老师。而让妈妈震惊的是，这几个画出的小人身上，都重重地画着一个红色的"×"！

妈妈惊讶地拿出这张纸问儿子，儿子看了后，从妈妈手里一把夺过那张纸撕掉了，还泄愤地把纸片扔得满地都是。

可是，儿子的反抗并没有引起望子成龙的父母的注意，补课照常按计划进行。接下来，儿子便开始逃学，下课或中午休息的时候，趁人不

注意他便离开校园。在这种情况下，余庆龙便发动老师和全班同学一起看管儿子的行踪。这样，终于使儿子基本上失去逃课的机会。余庆龙的这一招给了儿子一种笼中小鸟的感觉。他觉得他只是为父母争面子和学习的工具。

第二年9月，儿子升入了初一。为了让他从下等生的水平上赶上来，余庆龙照例宴请几位老师，请求他们多加关照，并每天进行一小时的补课，为了收到更好的效果，余庆龙还让妻子陪着儿子，天天不落。

正是在这个时候，儿子出现了一种反常的现象。每到上学的时候，他总是满头大汗，并心慌不止。他们便带着儿子去医院做身体检查；可到了医院后，这种体征又很快消失了。而第二天再上学的时候，这种症状却再次如期而至，而他们再次去医院，症状却再次消失……一连反复多次，一家人都感到非常奇怪。在这种情况下，他们只好听之任之，继续将孩子送入学校，继续实施他的补课计划……

接下来的事情就出现了不可理喻的麻烦。2003年11月的一天早晨，正当妈妈准备送儿子上学的时候，她发现儿子又是一阵大汗淋漓，而且她发现坐在床上的儿子走路迈步困难，她以为儿子受了什么伤，一查问却没有过任何伤害。她扶着两腿发软的儿子好不容易地走到了车上……

第二天、第三天……儿子的腿越来越发软，到了第五天的时候，儿子竟然不能走路了！这时，他只能瘫坐在床上，连站都不能站起来了……

恼人的怪病：温州、杭州、上海多家　大医院无法诊断儿子的瘫痪

余庆龙和妻子曾多次尝试让儿子站起来，可无论如何，儿子的双腿却始终像面条一样软绵绵的。余庆龙和妻子万万没有想到，一个仅十几岁、活蹦乱跳的儿子如今却成了一个倒在床上的瘫子！他更是做梦也不会想到，自己多年苦心精心培养、准备让他在未来有足够本事接班的儿子，竟这样莫名其妙地瘫倒在了家里！

这天，他们来到了瑞安市人民医院骨科检查。经X光透视查看，医生说："这个孩子从双腿的骨骼上看，没有发现任何病征。"为了稳妥起见，余庆龙还特意找这家医院最有名的骨科医生检查，结果还是"没有

发现异常病征"。这样，他们又领儿子到外科做肌肉方面的检查，但经反复检查都没有发现任何异常。随后，焦急的余庆龙又带着儿子做脑部旋转CT透视，影像出来后，医生的结论却是"脑部未发现异常"！后来，医生又为他做身体全方面的检查，而最后的结论却是一切都"未发现异常"！

百思不得其解的余庆龙回过头来继续找医生对儿子的怪病做进一步的推断。几位医生都说："这么多年，我们没有遇到类似你儿子的这种状况。他的双腿、脑部及身体各部位都没有经历过外伤，而且身体各个器官都没有器质性的病变，可他为什么却突然变瘫痪了，真是奇怪。"最后医生们说："先观察一段再说。也许会有隐性的病因暴露出来……"

一时间，余庆龙和妻子如陷入迷宫一般，百思不得其解。妻子说："这孩子不爱学习，非常憎恶那些补课的老师，不爱补课，去年曾经画了几个补课的老师，恨得他给她们一人一个大红'×'，是不是他在耍弄家里人？"夫妻俩很快作出判断：可能是喜欢逃课的儿子，为了躲避功课而装作不能行走的样子！

余庆龙做起了儿子的思想工作："儿子，你是不是不愿意上学？"经过反复的询问，儿子终于点头。爸爸接着说："好，只要你说实话就好。这一段时间你可以不上学了，在家里呆上一个月，让你好好玩一玩！要不然，干脆就让妈妈和姑姑把你带到杭州去！"

余庆龙和妻子开始观察儿子的变化。他们想，一直爱玩的儿子此时一定很高兴，说不定很快就会开通了思想，不再为逃学而装病了！两个人等来等去，几天后等来的却是儿子焦急的哭泣："爸爸，妈妈，我走不了路，我去不了杭州了……"儿子的哭声让大家感到万分焦急！不论家里人怎样努力地帮忙，余子轩就是站立不起来，这时余庆龙和妻子才意识到：儿子是真的瘫痪了。

意识到问题严重的余庆龙赶紧将儿子带到温州医学院附属医院诊治。可是医生例行对他做了一系列检查之后，仍旧说一切正常。这样，余子轩又回到了瑞安家中，开始每天遵照医生的要求按时服药。一天、两天，三天……半个月过去后，儿子瘫痪的病情却不见任何好转。焦急中余庆龙再次带着儿子来到这家温州最著名的医院进行第二次诊断。X光、CT等多种医学手段都已查过，可是医生还是下不了结论："从这些

方方面面的医学检验报告中，根本看不出患者的任何异常。"最后医生说："这个病例很特殊，你们还是去杭州的大医院看一看吧。"

不久，余子轩在父母的陪伴下来到了浙江省人民医院，但忙过一段之后医生们的结论还是"未发现任何异常"。后来他们又来到了杭州另外一家大医院，对肌肉的拉力、骨骼的发育状况，大脑各个透视切面进行会诊，经过四位医学专家的反复分析，最后还是没有作出最后的诊断！

为了便于查清病因，余子轩在这家医院住院观察治疗。医生们通过医学网络查询这起特殊的疑难病症，但一直没结果。一个月后，没有任何治疗效果的余子轩只好在爸爸的带领下来到了上海瑞金医院，经检查仍是没任何结论。后来他们又到了上海著名的广慈医院，经外科、脑科医生的检查，还是不能确诊。在这种情况下，医生建议他们去这家医院的"特需门诊"。

这家医院的"特需门诊"为全国少有，专门诊治一些难以确定的病症，其诊病形式新颖独特：五位著名的医学专家开始在互不沟通的情况下对疑难病患者分别依次做出诊断，然后再坐到一起进行统一会诊得出最科学的结论。这种形式的诊断曾使许多患者的疑难病症得以确诊，这在上海乃至全国都产生了很大的影响。

五位专家在对余子轩分别诊断并统一会诊后，最后的结论却是一切都"未发现异常"，"建议观察治疗"……这时，余庆龙夫妻俩深感绝望，望着瘫痪在床不能站立的独生子，他们欲哭无泪……

广告求医：瘫痪少年站立起来走出癔症阴影

2004年2月，心中充满绝望的余庆龙夫妻带着儿子回到了家里。这时，看到自己的病不能救治，儿子整天都是又哭又闹。这时，爸爸对儿子说："孩子不要急，等春节后忙过一段，爸爸妈妈带着你去北京看医生。那时你的病一定会治好的。"

这个时候，正是同学和伙伴们结伴一起过寒假的时候，看到别的伙伴们在外面活蹦乱跳的样子，余子轩万分焦急，他时常将许多放在床上的东西胡乱地扔得满地都是，同时大发脾气或又哭又闹。父母看在眼里，疼在心中。余子轩的妈妈说："找一找媒体，看看谁能认识高明的

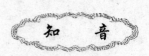

医生，能治好他的病，总不能这样等下去啊！"

"紧急求治：一位14岁的少年于2003年11月开始在没有任何外伤的情况下两腿发软，几天后莫名其妙地瘫痪在床，后经过温州、杭州、上海等多家大医院会诊，都没有发现任何异常，因此不能确诊，至今这位少年的病情仍未好转，现家长热望能有高医出手相救。联系电话……"当地广播电台连续几次播放了这则余家的求治广告……

一时间，不少医生部通过电话联系，表示要尝试一下。但当他们看到一大堆"未发现异常"的各方面检验报告时，部纷纷地告退了。这当中，瑞安二院的一位内科医生临走时对余庆龙说："这个病不能用传统的医学思维去考虑，不妨找一找瑞安精神病医院的胡学政医生看一看……"

抱着试一试的态度，余庆龙夫妻俩带着儿子有些不情愿地走进了市精神病医院。他们想，儿子的思维好好的，干吗要来这个集中着精神病患者的地方？但为了儿子，他们还是忍住了这种心理上的不适。

经过多次检验报告的对比分析和对患者日常生活的了解。胡学政医生对余庆龙说："如果没有弄错的话，我认为，你儿子得的不是一般生理性的瘫痪，而是一种精神方面的疾病导致的瘫痪，这种病症是精神病学上所说的一种癔症……患者一般来说有精神或心理上的某种障碍就会有可能形成这种用一般医学方法所不能查出的特殊病症。"这位医生认为，"你的儿子厌烦补课，厌烦上学，每天老师无休止的补课和家长的施压及对孩子过高的期望值，对他都产生了巨大的精神压力。在这种压力下，孩子自然对学校就产生心理上的巨大的排斥，在潜意识上形成了厌烦补课、厌烦上学、害怕上学的理念，这种精神障碍促使了癔症性的瘫痪的产生……"胡医生还说，"这种癔症的治疗只能用心理疏导的办法解决。"

听到医生的话，余庆龙半信半疑地说："是不是孩子因为厌烦补课而希望自己不会走路而真的就瘫痪？"胡医生说："孩子不一定是希望自己不会走路，他的害怕上学、害怕补课的心理通过潜意识的作用，就直接性地形成了这种瘫痪的后果……"

很快，余子轩住进了这家医院。为了消除他对医生的心理上的排斥，胡医生首先和他交朋友，通过做游戏及生活上的关心等方式拉近心

理距离。同时又让他有医生能够妙手回春的神秘感，让他充分相信医生完全能够治好他的瘫痪。胡医生说："你要相信自己，只要和医生配合，你就一定能站起来走路！"医生对家长说："一定要让孩子有自立的意识，杜绝那种对父母心理上的依赖，从吃到穿，尽量让他自己独立做事。"

在服用镇静药物的同时，每一天，胡医生都在培养他"能够站起来"的自信心。而且每天都由胡医生手拉着他训练站起来。"你要在心里想：自己一定能站起来！""要站起来只能靠自己！""站起来，你就能出去玩儿了！""努力，你一定能行！"……一天又一天，余子轩进行着这种心理训练。同时，胡医生还为他进行一周两次针灸治疗……

5月12日早晨，瘫坐在椅子上的余子轩在胡医生的站立训练中终于站起身来，并可以慢慢走上几步了……看到这情景，余庆龙夫妻俩流下了激动的泪水。一天又一天过去，余子轩终于可能自由地站起来，迈步了……6月28日，这位曾经瘫痪的孩子，终于出院回家了。临走时，胡医生对余庆龙说："今后，作为家长，你们对孩子的期望值一定要切合实际，不能过高，不能盲目地与孩子的同龄人比来比去。不要给孩子过多的学习压力，孩子精神上的承受能力有限，家长一定要充分考虑。现在，孩子们的补课之风盛行，望子成龙的家长如此要求，追求升学业绩的老师如此要求，势必造成孩子心理的压力和障碍，严重时就会形成各式各样疾病，而这种莫名瘫痪的癔症就是其一。这个活生生的教训实在是太深刻了！"

冲动的惩罚：
刀郎擦干爱情眼泪去漂泊

喻强

仿佛一夜之间，全国各大城市纷纷下起了《2002 年的第一场雪》，刀郎那苍凉而质朴的歌声有如黄河之水天上来，席卷了整个沉闷的流行歌坛。他那独特的嗓音和极其原始的民族风味的伴奏如天山的雪莲，遥远而又纯美！

刀郎是谁，谁是刀郎？是什么样的经历造就了他歌声中那种难言的沧桑和凄美？本刊特约记者三个月不间断的追踪，终于走近了刀郎……

音乐少年，擦干爱情的泪去漂泊

刀郎原名叫罗林，出生在四川省内江市资中县城。他父母都是资中县文工团的骨干演员。父亲是团里的舞蹈演员兼管团里的灯光、舞美、道具；母亲是团里有名的舞蹈演员。

1971 年，小罗林出生后，从小就喜欢跟在文工团叔叔阿姨后面跑来跑去，用他稚嫩的声音和动作学着大人的唱歌和舞蹈，深得父母和叔叔阿姨们的喜爱。

罗林上初中后，正值 80 年代初，改革开放的国门刚开，台湾校园歌曲很快便风靡大陆，让罗林这一代懵懂少年一下子感受到了不一样的音乐世界。他常常偷空跑到文工团，摆弄着电子琴。慢慢地，他也能上台伴奏了。80 年代初的资中县文艺演出中，后台常常能看到一个少年键盘手，他的伴奏让表演者无不啧啧称赞，他就是罗林！

对于儿子罗林表现出的音乐天赋，父亲暗自惊喜，自己的音乐知识，早已填不满罗林的渴望，但罗林一味钻研音乐，不思学习又让父母十分担忧。

"我想写歌，我要作出自己的歌曲！送我去四川音乐学院附中去读书学音乐吧！"初二的罗林向父母提出了要求。罗林的父母何尝不想让

知 音

儿子去深造音乐，但两人微薄的工资，演出一场五毛钱的补助，怎能供得起罗林上音乐学院的附中？罗父沉默了。

高一下学期，过完16岁的生日，在一个小雨淅淅沥沥的清晨，罗林悄悄给父母留下了一张纸条，怀揣着他的音乐梦想，只带着100多元钱就出发了。他的背影一步一步消失在资中街道的尽头。

醒来的父母看到了纸条："爸爸妈妈：我知道你们伤心，但我要去追逐我的音乐梦想！不成功，我不回来！"

罗林离开资中县来到了内江市，他打算在内江的歌舞界磨练两年，将键盘水平提高一个档次，再攒些钱，去读四川音乐学院附中，然后考音乐学院，实现自己的梦想，报答爸爸妈妈！

凭着自己出色的键盘水平，很快有多家酒吧、歌舞厅来请他演奏键盘，16岁的他很快就在内江市站稳了脚跟，一晚上他常常要到几家歌舞厅去赶场。他出色的演奏，引起了内江市歌舞团一个资深键盘手蒋应吉的注意，蒋应吉的键盘演奏在四川音乐界颇有名气，他发现这个少年很有音乐天分，18岁那年，罗林拜蒋应吉为师，键盘演奏日渐完美。

这时，一个美丽的女舞蹈演员走入了罗林的视线，她就是内江市歌舞团舞蹈演员杨娜。很多演出场合，罗林的视线总是被她的舞姿牵动着，杨娜婀娜的身段，曼妙的舞姿，特别是那一双深情的眼睛，让罗林欲罢不能。一种发自内心的激情让他深深沉醉了。

杨娜也观察罗林很久了，这个外表有些忧郁的男孩，有着深厚的音乐功底，他那娴熟的键盘弹奏让她佩服不已，她隐隐感到，这男孩以后会有出息！但是当她读到罗林眼睛里的火热的激情时，她回避了。

杨娜家庭条件较好，从小受到了良好的音乐舞蹈培养，加上她的美丽，足以在内江傲视群芳。但她有过一段短暂而不幸的婚姻，前夫也是内江市歌舞团的舞蹈演员，两人经常合演双人舞，然而，尽管他的舞姿不错，但他的身高比杨娜却矮了半个头，加上两人的性格冲突太大，短暂的婚姻仅仅维持了两年就离婚了。

当时，省歌舞团也看好杨娜的舞蹈，准备调她去成都，她的心早已不在内江。因此，虽然她欣赏罗林的才华，但一直在回避罗林的感情，她认为凭她的条件应该找一个很有前途的男人，罗林虽然年轻、优秀但未必就有美好的前程！

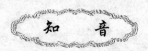

　　杨娜的冷淡越发让罗林陷入了疯狂的迷恋，在罗林的眼中，她是那么美丽，那么完美，她的舞姿有如敦煌的飞天凝固在罗林的脑海，多少次在他梦中出现！

　　罗林20岁生日那天，他特意只邀请了杨娜一个人参加。杨娜穿着一身得体的旗袍，带着淡淡的忧伤，因为第一次婚姻给她的打击很大，再加上省歌舞团要她的事迟迟没有消息，她的心情很沮丧。可罗林却非常兴奋，因为在此之前，杨娜每次都拒绝了他的邀请。

　　看着烛光中的杨娜，罗林觉得她更美了，美得让人不敢正视，他的心不停地狂跳！

　　"祝你生日快乐！"罗林没想到杨娜首先举杯了，兴奋的他和忧伤的她一饮而尽。

　　"其实你很优秀，内江太小，我担心会限制了你的发展，你应当到外面去发展！"杨娜又举杯了，罗林没想到杨娜内心这么看重自己，他非常地激动。

　　那一夜，两人不知干了多少杯，罗林喝得双眼迷蒙。他一把拉过杨娜的手："杨娜，我爱你！"罗林平生第一次说出"爱"这个字，可以想象他鼓起了多大的勇气。杨娜的脸不知是因为酒还是因为激动而红润，在罗林看来是那么的娇羞，那么的美，他一把将杨娜抱在怀里……

　　杨娜为罗林对她热烈而质朴的爱情而感动，但罗林要将她抱在怀里的时候，她拒绝了，她安顿好已经喝醉而沉沉睡去的罗林，悄悄地走了。

　　有了爱情的滋润，罗林只感觉如沐春风，他的演出更加精彩，常常即兴华彩演奏引来满堂喝彩。国内的一些摇滚乐队听说他的名气，纷纷邀请他给歌手伴奏。朋友们问起他怎么和一个离了婚的女人耍朋友？他的回答非常干脆：我爱她！而当人们问起杨娜时，她常常笑而不答。父母知道后，觉得不合适，劝罗林放弃，然而罗林对此不屑一顾。

　　一年过去了，杨娜并未如愿以偿地去成都，心情郁闷，是罗林的激情让她忘记了暂时的痛苦。有罗林的演出，她必到场。一场恋爱对她而言已在半推半就中开始。远在绵阳市的父母得知她在内江的状况，就劝女儿回去。此时的杨娜前途渺茫，罗林能给她暂时的安慰，但罗林能走多远呢？杨娜想离开内江，可是，此时，她的腹中已经有了罗林的骨

肉。

杨娜怀孕了，罗林开始正式向杨娜求婚。杨娜答应了。然而，他们的婚姻没有得到双方父母的支持。婚礼上双方的父母都没有去，在罗林的倔强面前，罗林父母的心软了，终于接受了杨娜。

杨娜快要生孩子的时候，罗林父母将杨娜接到了资中老家。1991年，杨娜生下了一个女儿，罗林为她取名叫罗天。罗天出生后非常可爱，父母和罗林轮流把她抱在怀中。看着心爱的杨娜，看着乖巧的宝贝女儿，罗林每天脸上都洋溢着幸福。然而，他万万没有想到，罗天出生40天后的一天早晨，他起床发现没了杨娜的身影！杨娜去了哪里？罗林打电话找遍了她的家人朋友，却依然没有她的踪影。

他以为杨娜有什么急事，不相信杨娜会走。然而一个月过去了，杨娜并没有回来。父母的叹气，邻居的议论，女儿的哭喊，罗林才慌了。他抱着女儿来到内江市歌舞团，领导告诉他，杨娜20天前就办了手续离开了，不知去了哪里。罗林一下子愣在了那里！

回到家里，过去和杨娜的一切仿佛是一场梦。可手中抱着的却是一个真切的女儿！罗林无论如何也想不通，是什么让杨娜话都不留一句就出走！

三个月后，罗林接到了杨娜的电话："原谅我，我走了，因为你不会给我幸福！""杨娜，你回来吧！"然而，罗林的呼喊遭遇的是一片忙音。再打过去，却发现是公用电话。他感觉自己再也无法面对父老乡亲，半年后，他特女儿交给了父母，背着心爱的电子琴和一箱音乐笔记再次离开家乡，踏上远赴天涯的路。

"西域天使"，跟我到新疆去吧那里有你的歌

罗林猜测杨娜去了成都，于是先来到成都，这一年他22岁。他凭借自己出色的键盘功夫在省城的歌舞厅、酒吧、演唱会演奏，让许多老板暗暗称奇，哪来的小伙子键盘技艺竟然如此精湛！罗林遍访成都的各大歌舞、艺术团体，但人家都告诉他，没有杨娜这个人！

"爸爸，找到妈妈了吗？"小罗天时常在电话中间他，听到女儿稚嫩的声音，罗林的喉咙哽咽了。

一年后，罗林怀着极度的失望离开了成都，他又流浪到了绵阳，仍

然靠一张电子琴在绵阳生存下来。这里是杨娜的老家，可是偌大的绵阳市，哪里有杨娜的踪影？好几次他看见了杨娜的背影，便激动地跑过去，没想到却是一张陌生的面孔！他要找到杨娜，不是想让她跟自己回去，他就想问一句："为什么？"他只要一句答复，就可以了然，然而，却始终找不到！他麻木了，在夜晚的酒吧中疯狂地弹奏着、呐喊着、迷醉着，唯有电话中女儿的一句话："爸爸，你回来吧！"才会让他泪流满面！

终于，父亲打来了电话：杨娜有消息了，要罗林回来办理离婚手续，并且已经向法院起诉离婚。

听到这个消息，罗林险些晕倒，这么久苦苦寻找杨娜就想问她一个答案，而现在答案已经出现，只是他没有想到来得这么快。他告诉爸爸："我已经没有勇气回去了，你替我办理吧。"

半个月后，罗林的父亲出庭代表儿子同儿媳签了离婚协议，他们没有什么共同财产，女儿归罗林抚养，杨娜每月给罗天100元生活费。一场婚姻就这样结束了。

离婚后，罗林再呆在绵阳已经没有什么意义。带着爱的伤痛，他离开了绵阳，背着电子琴又开始漫无目的地漂泊，这一漂就是整整八年！这八年之中，他也曾遇到过几个非常爱慕自己的女孩，都被他无情地拒绝了。长期的流浪生活中，他雷打不动的只有两件事：一是每个星期他都要和女儿通两次电话，女儿的声音是他唯一的精神支柱；二是他没忘记对音乐素材的整理和收集，他的行囊除了电子琴就是厚厚的几个笔记本。

2001年，已是30岁的罗林流浪到了海口，多年的漂泊，他还娴熟地掌握了吉他、贝司、架子鼓的演奏，他感觉自己有能力制作编辑音乐了，他用微薄的积蓄，借了朋友一些钱，开始了自己的音乐工作室。

这时，正在海口电视台实习的新疆姑娘朱梅在采访时偶然来到了罗林的音乐工作室，看到达简陋房屋里简陋的音乐设备和蓬着头熬红了双眼的罗林，朱梅觉得很好奇，居然还有人在这样的环境下制作音乐。听了罗林制作的由他试唱的歌曲，朱梅的心震撼了，有着良好音乐素养的她感觉到，罗林的音乐有一种与众不同的东西，充满了一个沧桑男人独特的韵味。

知　音

"你的音乐有自己的个性，你应该不是一般的音乐制作人？"朱梅认真地对罗林说道。

冷淡的罗林不由对能欣赏自己音乐的朱梅多看了一眼，这才发现她有一双明亮的眼睛，高挺的鼻梁，洁白的皮肤，一看就像新疆姑娘。

采访之后，朱梅有空就到罗林的音乐工作室来转转。他们经常在一起谈音乐。朱梅的到来，给阴暗狭小的工作室带来了阳光，她的爽朗她的率直对于罗林来讲像是久违的天籁之声，随着朱梅灿烂纯洁的笑声，多年不笑的他开始僵硬地笑了。

然而，罗林花尽了积蓄的工作室虽然有了，却没有人找他制作音乐。他自己创作的一些原创音乐也压在箱底，他陷入了窘境。找不到出路的罗林常常独自去喝酒，有时醉得一塌糊涂。一天，罗林昏沉沉地睡去，一张稿笺纸掉在地上，朱梅捡起一看，是罗林写的一首歌词《冲动的惩罚》：

那夜我喝醉了拉着你的手胡乱的说话/只顾着自己心中压抑的想法狂乱的表达……我拉着你的手放在我手心/我错误的感觉到你也没有生气/所以我以为/你会明白我的良苦用心/如果说不是老天让缘分把我捉弄/想到你我就不会那么心痛/就把你忘记吧/应该把你忘了/这是对冲动最好的惩罚。

歌词并不规整，也不十分押韵，透过这直白的质朴的语言，朱梅看到了罗林伤痛的过去，她明白这个男人为什么要背井离乡地流浪了，无限的爱怜涌上朱梅心头，她摇醒了沉睡的罗林，罗林坦然地告诉朱梅，这是为他与前妻杨娜的一段感情写的，他还有一个可爱的女儿。不过，杨娜在他心中已经死了，这首《冲动的惩罚》是他们俩感情的墓志铭！

"你一定要振作起来！"朱梅真诚的目光让罗林看到了一种坚定。

然而罗林的心早已枯寂，对于感情他已经害怕，他不相信世界上还有真诚的眼睛。

2001年6月的一天，罗林喝完酒骑上摩托飙车，在这种极度的刺激中发泄自己无边的压抑。随着一声巨响，罗林连人带车摔出十多米远，醒来时他已躺在医院里。病床上的罗林万念俱灰，他谁也没告诉，就那么麻木着。朱梅得知罗林摔断了三根肋骨时，心疼地哭了。她拉着罗林的手说："罗林，你不要放弃自己啊，这世界上至少还有我关心你！"罗

林麻木的脸上流出了两行泪水，但他摇了摇头，闭上了眼睛。

2001 年 6 月底，罗林终于撑不住了，他背着朱梅给父亲打了电话，颤抖着说道："爸，来接我回家吧！"放下电话的罗父什么都明白了，十年了，老人就等他回来的消息！罗父立即启程来到海口，父子俩悄悄地离开了医院，离开了海口。

回到了老家，女儿罗天已经 10 岁了，父女俩抱头痛哭，又长久对望着，久久说不出一句话！

7 月的一天，突然响起了敲门声，罗父将门打开，一个年轻陌生的姑娘站在门口。躺在床上的罗林，惊呆了，原来是朱梅！朱梅一进门就哭了："为什么你走不告诉我一声，我找你找得好辛苦！"

罗林久久地凝望着朱梅，突然放声大哭，他们的哭声，惹得父母、女儿也都跟着哭了，朱梅紧紧握住罗林的手说："跟我走吧！到新疆去，那里有好多好多的歌！"罗林流着泪点了点头。

2001 年 8 月，罗林跟朱梅来到了新疆。朱梅的父母是乌鲁木齐市某单位的职员，他们欣然接纳了罗林。在朱梅的安顿下，她与罗林有了一个温馨的家，并有了一个可爱的女儿，取名罗昊月。

在新疆，罗林仿佛来到了民歌的海洋，他贪婪地吸取着新疆民歌的精髓，每天都到各地采风，一个神秘的少数民族吸引了罗林的目光，那就是刀郎族。刀郎族个个都能歌善舞，不管是田间地头，一旦乐器响起，他们就会放下农具随歌而舞。罗林深深地为他们独特的鼓舞而吸引，于是将自己的艺名定为刀郎！

这期间，带着对朱梅无限的爱恋，无限的感激，他写出了传遍全国的《2002 年的第一场雪》：

2002 年的第一场雪/比以往时候来的更晚一些/停靠在八楼的二路汽车/带走了最后一片飘落的黄叶/2002 年的第一场雪/是留在乌鲁木齐难合的情结/你像一只飞来飞去的蝴蝶/在白雪飘飞的季节里摇曳……

字里行间是对朱梅无限的深情，无法用简单的言语表达，一切都在歌声中。这首歌进入市场后，迅速得到了歌迷们的认同，几个月后就风靡了大江南北！

2004 年 4 月，刀郎的歌一举登上 CCTV—3 音乐台排行榜，直接坐到了第一把交椅上，稳稳地傲视群雄。刀郎的唱片一入市场就如同一个霹

知　音

雳，三个月就销出 250 万张，创造了国内正版歌碟新的销售记录，将当红歌手朴树、周杰伦等远远甩在身后。

　　刀郎成功了，但他忘不了十年的沧桑流浪，忘不了最落魄的时候朱梅寒冬中的柔情似水！忘不了在最落魄的时候，是她给送来了 2002 年的第一场雪，让他走过了人生的低谷，迎来了爱情和事业丰收的秋天⋯⋯

240万打造豪华初恋：
美人飞了自己毁了

臣子

重庆一家民营企业24岁的出纳员张洪，羡慕那些大款美女环绕的浪漫奢侈生活。他在夜总会偶遇一位美如天仙的DJ女郎后，便陷入一场疯狂奢侈的"富贵之恋"。为了博取这位风情万种的美人的欢心，他不择手段地侵占公司240多万元巨款来"包装"爱情，"制造"浪漫。在短短9个多月里，他住高级酒店，游天下美景，置各种奢侈生活用品，玩起了豪华的奥迪轿车和宝马跑车，比他的公司老板还阔绰，结果他爱的人还是移情别恋，他人财两空，落入了法网。2004年3月，张洪因犯职务侵占罪，被重庆市沙坪坝区法院判处有期徒刑12年……

羡慕奢侈风流，强扮大款狂追美女

张洪出生在渝东山区武隆县一个清贫之家，1996年考入了重庆涪陵区一所财贸中专学校。1999年他以优异成绩毕业后，被重庆一家民营企业招聘到财务部工作，每月工资1400多元。亲友们都认为他掉进了"金窝窝"，嘱咐他好好工作。

初进这个现代化管理的公司，张洪生活朴实，勤钻业务，很快成为财务部业务骨干，受到领导的赏识。

2000年8月，公司老板将张洪委派到下属的足球俱乐部担任出纳员。第一个月，他起早贪黑，加班加点地工作，领到1800多元工资。可球员的工资奖金却令他惊羡不已：主力队员高达五六万元，而坐冷板凳的替补队员也有近万元"进账"！面对人家"日进斗银，月揽万金"的收入，张洪心里既羡慕又不平衡……

张洪还没从收入悬殊的困惑中走出来，另一件事又震撼了他的心。

那是2000年国庆节期间的一天，一帮球员邀请张洪到郊外的休闲山庄去玩耍。他们驾着自己的名车，搂着美艳时髦的女友一路出行。当那

些风度翩翩的球员搂着珠光宝气的美女们出现在山庄时，犹如一道靓丽的风景线，令旁人大行"注目礼"。张洪形影相吊地跟在他们后面，显得非常落寞、孤单。

那天，这帮球员和女友们嬉戏打闹、搂搂抱抱，一边议论自己豪宅的宽敞舒适，轿车的华丽尊贵，夜总会的舒爽刺激，一边泡温泉、钓鲤鱼，一掷千金，豪气冲天。那种闲情逸致，那种豪爽阔绰，令张洪既尴尬又羡慕。他的心中有一种强烈的失落感和空虚感，同时也涌起了一股强烈的想过高贵生活、出人头地的冲动。

张洪正坐在一旁胡思乱想时，一位球员拉他去打牌，这位球员和女友及另一球员正三缺一。见他们打麻将带彩很大，张洪灰溜溜走出棋牌室，只听到球员那位女友刻薄地讥讽他："瞧他那副穷酸相，哪个漂亮女人看得起他？"

这尖酸的嘲笑和极度的蔑视，深深地刺痛了张洪的心！他当即咬牙发誓：捞钱！一定得发横财！我非要找一个比这个更美丽的女友不可！我一定要让这帮球员和这帮女人看到，我一个打工仔也会拥有香车美人，锦衣玉食的生活！

第二年，张洪从俱乐部调回集团公司财务部工作。

2002年9月的一个周末夜，张洪和几个朋友进了市区一家高级夜总会。迪厅领舞的DJ女郎是位长发的绝色女子，她舒展细柔的腰肢，忘情地舞动，让台下的人群疯狂地叫好！

张洪见到这位DJ女郎那一刻，便激动地对同伴说："这女孩太漂亮，太迷人了，我要追到她！"

在蹦迪中，张洪连续两次送鲜花给这位DJ美女，还要了120元一杯的血腥玛丽鸡尾酒端上台，送给她解渴。DJ女郎笑靥如花，接过张洪的酒杯后，给了他一个香吻，差点把他的魂勾走。

整个晚上，张洪都沉浸在她的柔美气息中，一直目不转睛地盯着她。一直等到凌晨1时许DJ美女下班，张洪坚持要打的送她回家。她看着张洪深情的眸子，温柔地一笑，同意了。

在出租车里，张洪贪婪地呼吸着DJ美女身上溢出的夏奈尔香水味，按捺不住渴望，轻轻揽她入怀，她顺势依偎着他，温情脉脉，张洪完全陶醉了……

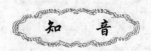

20多分钟后，DJ女郎到家了，下车时，张洪握紧她那细润的小手，冲口而出："做我的女友吧，我爱你！"DJ女郎当即挣脱他的手，说："谢谢你今晚做'护花使者'！我还不了解你呢！这事以后再说吧！"

张洪不可救药地爱上了这位美丽妖娆的DJ女孩。他每天下班后，就守在迪厅里，为她捧上鲜花、美酒，欣赏她娇媚、潇洒的舞姿，然后等她下班，激情满怀地护送她回家。一来二去，他知道她叫于曼，19岁，毕业于重庆市一家艺术学校舞蹈系。她还没有谈过恋爱，但张洪已经是疯狂追求她的第N个男孩！

自从爱上于曼后，张洪拼命为她花钱，讨她欢心，今天请她去酒吧唱歌，明天带她去温泉泡澡，后天又拉她打网球……她20岁生日那天，张洪掏出3000元在丽苑大酒店为她办了一桌高档宴席，请来几位朋友为她过生日。喝完生日酒，张洪将给于曼的生日礼物亮了出来：一瓶法国香水、一款羽西化妆品、一双雪白的软皮舞鞋和一条钻石项链、一个小巧玲珑的三星手机。于曼脸上洋溢着惊诧与激动，她一把搂住张洪，狠狠地给了他一个香吻。张洪不禁神魂颠倒，他知道，她在公众面前这甜蜜的一吻，就表示她是他的女朋友了！

交往一个多月，张洪几年省吃俭用节余的1.8万多元就花光了。没有钱，他心虚得不敢出现在于曼面前，可他一刻也离不开他的"白雪公主"啊！在爱情的召唤下，他已经没有退路了。于是，他不惜卖掉手机，戒了烟，节省"每一个铜板"。后来，他从自己身上抠不出更多的钱了，只好不断向周围的朋友去借钱。

一次，张洪护送于曼回家时，于曼温柔低语："洪哥，我爱你，我想今夜去你家……"张洪明白于曼的暗示，他何尝不想与她共度良宵啊！只是，他那潮湿阴暗的小平房，怎能盛下这份昂贵的爱情啊！

夜里，张洪躺在小床上辗转反侧："我爱于曼，看得出她也爱我。但凭我这千平的相貌和不高的收入，不能给她奢华享乐，我们的爱情难以稳固。一旦我的打工仔身份暴露，爱情也就肯定'见光死'！"

极尽奢华，240万巨款营造"富贵之恋"

张洪不甘心埋没在社会底层，决心去赚大钱，娶到自己心爱的女孩。可是，如何才能搞到大笔的钱呢？他苦思冥想，也想不到一个好途

径。

一天下班前盘账，张洪突然发现手头多出了 5000 元钱。这是一笔临时进的业务款，会计忘了做账，他也忘了存入保险柜。当时，他紧张得心怦怦乱跳，等办公室的人都下班后，他急忙把发票撕毁，把账目底根烧掉，然后把这笔飞来的"横财"揣入自己腰包。

2002 年 11 月一连几天，张洪提心吊胆，非常害怕被人发现。然而，他发现办公室的同事谁也没有提起这笔钱，一切平安无事。他便不再害怕，揣着捞来的钱，拉着于曼来到金碧辉煌的五星级万豪酒店，请她喝咖啡，吃龙虾，还让她挑了一套法国名牌时装！于曼高兴地依偎着他，灿烂地笑着。大酒店的贵宾都向张洪和她行"注目礼"。那份美妙的感觉，令张洪陶醉不已！

这次伸手"拿"钱，让张洪开了"窍"。为了美丽的爱情，他顾不得那么多了，开始将老板的钱拿上了"瘾"，今天 3000 元，明天 5000 元……张洪的胆子越来越大。有一次，公司一个月的营业款有 200 多万元，他毫无惧色地把其中 26，8 万余元装进自己的皮包……

就这样，一次又一次，张洪从 2002 年 11 月到 2003 年春节，已经"拿"走公司 180 多万元！金钱撑胀了他的皮包，撑硬了他的腰杆，他生平第一次体会到大款的富足与荣耀，开始神气十足地安排女友的生活。

张洪讨厌整天夜里去守护着女友，也不喜欢看到心爱的女友每晚在迪厅接受无数双淫荡眼睛的抚摸。2002 年 12 月，他要求她不当 DJ 了，租房养着她！于曼吃惊地问张洪拿什么来养她。张洪一拍胸脯，大言不惭地谎称："以前我没敢告诉你，我家其实是富贵人家，我父母是一家集团公司的股东，我家最不缺的就是钱了！"于曼对此很疑惑。于是，张洪开始施展"金元爱情"的魔力，让她沉醉在自己的奢华与潇洒中。

张洪每月花 1600 元在风景秀丽的歌乐山脚下租了一套房子，让于曼住着。于曼觉得这里离市区远了，他没有退房，又悄悄到朝天门租了一套可以看江景、眺南山的豪华住宅，花巨资买了水幕按摩床、背投彩电等高档家具家电，把于曼接来这个"爱巢"。于曼兴奋地蹦来跳去高兴极了。看着她快活的样子，张洪也陶醉在"富贵之恋"的馥然中，自豪不已！

为了给于曼打发时间，张洪每月给她大把的零花钱，让她去逛商场购物、去美容中心美容等。他还给她买了一张休闲俱乐部的会员卡，她可以去那里健身、桑拿，喝咖啡、看时装表演等等。于曼最爱去宾馆、酒吧、迪厅玩，他就陪着她，吃200元一盘的洋水果，喝500元一杯的洋酒……吃饱喝足了，玩累耍够了，他俩便去重庆最豪华的宾馆开贵宾房或总统套房。仅2003年，他们"撒"在重庆高级宾馆的房费就近20万元！

他俩想玩遍重庆所有好玩的娱乐场所，又嫌晚上打的不方便，于是张洪决定自己买一部轿车。他带着从公司保险柜"拿"的60万元巨款，气派而豪爽地跨进了重庆一家汽车销售公司，看中了一辆A6型2.4升的蓝色奥迪车，没有讨价还价，掏出56万元砸给商家，就买下了。拿到钥匙，张洪花了5300元在车管所选了一个吉祥的渝AG9999的车牌。他开始不会开车，每月花2500元请了一个司机，每天送他上下班，每晚接送他和于曼去娱乐场所吃喝玩乐。

2003年4月，于曼觉得很多富姐富婆都开豪华轿车，她也想坐宝马出去逍遥。为了让她开心，张洪又"砸出"90万元买了一辆宝马车，他拥有的汽车比他公司老板的还高级、舒适。

有了车，他们四处潇洒就方便多了。在重庆呆腻了，他俩就拿了驾照驾车到成都、乐山、绵阳去玩，游西岭雪山、爬青城山、登峨眉山、看乐山大佛。白天游山玩水累了，晚上他们就住四星级以上的大宾馆，洗桑拿，找异性按摩等等。

一次，张洪和于曼在成都一家宾馆的夜总会看俄罗斯小姐表演热辣艳舞，一位成都口音的大款大呼小叫，100、200元地打赏钱给那妖艳的俄罗斯小姐，那位勾魂的洋小姐也就对他疯狂抛吻、献媚。见这人耍阔，于曼很不服气，叫道："洪哥，撒钱！撒钱！盖过这个成都佬！"张洪马上掏出三四千元人民币冲上台去，潇洒地塞进俄罗斯小姐的黑色胸罩内，那俄罗斯小姐激动得抱住他猛烈热吻。于曼看着那位成都大款气歪了嘴，兴奋地搂着张洪大喊大叫，开心极了！

娱乐场所、山水风光玩过之后，于曼觉得不新鲜了，又想来点刺激的玩法，她想赌博。于是，张洪又带她去重庆的地下赌场。于曼出手大方，赌得豪气，每晚输掉上万元，根本没当回事儿。在一次足球大赛期

间，一天晚上，他俩在地下赌场参与澳门足球外盘大赌，短短两个小时输掉整整12万元。他们在别人惊叹声中，大气也不喘一口，就溜出赌场，继续坐在酒吧里轻松地喝咖啡！

在都市潇洒，于曼还是觉得不爽。他俩就自驾车回到张洪老家武隆县玩。他们的奥迪和宝马车驶过狭小的街道，县上、镇上的人们纷纷来看这从未见过的豪华车。一时间"大款回来了"的消息传遍大街小巷。当年的同伴和邻居见到张洪和他绝色美貌的女友，都毕恭毕敬，赞叹不已。张洪非常开心，于曼也很陶醉。她一高兴，就千儿八百地打赏人家，还豪爽地说："拿去给孩子买套像样的衣服！"被打赏人高兴得连连作揖道谢……他们觉得在众人面前"显富"，令众人敬仰的感觉很好，之后经常开车回去风光一番……

人财两空，金钱堆砌的爱情不堪一击

尽管张洪疯狂地"拿"公司的钱，奢华地陪着美人享乐，可他一直没忘记自己的打工仔身份。他明白，一旦有人发现他偷钱享乐，那他就"玩"完了！所以，他从不敢缺勤、旷工，不敢迟到、早退。白天，他依然穿着公司的工装，让他的私人司机开着奥迪车送他到离公司200米的转弯处，然后他下车步行进公司大门；下班后，他又像做贼一样，看看四周没有同事和熟人，才钻进等候在那里的轿车。在单位，他和大伙一样吃食堂，只抽2元一包的劣质烟，让同事看不出一点"大款"的痕迹。他还加班加点工作，带头为贫困的，生病的工友捐款，三次拒收"红包"1200元……

从2003年春天开始，于曼追求奢华和享受的"胃口"越来越大，张洪公司的钱财漏洞也被他越"拿"越大，他的心里也越来越恐惧。他知道，总有一天会有人清查账目，到时等待他的将是什么。

张洪焦虑、烦躁、苦闷，晚上被噩梦惊醒。于曼不解，老问他干了什么亏心事，这么恐惧、心虚，张洪只好编谎言哄她说是工作压力大。

张洪一直小心翼翼地呵护着他们的爱情，对于曼百依百顺，希望她有一天成为他的妻子。可是，他们靠金钱和享乐维系的感情并不牢固，很快，在外来感情的"冲击"下，他精心构筑的爱情防线一败涂地。

因为张洪包养着于曼，才20岁的她就像那些富婆一样，学会了养尊

处优：每天睡到中午才起床；吃了精致的午饭，下午让司机开车送她去美容、健身、购物；到了傍晚，等张洪下班回来，他们就一起或约朋友去外面潇洒，要玩到凌晨或天亮才回"爱巢"。

这种散漫无聊的日子过腻了，于曼突然心血来潮，向张洪提出去旅游学校学习，考一个导游证。张洪想想也好，为她交了学费和实习费，天天开车接送她上下学。

他们住的朝天门"爱巢"离杨家坪的学校有近三四十分钟的路程，每天，于曼要早早地起床去上学，非常辛苦憔悴，张洪很心疼她，又每月花1200元，为她在学校附近租了一套装饰一新的房子住。谁知，张洪为她准备的这些，竟是为他自己掘的爱情"坟墓"，使他用金钱堆砌的爱情化为泡影。

2003年6月的一天中午，张洪从公司打电话到旅游学校附近的"家"，竟然是一个男人接电话，对方反而质问他是谁。张洪脑袋"嗡"的一声，几乎炸蒙了。他怒不可遏地在电话里吼道："我是于曼的'老公'，你是谁，敢在我家接电话！"对方毫不示弱："我是于曼的情人，你想咋的？"听了这句话，张洪热血冲顶，立马冲出办公室，打的就往"家"里赶去。

冲进"家"里，张洪没有发现于曼和那个男人，又气咻咻地冲进学校，将正在上课的于曼喊了出来。他愤怒地质问她那个男人是谁，她跟那男人是什么关系。谁知，于曼冷漠无情地说："他是我同学，很帅很帅的。我挡不住他的诱惑，我喜欢上了他！"这话像利刃刺进了张洪的心窝，失去理智的他狠狠甩了于曼一个耳光，将她打了一个趔趄。他看到于曼美丽的眸子里涌出了泪水，惊呆了，一下子又跪在她面前，抱住她语无伦次地说道："对不起，我……我不该打你……你怎么会喜欢上了他呢？他帅气能当饭吃吗？"

于曼没有理会张洪的愤怒、伤痛和不解，抚摸着红红的脸蛋，低头进了教室。

那天中午，张洪不知道自己是怎么回到公司的，一直恍惚到下班，他失魂落魄地回到"家"，"家"里空荡荡的。他以为于曼在朝天门的"爱巢"里，便打电话过去，却无人接听；他拼命给她打手机，她关了机；他又开车到处找她，可仍然一无所获……

一连几天，于曼没去上学，也没有回到他们的"家"来。直到第五天，她才托人给张洪送来一封信。信上，她绝情地向张洪提出分手，说与他交往的这几个月，他除了给她物质上的满足和奢侈享受外，没给她其它任何值得回味的东西。她还说老见张洪神秘兮兮的，惊慌失措，好像有许多东西都隐瞒着她，她跟他没有安全感！而她现在的男朋友虽然是学生，但他很帅气很透明，他的父母是有地位的人！

那些天，失恋的打击几乎要了张洪的命，他失魂落魄，精神恍惚。

祸不单行。很快，张洪最担心的事爆发了！2003年9月，他们集团董事长的夫人在接待老家武隆县的几位客人时，无意听到他们说张洪经常开着奥迪和宝马，带着一个年轻貌美的女人回老家"显摆"，她便马上责成公司督查部对张洪掌握的财务进行审查。这次突然袭击，张洪连躲闪的机会都没有，吓傻了。

就在督查人员封查张洪经管的账务、票据的第二天，他驾驶奥迪车逃到万州一个朋友处躲藏。但是，他知道自己无法躲过警察的追捕。次日，他乖乖地开车回到公司，向保安部投案自首。随后，重庆市公安局经保侦查处将张洪拘捕，一共查出他侵占公司人民币240余万元和美金3000元，而且已经挥霍一空。

2004年3月，张洪因犯职务侵占罪，被当地法院判处有期徒刑12年。这时，他才明白：真正的浪漫和奢华没有必然联系，用金钱堆砌的爱情实际不堪一击，而他本是一个收入微薄的职员，却为了赢得一份美好的爱情侵占巨资强扮大款，真是大错特错！

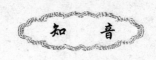

烟花一瞬，爱开一生

张凤艳

　　李锐是湖南卫视晚间新闻栏目的著名主播，曾获 2003 年度全国金话筒百优奖。近日，他向本刊特约记者讲述了自己与湖南经视主持人方方令人心动的爱情故事……

　　1999 年 6 月的一天，播完新闻的李锐急匆匆地往外走，因为他约好晚上和同事去唱歌。当满头大汗的李锐赶到广电中心大楼前时，却不见同事踪影，只有一个女孩迎面走来。李锐深呼吸了一下，然后，带着他特有的、招牌式的笑容走上前，挡住了女孩的去路。对视半秒，他开始发问了："喂！你是干主持的吧！"女孩嫣然一笑，反问道："你也是吧！"李锐一愣，随即道："是的，我姓李。"女孩突然放下矜持，大笑着说："早就知道了！我们广院的师生都为你的播报方式吵翻天了！"

　　李锐认真地问："那到底说是好还是坏呀？"女孩调皮地反问："你怎么对自己这么没自信呀？难道还有坏的可能吗？"李锐一愣，心想：这女孩好厉害！尴尬过后，两人不约而同地说出了三个字："等人哪？"这时，他们才发现原来大家都是约了同事去唱歌。而奇怪的是，同事们竟然纷纷失约，一个也没来！

　　最后，两人决定不等了，混在一群少年儿童当中溜了一晚上旱冰。

　　这之后，两人谁也没有主动找谁。许多天之后，李锐终于按捺不住，给方方打了一个电话，漫无边际地问道："最近学习情况怎么样？"却听到方方在电话那头急急地说："我在跟同学玩智力题，给难住了！快帮帮忙吧！我需要回答：天空是从哪里到哪里？A. 天空的大小是和地上的空间相对的；B. 天的尽头，是地平线；C. 天空在所有的屋顶上面。"

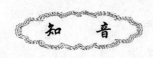

　　谁知，电话那端李锐脱口而出："笨！从我这里到你那里就是天空啊！"方方愣住了！竟然还有一个答案是这样的！

　　李锐于是跟方方讲起了自己大学刚毕业时在北京有线台工作的事情。一天，北京狂风暴雨，李锐盯了好久的一笔广告业务突然有了消息，厂家老板打来电话说要付广告费，但前提是必须马上去他的办公室取。一小时后，被淋得像落鸡汤似的不住哆嗦的李锐出现在那位老板面前时，老板顿时傻了眼。他以为这样恶劣的天气，李锐会知难而退的。最终，老板和李锐成了好朋友，彼此都从对方的工作中触到了一片以前没有出现过的天空。而这片天空的出现，正是因为某个特定时刻，李锐从他那里到了那个老板那里……

　　这一晚，方方痴痴地听着李锐的讲述，被他的智慧和性格中的坚忍深深感动了。而当方方随后讲起自己进入北京广播学院播音系之前，还获得过华罗庚数学金杯邀请赛三等奖，16 岁参加"泰宝杯"湖南省首届主持人大赛时就获奖，并主持过 1995 年湖南春节联欢晚会时，她在李锐眼里也几乎变成了一个完美的女孩。他觉得她美丽而不琐碎，受过特别好的教育，思想又新锐、飞扬。最难得的是，他觉得两人看上去有一点点叛逆，但骨子里却都向往绝对的纯真与善良。就是这层心灵深处的默契、一致，让两人的心一下子靠近了。

　　假期结束后，方方要回北京广播学院继续学业了，李锐去机场送她。方方刚到北京，李锐的电话就打来了："我这里就是你的天空，有困难的时候，别忘了打个电话过来。"这句关切的话语让方方感动不已，觉得有李锐的地方天空中就有爱情的温暖和幸福……

　　从此，他们两个人每天都会通电话，直到手机发烫。方方生病的那一次，别的同学都上课去了，李锐害怕她一个人留在寝室孤单，足足打了 10 个小时的电话，陪着她度过了一个漫长的白天……

　　终于有一天，李锐抛下了手中的工作，直接飞到了北京。当几个小时前还在长沙打电话的李锐突然出现在自己面前时，方方感动得哭了。那时，飞机票和长途电话费都是相当贵的，李锐的收入也不是很高，但为了和女友相聚，他心甘情愿地当"月光族"。

　　1999 年 8 月中旬，方方实习时认识的一个同事无意中告诉她说，李

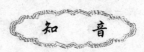

锐早就结婚了。听到这话，方方表面上不动声色，内心却排山倒海，委屈和伤心像波涛一般在她心中翻涌。她怎么能接受这样的事实呢？第二天，她就红着眼睛坐上了飞往长沙的飞机。

　　看到从天而降的方方，李锐惊呆了，高兴得手足无措。两人去了一家西餐厅。在忧郁、舒缓的音乐声中，愁肠百结的方方开口道："有一种花，从绽放那一刻起，就灿烂无比。但是在它最美丽的时刻，也就是走向衰败的时刻。那种花看在眼中艳丽而灿烂，但落到心里却像碎成了一地的玻璃。你能告诉我这是什么花吗？"

　　李锐感到气氛不对，反问道："你是在考我？"

　　方方沉默了半天说："这种花叫做烟花，我最喜欢的一种花，只可惜它的美太短暂，也太虚纪。"

　　听着这些英名其妙的话，李锐很是费解："你到底怎么啦？发生了什么事情？"

　　"你都结婚了，为什么还要来招惹我？"方方再也控制不住伤心地哭了起来。"方方，你怎么这么轻易相信外面的谣言啊？不等到你，我会那么早结婚吗？我心里装的全都是你呀！"李锐吃惊不已，诚恳地为自己辩解，可方方怎么也听不进去，拎起包哭着冲出了餐厅……

　　望着方方远去的背影，李锐当即连夜驱车赶到浏阳，买回一麻袋烟花。凌晨1时，方方的手机上有条短信："有我的日子，天天都有烟花，不灭的烟花。速到楼下。"当方方在志忑中走到楼下时，李锐立即把她抱上了摩托车，然后带着她风一般朝湘江边疾驶而去。10分钟后，两人来到了橘子洲头。李锐小心地从口袋里掏出白色的手绢，轻轻地对方方说道："我要进你一件礼物，不过要先委屈你一下，让我先把你的眼睛蒙起来！"说着，他扰用白手绢将方方的眼睛蒙上。

　　30秒钟后，当方方掀开白手绢时，出现在她眼前的竟然是满天飞舞的烟花！美丽的烟花在橘子洲头上空飘飞，足足持续了半个小时。最后，她猛地扑到李锐的怀中，哭着说："我好怕啊，怕我们的爱情也像烟花那样美丽而短暂！"李锐深情地拥着方方说："傻瓜，烟花虽然只有一瞬，但爱却可以盛开一生！"

　　以后，朋友们干脆编了一条典故：如果有一天晚上，你在橘子洲头上空看到了烟花，而这天又并非节日，那一定是湖南卫视晚间新闻主持

人李锐在为女友绽放爱情！

这之后，两人的感情急速升温，谁也离不开对方了。然而，方方的父母却开始阻止女儿和李锐见面。原来，李锐调侃的播报风格让方方身为教师的父母很是反感，他们认为这样的男孩子靠不住。

2001年7月，方方放假回长沙后，父母把她关在家里不让她出门。而与此同时，随着晚间新闻的收视率不断攀升，李锐的人气也越来越旺。见不到面，方方就每天在电视里准时和李锐"约会"。虽然晚间新闻晚上9点播出，次日凌晨重播，他们一天还能"见"两次面，但这对于相爱的人来说，太折磨人了。于是，方方就把每天的晚间新闻录下来，一旦想李锐的时候，就可以随时拿出来看。

李锐也同样痛苦，他经常播完新闻后，开车到方方家楼下徘徊，希望能看到方方，但每次都失望而归。

有时爱情就像岩石底下的草籽，在再艰难的环境中都能找到自己破土的方式。虽然他们见不了面，但是他们的思想交流却并未停止。一次，李锐主播了这样一则新闻：一位私人老板无私地资助湘西300多名贫困山区的穷苦孩子，他与其他的老板不同的是，他不仅仅是给钱，他把每一个孩子都当成了自己的亲人。其中有这样一个长长的特写画面：老板紧紧地抱着一个没鞋穿的孩子热泪盈眶说："是我没尽到责任哪！"作为主播，李锐表述时眼里噙满了泪水。他相信如果换上方方，也会跟他有同样的表述和心情。事实上，当时电视机前的方方也是泪流满面。

节目播出后，在社会上产生了很大的反响。当时的国务院总理朱镕基也看到了这则新闻。朱总理看到他播的新闻非常感动，连夜打电话给湖南省领导，盛赞这个新闻节目办得不错，还让身边的领导一起来多看看这个新闻。

屏幕上的一幕幕不断在方方脑海里重现，李锐的达观和善良让方方觉得，两人虽然没有在一起，但心是相通的。她不相信这样的男人会打动不了父母。于是，一天吃完晚饭，她将父母拉到客厅，不动声色地放录影带，里面全都是李锐主播的感人场面。方方知道父母最崇敬朱镕基总理，便对父母说："爸妈，你们不相信我的眼光，总该相信朱总理的眼光吧！"接着，方方又跟父母说，李锐善良、宽容、顽强，他调侃的播报方式正好说明了只有内心力量真正强大的人，才有力量化解生活中

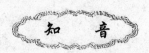

的沉重。父母终于感动了，他们把李锐叫到家里，亲自考察了一番。最后，他们终于相信，李锐是那个在灿烂的烟花寂灭之后，还可以将爱盛开一生的人……

成绩优秀的方方从北京广播学院毕业后，北京一家电视台热情地邀请她加盟，但她却为了能和心爱的人生活在一起，义无反顾地回到了长沙并且在男友的帮助和支持下，很快成长为一名成熟而有魅力的主持人。

有一天晚上，李锐和方方驾车回家时，发现市中心一商场内有人大喊救命，商场附近围满了人，原来商场内有一男子手持一枚炸弹扬言要与商场的人同归于尽，而此时，商场里有几千人正困在里面。李锐当即停好车向人群中走去，并拨通台里的电话向领导汇报。10分钟后，台里的采访车就到达了事发地点，为了在第一时间报道新闻发生的过程。李锐告诉方方，他要到最前方去采访，方方瞪大眼睛紧紧拽住他的胳膊说："商场隔壁就是一个大型液化站，任何一点火星都会引发难以想象的后果，所有的人都在逃生，你却冲到最里面，你不要命啦！"

看到方方眼里溢满了泪水，李锐给了她一个长长的紧紧的拥抱。然后，头也不回的冲到了最前线。那一天，李锐沉着冷静地在最前方用完全现场直播的状态完成了整个采访，以他亲历直面的危险带给了观众对现场最真实的感受，当最后险情排除，歹徒被制服时，李锐的衣服全部被冷汗浸透了。

不久，晚间新闻栏目组要到西藏穿越无人区，拍摄一组专题片，其风险相当大。李锐主动请缨，要求去一线完成任务。然而，在李锐穿越无人区的第三天，传过来消息说，当地发生了泥石流，17人受伤，4人死亡。听到消息后，方方再也没有吃下一口饭，整晚整晚睡不着觉，精神也恍恍惚惚的。转眼两天过去了，方方仍没有得到男友的半点消息，她的精神都要崩溃了。第三天凌晨，李锐突然打来了电话，方方一听到男友的声音，立即哭了："你知道人家担心得有多苦啊……"但是当她听到李锐和同伴死里逃生后做的第一件事就是给自己打电话后，又破涕为笑了。

2004年8月16日晚，李锐带方方去了橘子洲头，当漫天的烟花再次在空中起舞的时候，李锐动情地说："5年前的这一天，我们在这里绽

放了我们的第一场烟花，事实证明，今天的烟花比 5 年前更绚丽！我虽然不能保证你的生命里天天有烟花，但是我能保证，你的生命里天天有爱情！烟花虽然可以在瞬间寂灭，但是我对你的爱，却是一生盛开……"

　　方方痴望着心爱的恋人为她燃起的漫天烟花，听着恋人一生不变的情话，幸福的泪水顷刻间决堤……

健身去，健身馆里有爱情

陆晓霏 徐铭蔚

2003 年夏天，我高考落榜了，父亲安慰我说："上不上大学都一样，爸爸会让你舒舒服服过一辈子！"这我相信，自从我 3 岁失去母亲，他就把我当做生命中唯一的亲人，甚至没有再娶。

父亲是广州知名的房地产开发商，也涉足其它产业，本城豪华的美容院"名媛会所"就是他开的。他让我每天去熟悉这个行业，将来可以交给我打理。我别无选择，同学们大多继续接受高等教育，我没有自己的交际圈。我的生活变成两点一线：家——会所。

薯片、巧克力、爆米花成为我打发寂寞的"伙伴"。半年后，身高 1.64 米的我体重暴增至 60 公斤！我几乎不敢站在镜子前正视自己……

圣诞节那天，父亲安排我去他的朋友陈阿姨的诊所接受"音乐减肥疗法"，司机按照名片上的地址把我送到楼下。我看了看名片上印着 1618 室，便径直进电梯，一同进电梯的是个高大健硕的年轻男子，他友善地问我去几楼，然后替我按下 16 的按钮，我小声地说谢谢，没想到他笑着说："不客气，我也是去 16 楼。"他笑起来的时候，露出洁白而健康的牙齿，略显黧黑的脸上有一种阳光的味道。我忽然觉得脸颊滚烫，低下头不再看他。

16 楼到了，他绅士地按住电梯的开关让我先走出去。我站在楼层的入口处看指示牌上的分布图——可是上面根本没有 1618 室，最大的一个数字是 1616，牌子上写的是"康体健身俱乐部"。那个年轻男子看了看我手中的名片说："这个楼层没有 1618。"

"该死！"我在心里咒骂着自己的无用，我拿出电话打给陈阿姨，可是她的手机一直没有信号，办公室的电话又无人接听。这时，电梯在身后再次开启，里面走出来六七位年纪与我相仿的男女，都穿着休闲的运动服，看起来精神抖擞。他们纷纷和我身边的男子打着招呼："下午好，

周教练!"

"周教练"看我站在那里不知所措的样子,对我说:"我在这个健身俱乐部工作,要不你先跟我进去转转,等你要找的人的电话通了再说吧?"

这是我第一次真正踏进健身房。"名媛会所"也有健身房,可父亲花巨资买回来的进口健身器械形同虚设,那些养尊处优惯了的太太们根本没兴趣参加这样的运动,所以也没有请教练。当我走进健身房时,里面已经有不少会员在器械上锻炼了,他们散发出来的青春活力触痛了我的眼睛——同样是年轻人,而我的生活却是那样的虚无苍白!

周教练一边辅导会员,一边带着我四处参观。聊天中我得知他叫周安,北京人,体大毕业后就来广州做健身教练,已经两个年头了。当他问到我的职业时,我犹豫了几秒钟还是没有勇气告诉他,有谁会相信,现代社会里还会有我这样的女孩子,必须在父亲的庇护下生活……我默默地低下头,用脚尖蹭着光洁的地板。

周安仿佛体会到了我的隐情,于是岔开话题:"你如果时间上方便的话,可以来参加我们的健身班啊!你身材原形不错,经过锻炼,一定是个大美女呢!"是吗?我从来没想过自己的未来还会发生什么奇迹和变化。我抬起头看着周安,他的目光真诚。也不知哪里来的勇气,我下了很大的决心说:"好啊!"

这时,我的手机响了,里面传来陈阿姨焦急的声音:"晓霏,我的办公室是在大楼西侧的附楼,你是不是走错了?我来接你吧。"我没有让她来接,也谢绝了周安要送我的好意。有一种力量开始在我的内心滋生,那是习惯了以柔弱示人的我没有过的感觉。

和周安告别的时候,他给了我一张名片。我看着电梯指示灯的数字一个一个往下降,心里有莫名的兴奋和快乐,手心的汗水浸湿了周安的名片。

几天后,当我出现在康体健身俱乐部时,周安并没有表现出意外,他看到我的瞬间,脸上绽放出阳光般灿烂的笑容——他在用最简单直接的方式表达对我到来的欢迎。

在办完年卡后,周安根据我的体质和以往的运动量,为我制定了一套循序渐进的健身计划。他伸出小手指要我拉钩:"晓霏,我希望你能

知 音

坚持下来，不要半途而废！"当我们的手指勾在一起，周安有力地摇了摇，我心如鹿撞。

其实当初欣然接受健身的建议，根本就是为了每天都能见到周安！这成为我心里的一个甜蜜而惶恐的小秘密，但很快我就明白自己将为此付出何等痛苦的代价。站在跑步机上，如果速度到了4.0，我就坚持不到5分钟。其它每一项器械，我都不敢增加重量，而选择最轻的5公斤。尽管如此，不到一会我已是汗流浃背，气喘吁吁。看着别人神采飞扬，丝毫没有我满面涨红的艰辛状，我的内心充满难堪与自卑。更令人气愤的是，周安几乎再没有出现在我身边。

我坚持了不到半个小时，就趁周安不注意，偷偷溜回家了。躺在床上，我感觉浑身酸痛，眼泪不争气地流了出来。第二天早上，我根本无法起床，感觉除了眼珠还能转动，身体其它部位都僵硬了。

我决定从周安的视野里消失：俱乐部里有那么多靓丽时尚的女子围绕着他，他有什么理由会爱上我呢？我是个没有姿色，没有技能，靠父亲生活的寄生虫。我是这样的普通而且懦弱，甚至不敢像那些女孩子一样大声地对他说笑，抛去炽烈的眼神……让我忘记这一切吧，让起了波澜的生活归于平静。

没想到周安轻易就找到了我。一个周日，他在附楼的电梯门前等到了去接受"音乐减肥疗法"的我，他牢牢记住了附楼的1618室。

"你等我做什么呢？周教练，去不去是我的自由，而不是你的责任。"说着言不由衷的话，我连抬头看他的勇气都没有。

周安拦住我："你答应我一定坚持不退缩的！我不相信你真的会无视我们的约定，我要你用行动证明，你不会轻易放弃！"

尾指的指尖上涌上当日与他拉钩时的温度，仿佛在提醒约定时我的幸福与憧憬；我用指甲狠狠地掐着尾指说："我就是个不能吃苦的人，你鄙视我好了。反正我什么都做不好，做不了……"说着说着，积攒已久的委屈化成夺眶的眼泪……

我又开始了去健身俱乐部接受锻炼。周安为我订的计划是每周2～3次，我却每天都去。我为自己没定的减肥目标是10公斤，虽然我不知道自己是否能做到，但对未来的期待、惴惴不安的爱恋，是我新的动力。每一次目光与周安的交会，他远远地用手势做我们约定的暗号，他在帮

我纠正动作时不经意的肌肤触及，都让我的心骤然腾起柔软的细砂……

克服了健身时的心理障碍和畏难情绪，但身体的信号是不由我控制的——疼爱我的父亲看到我步履艰难的样子，一次次劝我放弃，只是他哪里知道，他原本弱不禁风的女儿是在为了爱情而充满勇气地坚持着！

在度过了如同炼狱般苦痛的健身适应期后，我由浅至深、由易至难地按照健身计划进行着，为了尽快达到减肥效果，我戒掉所有不健康的饮食和生活习惯。我感到自己一天天地变得轻盈起来。

周安对我表现出来的毅力很是欣喜。每次见到我，他的目光里充满着笑意和疼惜。他不再叫我的名字，而是喜欢用手撸一把我的头发说："傻丫头，你真棒！"我注意到，他从来没有对其他学员做过这个动作，或用过这个称谓，幸福溢满了我的心田。

我在心里默默地问了他一千、一万遍："我所做到的这一切，你知道是因为你吗？你能从我的眼睛里读懂我对你越来越浓的依恋和感激吗？"一个人的时候，我把玫瑰的花瓣一片片撕下，"他喜欢我"，"他不喜欢我"、"他有一点喜欢我"，撕到最后一片花瓣时默念着的就是答案。可是我撕了三朵，每一次的答案都不一样……

三个月下来，我发觉从前的衣服都显得肥大了，我的身材变得窈窕且坚实。皮肤光洁而神采飞扬，我还特意去修剪了一个飘逸的发型……也许是沉湎于对周安的情愫，在他面前。我总是忘记自己与从前相比已经是脱胎换骨的改变。

"来，你已经很久都没有称体重了。"周安拉着我站到体重计上。天啊！我几乎不敢相信自己的眼睛：我居然减到了53公斤！我在数十秒的呆滞后跳起来抱住周安又哭又笑地叫嚷着："我不知道我真的可以做到！"

2004年3月，俱乐部请广告公司来拍一组表现健身中的现代男女风姿的图片，用作宣传。男主角当然非周安莫属，那么，女主角呢？想到将会有别的女孩和他依偎在一起拍摄广告，我的心里酸涩极了。

工作人员布置拍摄现场的时候，我席地而坐于大厅一角，周安走到我身边说："想什么呢？""没什么，你去忙吧。你不是还得和女主角彩排吗？"我把脸转向另一边，莫名的眼泪一点点洇湿了运动服……

周安好像一点也没察觉到我的委屈，笑呵呵地说："可是，我美丽

的女王角还没准备好呢!"我的心像是被人打了一拳,他是真的傻还是残忍?!无视我的酸楚也就算了,偏还要在我面前提及与他搭档的女孩子的美丽!我的眼泪更多了,泪眼婆娑中我看见他有些慌乱的神情:"傻丫头,再哭的话,待会上妆都不好看了!"

"谁要上妆?!"我拿拳头砸他的肩膀。

"晓霏!"周安捉住我的手,凝视着我:"你知道吗?你已经变了很多,难道你自己看不到你现在的窈窕,你的美丽?但是我希望你知道,光有外形的改变是不够的,你需要的是身与心的健康。你不应该总是躲在角落里自怨自艾……来吧,我美丽的女主角!"周安拉着我的手站起来,他在我的耳边轻声说,"你知道吗?最初你的柔弱和纯真吸引了我,但现在我想看到一个因自信而美丽的你,"

我幸福地双手环绕周安的腰,把脸贴在了他坚实的胸膛上,我听见他健康有力的心跳声,就在现在,一个健康明朗的我,赢得了他,赢得了爱情,赢得了一生的幸福……

2004 年 5 月,随着健身运动的热潮来临,俱乐部的会员与日俱增,随之而来的是硬件与需求的不匹配。我想到美容院里的健身房一直闲置着,于是怂恿周安去承包下来。

父亲对我的"叛变"显然感到有些意外,但他还是爽快地把健身房转租给了周安。在交纳了预付金和保证金后,"健康健身中心"正式开张营业了。我是客户拓展部负责人,我用自己的亲身体验现身说法,美容院里的客人们开始尝试并接受。周安凭借他的专业和在业内的名气,让我们健身中心的生意蒸蒸日上。

2004 年 5 月 17 日,我 20 年来第一次用自己赚来的钱给父亲送上了一份生日礼物!一向冷静坚强的父亲,泪水夺眶而出,他说:"晓霏长大了,再不需要我的照顾了……"

我曾对周安说:"遇见你,改变了我一生的际遇。"可周安不这么认为,他说:"首先是你自己改变了自己,所以你才收获了今天的一切!"

何必太匆匆，我8分钟"快餐恋人"

李蕊之尘

从大学毕业后我就一直在北京一所大学的图书馆工作。几年过去了，我的同龄朋友大多已成家生子，可我仍孑然一身。看着别人成双成对的样子，我有些落寞。张爱玲说"女人最怕的就是失嫁"，年近30的我迫切想寻找一个温馨的家。

2004年元旦刚过，在好友的引荐下我参加了北京玫瑰巧克力俱乐部在三里屯一家酒吧里举办的"8分钟约会"征友活动。

兴起于美国的8分钟快餐约会（8minutedate）在2003年底传入中国后，立刻在北京、上海等地火爆起来。在俱乐部的组织下，多对男女在一小时内分别约见8个异性朋友，每个谈8分钟，凭着8分钟的印象确定是否再继续相处。这种安全高效、经济实惠的约会形式深受大城市里的白领车身的青睐。

约会那天，我略施粉黛地着羽绒服和牛仔裤出场了，由于紧张，我不断地深呼吸来使自己镇定。

在"约会"了两个男士后，我的神经早已不堪重负了。但我约会的第三个男士———一个瘦瘦的戴眼镜的小伙子却挂着迷人的微笑温柔地看着我，我慌乱的心情立刻平静下来。

落座后，他很自然地问我是第几次参加，我老老实实地说是第一次，他说他已经是第二次了，第一次的感觉很好，但没遇上中意的，所以他又来了，他相信肯定会遇到心爱的姑娘。我笑了，觉得他很坦诚。

也许是说话投机的缘故，我们违反了8分钟约会里不许说真名的规定，偷偷地把名字告诉了对方。他叫周云，今年32岁，清华毕业，从事程序设计工作。交谈中，周云说他人生的终极目标是"找一个善良的妻子，生一个健健康康的孩子，平平淡淡地过一辈子"。他引用电视剧《老爸向前冲》里的一句经典歌词让我心动不已。我们相视而笑，很有

些默契。

周云说话儒雅得体，但在8分钟定时铃响的时候，他却突然对我说："很高兴认识你，我相信我是爱上你了！"这话却让我有些郁闷。天哪，相处才8分钟就爱上一个人，是不是太轻率了？

我不信"8分钟约会"真能改变人的一生，但我并不排斥认识一个像周云这样彬彬有礼的男士。

一周后，我们开始了第一次私下约会。周云选择在人大附近的一家麦当劳。其实我喜欢吃湘菜，但周云直白地告诉我说湘菜太慢，等待的时间容易让食欲退化。我觉得也有道理，就听他的了。

有了初次良好的印象，我们再次聊天就随意了许多。周云告诉我他出生于单亲家庭，是当理发员的母亲节衣缩食把他供养成才的，他永远都无法忘记冬日里母亲那双皲裂的手。周云说结婚后他一定要把母亲从吉林的老家接过来一起住，让母亲安享晚年。

我忽然有些感动，和他有了很亲近的感觉，因为周云的话也勾起我的心事。其实从1997年大学毕业后，我也撑起了河南的贫寒老家。为了培养弟弟读书和给患有严重风湿病的父亲治病，我留在呆板但收入稳定的图书馆里不敢跳槽。6年来我拒绝了不少好男孩，我知道这样的负担搁在任何恋人身上都无法承受。好在弟弟今年要毕业了，我终于可以手找自己的幸福了。

虽然我心中赞赏周云，可我还是微笑着提示他："你现在和我说这些是不是有点过早啊？"

不料，周云却很严肃地更正说："我的意思是，你如果觉得有负担，现在后悔还来得及。"虽然我遭到他的抢白，但我却觉得他是一个有情丈负责任的好男人。

周云后来也知道了我的事情，他也非常感动，开始频频约会我，不久，我们都沉醉在爱河中了。

没有爱情的时候盼望爱情，可是爱情到来的时候却带来了烦恼。周云对我非常好，但他对我的好让我时时感到压抑。拿着绝对高薪的他时常送我高档衣物和礼品，如果我拒绝接受，他就很不高兴；周云太在乎我的感受了，我的任何一点波动都会引起他的轩然大波，他时而温情款款地像个绅士，时而又没有一点修养和耐性像个莽夫。

知 音

2 月底学校开学了，因为工作忙，我大约有 20 天没有联系他。等我们再次相约在玉渊潭公园见面时，我又不巧在路上堵车慢了 20 分钟，可这短短的 20 分钟内，我竟然接到周云 6 个电话和 13 条短信！

电话里，周云不信任地查问我到底出了什么事情？短信却全是"还要不要继续相处下去"之类的气话。但当我气冲冲地赶到他面前准备质问他时，周云竟然又绅士般地微笑着为我拎包！

周云这样反复无常也是很有原因的。原来，周云自参加工作后，在母亲的压力下，几乎每个月都要相亲两三次，可往往见了一面就没有了下文。也有几个条件相当的，可相处一段时间后又因为种种原因分手了。几年下来，高不成低不就的周云心态发生了很大的变化：他一方面厌倦谈恋爱，另一方面又急着想找一个合适的女孩结婚。

我拿狄更斯的名句"你要爱着，就像从来没有被伤害过；你要舞蹈着，就像从来没有人在看你"来劝解周云把爱情看得超脱一些，可是周云却做不到。

相处的时间久了，我还发现周云很喜欢在我学校附近与我约会，还不时去图书馆找我，而且以我男朋友自居，但是他却坚定地拒绝我去他单位。周云很不好意思地说："蕊蕊，我担心如果我们不成的话，单位的同事又要嘲笑我了，我已经快成笑料了！"

周云总是担心我们的恋情是否会有结果，总是担心我是否会与他成家。对于这个本分顾家的男人我也很有好感，我曾无数次暗示我们会长久相处下去，可周云却要我立刻给他一个最确切的表态。然而，爱情是需要时间的考验和磨合的呀，婚姻也要有个水到渠成的过程呀！这真让我无法忍受。

在磕磕碰碰中我们的爱情仍在延续着，俱乐部的人都在为我们祝福，他们希望我和周云成为"8 分钟约会"的第一对幸运夫妻，可是我却越来越感觉到郁闷，也越来越怀疑我们的感情。我们到底是因为相爱而结婚还是为了结婚而去相爱？

周云越来越着急了，我却越来越躲闪着他的追问。2004 年 4 月的一天，我们约好在公园见面。没想到一见面，周云就把一张银行卡塞到我手里。我大惊失色。周云诚恳地说："以后，我的钱就是你的钱了。"我赶紧推开，他却跪地向我求婚了。我拒绝说："我们认识 3 个月就结婚？

这不是天方夜谭吗？"

周云一下子变了脸："你是不是在玩弄我的感情？如果你不爱我，为什么还要和我在一起？如果你爱我，为什么就不能嫁给我？"

看着愤怒的周云，我终于说出了憋在心中的那句话："你是因为爱我而和我结婚，还是为了结婚而爱我？"

我要他实话实说，周云沉思了一会，说："两者兼有吧。我是爱你的，但在这个爱情都变成快餐的年代里，过久的爱情只会让婚姻失色。我不想再陪你风花雪月了，我更想要一个家！"

我的内心刮起了沙尘暴，我明白了，就像他说的，等待吃饭的过程可以让食欲退化，恋爱的过程也会让爱情退化。他想要一个结果，却不想有过程。

周云就这样走了，我以为那是他意气用事，过几天就好了，但一周后当我主动给他打电话的时候，电话里周云的声音却是那么冷淡那么不耐烦。

我不得不接受失恋的现实。想想真是好笑，8 分钟里，他说他爱上了我，3 个月后，他就不爱我了。怪不得他说这是一个快餐的年代，爱与不爱，都是那么的简单。我侧面打听了一下，其他参加 8 分钟约会的人的情况也和我差不多，几次约会，不合适就互相说拜拜，没人愿意努力，没人愿意付出时间来磨合。

我的幸福我的爱，一下子离我好遥远。

6 月的时候，我在东三环附近的一家日本餐厅参加同事生日聚会时，我看见又一个俱乐部在举办"8 分钟约会"活动。在清脆的铃声中，衣着光鲜的男士们齐刷刷地站起来，向各自约会的女士道别后，又直奔下一个。我又看到了周云，他那高高瘦瘦的个子在人群中很显眼，他依旧带着迷人的微笑，憧憬着走向下一个女孩子，就像 5 个月前走向我那样……

我的眼泪不禁流了下来：当爱情成了一场约会快餐，我们还能对幸福寄予什么样的希望呢？可我更深信，爱是需要梦想的，太现实太功利只能伤害爱情本身的美好…"

浪漫二婚：
错过的"青梅竹马"今又来
——青年演员茹萍与刘之冰的爱情故事

诺亚

茹萍，国内知名青年演员，现在杭州话剧团工作。近年来，茹萍在影视剧中塑造了一系列知书达理，柔情似水的角色——《大宅门》里的黄春、《康熙王朝》中的苏麻喇姑、《梦断紫禁城》里的冯月瑶，都给观众留下了极其深刻的印象。她与长春电影制片厂的著名演员、导演刘之冰早在年少时就相识，十年后才倾心相爱，这时，他们都已各自离异，带着一双同龄的儿女。这个来自一南一北的两个家庭奇妙地组合在一起，演绎出一段美妙姻缘。

悔不当初：为什么没有
早点爱上那个"叛徒"

上世纪80年代初，杭州话剧团的青年女演员茹萍被选中参加拍摄电影《敌后武工队》，在剧中，茹萍扮演女武工队员汪霞。在影片拍摄中，茹萍认识了年轻英俊的刘之冰。刘之冰在剧中扮演叛徒马鸣。因为马鸣的叛变，汪霞被敌人逮捕，受尽严刑拷打。演戏时，茹萍每次面对刘之冰都恨得咬牙切齿。

虽然在戏中刘之冰不敢直视茹萍，但在戏外，刘之冰却对茹萍充满了好感。当时的茹萍只有十七八岁，皮肤白里透红，头发乌黑柔顺，一双水灵灵的大眼睛，像会说话似的，让人看了心动。这无疑增加了刘之冰扮演叛徒马鸣的难度。刘之冰暗暗恨自己不是个好演员，不能把生活与艺术分得清清楚楚。

刘之冰的感受，茹萍浑然不觉。《敌后武工队》拍摄结束后，茹萍回到杭州家中，不久就收到了刘之冰寄来的问候卡片。当时茹萍还有些

知音

迷惑，一时想不起刘之冰是谁。杭州话剧团里的一个同事提醒茹萍说："刘之冰就是叛徒马鸣呀。"

茹萍这才如梦初醒。她更决意不去理会刘之冰，她想起"马鸣"这个人物就觉得不舒服。

但刘之冰对茹萍始终不能忘怀，他坚持在逢年过节的时候给茹萍寄张贺年卡，问候一下。

随着年岁的增长，茹萍成熟起来，她已经懂得把戏里的叛徒与戏外的演员区别开来。后来，刘之冰在《开国大典》中成功地扮演了毛岸英。他的形象在茹萍心中恢复了本来面目：高大俊朗，一身正气。茹萍开始回应刘之冰的问候，时常也会寄一张明信片给他。

茹萍和刘之冰再也没有同时拍一部影视剧，也就无法相聚。但茹萍的美丽和温婉成为刘之冰心中一道最美丽的风景，他把这份爱慕悄悄地藏在心底。

1990 年，茹萍和刘之冰分别组成了自己的家庭。茹萍在杭州，刘之冰在哈尔滨，但他们一直保持着节假日里的相互问候。

婚后第二年，茹萍生下一个漂亮的女儿，刘之冰的妻子也在同一年生下了一个聪明的儿子。刘之冰在儿子两岁半的时候，因为夫妻感情不和离了婚。离婚之后的刘之冰独自带着儿子生活。

刘之冰离婚后的第二年，电视剧《一路风雨一路情》邀请刘之冰出演剧中的男一号。

摄制组在四川，刘之冰要动身的前夕，突然得知茹萍也在这个剧组，而且听说她也离婚了。他一时间悲喜难辨，百感交集。他喜欢茹萍，但他一直希望茹萍幸福，从来没有期待过茹萍离婚，离婚毕竟意味着伤害和痛苦。茹萍在刘之冰心里是那么纤弱美丽，他一想到茹萍要承受离婚时割裂般的痛苦，心里也刀绞似的难受。

茹萍在剧中饰演女一号，和刘之冰有大量的对手戏。刘之冰见到茹萍，仍忍不住怦然心动。岁月仿佛没有在茹萍身上留下痕迹，她还是那么美丽纯真，一颦一笑间更平添了几分成熟女人的娇艳和妩媚。

而相隔多年后再见到刘之冰，茹萍也感到一种说不出的亲切。刘之冰已经不再是当年那个毛头小伙子，他的英俊经过岁月的沉淀，更有质感，也更显出男人的魅力。

　　摄制组的人一见刘之冰看茹萍的眼神就明白了其中的奥妙，纷纷给他们制造独处的机会，还鼓励刘之冰说："你们两个现在都离婚了，又都带着孩子，干脆你们俩结婚算了，一儿一女多幸福啊！"

　　众人替刘之冰捅破了这层窗户纸之后，刘之冰就开始大胆地追求茹萍。茹萍起初反应平淡，她其实是在不动声色地观察刘之冰。通过细致观察，茹萍发现刘之冰不仅有东北男人的粗犷豪放，还有南方男人的细腻和体贴。

　　在剧组拍戏，刘之冰每天必做的事情就是和儿子通电话。他对儿子说话的语气既温和又极有耐心，这深深地打动了茹萍。茹萍暗想：一个这么爱孩子的男人，一定是个爱家的男人，也一定是个负责任的好男人。经过了一次失败的婚姻，茹萍不再注重男人的地位和权力，她更在意的是能让她安心过日子的善良心地和淳厚气质。在刘之冰再次大胆地向茹萍表白之后，茹萍温柔地向他伸出了手："早知道你这么好，当初你就不该去演那个叛徒马鸣，害得我一直没有正眼看你。"

　　刘之冰喜出望外地说："好事多磨，虽然咱们都经历了一段失败的婚姻，但咱们现在有了一双聪明漂亮的儿女，这也算是上帝对咱们最好的补偿吧！"

南腔北调：啼笑皆非好姻缘

　　2000年，刘之冰和茹萍结婚，他带着的10岁的儿子来到杭州，与茹萍和女儿共同生活。

　　新家庭组成之后，茹萍惊喜地发现，刘之冰的儿子性情温和，言谈举止都很像他。这使得茹萍和刘之冰的儿子相处起来容易多了。

　　茹萍的女儿小叶子聪明伶俐，反应快，是一个很有主见的小女孩。刘之冰明显地感觉到，小叶子对他这个新爸爸"敬而远之"。为了不让孩子心里觉得别扭，刘之冰大度地同意女儿喊他"叔叔"。

　　因为是组合家庭，刘之冰有意让孩子们意识到这个新家是大家共同努力建立起来的。

　　装修房子时，刘之冰骑着自行车带着小叶子到装饰材料市场买各种材料。大到空调、洗衣机，小到钟表、碗筷，刘之冰都带着孩子去商场仔细挑选。他不断地征求小叶子的意见，按照她喜欢的样式去买。买完

东西之后，他说："小叶子，装修是件最麻烦的事，你帮了大忙，立了大功，我得奖励你。"小叶子说："我要游泳。"刘之冰不顾疲劳，马上带着女儿去了游泳池。

很快，小叶子不仅在心理上接受了刘之冰，而且还和刘之冰无话不谈。一次，刘之冰和小叶子在西湖边散步，刘之冰随口问小叶子："咱们家要是再有个小弟弟或者小妹妹，你觉得怎么样？"

小叶子认真地看着刘之冰说："这个问题呢，我觉得你还是应该和我妈妈商量，因为这是你们俩的事儿。你要问我的意见呢，我就告诉你：我觉得你和我妈妈现在工作都很忙，恐怕很难有精力照顾这个小孩。小哥哥淘气，他不会管小孩子的。我学习很累，也没时间管。尽管这样，如果你和我妈妈觉得想再要一个孩子，我也没有意见。"

小叶子的一席话说得刘之冰目瞪口呆。此后，刘之冰对小叶子刮目相看，拿她当小大人对待。刘之冰在外面拍戏的时候，还给女儿写信交流情感。

随着刘之冰和小叶子关系的融洽，他们竟联合起来，成了家里的"领导"。茹萍和刘之冰的儿子则成了被领导的对象。

两个孩子在家里风调雨顺之后，茹萍和刘之冰之间的矛盾却显现出来。

茹萍和刘之冰的矛盾最初体现在饮食习惯上。茹萍是杭州人，吃饭讲究少而精，每一顿饭都做几样小菜，每样菜都做得色、香、味俱全。刘之冰却觉得麻烦，喜欢把买来的荤菜和素菜一股脑地放在锅里炖熟。刘之冰特别喜欢吃土豆丝，哪天不吃，刘之冰就觉得这一天好像没吃饭，肚子里空落落的。茹萍却从来不吃土豆丝，她觉得土豆根本没什么营养。

两人谁也无法说服对方，可又天天在一起吃饭。胃里的不适应渐渐引发了心里的别扭。

为了解决这个难题，聪明的茹萍想到了一条妙计。她买来一张长方形的大餐桌，把刘之冰让到上座。刘之冰不知是计，起初还谦让着不肯坐到"主席"的位子上。茹萍婉言相劝道："你是一家之主，就应该坐到'主席'的位置上。你坐上去感觉一下，像君临天下似的，很舒服！"

刘之冰坐上去之后，感觉果然像"君临天下"，一家之主的自豪感

...

油然而生。

茹萍把菜依次端上来之后，刘之冰发现没有他的土豆丝。他失望地看着妻子，茹萍手指着对面的墙，刘之冰这才发现，正对着他的墙上不知何时挂了一条横幅，横幅上用漂亮的行书写着一行苍劲有力的大字：夫知所贵者，和也。

刘之冰这才醒过神来，知道上了妻子的当。

于是，每天坐在"主席"的位置上，看着对面的名言警句，刘之冰想吃东北乱炖和土豆的愿望也渐渐烟消云散。

吃饭的问题刚解决，作息时间又出了乱子。刘之冰是一个喜欢早睡早起的人，偏偏茹萍在不拍戏的时候爱睡懒觉。刘之冰不仅早晨起得早，起床之后他还喜欢用吸尘器打扫卫生。吸尘器的嗡嗡声总是把茹萍从甜美的梦乡中惊醒。茹萍起初婉言相劝，后来郑重声明，可都无济于事。

刘之冰的勤快是出了名的，他不仅起床后要打扫卫生，打扫完卫生后还要在屋子里四处查看，生怕漏掉一个脚印、一点灰尘。茹萍被吸尘器的噪音吵醒后，看丈夫拿着抹布吹着口哨在屋子里转来转去，转得她头昏脑涨。

茹萍实在忍不住，就把刘之冰按到餐桌前的椅子上，把报纸递到他手里，让他安静一会儿，她自己到厨房里做早餐。等茹萍把早餐端出来，她发现丈夫的注意力根本不在报纸上，目光还在地板上搜索。

茹萍长叹一声，泄气地说："你要还想抹地，你就去干吧！"

刘之冰如蒙大赦，他一边跑过去把地上残存的一点灰尘抹掉，一边劝解妻子："我爱做家务是因为爱这个家，爱这个家是因为家里有你。我吹口哨是因为和你在一起觉得幸福，不表达出来心里憋得难受。"

一席话说得茹萍既感动莫名，又啼笑皆非。

欢喜冤家：
戏里死对头戏外好夫妻

作为江南女子，茹萍有着一种与生俱来的淡泊和慵懒，刘之冰是欣赏的，但有时却对她的过分淡然哭笑不得。

2001年，《康熙王朝》的导演把剧本送给茹萍。想请茹萍饰演剧中

的苏麻喇姑。茹萍一看剧本就打了退堂鼓，这戏要在黄沙弥漫的地方拍，太苦了！

刘之冰就苦口婆心地劝茹萍说："《康熙王朝》是多好的剧本！多棒的制作班底！你怎么能因为怕苦就不去呢？导演和制片人找到你是因为信任你，你们也已经有过很好的合作，你怎么能辜负人家对你的期望呢！"

任凭刘之冰怎么劝，茹萍就是无动于衷。

刘之冰急了，责问茹萍："这么好的角色你都不去演，你究竟想干什么？"茹萍不急不躁地说："我想享受生活。"

刘之冰苦口婆心地说："你想享受生活没错，可咱们现在还年轻，还不到享受生活的时候。你不是挺喜欢拍戏的吗？拍一部自己喜欢的大戏多享受啊！"

茹萍莞尔一笑道："和你牵着手在西湖边散步，对我来说更享受。"

一句话说得刘之冰完全没了脾气。刘之冰知道茹萍是一个极其淡泊的人，用名利更说服不了她。万般无奈的刘之冰只好捧起剧本，认真研读起来，想用里面的情节打动茹萍。

茹萍见丈夫居然那么认真地去读她的剧本，实在不忍心，心疼地说："你别读了，我去给你演就是了！"

刘之冰之所以敢于勉强茹萍去接戏，是出于他对妻子的了解。一个角色找上门来，茹萍往往要犹豫很久，但只要她一旦决定去演，肯定会拼尽全力把角色演好。

2003年，《康熙王朝》在中央电视台热播，获得观众的一致好评。茹萍所塑造的苏麻喇姑成了剧中很出彩的人物。

此时的刘之冰更加理直气壮了，他问茹萍："如果当初不演这个角色，是不是很可惜？"

茹萍笑着说："你是真理贩子，真理总是在你手里。我在我妈和咱们的孩子眼里一直都是最棒的，不知道怎么一落到你手里，却错误连篇，连及格都难。"

难怪刘之冰在妻子面前底气十足。因为勤于耕耘，刘之冰的演艺事业也节节攀升。刘之冰在中央电视台播出的经典大戏《大决战》、《红岩》、《壮志凌云》、《新四军》，《中国出了个毛泽东》和《省委书记》

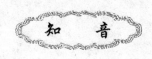

中都有出色表演。

刘之冰因为在影视剧中多次扮演军人，他在生活中说话也特别铿锵有力。尤其是和茹萍争论问题的时候，刘之冰像剧中的领导一样上纲上线，义正辞严。看他掷地有声的样子，茹萍往往忍不住先笑起来，说："有什么大不了的，你这么严肃，怪不得人家总找你演军人。"

茹萍的淡泊和慵懒其中一半原因是因为舍不得和丈夫分开。很多导演了解到茹萍和刘之冰的恩爱之后，只要遇到合适的角色，就邀请茹萍和刘之冰一起演出。

奇怪的是，茹萍和刘之冰很少在剧中扮演夫妻，他们这对恩爱夫妻在影视剧中总是扮演死对头。

2003 年夏，在中央电视台热播的电视剧《天娇》中，刘之冰扮演的角色暗恋茹萍。为了得到剧中茹萍的爱，刘之冰借助"文化大革命"对茹萍进行打击报复。剧中的茹萍勇敢地冲破刘之冰设置的重重障碍，嫁给自己所爱的人。

因为角色的需要，刘之冰在茹萍面前，神情总透出贪婪和卑琐。茹萍看刘之冰的眼神总是透出不屑和敌视。刘之冰和茹萍传神的表演让谁都看不出，他们在生活中原来是一对恩爱夫妻。

茹萍说，虽然是演员，但能做到这一步真的很难。因为两个人在生活中太熟悉了，又总是恩恩爱爱的，想恨都恨不起来。有时候看到对方奇怪的眼神，就忍不住笑场，这对两个人的演技都是很大的挑战。

让茹萍觉得更难的是，和刘之冰同在一个剧组，自己的压力就特别大。刘之冰对茹萍的要求特别严格。他不仅要求茹萍在演戏时精益求精，还每天早晨监督茹萍进行长跑，每天晚上让茹萍做 50 个仰卧起坐，这让茹萍觉得很累。但只要能和心爱的人在一起，她还是乐此不疲。

刘之冰说他像一只袋鼠，在风平浪静的时候，他不会用甜言蜜语哄人开心，如果有了危险情况，他会以最快的速度把妻子和孩子们装进他胸前的袋子里，飞快地把他们带到最安全的地方。茹萍笑着说："对了，这就是我最爱他的地方？"

情债何止 60 万？
一对"局长"情人争斗"离婚门"

任轶 青月

2003 年 8 月，华北某县公安局局长季文被告上法庭，要求偿还高达 60 万的巨额欠款。而原告居然是邻县人事局的女副局长卓芳！

消息一出，立马引起了社会上的许多猜测："公安局长"怎么会欠"人事局长"这么多钱？究竟有何隐情？

此案经过近一年的一审判决、二审调解，终于在 2004 年 7 月尘埃落定。面对本刊特约记者的采访，卓芳长叹："这表面上是一桩经济官司，其实是一场感情纠纷。即使他一分不差地还了我 60 万，这么多年来，我对他毫无保留的感情付出，又如何计算……"

5 万元休夫，痴情女
净身而退守侯"公安局长"

1996 年夏天、23 岁的卓芳从华北一所师范大学毕业后，跟随男朋友来到了其家乡，进了当地人事局工作。很快，他们就顺理成章地结婚、生子。凭着出类拔萃的能力，1999 年初，26 岁的卓芳就被提拔为副局长，成为当时县里最年轻的女局长。

当上领导后，卓芳的工作更加积极，应酬越来越多，家已经顾不过来了，她只好请了保姆照顾年幼的儿子。但她这时却忽略了丈夫，在乡镇上工作的丈夫看着妻子飞黄腾达，心理慢慢不平衡了，便开始在外花心找女人。起初，卓芳并不知情，当她知道时，一切都晚了。就在她很受伤的时候，她结识了时任县公安局局长的季文。

1999 年 4 月的一天晚上，季文请人事局长等朋友吃饭，局长叫上了

卓芳。看着眼前这个年轻漂亮、文雅端庄的女人，季文显得兴致很高，但心情郁闷的卓芳却是一杯接一杯地喝得有点多了。席终人散时，季文借着酒力，半开玩笑半当真地说，大美女由他负责护送。

"那我的车怎么办？"原来，卓芳娘家家境不错，父亲是老家的一个局长，几个哥哥，有在公安系统当领导的，也有经营煤矿的。得知这些情况后，季文对卓芳更是刮目相看。他索性好人做到底，说："我开你的车送你。"

"那怎好麻烦大局长呢？"卓芳嘴上这样说着，但确实不能开车了，只好任由别人安排。季文一面让手下人帮忙开他的车，自己则驾了卓芳的车去送她。途中，谈到自己的婚姻，卓芳伤心地哭了，季文索性把车开到一家酒吧，叫了两杯茶给她醒酒，默默地倾听着卓芳的心声……

那次倾诉让卓芳郁闷已久的心轻松了不少。此后，季文也总是变着花样在周末驾车带卓芳去钓鱼、爬山散心。从季文的举手投足间，卓芳看出了他对自己的爱慕。和丈夫比，她发现季文更懂她的心，更体贴她。终于在一个周末的晚上，他们跨越了最后一道防线……

第二天一早，季文醒来时，才发现卓芳正睁着眼睛独自发呆。"如果我离开家，你会撇下妻子与我生活吗？"卓芳面色冷峻地问。

"当然会，从见你的第一眼起，我就喜欢上了你。不过，你要给我时间。"听到这样的回答，卓芳的面部表情似乎轻松些了："那好，我相信你。你能不能马上给我租套房子，钱由我来出。"

季文这才明白，她是下决心与丈夫彻底决裂了。那一刻，他又高兴又惊讶，眼前这个女人果敢得有点令人生畏。第二天，季文找人租了一套干净整洁的套房，买了些简单的家具、生活用品，和卓芳一起收拾得井井有条。

几天后，卓芳约了在乡下的丈夫回家。拿出了一张存有 5 万元钱的存折，和一份早已写好的离婚协议，请他在上面签字。卓芳冷冷地说："我不想把所有的事情点破。如果你好合好散，我愿意把这个家都给你，还给你 5 万元钱，留作你今后的生活应用。孩子，我也会把他照顾好的。如果你不愿意，那咱们就法庭上见，到时候，你可能什么都得不到！"

心中有愧的丈夫似乎已经预料到了这个结局，他什么也没说，爽快地签了字。卓芳马上拎着已经收拾好的东西，带着孩子和保姆出了家

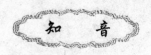

门，上了车，加大油门向着县城另一边那个"新家"驶去。

60万助君腾飞，
只盼你快快离婚

拿到那个象征着自由的绿色离婚证后，卓芳在第一时间打电话给季文，让他出来一起吃饭，庆祝他们相处的"里程碑"。

然而，电话那头的季文却有些支支吾吾。直到卓芳独自一人吃过凄凉的晚餐，喝了许多闷酒后，季文才姗姗来迟。李文解释说，他知道卓芳为了自己铁了心要与丈夫离婚后，便一直寻找机会与妻子谈论离婚的事。刚才卓芳给他打电话时。他正在和妻子谈，孰料老实本分的妻子只给了他一句话："你在外面怎么胡搞只要我不知道，都好说，如让我知道了，你不仅别想离婚，就连局长也别想再当。"妻子的态度让季文非常为难……

听季文这么说，卓芳心里的不快都烟消云散了。他们商量着，决定尽快要个属于他们自己的孩子，以此逼着季文的妻子离婚。

两个多月后，卓芳终于有了妊娠反应。季文高兴极了，经常抚摸着她的肚子说："孩子生下来，生米煮成了熟饭，她不离也得离。"然而，最害怕的事还是发生了。就在卓芳怀孕3个多月的一天晚上，卓芳开始出血在医生建议下，卓芳开始全力保胎。可是时断时续的出血越来越多，几天后，已经3个多月的胎儿，最终还是没保住。

几个月后，卓芳又有了身孕但命运却像是专门捉弄他们，怀孕不到两个月，又流产了。

两次怀孕均告失败，以此逼迫季文老婆离婚的目的没达到。但季文的妻子似乎已察觉了什么，卓芳心中暗喜，想着正好挑明了有个说法。不曾想，就在她雄心勃勃地准备与季妻交锋时，季文却退缩了。

季妻来到县城这天，季文正在出租房中，为流产后的卓芳做饭。看到两人亲密的样子，她几乎用尽乡间最难听的话语责骂卓芳不该勾引她的男人。卓芳也不甘示弱，两个女人吵得不可开交，季文却在拨了一个电话后，借口单位有事，溜之大吉。

夜深了，他才一脸疲惫地回到卓芳住处。卓芳气不打一处来，一个

劲儿追问他何时与老婆离婚，何时给她一个合法的名分？季文嗫嚅着说："快了，快了。"气急败坏的卓芳立即给他妻子拨通电话，指明了让她有本事就把她的男人领回去，"他现在就在我这里。"季妻气得在电话里破口大骂。

那段时间，他俩的事闹得满城风雨。县里的领导专门找到他们谈话，劝他们要自重，注意自身形象和影响。不久，卓芳就被派到省委党校学习去了。

经历了这段冲击波后，季文和卓芳都很疲惫，加之领导的警告，他们冷静了许多，季文又回到了妻子身边，而在省城学习的卓芳也暂时放下了那段爱恨交错的感情，接受了同在党校学习的一个男同学的追求。不过，卓芳在潜意识里，也想给"干打雷不下雨"的季文一个警告："小心花落别家！"

因此，她索性把"准男友"带回了县城。这一招果然奏效。季文听说卓芳回来时还带着一个"护花使者"，立即大发雷霆。他将卓芳堵在门口，铁青着脸对她兴师问罪。倔强的卓芳则高扬着头，反唇相讥："你有资格骂我吗？我这样顶多和你打了个平手！"几句话，令怒气冲冲的季文立刻成了泄了气的皮球。也许是真的怕失去卓芳，就在她拂袖而去的一瞬，季文大叫一声，拉住了她的手臂，卓芳这时才惊奇地发现，这个男人的眼里竟有泪光在闪动。

第二天一早，恰逢星期日。卓芳和"准男友"驾车赶往省城。没想到，半途中，一辆警车忽然呼啸着从后面疾驰而来，追上了卓芳的车一个急刹车，警车挡在了他们前面。卓芳情知不妙，想打方向盘绕开行驶。但这时，季文已经从警车上走了下来。他脸色发紫，冷冷地站在了卓芳车门旁边。如此阵势，车上的男人早已明白了一切。他二话没说，拉开车门，扬手拦了一辆长途客车绝尘而去。

吓跑了"男友"，卓芳气得跑下车把满腹怨气撒向季文，季文一把将她搂紧，轻轻地说了一句："我不能让你离开我……"卓芳似乎早就等着季文说这句话，她幸福地倒在了李文怀里，两人又言归于好。

2001年春节前，卓芳结束了党校学习，回到了县城。当时，她和季文的感情就像小孩的脸，说变就变。离不离婚、什么时候离婚成了两人见面后直奔的主题，卓芳穷追不舍，季文却始终支吾应付着。这个时

期，两人常常是一秒钟前还在缠绵，忽然就几天互不理睬。而猛然间一个电话或一个短信，两人便又变得如胶似漆。

他们就这样分分合合地过了一年。2002年，地区公安局决定对各县区公安局领导实行异地交流。而这正是季文期盼已久的机会，他想调离这个贫困县，寻求升迁。季文开始积极地筹集资金，一方面对公安局的软件设施作些必要的改善，另一方面，则充分调动警力，就多年来因资金问题而暂搁置起来的案件，进行全面清理。

2002年3月，竞争进入了白热化。为了帮助心上人顺利调到一个条件稍好的县，卓芳拿出了自己多年的积蓄，而且还回老家从亲戚朋友那儿给季文筹措资金。从3月22日到当年的5月8日，短短的一个多月中，卓芳先后借给了季文60万元巨款。

5万、10万、15万……随着季文从她手中借走的钱越来越多，卓芳反而越来越担心：万一有一天李文不能兑现离婚的诺言，自己如今的"投资"岂不是血本无归？就季文这几年的表现来看，她无法充分信任他。

于是，5月8日，当季文再次问卓芳借30万元时，她当场就要他写借条。季文一听愣了一下，笑着说："怎么？还不相信我，怕我不还你？"卓芳回答："不是怕你还不了钱，而是怕你抛弃我，兑现不了当初的诺言。"看着卓芳满含幽怨的眼神，季文有些尴尬地笑了笑："好，我写。我说过的话我也会兑现的。"他马上写下了借条，并注明了还款期限。

终于，在卓芳的全力支持下，2002年9月底，佳音传来，季文如愿以偿，被调到一个有"瓜果大县，钢铁强县"之誉的县城任公安局长。

就要正式上任了，临行前，季文踌躇满志，而卓芳却是满腹心事。他要远走高飞了，时空的距离会不会疏远他俩原来饱受非议的感情？卓芳心里没底。季文看穿了她的心事，又一次信誓旦旦："等着我，我会让你满意的。"和所有因痴情而愚蠢的女人一样，卓芳又一次深信不疑。

"人事局长"不解"人事"：
嫁给有妇之夫咋就这么难

调任伊始，季文果然不忘旧情，三天两头回来看望卓芳。可悲的是，他和卓芳见了面依旧是缠绵刚过就又吵架：为他遥遥无期的离婚承诺。卓芳的"转正"之梦屡屡落空后，怨气与日俱增。

而就在这期间，卓芳开始接到一些莫名其妙的电话。2002年底的一天，季文刚走，电话铃声忽然响起。对方几乎没有开场白，便直言劝她悬崖勒马，不要落得身败名裂，到头来竹篮打水一场空。几天后，又一个电话打了过来，电话里，一个陌生的声音警告她，以后不要再缠着季文不放："人家前途似锦，岂能因为一个第三者坏了大事？"

最令卓芳心惊肉跳的是季文妻子的电话。有一次，她在电话里不无得意地告诉卓芳："别做黄粱美梦了，季文从来就没想过要和你结婚。"她尤其强调，有几次季文和卓芳通电话，她都在丈夫身边，听得一清二楚。怕卓芳不相信，她还随口举了几个例子。卓芳听罢，如雷轰顶。虽然此前卓芳也无数次想到过季文在欺骗自己。

当季文过来，看着他一副心安理得的样子，卓芳的火气往上直蹿。有一次，她故意当着季文的面给他老婆打电话，报复对方。电话那端的女人忍不住放声痛哭。卓芳强忍泪水，故意当着季文的面说："嫂子，不是我有意伤害你，我俩注定都是不幸的，因为我们遇到了同一个没有责任心的男人！"

这话让季文心里清楚，他得给卓芳一个说法了。但一时他又的确想不出个两全其美的办法来。

几年间，卓芳已经30岁了，眼看着同龄人相夫教子，过着幸福美满的日子，可自己却如此凄凉。绝望中，卓芳无数次想到过放弃，但一想到几年来的感情就这样毫无价值地抛洒，她于心不甘。

然而，真正令卓芳心寒，直至和季文对簿公堂的，是随后发生的一件事。

2003年8月13日一大早，卓芳拨通了季文的电话，请他在单位等她，要和他面谈。季文没有拒绝，提前把她安排到了一家宾馆。大约晚

上9时左右，季文喝得酩酊大醉来到她的房间。

一进门，季文便伸开四肢躺在床上。看到他这副没心没肺的样子，卓芳的眼泪连同连日来的积怨一起喷涌而出。她抓起季文的衣服，一股脑儿从窗户扔到了楼下。季文也火了，翻身坐起来就指着卓芳破口大骂。卓芳哭得更厉害了，边哭边骂。

正在这时，一个50岁左右的男子破门而入，朝着卓芳直冲过来，并掐住了她的脖子骂骂咧咧："叫你死皮赖脸地纠缠别人的男人，打死你活该……"卓芳哭喊着向季文，那个曾被她视为一生依靠的男人求救，让她心碎的是，季文竟然一脸轻松，轻描淡写地摇头："我管不了他！"靠不上眼前的男人，卓芳又想到了110，然而，在她拨打了十余次110后，却没有见到警察来到现场。

绝望之下，卓芳又向市公安局值班室求救。直到凌晨1点左右，才有两名民警姗姗而来，但看到季文在场，他们草草看了一下现场，便匆匆离开。

本来想找季文掏心窝子好好谈谈，不想却遭此凌辱，据她后来了解，打她的正是季文手下的一个副局长，再联系到报案时无人接警，卓芳终于明白了：这一切不过是季文设的一个套，想逼退她。

殴打事件发生后的第二天，县委分管政法的副书记和公安局政委出面协调处理此事，让季文和那位副局长当面向卓芳道歉。迫于领导压力，那位副局长很不情愿地向卓芳说了声："我打了你，对不起。"季文则当着县委副书记的面，诚恳表示，这事因他而起，他会负责妥善处理好。当天，季文开车将卓芳送到市医院。一路无话，卓芳的泪水像决堤的河水，在脸上止不住地流淌……

此后一个多月，季文没有了任何消息，这个曾经发誓要与她厮守终身的男人就这样从她的生活中消失了。

2003年8月初，卓芳在律师的陪同下，专门来到市中级人民法院，一纸诉状将季文推上了被告席，要求季文归还此前借她的60万元人民币。

开庭这天，卓芳、季文均未到庭。庭审中，卓芳的律师出示了季文亲笔写下的几张共60万元的欠条，请求法院依法帮助卓芳追回季文拒付的欠款。季文的律师则称，按照季文的说法，这些钱中的28万元，他已

从自己的个人账户给付了卓芳。另外的 27 万元，在卓芳一次驾车出了车祸后，季文已经以修车的方式抵掉。至于卓芳所提的最早的 5 万元，季文的说法是根本就没有这笔借款。季文的律师当庭出示了一张存款单，存款单显示 2003 年 7 月 16 日转支 28 万元，但因提交该证据已超过举证期限，法庭不予采纳。

法庭经过调查后，认为季文辩解理由证据不足。2003 年底，市中级人民法院依法作出判决，判令被告人季文偿还卓芳 60 万元欠款。接到判决后，季文不服，向省高级人民法院提起了上诉。

2004 年 7 月，法院召集双方当事人进行协商调解。卓芳、季文达成协议：7 月 15 日前，季文归还卓芳 30 万元欠款；7 月底，季文再归还剩下的 30 万元。

姑且爱你更爱着他，
漂亮女护士引燃疯狂妒火

三江映月

2004 年 3 月 25 日，四川省宜宾市突发一起恶性案件，宜宾市电力公司高级工程师胡成玉因为被一名女护士抛弃，就用汽油将其活活烧死在楼道里，因情变引发出一起惨烈的凶杀案……

案发凌晨，漂亮女护士在家门口被"焚"

2004 年 3 月 25 日早晨 6 点，华灯未熄，宜宾市南岸宜宾制药厂宿舍楼内，市二医院的女护士李靖像往常一样早早走出了家门。

这时，只见楼梯间一个人影一闪，李靖吓了一跳，定睛一看："你——"还没等李靖说出话来，只见来人将一桶汽油从头到脚迎面向她泼来，紧接着一道火光划过眼前，随着"轰"的一声，整个楼梯间转瞬烈火一片，李靖被烈火包围。

"妈妈，救命啊——"李靖哭泣着，绝望的呼救声被淹没在烈火噼里啪啦的燃烧声中，瞬间她就成了一个活脱脱的火人……

而那个提着空油桶的人身上也着了火，他慌忙扑打完自己身上的火苗，慌乱中身上掉下一个玻璃瓶，微黄的液体流了出来，流到了他的手上和脚上，立刻一道白烟腾了起来，他惨叫一声，将脚上的袜子迅速脱掉，撕下了一块块血淋淋的皮，一路滴着血，拔腿就朝楼下跑去。他匆匆登上停靠在路边的墨绿色三菱越野车，调头冲向高速公路。

很快，消防车拉着警报来到现场，当消防队员迅速将余火灭掉后，惊奇地发现那里蜷缩着一具被烧焦的尸体！警方现场勘查，很快查明死者身份：死者是宜宾市第二人民医院的女护士李靖！李妈妈见女儿烧死在自家门口，当即晕了过去。

案件发生后，在酒都宜宾引起了强烈反响。宜宾警方利剑出鞘，市、区两级公安领导高度重视，该案很快被列为市局督办案件。

李靖的档案立即摆上案头：李靖，刚满22岁，身高1.68米，容貌姣好，曾参加过巴蜀"新芽杯"第三届模特大赛并获第8名，系宜宾市第二人民医院高级病房护士。根据案发现场凶手遗留下的大量浓硫酸和血迹，同时从现场发生剧烈燃烧的情况分析，凶手的作案手段极其残忍，杀死李靖的目的十分明确，并且在实施犯罪的同时，自己也受了汽油烧伤和硫酸灼伤，应该逃不出多远。于是，一张大网在悄悄地撒开。

专案组来到二医院进行走访调查，二医院的护士和医师们都反映，李靖平时人缘较好，认识她的人比较多，但与她亲密的男孩就是她的男朋友夏明阳。夏明阳，重庆人，现在四川大学读研究生。李靖经常跟身边的小护士讲起夏明阳，说他的神态气质就像心中的徐志摩。而据李靖妈妈回忆，有一个电业局的年轻工程师同李靖来往也很密切，他经常打电话到家里找李靖，这个工程师叫胡成玉，现年31岁，家住翠屏区南岸电业局宿舍。

民警赶到胡成玉的单位，发现胡成玉案发当天没有上班。据胡成玉所在单位反映，案发当天胡成玉驾驶一辆墨绿色三菱越野车出走，单位几经联系都与胡成玉联系不上。

同时，专案组通过对现场周围群众的走访得知，有一陌生男子在当天早晨6点左右曾从案发地匆忙跑出，后来上了一辆三菱越野车。据群众介绍，该男子的体貌特征与胡成玉极其相似。立刻，胡成玉被确定为重点犯罪嫌疑人，有关的协查通报随即发出，立即将胡成玉上网缉捕追逃。

3月31日上午，警方得知，那辆被通报的三菱越野车停靠在自贡市第四人民医院家属区内。自贡四医院反映，3月25日，一个叫"周成林"的男子自称是汽车修理工，被电火烧伤前来治疗，侦查人员赶到病房，发现周成林正是胡成玉！于是将犯罪嫌疑人胡成玉抓获。胡成玉对自己的纵火杀人行为供认不讳。自此，"3·25"特大纵火杀人案告破。

然而一个人见人爱，脸上挂着甜美笑容的女护士，何以招致如此残酷的毁灭性的打击呢？

浪漫相遇，美丽女护士爱上"川大才子"

2002年夏天，人们发现一个戴着窄边眼镜个子高高带着浓浓书卷气

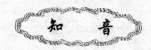

的男孩天天在二医院门口等着李靖下班，不论白班还是夜班，风雨无阻。而李靖下班后就立即奔向他，一副小鸟依人的样子，他就是夏明阳。

夏明阳是重庆开县人，在川大是一名品学兼优的学生，沉静、聪慧，是同学们公认的才子，不但成绩好，而且写得一手好诗。

夏明阳与李靖相识在2002年的春天。那一年4月，巴蜀"新芽杯"第三届模特大赛在成都火爆举行，毫无舞台经验的李靖在上千名选手中荣幸地获得了第8名。赛后，前十名模特和一些演艺明星在川大举办一场演出。夏明阳作为校方后勤协助人员恰好被安排帮李靖拿演出服装。于是两个年轻人认识了。

夏明阳和李靖一见面就彼此都有好感，话题也多，时而夹杂着一些幽默的言语，不时爆发出灿烂的笑声，闲谈中彼此心底升起了柔柔的爱意。就在李靖快要上台时，李靖望着夏明阳说："你像我梦中的徐志摩！"夏明阳一怔，徐志摩正是他最崇拜的诗人，眼前的她是如此的清纯，眼睛清澈而执著。夏明阳笑了："你会是陆小曼吗?"

回到宜宾，李靖给夏明阳发来了短信："轻轻的我走了，正如我轻轻的来！"夏明阳看了心跳不已，他们两个都是徐志摩的崇拜者，向往那种纯洁、缠绵而浪漫的爱情。5月起，他们每天发短信100多条。夏明阳了解到，李靖从成都一所卫校毕业后在宜宾二医院当护士，这一次是她自己请假偷偷报名参加的模特大赛，他不竟暗自佩服起这敢作敢为的漂亮女孩。而李靖对于这样一个川大才子、自己的梦中情人也已心旌荡漾。

6月，李靖又来到了川大与夏明阳相会。李靖漂亮迷人，热情奔放，让夏明阳的朋友看呆了，大家问他是怎样把宜宾漂亮女护士迷住的，夏明阳笑了笑，神秘地说道："我的媒人是徐志摩！"漫步在川大外的府南河边，两人无限缠绵，海誓山盟，相许终身。

不久，夏明阳得到通知，他以优异的成绩考上本校研究生，李靖听后，赶到学校为他庆祝。李靖的似水柔情让夏明阳无限温馨，两人憧憬着未来，幸福地依偎在一起。

夏明阳沉静聪慧，李靖热情奔放。每当李靖走后，夏明阳茫然若失，仿佛所有的一切都让她带走了，两人分隔两地，总是聚少离多，他

有点担心，她那么迷人那么会交际，难道在宜宾没有追她的人吗？她会拒绝那些人吗？他隐隐感觉到，就算将来娶到她，也可能把握不住。能走到多远？夏明阳一片迷茫。

这以后，夏明阳有意无意地疏远李靖，他想验证一下李靖究竟有多爱他，是真心还是一时冲动。

正值这时，2003年4月，夏明阳的导师对他的课题研究提出了严厉的批评，自尊心极强的他才发现自己研究的项目毫无进展，他感到对不起对自己期望很高的导师和父母。这以后，他明确告诉李靖，这一段时间不联系，专心研究课题。

终于，他的学业迎头赶了上来。此时，他又想起了李靖。不知是有意还是无意，李靖的手机常常接不通，短信也回得慢。夏明阳感到自己真的是无法把握李靖。

多情惹祸，高级工程师走不出爱情绝路

在夏明阳对李靖冷淡时，李靖也在悄悄想这个问题，她想，是不是自己对夏明阳太主动了，这样才导致了夏明阳对自己的冷淡？她开始告诫自己，也要对夏明阳冷淡一些。于是，她也刻意地不与李靖联络了。

正在这时，李靖的病房里住进一位叫胡成玉的病人。31岁的胡成玉是宜宾市电力公司的一名高级工程师，也是川大毕业生。2000年刚从一桩不幸的婚姻中走出来。这次因为急性阑尾炎手术住进了高级病房。

尽管这一段时间李靖也不太开心，但她那阳光般的职业微笑和温柔姣好的面容还是让胡成玉耳目一新。在胡成玉住院的日子里，李靖经常陪他聊天，病房中不时传出笑声。李靖的关心体贴让胡成玉大为感动，而胡成玉的稳重成熟、善解人意再加之相貌英俊也让李靖时不时多看他几眼。

2003年2月，为了表示感谢，胡成玉在出院后请李靖吃饭，李靖也欣然接受。在后来的一段日子里，胡成玉逐渐爱上了这个充满青春活力、年轻美丽的女护士。"你有男朋友吗？"胡成玉一次次问她，李靖总是笑而不答。这让经历了一次婚姻的胡成玉再一次点燃了爱的希望。

这以后，胡成玉经常邀请李靖到茶楼吃饭、看电影，两人常常聊得缠绵亲热，但是每当结束时，李靖却不让胡成玉同自己一起走，总让胡

成玉先走或自己先走，为此，胡成玉非常恼火，但又不便于发作，想想自己是离过婚的，人家是女孩还没交朋友，李靖的做法不是没道理，他安慰自己慢慢来。

这期间，见李靖工资低，胡成玉一次就往她的卡里打进去上千元给她做零花钱。同时他又先后为李靖买了很多贵重礼物——手机、项链、戒指、耳环，甚至包括给李靖零花钱、替李靖买衣服、交手机话费，李靖家住在与市区一江之隔的南岸，上下班都要挤公交车，很不方便，胡成玉便买了一辆电动自行车送给李靖，让她上下班方便一些。

李靖接受了胡成玉的礼物，这让胡成玉欣喜不已，以为李已接受了他的爱情。然而，不久胡成玉就发现了一件令他困惑不已的事。李靖几乎每个月都要到成都去一两次。每次都说是去找她的一个最要好的女朋友玩。胡成玉认为年轻姑娘贪玩一点是可以理解的。然而，女孩子之间那种朋友，哪有两年来风雨无阻定期在成都相会的？不祥的预感笼罩着胡成玉：李靖肯定在成都有个"他"！

此时的李靖也矛盾重重，本想冷落一下夏明阳，没想到胡成玉借机会插进来，李靖明显感到自己已经深深陷入胡成玉布置的泥潭，应该做出选择了。正在此时，夏明阳也感受到了李靖的冷淡，来电话提出彻底分手。

2004年春节，李靖约胡成玉出外吃饭，正式提出了分手："胡哥，这么久以来我感谢你对我的爱护，像我的亲哥哥一样。但我要找的是一个我爱他并且他也爱我的人，但是这个人不是你。胡哥，我只能将你当哥看待，以后你就把我当成你的妹妹吧！"。胡成玉愣了，他一把抓住李靖的手："不，我不要你离开我，嫁给我吧，我会呵护你一辈子！不管你身边有谁，我是最爱你的！"

李靖用力挣脱了胡成五的手："不，胡哥，我们断了吧，我们不合适。我祝你早日找到幸福！"

胡成玉一下子觉得自己坠入了无底的深谷，当他回过神来，李靖已经飘然离去。一种被欺骗被愚弄被污辱的感觉喷涌而出，他长啸一声将桌子掀翻在地。此后，善良的李靖没有再刺激胡成玉，两人的关系藕断丝连，走走停停。这种"朦胧"的交往方式让胡成玉极为苦恼和郁闷——他明显地感觉到自己快要疯了。他托朋友在二医院打听李靖的情况，朋友回来告诉他，医生护士们谁都知道李靖的男朋友是四川大学的研究生！胡成玉的肺都气炸了，李靖从没给他谈起过她有男朋友，一种被欺骗的耻辱感一次次涌上心头。自己堂堂一个高级工程师，居然被一个女孩戏弄了一年，他一次次想去找李靖"算账"，但他对她还抱有一丝爱恋。

3月8日，胡成玉所在单位组织员工到香港考察。胡成玉在香港给李靖买了精美的白金项链和一个高档数码相机，希望能挽回李靖的心。然而千里之外传来的却是电话里李靖的嘲笑："胡成玉，你别自作多情了，那些东西我不稀罕！"李靖的话无疑是一把尖刀直刺胡成玉胸膛，胡成玉苦心经营的情感大厦顷刻间坍塌，灰飞烟灭！绝望之余，他决定用一种极端的方式换回李靖对自己的尊重！

3月15日，胡成玉给父母写下了一封遗书：

请恕孩儿不孝，不能为你们送终，可是仇恨已充满我胸，我尝试化开它却不能。我要复仇，必须复仇！现在我身上所有财产全部归你们，工资卡上有32000元，建行卡上有5000元，股票全部归你们，房产也一样，目前，我无债务。

儿子：胡成玉 2004. 3. 15 于家中

这个年轻的工程师开始以一种迷信的手法决定李靖的生死。在案发前的一个晚上，胡成玉找来一枚硬币，在心里对自己说，将这枚硬币抛向空中，如果掉下来时是反面，那么就放弃杀死李靖的念头。

胡成玉死死地盯着空中的硬币：从李靖接受自己的第一次约会，到李靖决绝地提出分手，回忆的片段如潮水一般掠过脑海。从狂喜到大悲，胡成玉的瞳孔在瞬间扩大，愤怒已经无可抑制地填满他的整个心胸。

硬币"当"的一声掉在地上，胡成玉疯狂地扑上去，手死死地压在硬币上面，然后颤抖着一点一点地移开——正面。胡成玉再一次把硬币抛向空中，疯狂地一把抓住。但同样的结果出现了：还是正面！

胡成玉给自己设计了几种详细的谋杀计划：一种是开车将李靖撞死；一种是用电线将其勒死；一种是用硫酸毁容；另外一种则是用汽油将其烧死。

随后，胡成玉从单位找来了一辆小货车准备撞死李靖。3月24日，

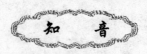

胡成玉将小货车开出，牌照撬掉，将车开到南岸李靖回家的一条必经之路上，远远地看见李靖过来了，胡成玉加大油门突然猛冲过去，就在此时，一辆人力三轮从李靖后边骑了过来，胡成玉紧急刹车，李靖被吓得尖叫一声躲开了，并没有发现开车的人就是胡成玉。

第一次计划的失败并没有消减胡成玉杀死李靖的决心。3月25日，一夜无眠的胡成玉，经过再次充分准备，清晨，他驾驶着三菱越野车带上电线、硫酸、汽油来到李靖的住处。不久，悲剧发生了。

惨案发生后的第二天，警方到成都找到了夏明阳。得知李靖惨死，他怔了半天，陷入了深深的沉思，说道："她的死我也许有责任，她的死因，你们不说我也能猜得出，十有八九离不了一个'情'字。虽然我没看见宜宾的那个'他'，但我感觉到了那个'他'，'他'为什么那么残酷？是我的不坚定我的摇摆害了她……"夏明阳流下了悲伤的眼泪。然而，一切已经消失，那个如花的女孩已经随风而逝。

这是一场本不该发生的悲剧，也许故事的开始就注定了它的悲剧色彩。

爱情是美好的，但要尊重对方的选择。李靖觉得自己爱的夏明阳，向胡成玉提出分手，这是正常的，但胡成玉却以极端残忍的方式去剥夺李靖如花的生命，作为一个受过高等教育的高级工程师，我们不禁为此感到悲哀！李靖惨烈地离去了，凶手必将受到法律的惩罚，希望这起惨案给更多青年人带来思考：爱，不仅是喜欢、倾慕，更是一份尊重……是此案留下的血的教训！

灰色的疑惑：
女研究生命丧打工性伴侣

　　一个从小品学兼优的女硕士研究生，由于男友驻军海岛，两人长期无法见面。在精神空虚寂寞的时候，她"主动"落入网友设下的猎艳圈套，偷吃了"伊甸园"里的"果子"。然而，在追求放纵快感仅仅十天之后，她的生命就因"性伴侣"的"激情犯罪"而画上了一个欠缺的句号。美丽的生命在人们扼腕叹息中，消失于茫茫人寰，她所带给人们的痛楚，却久久难以平息……

"天使"也多情，甜蜜的爱情里有一丝遗憾

　　今年25岁的张慧出生于黑龙江省五常市拉林镇，她的父亲是一家企业的销售人员，他先人一步经商，张家也提前进入了小康生活。

　　张慧是家中长女。备受父母宠爱，但她身上却没有骄娇二气。父母对她的学习要求特别严格，她的成绩一直排在年级前三名。除了学习，张慧与外界几乎不接触，纯净得像一个天使。在觉间，清澈的拉林河缓缓地流过了张慧的少年时光。进入重点高中后，张慧出落得娇俏可爱，特别是她甜美的微笑人见人爱。为了能让张慧安心学习，她的母亲来到五常市专心陪读，不允许她和任何男同学接触，让女儿清净地走过了高中岁月。

　　1999年夏天，张慧如愿考进佳木斯大学临床医学院，开始了为期5年的学习。由于她学习勤奋，多次获得奖学金，于是又攻读硕士研究生。2003年7月，张慧到哈尔滨市一所医院实习。这时，与她同寝室的同学见张慧一直忙于学习，还没有谈恋爱，就把自己高中同学郑刚介绍

给了她。

郑刚是黑龙江省海伦县人，比张慧大一岁，从小在单亲家庭里长大，生活的艰辛使他比同龄人要成熟许多。他1998年考入军校，2003年毕业分配到大连海军某部，驻守在大连附近的一个岛上。

张慧从小就喜欢军人，她在实习中接触到的军人患者也给她留下了很好的印象。郑刚和张慧在同学的撮合下，知道了对方的手机号码，他们在通电话的同时，还通过发短信谨慎地交往着，虽然远在千里之外，两个单纯的年轻人还是感受到了彼此的心境。他们把自己的情况和照片通过书信传递给对方，张慧见郑刚长得一表人才，更是喜欢。两个人都特别急切地盼望着见面。

2004年春节前，郑刚回家过年，在经过哈尔滨市换车时，特意来到张慧所在的医院看望她。那天，漫天飘着飞雪，气温也骤然下降。郑刚因为从大连回来，衣着单薄。寒冷的气候没有影响郑刚的情绪，训练有素的他依然英气逼人，张慧见了之后十分满意。细心的张慧担心郑刚冻着，为他借来军大衣穿上，又在旁边的男生寝室给他找了一个床位，让旅途劳顿的他休息。

郑刚从小缺少关爱，张慧的体贴令他很感动。两人谈得极为投缘，第一次见面就好像一对久别重逢的恋人。

下午，张慧带着郑刚逛哈尔滨市的商场，帮他挑选给家人的节日礼物。她想郑刚参加工作时间不长，他手中的钱不会太多，于是很体谅地帮他挑选了一些物美价廉的礼物。郑刚从心里感激张慧的善解人意。

傍晚，两人在医院旁边一个小饭店吃的饭。因为是冬天，天黑得早，从饭店出来后，郑刚担心被人撞见对张慧影响不好，便告辞回到了张慧为他安排的宿舍。第二天，郑刚换车返家与亲人团聚去了。这次见面时间非常短，但他们都给对方留下了深刻的印象。让张慧感到遗憾的是，他们甚至连手都没有牵一下。

郑刚走后，张慧将此事告诉了父母，遭到父母的坚决反对，他们无法理解女儿会爱上一个驻守海岛的军人，而且只见过一面。可张慧并没有退却，她和郑刚商定，等他春节休假返回，途经哈尔滨时再一起做父母的工作。张慧和郑刚继续通过手机短信互诉思念之情，通过文字关心着对方的生活情况，两人的感情日渐加深。

农历正月十七，郑刚乘了一夜的火车赶到五常市拉林镇，向张慧的父母表明自己的心迹。张慧的父母见过郑刚后，被他朴实的人品和真诚的话语所感动，见两个孩子很亲热，态度有所改变。

第二天，张慧主动牵着郑刚的手，带他走在自己家乡的街道上，向他介绍着自己少年时代学习和生活过的地方，讲着小时候发生过的事情，两个年轻人沉浸在爱的幸福中。在一次次情爱的冲动中，他们都想能有进一步的亲热动作，但初恋的羞涩让他们不知所措，又怕给对方留下不好的印象，便努力克制着燃烧的情感。恋人的团聚总是短暂的，就在他们犹豫之间，郑刚的假期到了，一同踏上返程的火车。

在哈尔滨市火车站站台上，两个人在难分难舍中告别，当郑刚准备上车的时候，张慧再也控制不住自己，突然扑进他的怀里，轻声抽泣起来。郑刚安慰了她几句，便上车了。当轰鸣的火车驶离了张慧的视线时，寒风中，张慧的眼睛模糊了，她第一次感受到了前所未有的孤独。她没有回医院，直接跑到附近一个网吧里，给还在列车上的郑刚发邮件。

她的手在键盘上颤抖地敲击着：你才出了我的视线，思念就不可遏制地疯长……如果你在我身边多好。此时，我只想让你静静地拥在胸前，再没有任何力气想别的了……我深爱着你，但女孩的羞涩让我变得矜持，这让我既感到压抑，又有一丝苦涩，是你让我第一次产生对异性的渴望，我不知道该怎么做……

可怕的沉沦，女硕士为缓压找来"性伴侣"

张慧写了一会信，停下来呆呆地看着电脑屏幕出神。这时，坐她隔壁的一个男子眼睛不时望向她，偷看她信中的内容，可心绪不佳的张慧并没有发现。

此人叫刘金亮，26岁，家住哈尔滨市呼兰县腰堡镇东发村，只有初中文化。2001年，他开始进城打工，平时主要是给人扛东西、刷房子。找不到活干的时候，他就到网吧里消磨时光，因为长得还可以，他曾先后与4个网友发生过性关系。

刘金亮交代，他被张慧的容貌所吸引，就偷窥到她的QQ号，加入

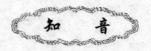

到自己的好友里。他不停地在 QQ 上和张慧打招呼，张慧没有回应，专心给郑刚写信发邮件，最后见时间不早了，就起身离开网吧。刘金亮望着张慧离去的背影很失望，他本想追出去，就在他犹豫之间，张慧消失在人流中。

2004 年 3 月 27 日上午，张慧上网查资料，把 QQ 挂在网上。忽然一个陌生人出现在信息栏里向她问好，张慧礼貌地一句句被动回复着。张慧觉得这个人很神秘，好像认识自己一样，追问时他也不置可否。出于真诚，她把自己实习的医院告诉了对方。

这个陌生人正是一直寻找张慧的刘金亮。刘金亮以前得过急性肾炎，曾在张慧实习的医院住过院，于是提起了几个医生的姓名。张慧对刘金亮提到的名字都略有耳闻，她觉得刘金亮说的是实话，便不再怀疑，把自己的学校甚至连电话号码都告诉了这个陌生人。

刘金亮凭经验感觉张慧单纯，很容易骗，加上他上次"看"过她写给男友那封热情似火的信，于是说自己非常喜欢她，希望能和她成为现实生活中的朋友，热情邀她见面。在她犹豫的时候，刘金亮的话语一句比一句灼热，张慧抵挡不住好奇和诱惑，要求对方和自己视频聊天。通过视频，她发现对方身体强健、长相英俊，这时，内心对异性的渴望终于占了上风，她同意了刘金亮的见面要求。但她说，自己的时间非常紧张，在外边逗留的时间不会太长。

张慧肯出来和他吃饭，这让刘金亮非常得意，他在南岗区和兴路路边的小吃店找了一个卡座，这里离张慧所在的医院非常近。

见面时，刘金亮经过一番刻意修饰，看上去精神干练，根本不像一个普通的打工仔。他听说张慧不吃含高脂肪类的食物，以防止肥胖，就讨欢心地为她点了两个素菜，给自己要了一个拼盘，又叫了两瓶啤酒。在刘金亮的坚持下，张慧喝了两杯啤酒。

酒后，刘金亮很兴奋，他告诉张慧，在她没有出现的时候，他已经在附近转了一圈。张慧不明白刘金亮的用意，刘金亮解释说，就在这个饭店的后面，有一个不显眼的旅店，他想饭后带着张慧到那里"休息"一下。刘金亮心里明白，像张慧这样有知识有文化的女孩，愿意冒着风险与网友见面，她已经预见可能会发生什么事情。自己对她只有性的渴望，图个眼前快乐，不会奢望婚姻，是再合适不过的"性伴侣"了。

张慧听后，不无担心地说："这不好吧，万一让人看到了就糟了。"刘金亮安慰她说："我们俩全是外地人，谁认识我们呢？"张慧觉得刘金亮说得也对，自己家离这里乘车也得几个小时，怎么会遇上熟悉的人呢？

饭菜还没有吃上几口，酒已经尽了。其实刘金亮请张慧来的目的很明确，就是要把张慧勾引上床。他在饭桌上低声下气地乞求张慧，见时机已经成熟了，就领着张慧向旅店走去。刚走了几步，张慧又犹豫起来，她对刘金亮说："你找好了房间告诉我，我再进去，免得被人看见，挺难为情的。"刘金亮在小旅店按3个小时的时间开了房，然后给在外边的张慧打了电话。几分钟后，张慧悄悄地进了房间。

此时的刘金亮早已是迫不及待了，一把将张慧拥在怀里，两个人倒在了床上。张慧被这没有前奏的突然袭击吓着了，挣扎着想站起来。刘金亮又怎么能让到手的猎物溜走，他疯狂地把张慧压在身下令其不能动弹，在他灼热的吻中，张慧渐渐陷了进去……

从旅店回到学校后，张慧睡了一下午。晚上，她给郑刚打电话，刚说几句便哭了起来。郑刚问她怎么了，她掩饰说是想他了，郑刚安慰她说等下次探亲不回家了，就留在哈尔滨陪她。这以后，张慧每天睡觉之前，都要和郑刚通一次电话，寻求一些心灵的安慰。

事后，张慧在网上告诉刘金亮自己内心很恐惧，刘金亮安慰她说："你得到你想要的，我也得到了我想要的，这就够了。"在这期间，两人又多次接触，张慧像一个"双面佳人"，随着地点的变化而变化着角色。在学校，张慧是一个成绩优秀的学生，多次获得奖学金；在医院，她虚心好问，对待患者耐心热情，受到实习指导老师的好评。可刘金亮就像圣经里的那条蛇，不停地引诱她摘"果子"吃，让她完全变成了一个以追求性愉悦为乐的女人，而且难以自拔。

命丧出租屋，"激情犯罪"之后谁心最痛

总在外面开房，刘金亮觉得经济方面难以支撑。

4月2日上午，刘金亮在网吧上了一夜网后，回到租住的位于学府二道街的临时住所，见和自己同居的酒店服务员张芳还在睡觉，他觉得

正是这个让自己玩腻了的女人占着窝，才让他要外边花钱开房。于是他大骂着把张芳吵醒，让她滚出去。张芳和他争吵一番后，就哭着收拾东西从刘金亮的住处搬走。刘金亮立即打电话邀张慧到他租的房子里幽会，张慧说实习非常紧张，只有在空余时间才能与他相聚。

4月3日，张慧回家住了一天。她告诉父母，自己想利用五一假期去大连看郑刚，和母亲商量为他买点东西带过去。因为不清楚郑刚衣服的尺寸，第二天张慧回到学校后，给郑刚打电话，谎称已经给他买了一件40号的衬衣，郑刚马上制止说，他穿衬衣一般是42号的，让张慧马上退掉，并说部队发的衣服已经够穿的了。张慧答应着放下电话，就和同学商定，第二天去松雷商厦给郑刚买衬衣。

4月5日上午，张慧的同学因为有急事去了指导老师那里，她只好等着。11时许，张慧接到刘金亮打来的电话，说非常想她，要张慧到他的房子里去。张慧推说自己近来事情很多，改天再来。刘金亮一听，就从市中心打车赶往医院。半个小时后，他用公用电话打电话给张慧，让她赶到院门口见面。张慧架不住刘金亮的哀求，见已经是午休时间了，同学一时也不能与她一起去商店，就与刘金亮来到了他的住处。

案发后，据刘金亮交代，当天中午两人缠绵过后，张慧余兴未尽，想与刘金亮再做一次。试了几次，却都无法成功。她扫兴地起了身，穿好衣服后，不无调侃地说："你的玩意已经不好使了，干脆给你做变性手术得了。"刘金亮说："咋的，就是行，这辈子也不想全给你。"

张慧觉得受辱，于是反唇相讥说："还一辈子呢，你只不过是一个替代品，一个替身。每次你在我身上，我心里想的都是我的男朋友，你哪一点能和他比啊？"刘金亮虽然多次与张慧有床第之欢，但他深知自己能让张慧觉得他存在的价值，就是性的强健，现在连这点可怜的价值都被否认了，骨子里的自卑让刘金亮突然觉得受了莫大污辱，气愤之下，他操起窗台上的一把剔骨刀，向毫无防备的张慧胸、腹部连刺了5刀。张慧倒在血泊中，一个风华正茂的女硕士生瞬间香消玉殒……

杀害张慧后，刘金亮先将她随身携带的手机，白金戒指、手表等物品据为已有，然后到商店买了一个大皮箱，将张慧的尸体装了进去。他几次想拖走都没有拖动，就想到找父亲帮忙。他告诉父亲，自己有要紧的东西要送回家去，让他特意来一下。

不知实情的刘父乘车赶到刘金亮的住处，见他早就把箱子准备好了。此时已经是深夜了，父子俩拦了一辆出租车，然后抬着箱子上了车，一直到自己家承包的土地边。刘金亮把父亲支开后，独自把尸体埋好。他松了一口气，觉得这件事情做得天衣无缝，警察无论如何是发现不了的。

张慧两天没有回实习医院的寝室，同室的同学就打电话问张慧的家人。这样张家才知道自己的女儿失踪了，她的父亲当即报警。同学说，张慧正与一个原来在他们医院住过院的患者来往着。经过查找医院的档案，在2003年5月的档案中查出一个叫刘金亮的病人，与公用电话亭老板及看校门的门卫描述的特征比较接近，但上面没有住址和身份证号码，只有一个担保人的姓名和手机号码。经过查证，这个人是刘金亮的姐夫。

4月8日下午，就在警方准备采取下一步措施时，被刘金亮赶走的张芳的家人以为女儿失踪了，就找到了刘金亮的住处，发现墙上有血，就告诉了刘父。刘父想起那晚和儿子深夜运回的那口大箱子一定有什么重大的秘密，他害怕自己被牵连进去，不敢问儿子，可又不敢继续隐瞒下去。这一夜，他想来想去，最后决定无论如何都要向警方报案。

4月9日上午，刘金亮的父亲到呼兰县公安局报案，称自己的儿子几天前让他帮助拖回来一个大箱子，埋在了自家的承包地里，他总觉得不大对劲。当地警方经过实地取证，发现箱子里是一具青年女子的尸体，遂决定对刘金亮实施刑事拘留。

刘金亮听到风声后，赶往车站，准备乘汽车逃往大庆。在等车的时候，他觉得这样做只能加重自己的罪行，经过一番痛苦的抉择，他拨通了110报警电话。投案后，在无可反驳的证据面前，刘金亮交代了他杀害张慧的经过。刘金亮解释说杀害张慧属于"激情犯罪"，因为她说的话让自己感觉没有面子。

2004年6月2日，伤痛中的张父接到女儿母校的电话，通知他去领取张慧没有取走的奖学金。张慧死后，郑刚也多次给她家打电话问候，还表示会尽力帮助。想到这些，张父更是痛心不已。

张慧出事后，记者来到她所在的学校采访，发现校方将此事已公布在校报醒目位置上，同时对近来发生的一连串女大学生因性被害的案件

进行了分析。学校的一片苦心，旨在提出警告，请广大师生以及社会人士对这一问题引起思考和关注。

　　然而，尽管校方明令禁止，但大学里偷吃"禁果"者仍大有人在。在记者私底下与几位女大学生沟通时，发现有部分女大学生竟然这么认为：即使两人不相爱，只要不是互相利用的关系，也可以发生性关系。但愿张慧的离去，能让人们在心痛的同时，也多一些反思，

　　6月26日，此案移交检察院。

生为何来死为何错：
"孽债"女童叩问母亲天良

张军 冯大军 李思陶 伍雪乡

一位父亲因怀疑女儿不是亲生的，决定带孩子去做亲子鉴定。得知这一情况后，做贼心虚的母亲竟丧失人性地将女儿杀害了。这位平时对女儿疼爱不已的母亲，此时为何变得这般残忍？在她扭曲的内心里，到底隐藏着什么不可告人的秘密？

生下本不该生的孩子，
只为让情人良心不得安宁

2004年6月8日晚上8点30分，山东临沂市兰山区公安分局突然接到了110报警，公安人员火速赶往案发现场：在一居民小区的一条小巷内，一个小女孩的尸体佝偻在地上，身上刀迹纵横血肉模糊。死者名叫刘阳艳，今年9岁，是市区某小学二年级学生。

孩子的父亲刘建国是个小老板，案发之前在外地出差；孩子的母亲郭增芳是第一个发现女儿被害的目击者。她说，当天晚饭后，女儿说要去婶婶家。女儿走后大约半个小时，郭增芳给弟媳妇打电话，可是对方却说阳艳没去他们家。郭增芳赶紧出门寻找女儿。当她走到离弟媳家不远处时，便发现女儿早已命断气绝。

刘建国出差返回兰山后，公安人员就对他进行了询问，他反而说："阳艳可能不是我的亲生孩子！"一听这话，公安人员不禁大吃一惊，忙问他何以见得？他回答说："我与郭增芳结婚仅仅7个月孩子就出生了。郭增芳对我说孩子是早产，我也就相信了。可后来随着孩子一天天长大，亲戚朋友都说女儿长得一点也不像我，为此我们两个经常闹矛盾……"

根据刘建国提供的这一重要线索，公安人员决定对郭增芳进行第二次询问。这一次，郭增芳顿时浑身发抖，脸色苍白，大汗淋漓。根据她

的这一异常表现，公安人员初步判断，她有可能就是杀害刘阳艳的犯罪嫌疑人。

于是公安人员便单刀直入地问她："虎毒都不食子，你为什么要杀死自己亲生的女儿?"这一问击中了郭增芳的要害，此时她的心理防线彻底崩溃了，随后便语无伦次地承认她杀害了女儿。接着她便大放悲声地哀嚎道："孩子，妈妈对不起你……"郭增芳冷静下来后，便道出了她十几年前那段难以启齿的孽情：

1988年秋，郭增芳高中毕业后去了一家外地企业打工。18岁的她，已出落得亭亭玉立。由于相貌出众，刚进工厂不久，就有一个已婚男人向她大献殷勤。不久她便将少女的贞操献给了这个男人。以后，两人的暧昧关系一直持续了6年之久，但男人从来不给她承诺什么。心灰意冷的她只好重新寻找归属。

1994年初，经人介绍，郭增芳与身强力壮的小伙子刘建国建立了恋爱关系。可即使是在与刘建国恋爱期间，她仍然钟情于那个男人。

1994年冬，郭增芳突然发现自己怀上了那个男人的孩子，这次她满以为那个男人一定会为她离婚，结果那个男人"赶紧去打胎"的话让她彻底对他死了心。为了让那个男人的良心一辈子不得安宁，她对那个男人说："我一定要将这个孩子生下来，而且要把他（她）培养成才，到那时你就是哭着跪着来求孩子，我也不让孩子认你这个没良心的爸爸。"为了掩人耳目，她大胆主动地向刘建国提出了结婚的要求。

就这样，她与刘建国很快便结了婚。结婚7个月后，郭增芳生了一个漂亮的女儿，为了不引起丈夫的怀疑，她对丈夫撒谎说孩子是早产。初为人父的刘建国信以为真。自打女儿出生后，刘建国就将女儿视为掌上明珠，不管他走到哪里，女儿就是他的"跟屁虫"。尽管两年后他又有了儿子，但他对女儿的父爱不减。

刘建国是个能人，靠自己多年的奋力打拼，事业逐成气候，年纪轻轻的就当上了老板。为了不让妻子为工作所累，刘建国索性让郭增芳做起了全职太太，并将家中的财政大权交给她一手掌管。

婚后，刘建国夫妻俩感情和睦、儿女双全，婚后的幸福生活让郭增芳反而庆幸当年那个男人的负心。

女儿一直是刘建国和郭增芳的骄傲。她不仅长得漂亮，而且是个小人精。在她蹒跚学步的时候，只要爸爸妈妈说累了，她就会用她的小拳头轻轻地给他们捶背；每当爸爸妈妈从外归来，她就会从床底下拿出他们的拖鞋摆到他们面前。她小嘴巴很甜，常把爸爸妈妈逗得眉开眼笑。后来有了弟弟后，小小年纪的她就承担起呵护和关照弟弟的重任。自打上小学后，她学习非常刻苦认真，不仅自己努力学习，还主动当起了弟弟的义务辅导员。

2003年10月的一天，刘建国的"小尾巴"刘阳艳跟着爸爸去他一朋友家串门，朋友见刘阳艳长得既不像她爹又不像她妈，便对刘建国开玩笑道："这孩子怎么长得一点也不像你呀！莫不是播错了'种'吧！"

朋友的这句玩笑话倒提醒了刘建国，他仔细端详着女儿的小脸，确实从中找不到自己的一点影子，再联想到在他婚后仅仅7个月女儿就出生了，且在新婚之夜妻子又不见红，这种种迹象表明，妻子除他之外还有别的男人，且这个男人在他婚前已捷足先登。

婚姻中的最大忌，莫过于夫妻之间情感的背叛和不忠。想到这里，刘建国不禁怒火攻心，向朋友匆匆告辞之后便怏怏赶回家中，并就女儿是否自己亲生的问题向妻子问究竟。郭增芳一听，不禁大惊失色，但她却拒不承认。这以后，拌嘴打架便成了两口子的家常便饭。

为破女儿身世谜，亲子鉴定来解疑

起先，刘建国夫妻俩的矛盾和纠纷仅限于"文斗"的水平。为排泄心中的怨气，刘建国便经常无事找事地向郭增芳挑衅，还动辄将"离婚"二字挂在嘴边。

在以前，无论郭增芳怎么做饭菜，刘建国都会觉得香甜可口，而现在郭增芳不论怎么变着花样地好酒好菜端到他面前，他总是一百个不满意地从"鸡蛋里挑骨头"。他常常吃着吃着，就将筷子一扔，"罢宴"。

后来，他们夫妻俩的战争逐步升级，刘建国动不动就对郭增芳拳打脚踢。今年2月的一天，刘建国开车带郭增芳上街购物，途中两人为一点小事又争吵了起来。在争吵中；刘建国一怒之下竟将郭增芳从飞驰的汽车上推了下去，结果将郭增芳摔得鼻青脸肿。

今年4月初的一天，刘建国夫妻俩为一件家庭琐事又争个不休，吵到激烈处，刘建国不禁怒火冲天，于是便对郭增芳大打出手，导致郭增

芳严重受伤。由于伤势严重，她不得不住进医院。在她住院治疗期间，刘建国对她不但不闻不问，而且还拒绝为她缴纳住院费。

2004年5月下旬的一天，两口子在争吵中，刘建国恶狠狠地对郭增芳说道：他在女儿是否是他亲生的这件事上，将尽快作一了断。郭增芳一听，心都提到了嗓子眼，为此，她成天提心吊胆，寝食不安。

那一段时间，小阳艳搞不懂，平日恩爱和睦的父母，为何最近老是拌嘴打架。而且一向对自己疼爱有加的爸爸，为何对她的态度越来越冷淡。尽管如此，她仍然一如既往地爱爸爸，每当看到辛苦了一天的爸爸回家后，她便会忙着给爸爸盛饭倒茶。

虽然怀疑女儿不是自己亲生的，但毕竟与女儿朝夕相处了9年，就是一只小猫小狗养了这么多年也会有感情的，何况还是一个孩子呢！可是，刘建国还是想弄个明白，女儿到底是不是自己亲生的，于是他产生了带女儿去做亲子鉴定的想法。这样，他可以尽早确认女儿的真实身份，以便与郭增芳解除婚姻。

"六一"儿童节那天，刘建国对郭增芳谎称要带两个孩子去济南游玩。见丈夫久违的亲情又回归，郭增芳心里特别高兴。她甚至幻想到：或许是女儿的天真无邪感化了丈夫。

在刘建国他们一行三人从济南返回兰山第二天，趁刘建国外出时，郭增芳便问女儿在济南玩得怎么样，去了哪些地方？女儿说他们去了动物园，还去了医院。一听说去了医院，郭增芳好生奇怪，连忙问女儿道："去医院干吗？"女儿回答说："扎手指头抽血，我们三人都扎了。"

一听这话，郭增芳心里不禁"咯噔"了一下：难怪前几天他对她说要与她尽早作"了断"，莫非这便是为"了断"而采取的行动？一旦他们做了亲子鉴定，那么她十几年前的隐私就败露无遗，这样一来，真相大白的丈夫肯定会与她离婚。想到这里，她不禁心乱如麻。

等刘建国回来后，郭增芳便迫不及待地问丈夫：为何要带孩子去济南抽血？但刘建国矢口否认，于是两人又唇枪舌剑地争执了起来。见是因为自己多嘴害得爸妈吵架，懂事的小阳艳赶紧在一旁帮爸爸打圆场，说她是逗妈妈玩的。女儿的这句话让郭增芳将信将疑。

6月6日，当郭增芳再次向刘建国追问抽血一事时，刘建国一听，烦了。即对她厉声吼道："如果阳艳真的不是我女儿，老子不打死你！"

说完这话，他便摔门而出。其实这只是刘建国一时的气话，但郭增芳却当了真。她唯恐女儿的身世一旦穿帮后，刘建国真的会要她的命。

此时她像一只热锅上的蚂蚁，不知如何是好。她便赶紧给她最信任的一个"姐们"打电话，将她十几年前一直守口如瓶的隐私和盘托出，然后请"姐们"帮她出主意想办法，但她的"姐们"也说不出个所以然。

在茫然无措的情况下，郭增芳不禁又心存侥幸，自己安慰自己：说不定刘建国真的没有带孩子去做亲子鉴定，如果真的去做了，他为何不承认呢？再说，她的"姐们"告诉她，亲子鉴定一般三天后就会有结果，而刘建国他们已经返回五天了，但至今仍不见刘建国有动静，说不定抽血扎针真是女儿瞎说的。想到这里，她心里似乎又有了一丝的慰藉。

霎时，郭增芳又转念一想：如果刘建国现在没带孩子去做亲子，并不等于他以后就不带孩子去做鉴定。想到这里，她又忐忑不安起来。

其实，6月3日这一天，刘建国便可知晓亲子鉴定的结果，但由于那几天他一直在外地出差，而没来得及去询问亲子鉴定的结果，直到女儿出事的那一天，他仍然不知亲子鉴定的结果如何。

为了自己得安宁，母亲竟然杀亲女

由于头一天与郭增芳吵架之后火气未消，所以6月7日一大早刘建国连一个招呼也不给妻子打就走了。这天晚上，心神不宁的郭增芳做了一个噩梦，梦见刘建国手持一大刀朝她的头部猛地劈了下来。被噩梦惊醒后，她被吓得出了一身冷汗。她觉得这是一种不祥之兆，她迟早会死在刘建国的手中。

噩梦醒来后，郭增芳一直心有余悸。6月8日一整天，她被噩梦搅得心烦意乱。这日黄昏时分，邻里左右家家户户都已袅袅炊烟，唯独她家冷锅凉灶。因她无心做饭，便用面包、方便面来充当孩子们的晚餐。

晚上点7半钟左右，郭增芳让女儿给刘建国打手机，问他何时回家，刘建国在电话中不耐烦地回答说：还得两天。女儿挂上电话后，便对妈妈说要去婶婶家和婶婶的女儿一起对作业答案。在平日，只要是女儿晚上出门，郭增芳必定会送去接回，但由于当时心情烦躁不安，所以这次

355

便让女儿独自出门。

待女儿刚一跨出家门，一个可怕的念头突然出现在了郭增芳的脑海中：如果把女儿杀了，刘建国不就做不成亲子鉴定了吗？由此女儿的身世就可能成为一个永远解不开的谜。这样一来，既可以保住她的性命（她一直以为刘建国在解开女儿身世之谜后要杀她），又可以保住她的婚姻。

当这一罪恶的念头在头脑中一闪现时，郭增芳不禁打了一个寒战。但罪恶很快战胜了良知，这位自私、糊涂、无知的母亲，为了保全自己的生命、名誉和婚姻，便毫不犹豫地冲进了厨房，然后操起一把菜刀尾随女儿出了门。在跟踪女儿70多米远时，见四下无人，她便疾步上前喊了女儿一声，就在女儿回头停下来等她的那一刹那间，她便向女儿举起了屠刀。可怜的孩子，至死都不明白，这个平时对她百般疼爱的，连个手指头都舍不得碰她一下的母亲，今天为何对她这般的残忍。

女儿短促的几声哭喊也未能唤醒郭增芳的人性，她丧心病狂地朝女儿的头部、身上雨点般的胡剁乱砍，直到女儿倒在血泊中一动也不动了，她这才罢休。之后，她飞也似的跑回家中，赶紧洗掉菜刀上的血迹，脱下身上的血衣，反复地进行冲洗。直到她认为没有留下任何蛛丝马迹之后，这才装模作样地给弟媳家打电话……

当得知女儿被郭增芳杀害后，刘建国内心感到非常痛苦，随即陷入了深深的自责之中。他万分后悔，当初真不该带女儿去做什么亲子鉴定。

事后，郭增芳对自己因一念之差所造成的罪孽追悔不及，以致在杀害女儿后，她多次在痛哭中出现了休克。然而一切都晚了，女儿永远不可能复生。

2004年6月18日，临沂市兰山公安分局对犯罪嫌疑人郭增芳拘留审讯，2004年7月1日临沂市兰山区人民检察院对她实行了正式批捕。

6月下旬，刘建国从济南取回了亲子鉴定报告，小阳艳果然不是他的血亲。现在，小阳艳的尸体一直停放在临沂殡仪馆，刘建国不愿意为她料理后事，他说孩子不是他的，他不管。目前，他正在忙着与郭增芳离婚。

在本案中，最无辜的是小阳艳，可怜的孩子竟成了母亲自我毁灭的

殉葬品。其实，即便是郭增芳没有采取杀害女儿的这一极端行为，日后小阳艳也会替她母亲受过，因为她那"私生子"的特殊身份，仍然摆脱不了刘建国对她的歧视和世人对她的轻蔑。

　　本案血的教训告诫世人，每个人都应生活在道德和法律的框架之内，一旦越位，你将会付出惨重的代价。

绑架处女生子，罪恶圆不了香火梦

澜涛 阿默

一对已经生养了一个女儿的夫妇，在妻子无法生育后，为了传宗接代，合谋绑架了一位花季处女，监禁在精心设置的密室内。但突袭的厄运并没有让少女丧失逃生的理智和勇气，随着少女的成功自救。夫妻求子梦破碎的同时，也让他们13岁的女儿成了伶仃"孤儿"……

无子"失孝"，绑架处女来承袭香火

今年44岁的刘金锋出生在河北省盐山县，1990年和小自己4岁的白玉兰结婚后，于次年生育了女儿亭亭。虽然刘金锋的办公用品商店生意一直不错，但每当他看到女儿亭亭就会为没有儿子、不能"延续香火"而遗憾。加之刘金锋的母亲也总是对他说只有儿子才可以传宗接代、养老送终，他越来越觉得自己没有生儿子对不起祖上。

2000年春，刘金锋的母亲去世前，拉着他的手叮嘱道："我放心不下你啊，如果能生个儿子就再生一个吧！"此后，母亲的泪眼和临终遗言一直萦绕在刘金锋脑际，当他将自己的渴望和遗憾说给妻子听时，白玉兰就劝说他："可我已经做了绝育手术了啊！"于是，刘金锋让妻子去医院将输卵管疏通，可检查发现，白玉兰的输卵管也有问题，无法再生育。

妻子不能生育了，就等于说自己失去了生儿子的机会，刘金锋陷入无奈的痛苦之中。这天晚饭后，刘金锋突然被电视上的一条"借腹生子"的报道吸引，他顿时心生一计，对妻子说道："我们也可以'借腹生子'啊！"妻子惊怔地反问他："你是想儿子想疯了吧？我不同意！弄个女人和你生孩子，我算什么啊！"妻子的反对并没有让刘金锋打消这个念头，因为妻子一直对自己非常顺从，只要他坚持，妻子是不会坚决反对的。想来想去，他觉得唯一可行的办法就是绑架一个处女来为自己

生孩子，这样，对方可以完全掌握在自己手中，还能保证孩子的纯净。

绑架！当这个词跳进刘金锋的脑际后，把他自己都吓了一跳，他知道，这是犯法的事情。可是，这个念头出现后就再难挥去。刘金锋盘算着，绑架来一个女人，怎样才能够不让人知道。想来想去，他觉得家中那间闲置的房子如加固严实，应该是监禁的好地方。

刘金锋开始为他的"借腹生子"做着准备来。他先将家中东屋的屋门换成防盗门，在门上留出了一个送饭的洞，然后将唯一的窗户安上了铁棍子，在铁棍子外面又贴了一层砖，在砖的外面钉了一层三合板。最后，刘金锋又在三合板外面挂了一个窗帘，从外面根本就看不出来那是一间藏人的房子。

看着丈夫做着的一切，白玉兰一直劝阻着，但她的话根本就起不了作用。

2004年2月的一天傍晚，刘金锋开着自己的机动三轮车离开了位于盐山县的家。2月的河北虽然依然春寒料峭，但农民们已经开始为春耕做着准备。刘金锋开着车漫无目的地向前走着，可一路上，他遇到的不是三三两两结伴而行的女人，就是有男人相伴的女人，偶而遇到一个独行的女人年龄看上去却很大，根本就不像处女。两个小时后，他失望地返回家。第二天下午，刘金锋再次开车出去寻找目标，但依然是空手而归……接连几次都因为各种原因没有得手，刘金锋总结出一个经验，他一个人根本就不可能绑架成功。

2004年2月16日，是海兴县高湾镇每十天一次的"赶集"日子。临近中午的时候，刘金锋叫白玉兰："跟我出去买点菜，你帮我看着点车。"白玉兰心里清楚丈夫是要去寻找绑架目标，是想让她帮忙，可她知道自己根本就拗不过丈夫，只好跟着上了车。

刘金锋在集市转了一圈，没有发现合适的目标，就开车往家走。当车开到一处荒凉地段时，刘金锋注意到前面不远处有一个骑自行车的单身女人，从背影看上去很年轻。他环顾四周，空无他人，他暗自窃喜时机终于到了，加大油门追上了那个女孩，将车停到那女孩的车前。女孩诧异地停下了车，刘金锋走到女孩身边，什么都没有说，把女孩从车上拽下来，拦腰抱住就放到了自己的车上。刘金锋的三轮车后面自己用铁皮封成了一个全封闭的车厢，车厢后面有一扇门。在车内，他用事先准

备好的绳索捆住了拼命挣扎的女孩的手脚，又用毛巾堵住了女孩的嘴，吩咐白玉兰看住了，然后，发动了车就往家狂奔……

20多分钟后，刘金锋顺利把车开回了家，他将车熄了火，把绑架来的女孩抱进到密室，反锁上屋门后，他长出了一口气。

罪恶的种子一旦破土，阴影就会疯狂地铺展开。

身陷密室，少女与歹徒展开心理拉锯战

刘金锋让妻子去做饭，自己则进到密室。女孩看到他进来，脸上十分惊恐。他警告女孩："我可以把你嘴里的东西拿掉，给你解开绳子，但你不要幻想逃跑，这房间的窗户已经被我封死了，门也换了防盗门，隔音非常好，跑是跑不出去的，喊叫也不会有人听到。"女孩惊慌地点点头，他为女孩解开被捆绑住的手脚。

女孩的手脚虽然被解开了，但依然惊魂未定。刘金锋试探着安慰女孩："别怕，我老婆不能生小孩了，我只是想让你替我生个儿子。生完儿子我就放你走。"说着，他询问起女孩的身份来。

女孩叫刘小兰（化名），22岁，是海兴县人，在一家服装公司打工。当刘小兰了解到刘金锋绑架自己的目的后，立刻谎称自己刚刚17岁。她期望着刘金锋会顾及她不到18岁，还未成年而不加害于她。可是，刘小兰完全想错了，刘金锋早已经迫不及待了。

刘金锋询问了刘小兰一些情况后，为了提防刘小兰逃跑，他命令刘小兰脱下了外衣外裤、毛衣毛裤和鞋子，然后，他抱走衣裤鞋子，并反锁上防盗门。

强压着内心的不安和惊恐的刘小兰见刘金锋出去了，眼泪一下就滚落出眼眶，她尝试着站起身来，摸索到门前，试探着推了推，纹丝不动。她又摸索到窗口处，她摸到窗户上的铁棍子外面是一层砖，心不由得一下就凉了。她意识到，在这个密室里，想要自己逃生的机会非常渺茫，她猜测着对方到底是什么身份，猜测着自己到底在什么地方……

晚上5点钟，白玉兰做好了饭，刘金锋让她从门洞送饭给刘小兰，又让她洗了几个苹果和梨送进了密室。刘金锋吃完饭后，到密室里察看，发现刘小兰什么都没有吃，就让妻子去劝说刘小兰。白玉兰虽然万般委屈，却又不敢违抗，她说服着自己："谁让你不能生了呢，你没用

还争什么啊！忍受吧！"可是，真正面对一个即将和丈夫发生性关系的女孩，还要让自己劝说对方，白玉兰还是很难做到心理平衡，她冷淡机械地劝说着刘小兰吃饭。刘小兰哀求着白玉兰："我看你们不是坏人，你们就把我放了吧！我还是个小姑娘，我如果生了孩子，以后还怎么见人啊！求求你们……"面对不断哀求着的刘小兰，白玉兰无奈地说道："如果我是你，就想开点，不吃东西怎么行……"

白玉兰的话真起了作用，刘小兰拿起一个苹果，吃了起来，一边吃一边掉眼泪。刘小兰的眼泪勾起了白玉兰的万千心绪，她叹息了一声："姑娘，女人就是那么回事，委屈就委屈点吧，认命吧……"

刘小兰终于吃东西了，刘金锋宽慰了很多。天黑下来后，他开车来到村外的河边，把刘小兰脱下来的衣裤和鞋子扔进了河里。

第二天上午，刘金锋再次劝说刘小兰，但刘小兰始终哀求着他把自己放了。刘金锋意识到，他很难说服刘小兰，只有霸王硬上弓了。中午的时候，见妻子在做饭，刘金锋再次来到密室，锁上了房门。伴随着刘小兰的挣扎、撕心裂肺的哀求和哭喊，刘金锋强行占有了刘小兰。一切都结束后，刘金锋借助手电的光亮发现，刘小兰身下的床单上染上了一块殷红，他没有想到，自己绑架来的居然真的是一个处女，满足中不禁又多了份惊喜，他对刘小兰说道："放心吧，我以后一定好好对你！"

刘小兰非常绝望，萌生了死的念头。可是，这念头刚一出现，就立刻被她打消了，她想到如果自己就这样死了，父母会伤心断肠不说，也便宜了这对作恶的夫妻。可活下去，必须尽快逃离魔窟，不然遭受的痛苦和折磨将更大。她意识到，想要逃脱，必须要让对方丧失对自己的戒备，这样才能够找到机会。

在伸手不见五指的密室里，刘小兰只能凭借室外的声响和每天吃饭的时间来判断白天还是黑夜。每一分钟都是那样的漫长和恐惧，她寻找着一切可以逃离的机会，她不断提醒着自己要冷静、理智，要耐心。

当天傍晚，吃过晚饭后的刘金锋再次来到密室，又一次和刘小兰发生了关系。这一次，刘小兰没有反抗。事后，刘小兰问道："你老婆怎么不能生育了啊？你们结婚多少年了啊？"刘金锋见刘小兰表现得十分顺从，心里非常舒畅，对刘小兰诉起苦来："我们结婚14年了，生了一个女儿，13岁了。可我的兄弟姐妹们家都有男孩，他们总嘲笑我'绝

户'。我母亲死的时候告诉我一定要生个儿子，可我媳妇做了节育手术后，不能生了。这回就全指望你让我扬眉吐气了……"

刘小兰听着，心里倒吸了一口冷气，但她强迫自己镇定着，说道："没想到你还这么有孝心。不过，你要了儿子，到时候怎么养活啊！现在养一个孩子要花很多钱的。对了，我还不知道你叫啥名字呢……"刘金锋已经陶醉在刘小兰的顺从中，他说道："告诉你也没有关系，反正你想跑也跑不了。"于是，刘金锋将自己的情况都一一告诉了刘小兰。突然，他试探着问刘小兰："我现在有些后悔了，我把你送回去吧！"刘小兰听到这句话，仿佛看到了逃离的希望，但她知道，刘金锋辛辛苦苦把自己绑架来，不可能轻易放自己走的。她回应着："我都已经是你的人了，你别送我回去了，我回去怎么见人啊！"

刘小兰的话出乎刘金锋的意料，他满心怀疑追问道："你真的肯跟我在一起了？不后悔？"刘小兰说道："生米都煮成熟饭了，后悔也晚了。不过，你这屋一个，那屋一个，以后你可要对我好些啊……"

刘小兰的"认命"态度和温柔让刘金锋错误地认为，刘小兰已经屈服了。一个小时后，刘金锋满足地离开了密室。但他仍旧将密室门牢牢地锁上了。

这天晚上，刘小兰站起身继续摸索密室四周的时候，她感觉到自己走路开始出现摇晃，她意识到，自己应该尽量多吃东西，保证体力，不然逃跑的机会来了，没有力气也很难逃脱的。她拿起一个苹果，含着眼泪吃起来。

智脱虎口，罪恶圆不了香火梦

2004年2月18日，吃过早饭后，刘金锋因为有事情要和妻子外出，就来到密室送饭给刘小兰，叮嘱着："我们要出去一下，你多吃点东西，我晚上回来后就来陪你。"刘小兰心中暗喜，她意识到这是一个难得的逃离机会，她故意问道："你们什么时候回来啊？回来晚了，我饿了怎么办啊？"刘金锋说道："我给你准备了两袋方便面，饿了就先对付一下。"刘小兰接过方便面，说道："你回来的时候给我买个西瓜吧，我嗓子有点疼，想吃西瓜。"刘小兰的温柔让刘金锋感到十足的幸福，他锁好密室门后，和妻子开车离开了家。

知 音

过了一会，刘小兰试探着用脚踹了踹房门，房门纹丝不动。她摸索到窗口处，开始疯狂地用筷子、手指扒起封堵着窗口的砖来。人在逃生的时候会产生一种超常的力量和坚忍。很快，刘小兰就感觉自己的双手指甲火辣辣的疼，可她顾不得这些，她继续用手去抠着砖缝隙间的黄泥，然后用手一点点向外抠着砖。

大约半个小时后，刘小兰居然奇迹般地抠下来一块砖。缺口打开了，接下来就相对容易很多。很快，刘小兰就抠出了一个洞。满头大汗的她顾不得喘息，用砖砸起窗户上的铁棂子。不知道砸了多少下，过了多长时间，铁棂子终于松动了，她拼尽力气去掰，居然一下就掰下来一根铁棂子。她又用砖砸开三合板，阳光扑面照射进来，眼睛一阵刺痛，可她已经顾不得这些了，她慌忙从窗户钻出了密室，疯了般跑出了刘金锋家。

刘小兰疯狂地跑着，眼泪不停地往下落着。

她不敢停下来，她怕停下来会被刘金锋夫妇再次抓回去。当她跑到海兴县境内的一个小村的时候，再也跑不动了，便气喘吁吁地跑进一户人家，进屋就跪到了地上："我被人绑架了，求求你们救救我，给我家送个信，让我爸爸妈妈来接我……"

其实，刘小兰从小到大一向十分本分老实，她的突然失踪把她的父母急得团团转，并于当天就报案了。接到女儿的电话，夫妇俩立刻报了警，并心急火燎地赶来接女儿。

再说当天下午4点钟左右，刘金锋和妻子回到家。把车开进院，他就发现密室的窗口被砸开了，他惊慌地打开密室门，发现刘小兰不见后，一下瘫坐到地上。刘金锋根本没有想到刘小兰居然能砸开加固的窗户跑掉，他的第一反应就是赶快逃跑。可就在他准备带着妻子和女儿一起逃跑时，警察赶到了。

随着刘金锋夫妇的银铐入狱，他们荒唐的"借腹生子"梦破碎了，疯狂的绑架强奸罪行不仅断送了他们的自由，也深深地伤害了他们13岁的女儿。面对父母的突然双双入狱，亭亭变得孤苦无助，虽然二伯父收留了她，但人们对她父母的议论、嘲笑和蔑视让她幼小的心灵陷入了痛苦和自卑之中。

2004年6月，河北省海兴县法院作出一审判决。刘金锋因犯非法拘

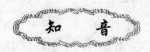
禁罪、强奸罪被判处有期徒刑 10 年，白玉兰也因共同犯罪判处有期徒刑 4 年。作恶者得到了应有的惩罚。但对于刘小兰来说，这一切却是一段永远都无法磨灭的可怕记忆。

刘小兰被绑架时，距离她和男朋友预定的结婚日期不到一个月，突然遭受的意外让一切都发生了改变，因为无法承受流言蜚语，男朋友向她提出了分手。这让回家后噩梦不断的刘小兰陷入更重的疼痛中。

但偏狭、流言的阴霾永远无法遮蔽勇敢正义的阳光，更多充满正义和善良的人们对刘小兰的机智和勇斗绑匪的事迹表示了肯定和赞许，很多同事朋友都赶来安慰她，鼓励她。

目前在外打工的刘小兰已经走出了过去的阴霾，开始了新的生活。

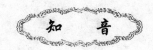

血溅生源大战,
"导师"变杀手啊旧情何在

郑奎

2001年9月,年仅39岁,在内蒙古自治区一所知名专修学院任常务副院长的李红萍神秘失踪,一时间当地众说纷纭。2004年3月下旬,此案终于告破,社会为之震惊:原来,该案的幕后黑手竟是李红萍以前的研究生导师、顶头上司内蒙古科技学院院长张明德!一位教育管理学博士,在内蒙古教育界大名鼎鼎的高校院长,为何要以80万元人民币的天价雇凶杀害自己的学生和老部下?

亲密合作,院长和副院长
曾有一段"蜜月期"

张明德1951年出生于内蒙古包头市达贸旗,高中毕业后自学医术成才,后来考上内蒙古大学,主攻教育管理。毕业后,不满足现状的他又考上了中国社会科学院硕博连读生。1992年,41岁的张明德获得教育管理学博士,回到呼和浩特市一家培训学校工作。

1994年夏天,张明德自愿到内蒙古科技学院工作,并任院长。当时的科技学院规模很小,全校只几十个学生。在激烈的竞争中,学院几乎要倒闭。张明德审时度势,1995年发动学院搞股份制改造,他被推举为董事长。在他的带动下,学院规模日益壮大,招生兴旺,多次被评为"内蒙古自治区先进办学单位"。张明德还抓住市场的机遇,与中国社科院合办了一个在职研究生培训班,培养MBA等硕士研究生。于是,他成为内蒙古教育界的名人。

1996年9月5日,内蒙古科技学院来了一个叫李红萍的女学生。李

红萍1962年11月12日出生在呼和浩特市，父亲为一区直部门的领导干部，母亲是位家庭妇女。1984年，李红萍电大毕业后，到一家区级单位广告部工作。1988年，李红萍与大自己两岁的内蒙古一家新闻单位技术干部王学弛结婚。1991年，李红萍生下一个女儿，一家三口其乐融融。为了使自己的事业有更好的发展，李红萍慕名来到内蒙古科技学院读研究生。

李红萍长相娇柔，性格却直爽开朗，与人交流沟通很有一手。院长兼导师的张明德对这位很有灵性的学员颇感兴趣。课后，等所有的同学都走后，张明德就会很关心地问李红萍能否听懂自己的讲课，还有没有疑难问题等等，可谓关心备至。

年近半百的张明德中等身材，头发斑白，说话和蔼，两只眼睛时常闪烁着智慧的光芒，周身散发着知识分子的儒雅魅力。对于导师的关心，李红萍很是感动。性格开朗的她有什么事也乐意和张明德讲。慢慢地，二人大有相见恨晚之意，谈话已不仅仅局限于讲课，说话的地点也不仅仅局限于教室。他们的关系不仅是师生，更像一对忘年交。

1998年5月，李红萍即将毕业。张明德想：李红萍性格开朗，一直做广告工作，交际很广泛，正适合做研究生班招生工作，而且他们两人互相都比较了解，工作上容易融合。于是，他向李红萍提出了留校的邀请。从研究生学员到研究生老师，这种变化十分诱人，李红萍就欣然同意了。

于是，李红萍被任命为内蒙古科技学院研究生部主任，负责招生工作，月薪500元。不久，为了便于开展工作，张明德又让李红萍以学院副院长的名义对外招生。李红萍受到赏识和重用，决定"投之以桃，报之以李"。她对学院的工作尽心尽责，为了多招收一个学员，往往与当事人费一两个小时的口舌来叙述学院的优点和实力。李红萍的努力工作，张明德自然看在眼里，对她更加关心，时常在下班后，带她到雅间品茶。在两人的密切配合下，内蒙古科技学院也越来越兴旺。

生源之争，
师生之间反目成仇

李红萍在工作期间，因工作需要，经常与一个叫刘鹤辛的同事来往。刘鹤辛1960年出生，与张明德是老乡，大学毕业后分到呼和浩特市一家机械厂工作，后辞职应聘到张明德的学院。刘鹤辛头脑灵活，很有市场洞察力，因此得到张明德的器重。但2000年11月，刘鹤辛因在工作上犯了一个小疏忽，性急的张明德就破口大骂。刘鹤辛咽不下这口气，就与张明德对吵了几句，然后摔门而去，再也没回学校。

张明德虽然是位高级知识分子，但认识他的人都知道他是一个"急性子"的人，经常骂人。李红萍有时事办得不好或太慢，也常常会遭到张明德的斥责和辱骂。这令李红萍私下里很伤心，她甚至产生过离开张明德的想法，但她一直下不了决心。

2000年12月的一天，李红萍突然接到刘鹤辛的一个电话，说是有事商量，晚上出来吃顿饭。吃饭间，刘鹤辛向李红萍剖析了张明德招生的问题：李红萍招来一个研究生学员，张明德就向学员收取1.2至1.5万元的学费，而每月发给李红萍的工资才500元。张明德太黑了，这样跟他干太屈了，不如自己出来单干。

经刘鹤辛一点拨，李红萍感觉招生有很大的商机，两人就商量着合伙办一个学院。

一个月后，李红萍待和刘鹤辛策划好合办学校的计划后，才向张明德提出了辞职。张明德惊讶地问李红萍为什么？李红萍说："我总不能靠你给我开工资过日子吧？我想自己做点什么。"

张明德眼里泪水涌动，不舍地说："你如果嫌工资少，我可以给你涨到1000元。今后我也再不对你发脾气，请你不要离开学院，好吗？"

毕竟交往合作了这么长时间，看着张明德依依不舍的样子，李红萍不禁心潮汹涌。然而就在她快要放弃自己的选择的一刹那间，刘鹤辛的叮嘱又回响在了耳边：二人合伙成功后，一个月收入不知道有多少个1000元呢，到那时，钱是以万为单位计算的。

想到此，李红萍坚定地说："女人不是弱者，我也要干一番自己的事业，我要和你一样，办学。"李红萍见张明德惊讶得眼睛瞪得老大，

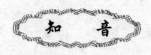

索性不待他问，就把刘鹤辛和她办学的计划全盘抖出。

张明德听完，苦苦挽留李红萍："你不要上刘鹤辛这个小人的当，走，今晚我请你吃饭。"

李红萍没有再说话，随张明德一起来到一家饭店。李红萍去意已决，她希望能和张明德好聚好散，于是尽心来应付这顿最后的晚餐。不知就里的张明德以为李红萍回心转意了，临分手时，张明德动情地对她说："红萍，你答应留下了？你真是我的好学生，我的知己。"

"谢谢你这些年来对我的关心，但我离开的主意已定，请你多保重！"李红萍说完，叫住一辆出租车钻进去，朝张明德挥挥手，绝尘而去。

第二天，心中憋气的张明德打李红萍的手机，她不接。两天后，再打时已经停机。张明德明白，李红萍这只脱离笼子的小鸟，他已经控制不住了。

2001年2月6日，李红萍与刘鹤辛一起请内蒙古大学一位教师出任院长，她自任常务副院长，以股份制成立了一所专修学院。

2001年4月，李红萍的学院正式向社会招生。由于李红萍对招生工作的程序已经很熟悉，她很快与中国社科院、北京交通大学等单位建立了关系，为他们在内蒙古代理招生MBA在职研究生。李红萍的学校设备先进，招聘的老师都是名牌大学研究生毕业的年轻教师。学院的规模和招生范围远远优越于张明德的学院，发展潜力巨大。

自己培养出来的两个人才竟背叛自己另立门户，与自己分庭抗礼，张明德感到很窝火。张明德没想到与他那么好的李红萍会离开他，更不能容忍她一个刚刚起步的学院竟比自己的学院还火！况且，李红萍还带走了好多本应与自己共事的学生资料和社会资源，这等于抢走了他的生意。本来和自己关系很好、又是自己副手的李红萍，一转眼成了自己的强劲对手，张明德越想心里越气愤。

张明德想阻止李红萍招生，劝她回到自己学院来，可李红萍说什么也不就范。最后，张明德只好向李红萍提出两点要求："一、把内蒙古科技学院的生源资料交给我；二、今后办MBA培训班招生时也不要利用以前你在科技学院建立的关系。"

李红萍认为张明德两点要求有点强人所难，断然予以拒绝。随后，

张明德想以情感动李红萍，约她出来吃饭，但李红萍似乎看破了张明德的把戏，拒绝赴宴。

"好你个李红萍，软的不行，我就给你来硬的！"张明德在随后的日子里，多次打电话声色俱厉地威胁李红萍说："你最好尽快停止你的招生活动，不然，我会给你好果子吃！"可李红萍根本不理会他这一套。她的学院招生工作越来越红火，而张明德的科技学院却相对冷清。张明德气愤地想：全是李红萍办个学院给闹的，把本应来科技学院报名的学员拉到他们学院！这样的后果等于断了自己的财路。招收一位 MBA 研究生 1.2 万元，100 位就是 120 万元，这利润是惊人的！

张明德见李红萍软硬不吃，心想：李红萍，既然你无情，就别怪我无义了。这位教育管理学博士此时被一种邪恶的念头包围着：他要铲除刘鹤辛和李红萍这两个心腹大患。

利欲熏心，知名教育家
蜕变杀人凶手

2001 年 6 月初的一天．张明德想把自己居住的两层楼房再加一层，就从郊区找来一批泥瓦匠。张明德没事时，就来到施工处转悠，以免这些人偷工减料。其中有一个叫王韵红的泥工引起了张明德的注意。

通过一段时间的观察，张明德了解到，31 岁的王韵红几年前自呼和浩特一家建筑公司下岗不久，与妻子离了婚。如今租房与一名叫焦虹的女子姘居。王韵红引起张明德注意的是他不仅需要金钱，而且他不爱说话，心狠手辣。

"也许他能帮我摆平这件事。"一次下工后，张明德借故请王韵红喝酒。张明德喝得有七八分醉的样子，就对王韵红说："小王，你肯为我做一件事吗？"

王韵红对面前这位教育界的大名人很敬重，就说："张董，是什么事？你只管说！"张明德醉眼迷蒙地说："杀两个人！"张明德对李红萍和刘鹤辛的憎恨仿佛都倾注在这几个字上，话一出口，两眼都红了。

王韵红不敢相信张明德竟能说出这种话，就说："张董，你喝多了吧？你这样的身份，怎么可能想到杀人？"张明德不容分辩地说："别管

那么多了，事成后，给你80万！"说着掏出1万元钱压在王韵红的手背上。

王韵红看着手上的一万元钱，想象着即将到手的80万，兴奋冲昏了头脑：有了这笔钱，自己和女友就有好日子过了。于是，王韵红就问："张董，要杀谁？"

张明德咬牙切齿地说："刘鹤辛和李红萍！"王韵红犹豫了半天说："两个人不行的，我只能做一个。"

张明德心想，只要他们两个做掉任何一个，他们的学院就会停办。沉吟了一会儿，张明德对王韵红说："一个也行，事成后再付你剩余的钱。"

王韵红想来想去，觉得还是杀刘鹤辛比较合适。随后，他盗窃了一辆三菱轿车作为作案工具。

2001年9月3日晚7时30分，王韵红拨通张明德提供的刘鹤辛的电话，说是想报研究生班。不巧的是，刘鹤辛说他在北京，有事找李红萍就行。

王韵红心里犹豫了，他不是职业杀手，对女人还多少有点怜惜，就打电活给张明德："张董，刘鹤辛现在在北京，你看怎么办？"张明德在电话中沉默了一会儿说："那就教训李红萍！"于是，王韵红同样以报考研究生的理由拨通了李红萍的手机。刚好李红萍闲着在家，她听说有学员报名，就出门相见。

李红萍来到相约的地点，见到等候多时的王韵红，说需到学院办公室填表格。王韵红指着停在旁边的三菱车说："这是我开的车，李院长上车吧。"没有任何戒备的李红萍就上车，坐到了驾驶副座上。

王韵红把车开动不久，就开始加速了。很快，李红萍看出走错路了，就手指着路对王韵红说："哎，小王，该向那边拐。"

王韵红没有理会李红萍，车速更快了，迅速出了城。车行列内蒙古展览馆附近，王韵红见四周没人，趁李红萍不备，用早已准备好的绳子牢牢地捆住了李红萍。李红萍当时就吓傻了，问："小王，你这是干吗？"

王韵红显然也很紧张，气喘吁吁地说："李老师，今天我必须把你杀掉！是张明德让我干的，委屈你了！"

知　音

李红萍气愤地说:"张明德！披着知识外衣的野狼！"话音刚落，一把斧头重重地落在她的头上。

李红萍当场毙命。王韵红立即加大油门，一路飞奔到呼和浩特市飞机场附近，将李红萍的尸体埋在荒地里，而后把车弃在飞机场停车场。

事后，张明德付给王韵红80万元的酬金，并嘱咐他："快点跑出去，跑得越远越好，以后最好再也不要回内蒙古！"王韵红急忙回到租住的房屋，告诉同居的女友焦虹，说自己杀了人得到了80万元，问她愿不愿意随他亡命天涯。糊涂的焦虹想了片刻后，竟然答应随王韵红一起走。第二天一早，二人离开呼和浩特市，从此流窜于浙江、广西、云南等地。

2001年9月4日中午，在外地休假的王学弛接到女儿蒙蒙的电话得知妻子头天晚上外出后一直没有回家，他突然感觉事情不妙，当即赶回呼和浩特市。到家后，王学弛焦急地问女儿蒙蒙："你妈妈是什么时候离家的?"女儿猛地扑到王学弛的怀里，哭着说："妈妈3日晚上8点左右接了一个电话，就出去了，再也没有回来。"

王学弛立即赶到妻子的单位，单位的领导和同事们也正为找不到李院长焦心。王学弛心中掠过一种不祥的预兆，发动所有的亲友，找遍了内蒙古境内李红萍可能去的每个地方，仍然一无所获。

"妻子可能遭遇了不测。"8日上午，王学弛向呼和浩特市公安局新城分局报了案。警方立即派刑警协助寻找李红萍。3天后，新城公安分局领导感到问题严重，又组成专案组，立案侦察。经过10多天的盘点勘察，专案组在呼和浩特市飞机场发现一辆多日无人领取的三菱轿车，车内发现大量的血迹。警方小心取下血样，送到公安部做DNA鉴定。不久得出结论：三菱汽车内的血迹与李红萍生前卫生纸上留下的体液DNA相同。警方判定，失踪的李红萍遇害了。

听到这个消息，王学弛悲痛至极，10岁的蒙蒙更是声泪俱下。王学弛百思不得其解：妻子到底得罪了什么人？谁会对她下如此的狠手呢？突然他想起李红萍曾说过，张明德多次向她打威胁电话，试图阻止她的学院向外招生。这时，王学弛脑海中就想到妻子失踪应该与两个人有关：一个就是张明德，李红萍的竞争对手；一个是刘鹤辛，李红萍的合伙人。

于是，王学弛马上把这两个可疑人提供给警方。

9月9日，警方很快传讯刘鹤辛。刘鹤辛向警方叙述：李红萍出事那天，他正在北京办事。那晚7时30分左右，他曾接到一个男子的电话，该男子说想报考他们的 MBA 研究生，刘鹤辛就告诉他自己身在北京，让他给李红萍联系。警方调出李红萍遗留的手机中最后一个来电，其号码竟和刘鹤辛所接到的该男子的电话相同。警方初步推定李红萍的失踪与此人有关。查找该手机号码，是用一个假身份证登记的。多方佐证刘鹤辛没有作案时间，警方把他排除案外。

9月10日，警方传来张明德。当警方就李红萍失踪向他了解情况时，为人师表、威望很高的张明德竟吓得脸色苍白、神色慌张，答非所问。半个小时后，他哆嗦着说："是我找人把李红萍给害了。"

警方对眼前这位内蒙古教育界的精英很慎重，问："你为何要杀害李红萍？"

狡猾的张明德根据警方的询问猜测他们并没抓到凶手，急忙眼珠一转，说："我和李红萍在学院的生源问题上发生过矛盾，我曾多次给李红萍打威胁电话，也曾流露过要杀害她的念头。不过这都是我理念中的东西，并没有付诸实施。"

张明德似乎给警方开了个玩笑，但却引起警方的高度警惕。在随后的询问中，张明德有时说"是我找人杀了李红萍"，有时又说"是我自己杀的李红萍"，更多的时候却说"我虽然恼恨李红萍，想杀了她，但并没有行动"。张明德反反复复，疑团重重，警方遂将其列为此案最大的犯罪嫌疑人，随后将其刑事拘留，20天后又将其批捕。

但是，只有张明德时常反复的供述，找不到他作案的确凿证据，警方无法将此案移送检察院起诉。3个月过去了，张明德看警方抓不到凶手，以警方过期羁押为由提出抗议。无奈，新城公安分局只好同意将其取保候审。

之后3年，新城公安分局一直没有停止对杀害李红萍的凶手的侦察。他们先后辗转浙江、安徽、广西、江西、四川、云南等20多个省市和地区，行程近万里路。2004年3月，警方通过技术手段，终于在云南发现了张明德雇凶杀人的重要线索。3月26日，在云南省丽江市警方的配合下，新城公安分局将犯罪嫌疑人王韵红和涉嫌包庇的焦虹抓获。

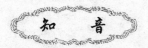

知 音

　　王韵红归案后，如实供认了雇自己杀害李红萍的幕后指使者是内蒙古科技学院的院长张明德，并从张明德那里得到酬金80万！至此，李红萍失踪案真相大白。张明德被立即解除取保候审，入狱归案。4月3日，根据罪犯王韵红的供述，警方来到去呼和浩特机场的荒地里，找到掩埋李红萍的尸体处，挖出的李红萍尸体已变成一堆白骨。3年苦苦找寻，却看到妻子白森森的遗骨，王学弛当即昏了过去。

　　很快，张明德被绳之以法。但作为内蒙古教育界的科技人才、内蒙古科技学院院长、MBA研究生导师，张明德选择这样近乎地痞流氓的行径雇凶杀人，留给我们的却是更多痛心的思考。

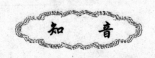

杀手变脸"宰"主凶，
死去的情敌今又来

孙士清

2004 年 7 月 23 日，江苏省盐城市公安局治安大队办公室来了一个40 多岁的中年男人，他自称是来投案自首的，当他沮丧地将自己的案情讲完以后，记录的民警都不禁哑然失笑——

原来，这位土方工程老板李清陷入婚外迷情。当他发现自己的小情人有了新情况后，竟然花钱请自己的一个"兄弟"去教训情敌。没想到"兄弟"出乎过狠，竟然将对方"打死"了。从此，这个打手兄弟利用人命案先后敲诈李清 15.7 万元。而本来事业有成的李清因背上"人命"而惶惶不可终日，无心经营，导致生意下滑，就在他快要走投无路的时候，却发现半年前"死"去的情敌又出现在了眼前……

保姆变秘书，农民老板踏上婚外情的迷船

1995 年，在城里承包土方赚了些钱的江苏农民李清，在盐城城区花近 40 万元建起一座"豪宅"。然后，他把一直居住在老家射阳县农村的妻子陈小萍和两个女儿接到城里，一家人过着富裕安宁的小康生活。第二年，李清购买了一辆奥迪轿车，还雇请了司机。

李清的妻子早年跟一穷二白的他结婚后，吃了不少苦。如今有钱了，他心疼妻子，决定给她雇一名保姆。妻子拗不过老公的一片好心，就决定雇自己侄女陈芳。

陈芳当时 18 岁，技校毕业后一直没找到工作。家里一致同意她到这个老板亲戚家来。当见到清秀的陈芳时，李清不禁眼前一亮。

本来是找的保姆，但因为沾亲带故，妻子陈小萍许多事情都不让陈芳做，李清也怜香惜玉，很少让她干活。他向妻子提出，陈芳上过中专，有文化，干脆让她跟在自己身边，今后出去谈生意签合同什么的不吃亏。妻子想也没有想就同意了。就这样，本来是找个保姆，结果却成

了秘书。

　　从此，无论是出去谈工程还是应酬，李清理所当然地将陈芳安排在了身边。为了提高她的档次，他还给陈芳添置了手机、高档服装、进口香水、首饰……妻子发现苗头不对，一次，她忍不住质问花钱一向谨慎的丈夫，对侄女这么好，莫不是有什么想法。

　　李清却笑着说："我有车有司机，带着土里土气的陈芳，别人会嘲笑我的。我给她投资买这些东西是为了提高自己的档次，这样谈生意方便。再说，花点小钱，谈成一笔生意就能赚更多钱回来了。这也完全是为了我们的家啊。"一番话噎得老实的妻子无言以对。

　　而私底下，李清虽然没有很直接地向陈芳提出什么非分的要求，但陈芳跟着李清，整天出入于有钱人堆，看见的都是老板们跟女秘书心照不宣的亲密，哪有不心动的。1998年春天，李清在常熟市接洽一个工程，请人吃饭时，大家拿他与陈芳开涮。在大家的怂恿下，李清大胆地与陈芳喝了"交杯酒"。当夜在宾馆，两人就越过了辈分和道德的底线。

　　苦于没有证据，陈小萍也不好纠缠。其实她有别的顾虑：现在的老板，有几个在外面没有些花花事呢，一旦跟丈夫闹翻，说不定就会打碎自己的"富贵梦"。再说当初是自己把陈芳找来的，亲友们都知道她在自己家"享福"，对自己感恩不尽。要是现在传出这样的不伦之恋，那别人会怎么看呢？自己的一对女儿也将受到牵连。陈小萍想找侄女长谈一次，但一直开不了这个口。最后，陈小萍选择了忍气吞声。

　　然而，陈小萍的忍让反而使李清与陈芳的胆子更大。1998年6月，陈芳怀孕了。李清很高兴，他一直想要个儿子来继承自己的家业。陈芳却很在意，毕竟自己是没有结过婚的，但迫于李清的淫威，她没有敢去医院把孩子处理掉。

　　然而，就在她怀孕5个月，安心想要生下这个孩子时，李清却通过关系将她带到医院，非法做了B超。鉴定的结果令李清大失所望：是一个女婴。

　　李清脸色陡变，马上哄陈芳去引产。他前后两副嘴脸，使陈芳极为反感。而她又无力与李抗衡，再说如果自己强行生下来，必将成为今后的累赘。

　　权衡再三，陈芳去医院做了引产手术，陈小萍忍着屈辱在医院照顾

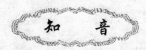

了侄女两天后，将她接回家好好休养了几天。姨妈的大义之举深深地触动了陈芳的灵魂，她觉得愧对姨妈，同时也看出自己在李清心目中的地位并不是他甜言蜜语说的那样重要。

不久，陈芳提出自己另外找份工作，李清当然不同意。陈芳找到姨妈说了自己的想法，陈小萍求之不得。于是在两个女人的软磨硬抗下，李清只好答应，但背地里却跟陈芳说：不准她谈恋爱，不准她离开他。为早日摆脱尴尬的局面，陈芳同意了。

打手意外"失手"，
老板雇凶教训情敌背上"命案"

2000年春，李清在一个家具城给陈芳找了份收款员的工作，并租了一套两室一厅的房子，添置了家用电器。两人偷偷摸摸过着家外有家的荒唐生活。

2001年12月，陈芳跟在汽车维修站打工的冯广文恋爱了。李清知道后大为光火，无论如何接受不了小情人的背叛。他有的是钱，供养她十年二十年不成问题。面对李清的质问，陈芳问他愿不愿娶她，李清张口结舌，他压根没想过同结发妻子离婚。

陈芳问："那我凭什么要一辈子跟你在一起？"李清只好退一步，劝陈芳暂不恋爱。陈芳却不为所动，声称不但要同冯广文交往，还要跟他结婚。李清竟然亲自找到冯广文，说自己是陈芳姨父，叫他远离她。还撒谎说陈芳的父母已将她许配了人家，男方在省城读书。希望冯广文尊重陈芳父母的选择。冯广文当然不知道他和陈芳的私情，只一再表示自己尊重陈芳的选择。陈芳也不敢挑明李清的话是编造的，她向冯广文表示，自己只喜欢他。

2002年春节后的一天，陈芳得知李清去常熟出差了，她马上领着冯广文踏进李家门槛，想借姨妈来制约李清，也表明她与姨父微妙关系的结束。姨妈非常高兴，在冯广文面前直夸奖侄女能干，要他抓住机会，好好待她。

就在三人很亲热地交谈时，李清却因为一个证件忘了带回来取，看见了这一幕，他马上明白了陈芳的用意。虽然非常愤怒，但又不好发作，拿了东西就走了。

之后的日子，陈芳虽然也不拒绝跟李清继续保持这段孽情，但对他已经是没有一点感情。

李清在愤怒与失落中度过了很长日子，他没有反思自己的行为，及时收住不道德的脚步，而是对陈芳的背叛和冯广文的"插足"充满了愤恨。

承包工程是很复杂的事情，经常要跟地痞混混处理好关系，李清因此也认识不少这样的人。2003年9月的一天，李清在和东台镇的混混陈双武喝酒时，气愤地说出自己"情场"失意的苦恼，并添油加醋地说冯广文不识相，漫骂他，公开跟他作对。陈双武酒杯一推，拍着胸脯说："李哥，只要你吩咐一声，兄弟两肋插刀，摆平此事。"

但稍微冷静后，李清又有些犹豫了。他相信陈双武打人的本事，但要是事情闹大了，自己的丑事不就曝光了吗？他暂时压住了心头的怒火。

陈芳与冯广文的恋爱渐渐公开，陈芳用李清的钱为冯广文买高档服装，还用他的钱出入高档娱乐场所。2004年1月的一天夜里，李清在一家酒吧竟然碰见冯广文搂着陈芳在那里潇洒。看见李清，两人还故意炫耀似的拥吻在一起。李清怒火中烧，又不好当场发作，只好在一旁喝闷酒。

深夜，李清来到陈芳的出租屋，想要兴师问罪，却见窗帘紧拉，里面传出男女欢笑的嬉戏声。李清怒不可遏，差一点就踢开门冲进去，但他最终还是止住了脚步。此刻，他下决心收拾冯广文。

第二天，李清让自己新聘的司机冯伟把陈双武约了出来，叫他再找一个人教训一下冯广文。三人商量决定，陈双武利用冯广文年轻气盛的弱点找茬暴打他，但不要出人命，只要逼他离开陈芳，离开盐城就可以了。三人还分工：陈双武打人，冯伟避开争端，充当和事佬。如果冯广文报案，李清就出面料理，李清认为充其量属相互斗殴，花一点钱就能完事。

李清起初出1万元酬金，陈双武说钱少了，因他还要请一人帮忙，加上冯伟，1.5万元才肯干。李清答应，先出8000元，事成后再付7000元。

1月14日，李清在常熟一家宾馆住下，遥控指挥施暴行动。

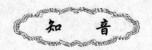

冯伟驾车返回盐城，下午5时冯伟将冯广文约出，陈双武、冯伟，加上陈双武找来的打手吕辛四人聚在小吃部饮酒作乐。天近傍晚，冯伟说要去连云港办事，盛邀冯广文一同前往，冯广文不假思索地答应了。

午夜12时10分，李清接到陈双武的电话。陈双武说，因为冯广文竭力反抗，吕辛捅了冯广文胸口一刀，冯广文当场死亡！李清一下子跌倒在宾馆的地毯上，整个身子仿佛跌进万丈冰窟。杀冯广文不是他的本意，出了人命案如何收场？陈双武催问李清，冯广文的尸体怎么处理，李清战战兢兢地指示尽快抛尸，万万不可留下任何痕迹。

凌晨3点，陈双武又向李汇报，说他们在一处僻静的乡野田边，用汽油将冯广文的尸体焚烧了。

第二天清晨，三人驱车赶到常熟，陈双武脸色铁青地讲：酿下人命大案，抓紧时间逃吧！李清随即给三人每人5000元，让他们逃出江苏，逃得越远越好。

"死掉"的情敌"复活"了，雇凶者投案惊报案中迷案

冯广文被害后，背上命案的李清像换了一个人似的，整天昏昏沉沉，失魂落魄。2004年1月19日，他驾车回盐城，车到一个收费站，见有十几名警察和几辆警车，李清吓得直哆嗦，胆战心惊地交了过路费仓皇离去。回到家里，他还没有从恐惧中回过神来，妻子问他出了什么事，他不搭理，一人坐在房里。

李清恨自己不该一时冲动，惹出杀人命案。谁敢保证陈双武他们三人当中无一人会走漏风声或露出马脚？这一下，自己多年创造的家业不保不说，雇凶杀人，自己还是主犯，这条命都可能丢掉……

李清又不甘心地给冯伟打了一个电话。冯伟给他开车快半年了，此人面貌和善，不像一个坏人。冯伟的电话接通后，李清担心地问："冯广文的尸体是不是真的被烧掉了？会不会被人发现……"冯伟听到李老板的问话，稍有迟疑地回答"是焚烧了"，李清略显轻松，然后他简单询问冯伟在外逃亡的情况，嘱咐他们不要走漏风声，否则大家都会完蛋。

在陈芳这边，李清装出没事一样继续偶尔光顾，只是避口不问冯广

1</

文的事。

文的事。还表现得更大方，陈芳有什么要求，他很快就答应了。

但命案的阴霾让李清无时不生活在恐惧之中，生意上也丢三落四的。2004年2月，李清在常熟沙家滨的一个工程完工，预算时这项工程可赚十来万元，结果只赚4万多元，李清也无心探究原因。

往年春节，是李清忙于送礼，疏通关系的黄金季节。但2004年春节，他一改往日的习惯，带着老婆女儿回老家呆了十多天，陪在年迈的父母身边，显得格外孝顺。

2月底，李清率领50多人的工程队开赴另一处工地。就在这时，一个月没有跟他联系的陈双武给他打来电话，说有事找他面谈。李清心一惊，驾车到了东台市，陈双武、冯伟、吕辛三人在一家旅馆里。陈双武可怜巴巴地说，他们春节期间在外流浪，未回老家与亲人团聚，心里不是滋味。如今他们的钱又花光了，想到他的工地找事做，总不能靠他养活吧。

李清马上明白，倘若陈双武三人在他身边，随时有可能把杀人的事情抖搂出来，他们的真正目的是想他给钱。李清劝他们离开江苏，陈双武为难地摊着手："在外逃亡需要钱啊。"李清无奈，咬咬牙给每人9000元，希望蚀财消灾。

可不久，陈双武又打来电话，说自己在杭州跑陶瓷生意蚀了本，欠人家2万元，要李清借钱给他。这时李清的工地正好出了事，就告诉他工程资金周转困难，身边没有现金，要陈双武宽限几天再说。陈双武意味深长地说："李老板，都是你让我走到今天这一步，你不会丢下我不管吧？"

这次通话后，李清意识到自己已经被陈双武等人掌握了，他们的敲诈不会完。李清曾闪过再雇人制服陈双武的念头，但很快被自己否决了。这样以恶制恶，只会让自己越陷越深，罪孽越来越重。

过了两天，陈双武又打电话来催问钱的事，李清还是说没有，不料陈双武恶狠狠地说："我反正有了一个命案，你不要逼我啊……"李清吓得连忙答应给他1.8万元。

而就在陈双武的1.8万元刚打出去，吕辛又打来电话，说老家建房急需钱用，希望李清借他2万元。李清头脑"嗡"的一声炸开了，他控制不住嚷道："你家的事与我无关，我给你们的钱还少吗？"

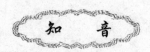

吕辛却不紧不慢地说："李老板，我们为你杀人，你不帮我准帮我，我是家里独子，被政府枪毙了，我父母也不会饶过你。再说，我的命没有你的值钱，你不帮我，我只好去报案了……"李清也急了："你去报案吧，我40多岁了，你们还年轻看谁划算。"

吕辛见李老板不买单，竟将电话打到他家，谎称是李清的朋友，几年前李清借了他2万元，一直未还，他威胁如果李清不还钱，他就去砸烂他的工地。陈小萍感到事情不妙，她请人看门照顾一双女儿，急匆匆乘车来到丈夫的工地。

李清装作平静地告诉陈小萍说，一个做生意的朋友想跟他借2万元。心里对这帮人恨得咬牙切齿。

老婆刚走，吕辛的电话就来了，李清权衡半天，还是往他的账号上打了一万多块钱。

陷人这个泥潭后，李清欲罢不能，报案吧，是死罪一条，不报案呢，这几个人的敲诈永远没有个尽头。他每天根本没有心思好好考虑工地的事，接连几个工程都亏本。

一天，他沿着工地旁边的一条小河漫无目标地走着，想到自己从农村出来，好不容易打下一片江山，如今正处于事业鼎盛的壮年之期，富贵日子刚刚开始，却身背令人毛骨悚然的血腥大案……

倘若不是自己拈花惹草，一时冲动，哪会有今天的狼狈？自己的一切愧对亲人，愧对鞍前马后跟随他十几年的工友，真恨不得一头扎进水里淹死算了。

2004年6月初，又一处工程竣工，李清核算一下，亏了几万元。新的工程还没有着落，几十人的工程队处于瘫痪状态，小工头见李老板揽不到生意，另投新主，小工们也纷纷自谋出路。几十万元的挖掘机闲置一边，无人保养。李清像没头的苍蝇时而烦躁，时而失落。跑了几处，也没有接到工程。这是几年来从未出现过的现象。更可怕的是他还要受到陈双武等人无休止的敲诈。

李清算了一下，从第一次给陈双武等人8000元开始，半年时间他们从李清手中共拿走15.7万元。

2004年7月12日，李清到市里办完事，在一条小巷口，他突然看见一个熟悉的背影。他一怔，这个背影好像冯广文！：我遇见了鬼吗？"

李清一激灵躲到一边，只见那人在小店买了香烟，转过身来的一瞬间，李清看清果然是冯广文！

等冯广文走远后，事清满腹狐疑地找到当初冯广文打工的汽车站。他了解到冯广文是2004年1月15日一大早辞职的，而当天陈双武给自己的电话是凌晨3点就将冯广文的尸体烧掉的！那么，陈双武等人并没有杀害冯广文！

原来冯广文没有死。陈双武当时拿到李清的钱后，觉得如果把冯广文暴打一顿，每人最多只能得到5000元钱，如果打死了人，大家都逃不脱干系。他决定借机编织圈套，将李清牢牢套住。陈双武对冯伟、吕辛讲了他出乎寻常的计划，两个头脑简单的同伙着实高兴了一番。

当天在去连云港的路上，陈双武告诉冯广文，不是请他去玩，是李清雇他们杀他。冯广文的第一反应是想跑，但车在高速路上奔驰，自己又被夹在中间。就在他绝望的时候，陈双武话锋一转："你也是一条人命啊，我们跟你无怨无仇，下不了毒手，不过，我们拿了他的钱，如果不杀你，李老板不放过我们。"最后，他安排冯广文先给陈芳打手机，说自己被李清追逼，要跟她分开，马上去深圳打工，挣钱后来接她。冯广文的话让陈芳意识到李清可能告诉了他自己和李的事情，所以除了哭，也没有别的话。

然后，陈双武爽快地从李清给他们的8000元中抽出3000元递给冯广文，叮咛他三年内不得回盐城，更不准他与陈芳恋情复发。威胁他要是哪一天李清发现他还活在人世，到时谁也救不了他。

冯广文躲过杀身之祸，还得到3000元现款，感动得要给几个救命恩人下跪，陈双武则警告他："你要遵守约定，否则，我们大家的日子都不好过。"

第二天一早，冯广文就到单位辞了职，未同陈芳照面，只身坐车去了广州。

当晚，陈双武就打电话给李老板说发生了"意外"，然后开始了回收自己一箭双雕计策带来的好处……

而冯广文在逃出盐城后，实在忍不住对陈芳的思念，半年后，他又偷偷跑了回来，并告诉了陈芳所发生的一切。陈芳听完他讲述李清雇凶杀他的惊险一幕，吓得目瞪口呆。冯广文趁机劝她跟自己一起离开盐

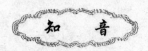
城，不然说不定哪天心狠手毒的李清会对她下手。两人决定趁李清还不知道真相，由陈芳在他那里要一笔钱再走。

2004 年 7 月 23 日，李清向警方投案自首，当日警方将冯广文、陈芳一并带走讯问。8 月 6 日，深夜 11 时许，盐城市公安治安警察支队在新界村三组一农户家中，将正在赌博的陈双武、冯伟、吕辛抓获，至此涉案人员全部归案。

目前，警方以陈双武等三人涉嫌诈骗，李清涉嫌组织他人实施暴力和指示他人抛尸灭迹（未遂）将此案已移交检察院。等待他们的是法律的审判。而这出闹剧带给人们的思考，相信也没有终结！

"爱我就要杀死她"？
那可是鲜活的如花生命

严娟 谭林

这个男孩才 17 岁，距成年还有一个月的时间。这样的年龄，谈爱本是一件奢侈的事情，也只有在这样的年龄，才会冲动地为剜除恋人的心头之恨而杀人。这个男孩名叫李明。

一年前，李明爱上了一个失恋的女孩。女孩与他在一起的条件是：帮她杀掉她曾经的情敌。在爱情力量的激励下，李明同意了……

少男的心思：恋上一个失恋的大女孩

我小心翼翼地喜欢着郑雪琴，她是那样的忧郁，有好几次，我看见她一个人偷偷地哭泣，真想走上前去，轻轻地拥住她。——李明日记

2003 年 3 月，李明初中毕业不久，经人介绍，到揭阳县城新亚超市工作，负责给柜台配送紧俏货物。

超市中女员工很多，在李明眼中，她们个个都是那么漂亮。而整个单位中，就数李明年纪最小，16 岁多一点。那些女同事们都很喜欢他，有时候，大家有什么好吃的，也一定会带给他。在这样的环境中，李明觉得工作是一件快乐的事情。

在众多的女同事中，李明最喜欢比他大 5 岁的郑雪琴。在他的印象中，郑雪琴显得很忧郁，不像其他同事那样有说有笑。因为忧郁，所以显得神秘。有好几次，他还看见郑雪琴偷偷地抹眼泪。李明想开口劝劝她，可话到嘴边又咽了下去。他担心自己嘴笨，说错话，让郑雪琴更加伤。

4 月 3 日，雨淅淅沥沥地下着，超市里生意冷清。郑雪琴一个人站在食品柜前发呆，超市里的另一个女同事孙玲从那里经过，郑雪琴面无表情地看着孙玲从自己面前经过，过了很久，还盯着她的背影，眼神复杂。虽然年轻，但是李明还是看得出来，郑雪琴看孙玲的眼神是不一样

的，究竟是什么原因让两个共事的女孩行同陌路呢？这其中一定有什么隐情。

那天下班后，李明请另外两个女同事消夜，缠着她们打听郑雪琴与孙玲的事情。果然不出所料，她们把两人之间的隐情告诉了李明。

原来，郑雪琴和孙玲以前关系可好了，可是她们都喜欢一个叫做郭强的男子。郭强先和孙玲恋爱，后来又和郑雪琴交往，两人为此闹翻了脸。2003年年初，在郭强姐姐的主持下，郭强送了二人每人一部手机，还有一些化妆品，并且说好，以后不再来往。

本来这样的结局郑雪琴也可以接受。可是，后来她居然发现郭强和孙玲还在来往。原来，郭强和孙玲合演了一出戏，目的只是为了让郑雪琴退出。郑雪琴个性要强，觉得被他们给耍了，心中怨恨不已。再则，她对郭强的感情很深，所以一直对孙玲耿耿于怀，觉得就是因为孙玲，她和郭强才不能在一起。

李明终于明白了郑雪琴为什么忧郁。那晚回到家后，李明心里挥之不去的总是郑雪琴的影子，他为她难过，心疼她的为情所困。直到天色微微发白，李明才进入了梦乡。谁说少年不识愁滋味，那种心疼心上人的愁绪居然飘到了他的梦里：他依稀看见郑雪琴一个人孤单地行走着，前面是一条通向远方的路，没有尽头，她似乎迷失了方向，一个人停下来哭了。突然，他出现了，郑雪琴向他奔过来，扑进他的怀里哭，他吻着她的眼睛、她的泪，说自己一定要让她幸福……

在母亲的叫唤中醒来，李明发现自己还紧紧地抱着枕头。他知道，自己是动了真情了。不能再等下去了，他决定找个机会约约郑雪琴。

少男的烦恼：我爱着她，她却忘不了他

琴，真的被俺恋上了。每天出双入对，都让我感到莫大的幸福。唯一令人烦恼的依然是郭强。琴还是忘不了他，但这又怎么能怪她呢？他们的感情是其深无比的，我又怎能一时半会就代替得了他？

——李明日记

机会总是垂青给有所准备的人。4月5日，下班途中，李明看见郑雪琴一个人吃力地推着轻骑艰难地走着，忙上前去帮她推车。得知郑雪琴的轻骑坏掉了，李明赶紧带着她到自己一个亲戚家开的修理店去维

修。修车的时候，李明让郑雪琴坐在一边休息，自己不停地忙着，惹得亲戚开玩笑说："你小子还挺出息的，找了这么漂亮的女朋友。"一句话说得李明憨憨地笑着，郑雪琴也不好意思地低头笑了一下。这是李明第一次看见郑雪琴的微笑，他发现，笑起来的郑雪琴好美。

那天晚上一直忙到深夜 11 点多钟。车子修好了，李明才觉得自己肚子饿得咕咕叫。郑雪琴挺不好意思，说今晚多亏了他帮忙，不如一起去消夜。李明当然求之不得：这样可以和郑雪琴多在一起呆一会儿。

他们一直吃到凌晨 1 点多钟，都喝了酒，说了很多话。李明趁势向郑雪琴表达了自己长久以来对她的好感。郑雪琴笑着说："你太小了，不懂爱情；等你长大了，明白爱情是怎么回事了，我又老了，你说我们可以在一起吗？"听心上人说得如此哀怨，李明信誓旦旦地说："我是小，是不懂什么爱情，但我知道我是真的爱上你，你每天都会在我的梦中出现。我愿意为你付出一切。就算死，我也愿意。"

一番真情表白，让长久以来沉浸在失恋中的郑雪琴有了一丝快感。在酒精的作用下，她向李明说起了自己曾经经历的那一场失败的三角恋，末了，她恨恨地说："如果不是那只鸡（指孙玲），我早就快乐了。都是她，毁了我的幸福，我恨不得她死掉！"李明从郑雪琴眼中看到了仇恨的目光。

送完郑雪琴回到家里，已经快凌晨 3 点了。第一次和心上人这么近距离地接触，还和她说了这么多的话，李明兴奋得一夜无眠。他在日记中写道：跟她表白了，她会同意我吗？我真的好爱她，好希望她尽快忘记郭，忘掉仇恨。我恨不得带着她离开这里。

令李明意想不到的是，从此以后，郑雪琴虽然对其他同事仍旧冷冷淡淡，但是对于他似乎有了一点热情，经常下班跟他同行，还和他去看了一场电影。虽然郑雪琴从来没有对他说过一个爱字，但是从她的态度中，李明知道，郑雪琴至少是不会排斥自己了。

2003 年 6 月，他们已经从开始的牵牵手发展到可以相拥着散步的阶段了。就在此时，意外发生了：那天，李明和郑雪琴相约逛商场，一回头，郑雪琴突然看见郭强和孙玲手牵着手在看衣服。霎时，郑雪琴一把推开李明，迅速奔向商场的大门。李明随即追出去，追了很远，才追到了郑雪琴，他们来到公园的湖边，郑雪琴拾起一颗石子狠狠地砸向水

中，发狠地说道："我恨死孙玲这个贱人了，如果不是我晕血，我一定亲手杀了她，以解我心头之恨。"李明以为郑雪琴只是说说气话，他附和着说："好了，好了，只要你开心，我什么都愿意为你做，你不能杀了她，我去帮你杀。"

一听到李明说愿意帮自己去杀人，郑雪琴喜出望外，当即有说有笑地和李明手牵着手逛起了公园。

第二天上班的时候，郑雪琴看见孙玲穿了一身新衣服，立刻就联想到是昨天逛商场的时候郭强给买的。她气得浑身直打哆嗦。

当晚9时，超市打烊了，郑雪琴气冲冲地找到李明说有事要商量。她拉着李明坐上她的轻骑，一路开了很远。来到榕江边，郑雪琴两眼喷火地对李明说："我一点也不快乐！我也很想自己快乐，可是那只鸡活着一天，我就承受着一天的折磨。我恨不得马上杀了她，把她扔到榕江里。"

这次，李明终于意识到了郑雪琴真的有杀人的想法，震惊之余，他劝郑雪琴想开点，说天下不止郭强一个好男人。一听这话，郑雪琴急了，她郑重地告诉李明说："李明，你可别以为我是说着玩的。你可是答应过我，要帮我杀掉她的，如果你希望我快乐，就一定要办到。"

见李明没吭声，郑雪琴幽幽地说："我也不为难你，毕竟你那么年轻。反正我活着也不快乐，还不如先死了算了。"说完，郑雪琴就要往水里跳，李明急了，一把拉住她，跪在地上说："不要这样，你死了，我怎么办？我答应你，一定想办法干掉孙玲。"

确定李明答应自己了，郑雪琴才安静地靠在他的怀里。她说，真希望自己在遇见郭之前就认识了李明，这样就不会有这么多烦恼了。还说，她也很想只爱李明一个人，可是就是忘不了郭强，看不得孙玲……

也许是累了，郑雪琴居然在李明的怀抱中睡着了，李明小心翼翼地护着她，静静地注视着她，他发现睡着了的郑雪琴好安静，好秀美，好迷人，没有仇恨，没有不平，只有满脸的纯净。李明轻轻地吻了她。

半个小时后，郑雪琴醒过来了，可能是被这个小她5岁的男孩的痴迷所感动，她主动吻了李明，轻轻地说："等杀了那个贱人后，我们就远走高飞，不再分开。"

李明回家后，一方面沉醉在郑雪琴的柔情安抚中兴奋不已，一方面想到自己对郑雪琴作出的杀人承诺而心惊胆战。想了很久，也没有理出个头绪来。他在日记中这样写道："我想为心爱的人做点事情，即便是错了，也是可以原谅的。我是因为爱，是为了让我爱的人快乐。孙玲，对不起了，也许有一天，我真的会杀了你，尽管我也很不愿意，可是我别无选择！"

少男的冲动：为了爱，宁愿做个杀人犯

我会后悔吗？不，不会的。琴是我这辈子最心爱的人，我多想让她快乐，可是除了杀死孙，我真的找不到别的办法了。我不得不动手了。孙，原谅我。爸爸妈妈，原谅我。琴，原谅我，万一事情败露，我死不足惜，但是你一定要快乐！——李明日记

此后的很多个日子里，工作之余，李明总是想着法子逗郑雪琴开心。他多想借此打消郑雪琴的恶念。从小在家，他连爸爸杀鸡都不敢多看，更何况要自己动手杀人，而且还要杀自己熟悉的女同事，不到万不得已，他又怎会去选择这样一条可能掉脑袋的路。

可是只要一见到孙玲，郑雪琴就变得疯狂，变得歇斯底里，根本听不进李明的任何劝告。2003 年 11 月 9 日，郑雪琴无意间看见郭强送孙玲上班，分手时，郭强还轻轻搂了孙玲一下。她一下子醋劲大发，脸上冰冷得可怕，有好几天都没有理李明。

直到 11 月 15 日，她才匆匆交给李明一封信："你是不是没有那个胆量杀那个贱人呢？如果你没有把握的话，那就别帮我报了（报仇），因为我不想看到你不开心，如果能帮我报仇的话，那么一定要加油，我的希望就全靠你了。你知道吗？每天看到那贱货的拽样，我就受不了。我认为只有把她杀了，我心里才会比较好过。所以，明，你得对自己有把握。虽然我是没那个胆，但我相信我不会看错人的。如果你失手的话，而那贱货没有死，那我会疯掉的。"

看过郑雪琴这封激励信后，李明心情很沉重。他真的不敢杀人，也不想杀人，同样是一个美好的生命，还是自己的同事，也那么漂亮、可爱，平日里，对自己还不错，他怎么忍心去杀她呢？何况还要冒着坐牢的危险。但是，一想到自己好不容易才得到郑雪琴的垂青，而且自己也已经答应了郑雪琴，要帮她杀死孙玲，他又觉得似乎应该去杀人。

第二天，李明找到郑雪琴说，这件事情不要着急，他得好好计划一下，找个好时机，最好不要露出痕迹，以免影响了他们的将来。

在此后长达半年的约会中，他们二人大多以如何杀死孙玲为谈话的切入点。为了不让孙玲产生怀疑，在平时上班的过程中，李明还故意疏远郑雪琴而和孙玲套近乎，其目的就是为了找机会约她出来，然后干掉她。

其间，他们商议了很多办法，如制造车祸，让孙玲被撞死；往她的水杯里放毒药，让她被毒死；到他们家放一把火，让他们全家都被烧死……但是想来想去，都觉得这些办法不可行。

蒙在鼓里的孙玲不知道她的身边杀机重重，她依然故我地与郭强热恋着，开始还顾及着郑雪琴的面子，偷偷地约会，后来，看到郑雪琴并没有过激的反应，他们就渐渐无所顾忌，公然地在郑雪琴面前出双人对了。孙玲不知道，一场杀戮就要降临自己头上了。

2004年5月28日，郑雪琴又看见孙玲和郭强相拥在榕城区区政府门前散步，她当即叫来了李明，希望李明当晚就动手，干掉孙玲。这次他们终于商量出了结果，甚至连杀人后如何处理尸体的环节也想好了：郑雪琴的意见是把尸体丢到榕江里；李明则认为，尸体入水很快就会浮上来，容易让人发现，应该事先挖好一个坑，然后再在坑上填上水泥，这样事情就天衣无缝了。案发后，一位民警了解到他们的杀人计划后，认为他们比职业杀手更为职业。

他们将杀人计划的实施时间定在了6月7日晚，因为6月6日单位发工资，这样可以让他们在潜逃时，多点路费。而据郑雪琴推断，6月7日刚好是孙玲上夜班的日子。

磨刀霍霍！杀人计划在紧张有序地进行之中。5月31日，为了筹集杀人后逃跑的经费，郑雪琴以2200元的价格卖掉了自己的嘉陵轻骑摩托车。之后，她给李明写了一封打气信。

6月7日，李明到南环城路购买了水泥和沙子，放在他父亲工作的揭阳表厂附近，并和好。之后，他还花了7.7元在新亚超市购买了一把尖刀，到药店购买了晕车药。他和郑雪琴还各自给自己家里留了一封信，说要外出打工。

6月7日晚11时许，李明收到了郑雪琴发来的短信：明，我只希望杀鸡的事能够成功，然后我们远走高飞。但是话说回来，你一定得找最好的机会才下手。我知道你是聪明人，如果被人发现，那我们只有死路一条。

6月7日晚12时，李明以请吃夜宵为名，将孙玲约到孙家附近的一个夜宵店。6月8日凌晨1时左右，孙玲回家了，就在她打开家里楼下铁门的瞬间，尾随而至的李明一拳将其击倒后用尖刀刺了孙玲十几刀。

随后，李明按计划准备将孙玲拖到已挖好的坑内埋掉，然而拖到100米外的垃圾站时，他感觉力气不济，于是决定将孙玲丢到垃圾站。丢列垃圾站后，李明刚转身要走，孙玲突然从垃圾池里坐起叫他的名字，这一叫，把李明吓得魂飞魄散，他拔腿便要逃走，走了几步，他才意识到虽然捅了她十几刀，但是都没捅中要害。他想就此放弃，转而又想到就算孙玲不死，可事情已经败露了，只要孙玲说出来，他和郑雪琴都得完蛋了。想到这里，李明上去又捅了孙玲十几刀。

确信孙玲已经断气后，李明慌乱地用垃圾盖住了她的尸体，然后打电话给郑雪琴。他们连夜到了揭东县的白塔镇。早上7时30分坐车到了广州，6月9日2时30分乘火车逃往云南昆明。

可是，他们在昆明刚下车，就被提前赶到的揭阳警方抓获。原来，孙玲的尸体第二天就被警方发现。而郑雪琴和李明双双不辞而别，引起了警方的怀疑，在李明的住处，警方还获取了一沓充满杀气的日记。

归案后，二人对所犯的罪行供认不讳。郑雪琴表示，杀掉孙玲后，她并没有感到轻松，反而更加紧张，甚至夜晚不敢合眼。令人痛心的是，李明并没有多少悔意，正如他在日记中所言：为心爱的人做点事情，是值得的。等待这一对荒唐而残忍的少男少女的必然是法律的严惩。

凄苦的浪漫：
为心爱的女孩沿街卖唱

宋保众

　　这是一份特殊的《爱情契约》："为保障我和陶敏生活幸福，感情永好，本人特签如下契约：一、陶敏是我聘用的知心爱人，期限是终身；二、爱是一种承诺，更是一份责任，我心甘情愿服侍陶敏一辈子，哪怕吃遍人间所有的苦，受尽世上所有的罪，我无怨无悔；三、不论以后发生任何变化，我甘愿照顾陶敏父母一辈子……"

　　签约者是一位痴情男孩，他的女友——一个处在生命花季的美丽姑娘，被诊断患上慢性粒细胞白血病，生命濒临死亡！在这个危难时刻，为了见证他不离不弃的真爱，他签下这份爱情宣言，然后走上街头卖唱，开设网站呼救……一切为了筹集高昂的手术费，去全力拯救女友的生命。一曲荡气回肠的爱情圣歌，感动了江淮大地……

"亲爱的，什么都不要怕，
因为我们有爱"，

　　1979 年出生的陶敏是个独生女，安徽淮南市人，父母都是淮南市煤矿机械厂的工人。1997 年 7 月，陶敏考入合肥市财校。她不仅长相出众，而且成绩优异，多才多艺，成了男同学争相追逐的对象。陶敏比较偏爱音乐，特别是喜欢古筝。在众多追逐者中，有一个男生吸引着陶敏。他叫宋良号，来自淮北市农村，学校文艺队的主唱之一。宋良号擅长乐器，他那动人的歌喉，总能博得陶敏的欢心。然而，两人之间暗涌的情愫像隔着一层纸，就差点破。

　　1999 年 6 月毕业前的聚会上，宋良号不想失去这最后示爱的机会，他向同学们大胆地宣布："下面，我要唱一首《心会随爱一起走》，献给我的梦中情人——陶敏！"在大家的欢呼声中，宋良号手拿吉他，自弹自唱起来，动听的歌声，很快在两个人的心里激荡起了爱的涟漪……在

毕业前夕，两人火热地恋爱起来。

毕业后，陶敏的父母很快就在淮南替她找到了一份舒适的工作，而宋良号则留在合肥等待机会。受不住思念的煎熬，分别一周后，宋良号来到淮南探望女友，并带去陶敏最喜欢的三样礼物：巧克力、古筝磁带和世界名著《飘》！这次探望坚定了陶敏对爱情的信念。一个月后，她放弃了在淮南的舒适生活，与宋良号一起来到合肥。

2000年10月，在父亲的努力下，宋良号被分配到淮北矿业集团公司机械总厂销售一处工作，陶敏也跟随他来到淮北。2001年4月，陶敏被淮北市烈山区人民法院聘为书记员。

有了称心的工作，也有了阳光明媚的爱情，宋良号感到生活中的一切都是那么美好。一天傍晚，宋良号约陶敏去看日落。在太阳落下、月亮升起的那一刻，陶敏深情地说："月亮总是忙着追逐太阳。"宋良号抚摸着恋人的长发，动情地说："我愿意一生做那痴情的月亮，你永远是我心中的太阳！"

然而，正当美好的生活向这对恋人招手时，厄运却不幸降临在陶敏的头上。

2004年2月3日一大早，陶敏梳头时，一不小心，梳子刮破了手上的皮肤。宋良号赶紧给她止血。可奇怪的是，仅擦破了一点皮，血却怎么也止不住。宋良号带她来到附近的一家诊所进行包扎，医生建议宋良号给她做一次血象检查。

第二天，宋良号带陶敏到了淮北市人民医院检查。医生发现陶敏外周血象很高，随后又给她做了骨穿涂片检查。

2月5日上午，拿着医生递过来的诊断报告，宋良号惊呆了：女友患上了慢性粒细胞白血病！他万万没想到，这种可怕的绝症竟会降临到自己心爱的女友身上！

医生告诉宋良号，陶敏血管里的血液已呈粉红色黏稠状，随时面临着死神的威胁，需要立即住院。而此时，距离两人商定"五一"结婚只有85天。

事不宜迟！宋良号第一反应就是把陶敏得病的事告诉她的家人。接到电话，陶敏的爸爸陶广明当时就惊呆了，他不相信自己的耳朵，直到电话那边传来宋良号的抽泣声，他才意识到问题的严重性。放下电话，

陶广明包了一辆面包车和妻子一起赶往淮北。

宋良号在血液科给陶敏办理了住院手续。下午2时，陶敏的父母跌跌撞撞地冲进了淮北市人民医院，一见到宋良号递过来的化验单，陶敏的母亲顿时昏了过去，陶广明也泣不成声，站在一旁的宋良号心如刀绞。过了好一会儿，宋良号才劝说好他们，三人约定暂时对陶敏隐瞒真实的病情。

陶广明夫妻俩忐忑不安地走进病房。几个月不见，他们看见女儿脸色蜡黄，非常消瘦，像换了个人似的，心里不禁生出一阵揪心的疼痛。看见爸爸妈妈来了，陶敏苍白的脸上露出了一丝笑容。陶敏的母亲上前一步，紧紧地抓住女儿的手，像是紧紧攥住了女儿的生命。夫妻俩控制着没有哭出来，但他们的眼角处却分明有泪水不断地滑落……

这天夜里，宋良号翻开陶敏的影集认真端详着，那张青春阳光的面孔，那副笑容可掬的样子，这是个多么好的女孩啊！可是，她那灿烂的笑容还能维持多久啊？宋良号禁不住悲从心来，泪水夺眶而出，可是就在这一刻，宋良号做出决定：就是砸锅卖铁，沿街乞讨，也要尽己所能，倾力为女友治病。

2004年2月9日，陶敏转至上海瑞金医院治疗。为了杀死陶敏体内的癌细胞，医院首先对她进行化疗。由于生理反应太大，陶敏开始呕吐，胃里像翻江倒海一般，每天都呕吐得一塌糊涂，人几乎要休克。

住院几天后，陶敏开始发高烧，看到被病魔折磨得奄奄一息的女友，宋良号的心在哭泣，但他始终强忍着泪水，他要用自己的爱和乐观，去陪同恋人共同渡过难关。

就在这时，陶敏知道了自己的病情，她害怕男友为自己过分伤心，强作欢笑对宋良号说："我会坚强到底的，我还要做你的新娘呢！"

宋良号走过去，轻轻抱住了她，亲着她的额头说："敏子，相信自己，也请相信我，无论有天大的困难，我们一起面对！"

2月14日是情人节，宋良号给陶敏买了一枝玫瑰，他握着陶敏的手说："既然我们牵了手，幸福也好，苦难也好，我们会一起走过。"

经过一段时间的化疗后，陶敏开始掉发。早晨，看见枕巾上的黑头发，陶敏心痛得眼泪直流，宋良号极力劝慰女友。几天后，为了不再刺激自己心爱的人，宋良号干脆剃了一个光头……

为了省钱，宋良号和陶敏的父亲住在一个在上海打工的亲戚那里。每天，宋良号要步行十里路，为陶敏送饭，脚都磨起了泡。为了随时照顾陶敏，他用三条板凳拼成一张床，躺在陶敏的身旁。每到陶敏心情不好时，宋良号就给她出脑筋急转弯题，让她开心，给她讲《知音》上的感人故事来坚定她的信心。

一天晚上，陶敏醒来，忽然发现宋良号不在，陶敏在楼上楼下找了个遍，都没有宋良号的影子。她忽然害怕起来，脑海中闪过种种可怕的想法。在她最着急的时候，忽然看见宋良号从楼下慢慢走上来，见到心爱的人，陶敏一下冲上前，将他紧紧抱住，失声痛哭起来："说好不离开我的，你去了哪里啊！"

宋良号从口袋里掏出几块巧克力，深情地说："我怎么会离开你呢，我怕你明天一早没有零食吃，趁你睡着了，就偷偷上街买去了！"宋良号接着安慰女友："亲爱的，什么都不要怕，因为我们有爱！"

兑现"爱情契约"，有歌声在 爱情和生命就不会悲哀

为了救治女儿，陶广明先后与上海红十字会以及北京、天津、南京等骨髓捐需中心取得联系，但是一直没有找到可以匹配的造血干细胞。这时，医院又传来坏消息；陶敏因连续发低烧，昏迷了过去。医生说，要想治好陶敏的病，眼下唯一的出路，就是从陶敏亲人体内提取造血干细胞移植到她的体内。

2004年4月20日一大早，陶广明夫妇就来到血液科，争着抽血、配型。第三天上午，配型结果出来了，陶敏的母亲和女儿配型完全成功：六个基因配上五个，符合配髓条件！

听到配型成功的消息后，陶敏脸上终于露出了少见的笑容。

4月23日，陶广明前去北京大学人民医院进行咨询求助，血液科教授告知很适合移植，并建议尽快做移植，但移植费用至少要40万元。

4月底，陶敏病情稳定后，从上海回到了淮北。一家人开始为40万元的巨额费用奔波。宋良号来自农村，家里并不宽裕，他还有一个在上高中的弟弟。为了给陶敏治病，他花光了家里的一点积蓄，而陶敏每天需要近千元医疗费用。宋良号急得像热锅上的蚂蚁。

知 音

　　为救女儿，陶敏的父母已是倾其所有了，而宋良号每月只有 800 多元的工资。他恨不得把一分钱掰成两半来花。而他自己，有时竟连 3 毛钱一个的肉包子都舍不得吃。为了多挣些钱，让心爱的人生活得好些，宋良号决定利用闲余时间拣拾破烂，换取一些零用，但这依然是杯水车薪。

　　就在这时，陶敏再次突发高烧，情况十分危急。看到女友病成如此模样，宋良号心急如焚，他日夜守护在陶敏身旁鼓励并呼唤着她："敏子，现在那么多好心人都在为你祈祷，有我在，你就不会有事的，我就是搭上这条命，也要把你从死亡线上拉回来！你快醒醒啊，好吗?"昏沉中的陶敏已无力言语，却还是满含热泪地点头。也许是宋良号诚心的祈祷感动了上天，陶敏奇迹般地清醒了过来。

　　宋良号看着在病痛中苦苦煎熬的女友，他一筹莫展。一天，宋良号因钱的事呆坐在门口发愣，一个卖唱的乞丐从门前经过。听着乞丐渐行渐远的卖唱声，他脑海中猛然闪出一念：何不用我所长，卖唱挣钱?！

　　宋良号一家接一家地去酒吧、歌厅、舞厅推销自己，不料却一次又一次地被人拒绝。眼看日子一天天过去，走投无路的宋良号决定沿街卖唱。几个店面的老板见他衣着整洁，说他是个街头骗子！两个小时过去了，他不但一分钱没募到，还引来路人怪异的目光。第一天，宋良号空手而归。

　　宋良号决定调整战略，他在一个街头的一片空地上，占据了"有利地势"，先是放了事前录制好的一段真情告白："我有一位漂亮的女友，自从她被查出患有白血病后，我们的生活一下子从光明陷入黑暗。好在上苍有眼，亲体配型让女友有了生命的希望，但移植的曙光，却仍需要近 40 万元钱去点燃！今天，我在这里卖唱，是想用我的心，用你的情，结成一个温暖的世界。我相信，赤诚的心能让风住雨停，无畏的情能将尘埃荡尽，让我们共同挽扶我的女友走过这段风雨路程……"这段真情告白立即引来了一群人的围观。

　　宋良号轻声地唱起了那首动听的《牵手》："没有风雨躲得过，没有坎坷不必走……"唱完后，一个二十多岁的女孩流下了热泪，当即拿出200 元钱，在宋良号的面前放下，然后转身离去……

　　这一天，宋良号靠卖唱在街头募得 810 元。晚上，他急匆匆地直奔

医院，对陶敏谎称是刚发的"奖金"。

接下来的几天里，宋良号一边照料、服侍女友，一边继续抽空到附近的街头去卖唱挣钱。宋良号卖唱救女友的事迹，感动了过往的行人，你一元他两元的，很快在他面前就捐了一大堆钱。

当宋良号几次把数百元的"战利品"送到医院时，引起了陶敏的怀疑，她"质问"宋良号钱的来路。

宋良号跟陶敏撒谎说是向朋友借的，但他没想到自己犯了一个常识性的错误：忘记了将零钞换成整钱！

三天后，当陶敏的母亲告诉陶敏宋良号在为她卖唱筹钱时，陶敏打电话让宋良号赶到医院。望着因为自己治病而折磨得憔悴不堪的男友，陶敏痛苦地说："为了我，你吃了太多的苦头，我真的已经很满足了。你才25岁啊，长期下去，你一定会被我拖垮的。如果你能真心为我着想，减轻我的心理负担，你还是离开我去寻找你应有的幸福吧！"

然而，宋良号却坚决不从。陶敏见做不通男友的工作，便假装病痛发作，故意对宋良号又打又骂。有时甚至无理取闹，推翻药碗，把衣服弄得脏乱不堪。宋良号见状，不仅不怪她，反而苦苦哀求："敏子。请你让我今生今世多为你尽一份心吧！"此情此景，陶敏除了哭，又能说什么呢？

一天，宋良号从网上看到一则消息：远在美国的博士余健在患了白血病后的第三天，深爱他的女友就和他举行了婚礼。宋良号很感动。第二天，宋良号对陶敏说："我们结婚吧！"陶敏一脸吃惊地望着他，宋良号郑重其事地说："我要让你做我最美的新娘！"

见宋良号一副认真的样子，陶敏思考了一会儿后说："我的病治不好，我不会和你结婚的。因为那样，我死后，你要是再找一个就属于再婚了！我只希望在我死后，你能照顾好我父母一辈子，我在九泉之下就放心了……"她的话还没说完，宋良号就赶紧捂住了她的嘴说："我不许你提那个字，在我们面前，死神是斗不过我们的！"

第二天，宋良号来到陶敏的身边，让她闭上眼睛。陶敏不知道他葫芦里装的是什么药，就听从了他的安排。当陶敏再次睁开眼时，宋良号虔诚地递上一个精致的小盒子。陶敏兴奋地拆开一看，里面是一张叠得工工整整的纸片，上面用红线绳系着。陶敏打开纸一看，上面写着"爱

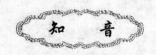

情契约"四个大字。看完这份《爱情契约》，陶敏哭着说："你真是个傻子！"

宋良号深情地说："这是一颗爱情定心丸，我想用它来见证我们的爱情！"

情动江淮大地，让我们
在圣歌声中追寻黎明的脚步

宋良号卖唱挣钱给女友治病的消息传开后，一些喜爱唱歌的年轻人被他拯救女友的痴情所打动，也纷纷加入这支"爱心乐队"。

一个周末的傍晚，这支"爱心乐队"策划了一场特殊的卖唱活动。

当4名年轻人手拉手演唱《爱的奉献》时，围在四周的观众挥舞着双手，发自内心的歌声交汇在一起，响彻云霄，卖唱现场气氛顿时高潮迭起，场面令人动容！宋良号看到满场的好心人都如此关心和帮助自己的女友，这个坚强的男孩子哭了。当人们把近2万元的现场捐款箱送到他面前时，宋良号当着那么多人的面，长跪不起！

一位当场捐了5000元的企业经理拉着宋良号的手说："我见识过很多形形色色的骗子，开始以为你是骗子，后来我到医院一打听，没想到你来的是真的。这样痴情的年轻人不多啊，你们一定会战胜病魔的！"

宋良号卖唱拯救女友生命的感人故事，很快在江淮大地上引起强烈反响，陶敏的不幸和乐观一时间成为淮北大街小巷的市民谈论的话题。他们纷纷加入到救助陶敏的行列，他们说："虽然一个人的力量微不足道，但是所有的微不足道加在一起就是希望。"淮南市煤矿机械厂一次性为陶敏捐出4480元。淮北市烈山区法院在本系统内发起了一次爱心捐助活动，仅有编制37人的单位，一次就捐款14060元。

一天，一位好友给宋良号出主意说："你不如给陶敏建一个网站，这样可以得到更多人的帮助！"但宋良号的电脑水平很有限，为了救治女友，宋良号从书店买来了几本电脑书，从A、B、C学起。白天，宋良号一边上班，一边照顾女友；晚上，宋良号就"住"在了办公室，一熬就是一个通宵。

2004年4月29日，在几个好友的支持下，宋良号终于为女友建立了一个名为"爱相携，生命相随"的网页（www. taomin. org）。一些好

心人开始在陶敏网站上纷纷留言，出谋划策，激励这对恋人向厄运突围。

芦苇留言说："陶敏你还好吗？不知该说些什么。送你一句话吧：杀不死我的使我更坚强。愿你永远保持一颗积极向上永不言败的心。祝愿你早日康复！"

江苏的程丹建议："将有关报道发给《扬子晚报》，《知音》等全国有影响的报刊，争取得到更多的援助，希望老天有眼，好人一生平安！"

爱心在这里汇聚，给这对苦命恋人带来与命运抗争的信心和力量！

2004年6月24日，是陶敏25岁的生日。宋良号愧疚地对她说："对不起，这个生日我无法让你快乐，更无法送你生日礼物了。"

"不！"陶敏轻轻地举起他的手，"你的坚强和勇敢，让我觉得快乐：你对我的爱，就是最好的生日礼物。"

记者在采访宋良号时，陶敏给宋良号发了一条手机短信："我虽然身患重症，但我是天下最幸福的女孩，温暖的亲情让我刻骨铭心地体验到生命的珍贵，至真至纯的爱情让我感到美丽如虹……"

宋良号用短信回复道："敏子，你知道吗？当我为心爱的女友沿街卖唱，当我与身患血癌的女孩携手共渡难关，我们的爱情也许是这个世上最浪漫的版本！"

嘴上虽然说着"浪漫"，然而女友却在病痛中一天天地消瘦，这让宋良号心如刀绞：癌细胞就像埋在女友体内的炸弹，随时会"引爆"，陶敏的生命徘徊在危险边缘，而骨髓移植还有30多万元的缺口。他真担心心爱的女友等不到募齐40万元医疗费的那一天……

在采访快结束时，喜欢看《知音》杂志的宋良号希望借助《知音》，十万火急地向善良的读者鞠躬："为了拯救一个美丽女孩的生命，延续这段爱情，我愿意再次唱起这首拯救女友生命的爱情圣歌！"

拉脱头皮惊天祸，
还我生命还我长发飘飘

火之战车

　　2004 年 6 月 8 日，来自湖北大冶的美丽少女曹燕子 1 米多长的满头秀发被意外卷人了织布机，面对着可瞬间夺命的飞旋的钢梭，她用全部的力气与织布机马达进行了生命的争夺。终于，她勇敢地舍弃了头皮而保住了生命！少女的坚强感动着周围的人们，在浙江省人民医院 12 小时的艰难手术和精心治疗下，被撕掉的头皮又成功地回植到了少女头颅之上。

　　8 月，这位少女的头上已长出了浓密的发茬，美丽的少女不久又将长发飘飘……

秀发上的生命拔河：
勇敢少女舍弃头皮夺回性命

　　2004 年 6 月 8 日 7 点 40 分，17 岁少女曹燕子第一个早早走进了浙江萧山市红樱桃棉纺厂宽大的厂房，开始新一天的工作。

　　这一天的开始并不顺利，她启动织布机的时候，竟连续两次断针。她费了十几分钟的时间才将机器修理好。没过几分钟，织机的边线又乱了。这是一个常见的小毛病，不用停机稍加清理即可。这时，一阵湿热的气流从窗外猛然袭来，一下子扬起了她的满头秀发……

　　此时此刻，曹燕子正将全部精力集中到手指上清理边线，忽然她感到自己的头发似乎被准猛地拉了起来，险些将她拉倒！回过神来，她才感到不幸正在发生：原来自己那一头长及膝盖的头发已经与密密麻麻行进着的织线绞在了一起，慢慢地向前拉动着她的头部！她下意识地努力拉动头部，想让头发从中挣脱出来，但是织布机的力量却无法抗拒，不管她怎么用力拉，织布机仍然不动声色地拉着她的头发往前走……

　　曹燕子试图将机器的马达关掉。她一边挣脱着一边努力地伸出手够

控制马达的开关。

这是一个固定在墙壁上的黑色盒式开关，当中两个圆圆的按钮一红一绿，只要她的手指在红钮上轻轻一按，马达就会立即停下来，可是，虽然仅差十几公分的距离，此刻她的手却怎么也无法触及到墙壁上救命的开关了。而且她眼睁睁地看着在织布机的作用下自己的手与开关距离越来越远……

这时，曹燕子明显地感到，绞进织线里的头发越来越多，织布机的拉力对她越来越大，她不得不屈身顺着它的力量向前一点一点地挪……

"救命啊！""快来人啊！"少女撕心裂肺地呼救。然而，没有人回应这无比凄厉的呼救，同事们都在专注地控制着自己的机器。她的一声声呼叫最终都淹没在马达巨大的轰鸣声中。

这时曹燕子感到自己的身体已经越来越接近织布机的一端了，她更清晰地听到由于自己倔强的拉力使织线的进行速度严重减慢后钢梭打着空转的声响。在她与钢梭距离渐渐拉近的时刻，她意识到了一种使她头脑发涨的恐怖：如果再这样下去，她的头颅就会很快被绞进尖尖的钢梭之中……

"说什么也不能再往下走了！"曹燕子努力地提醒着自己。她将身体的全部力气都集中在自己的头上，使劲地往回拉，此时她听见了钢梭在密密麻麻的织线中所发出的狰狞的怪响。她拉得越紧，这种怪响也就如示威一样地越大……

就像一场激烈的拔河比赛一样，秀发的一端是很快将致她于死地的面目可憎的织布织，另一端是竭尽全力想努力挣脱出来的美丽少女。这是一场秀发上的生命的拔河，那千钧一发的势态是如此惊心动魄。

这时，曹燕子感到脚下已渐渐吃力，头部在头发的拉力作用下，头皮一阵阵剧痛。她想自己再也不能坚持多久了。她开始努力地寻找着手中可以抓到的固定物，由于此刻的她已不能平视，不能自由地转动头部，使她无法看到身旁的一切，她只好稳住身体，试探着伸出双手触摸着身体的周围。在焦急的摸索中，她的右手终于找到了织布机旁边一根结实的钢柱，她紧紧地握住了这根救命的钢柱，让身体稳定下来……

但是，织布机的力量却仍然无法抗拒地紧紧地拉住她，而且这力量似乎越来越大了。她的头皮钻心般的疼痛。在剧烈的疼痛中，曹燕子渐

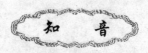

渐感到了头顶一声声有些沉闷被撕裂的声音。她想一定是有好多根秀发被拔出了头皮——其实，这却是她无法想象的巨大拉力下头皮与颅骨之间分离的声音！

疼痛难挨的曹燕子再次提醒自己，即使拔掉了所有头发也不能放开这争夺生命的拉力。10 秒、20 秒、30 秒……一种炽热的疼痛使她大声吼叫起来。同事王小姗终于听到了这歇斯底里的惨叫，她吃惊地看到织布机已经开始残忍地撕裂着曹燕子血红色的头皮。王小姗一声惊叫后，赶紧冲向墙壁上的电开关……

织布机不慌不忙地停了下来。这时王小姗看到，曹燕子已经血肉模糊地倒在了地上，她的头上，已是一个惨不忍睹的涌动着鲜血的白红相间的颅骨，显然她的头皮已被织布机活活地撕掉了！

与疼痛较量：一句坚强的内心提示帮她走出生命的难关

副厂长华纪娟很快赶来，一下子抱起了浑身是血的曹燕子，并赶紧喊道："快叫车，准备去医院！"

此时，她看到曹燕子的整个头皮已经不复存在，创口前起两条眉毛之上的额头，当中到耳际，后侧至脖颈上的发际，只剩下血肉模糊的颅骨。华纪娟下意识地仔细寻找着曹燕子被撕下的头皮，她发现在织布机上，那块与长发相连的头皮还深深地绞在里面……

这时，这位女厂长快速地走到织布机的那一端，从中麻利地清理出一缕缕零乱的头发和那块渗血的头皮。几年前，华纪娟曾经学习过这样的知识，在意外发生时，如断肢等，最好同时将断肢与伤者一起带往医院，争取回植的机会，同时最好在0℃左右的条件下保存。想到这些，华纪娟赶紧找来干净的方便袋将头皮小心翼翼地装进去。

很快，一台中巴车开到了门口，大家赶紧将曹燕子抱上汽车。这时，头部的剧痛已经让她难以忍受了，但曹燕子心里在默默地提示自己：一会就好了！

就是这一句提示，时时刻刻地充溢着她的内心。她想：眼下最艰巨的事情就是与疼痛较量，如果忍受不住，自己很可能就要死去了！但是，剧烈的疼痛使曹燕子的意识渐渐模糊。无边的恐惧袭来，她只能不

断地提示着自己：一会就不再疼了！

车疾行在闹市的时候，忽然停了下来。华纪娟赶紧下车，在路边小摊上买来了5瓶冰镇的矿泉水，然后将它们放在装着头皮的塑料袋的周围。

很快，汽车以最快的速度把曹燕子送进了萧山市人民医院急救室。这时，急救医生赶紧给她的头部做了止血的处理，并及时为她输血。医生说："这种情况我闻所未闻，没有办法处理。还是赶紧去杭州大医院吧。"

此时的曹燕子更感到了难以承受的疼痛，为了忍受住，她已经咬破了嘴唇。在她的心里，始终是那条"一会儿就好了"的坚定信念。看到这种情景，华纪娟流下了泪水，她不停地劝着这位坚强的少女："小妹妹，你不会有危险的！""你要挺住！"

此时，曹燕子根本没有气力说话了，甚至她连示意点头的气力都没有了。她只感到有疼痛在，有自己的思维还在证明着自己还没有消失的生命。

救护车疾驶在萧山至杭州的高速路上。一路上，曹燕子的头仍在失血的状态中。每一次超车或紧急制动的时候，曹燕子都感到自己的大脑如翻江倒海一样的难受，让她彻底感受到了生命的巨大震荡。在这震荡里，她只有守着一个信念去抵御它："一会就好了！"

汽车终于来到了杭州一家大医院，曹燕子被送进了这家医院的急救室。"医生，她是最坚强的女孩，赶紧救她啊！"华纪娟流着泪拿出了那张不规则的头皮。

医生说："我们从来没有遇到过这样的病人，这个头皮我们能让她复原，但是她的头发却不能再长了。"

仿佛是一种剧烈的刺激，半昏迷状态中的曹燕子一下子被激醒。"不，我要头发……"

这时，医生说："现在这个女孩随时都有生命危险，你们要赶快拿定主意！"

有什么还能比生命更重要啊。想到这里，华纪娟说："好，赶紧做手术吧。"因为没有家人在场，医生只好拿来印泥让曹燕子在手术意见书上按了手印。

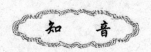

接下来的就是准备手术了。隔着一层玻璃，华纪娟看到医生开始处理那张被撕掉的头皮，一把锃亮的剪子从头皮的根部一下下剪去根根长发，一缕缕秀发打着转，似乎是不情愿地飘落下来……

根根落发触动了华纪娟的心：一头秀发，对于一个少女来说是多么的重要啊。记得自己初恋的时候，恋人对自己说得最多的一句话就是"我最喜欢你的一头长发"！而这个坚强的女孩子还没有恋爱啊，将来她带着一头假发又该怎么去面对生活！这时，华纪娟突然被眼前女孩不甘失去秀发的神情激醒。她忽然决定：停止这个手术，再去另外一家大医院试试！

想到这里，华纪娟一下子冲进了手术室："医生，不要做了，我们走！"很快就要准备缝合头皮的医生们大吃一惊。华纪娟说："我们走，看看她的头发还有没有救！"这时，时间已过 12 点 30 分。

拯救秀发：12 小时手术后头皮回植成功

很快，救护车将曹燕子送到了浙江省人民医院整形中心急救室。华纪娟对医生不停地说："这个孩子，太坚强了，你们一定要想法儿保住她的头发啊！"

几位专家说："有史以来，我们从来没有接收过这种头皮被完全撕掉的伤者，要保住她的头发，难度特别大。正常来讲，这种手术不顾及头发，做起来相对容易些。如果要保住头发，就得换一种方法，保留原来头皮与颅骨之间的帽状腱膜，同时连接头皮血管……"

可是，像这种全头皮撕脱，不仅浙江省人民医院没有遇见过，而且国内医学杂志也尚未有过报道。因此这对于专家们来说也是一次全新的尝试。

而此时，曹燕子已因过度的疼痛和失血而休克。省人民医院采取了最得力的抢救措施，同时用最快的速度开始手术。术前检查中发现，由于巨大的拉力，曹燕子头顶部分的一块 1×2 厘米的颅骨被撕裂，里面白色的脑膜已清晰可见。这时脑外科医生赶紧将快要脱落的颅骨进行了消毒及缝合，一个小时后，整形中心主任吴溯帆博士与另外两位医学博士石杭燕、李欣开始了这个特别的头皮回植手术。

经过彻底去掉头发和严格消毒后的头皮，开始进行回植。他们发

现，由于冰镇矿泉水的作用，使得这个头皮的肌肉组织得到较为完好的保护，这为手术的进行提供了较为理想的基础。从理论上讲，在这种情况下能否做到回植的成功，就取决于能否找到撕掉头皮两个边缘的动、静脉血管进行连接。

但是，由于头皮内血管很细，而且头皮多有创伤，同时它已在无血的状态下放置了半天之久，因此要做到回植的确不是一件容易的事情。在对头皮及颅骨上的帽状腱膜进行消毒和细致的整理之后，几位医生开始努力地寻找着被撕裂头皮上的动静脉血管，找到一根这样的血管，这个女孩的头发也就有了重生的机遇。

此时，三位博士在这张略大于面部的头皮的边缘仔细地寻找着可以连通的相对粗一些的血管，但是由于头皮上的血管非常细，三个人找了半个多小时仍是一无所获。此时，他们的眼睛早已看累了。但几个人连同两位护士仍然没有放弃，继续艰难地寻找。又是半个多小时过去了，石杭燕终于兴奋地说："找到了！"

一根细若蚊足的头皮动脉血管就这样费尽周折地找到了。找到了它，女孩的满头秀发就有救了。几位博士兴奋地将这根珍贵的血管做了标记，然后开始将这张头皮在经过消毒和整理后的颅骨上进行基本性的定位和整合。他们发现，这根被找到的动脉血管恰好在脖颈部位，于是他们又在脖颈创伤的另一侧边缘找到了一根相同粗细的动脉血管。这时，他们开始通过显微镜用头发三分之一细度的针线做对接的缝合……

这也许是世界上最细致的针线活儿。显微镜下，细细的针线小心翼翼地在血管壁中慢慢运行。而且连结的力量要适度，力量大了会打成死结，引起不过血，力量小了又会造成漏血，两者都会造成手术失败。

不知过了多久，这根拯救秀发的血脉终于连接在一起，这时医生放开了脖颈上的止血钳。如果连接成功，整个头皮就会注入新的血液。可让人失望的是，血液在通过连接口之后很快流了出来，原来这是一根由于织布机的作用而发生了断裂的血管！

三位博士决定连接此处断裂的血管。可是血管经断裂后都要收缩一段，这样他们不仅要找到血管断裂口，而且还要补接上一段约2厘米长的动脉血管！

一个小时后，他们终于在其他的位置上费尽气力地发现并取下了一

小截血管，然后再与那根断裂的血管进行细致的对接……1个小时、2个小时、3个小时过去了，这根血管终于天衣无缝地连接到了一起。

手术并没有结束。他们还要连结两根静脉血管，以保证血液的循环回流。可是，静脉血管比动脉血管更难发现，因为它比动脉血管更细更软，很难在肌肉组织中发现它。几位博士又是费力地找来找去。又是两三个小时过去了，两根静脉血管终于连接起来，鲜活的血液循环奔流，开始为女孩的发根补充营养！

接下来就是整个头皮与颅骨之间帽状腱膜的细致的整合，再接下来就是整个头皮创面伤口的手术缝合……几位博士慢慢地缝合，10针、20针、30针、50针……他们缝合了有四五百针之多！

这时，他们才注意到，已到了凌晨2点。这个头皮回植手术，整整用了12个小时……

一周后，曹燕子进入了普通病房治疗。通过医生和父母得知自己的秀发将会复生的时候，这位从撕裂头皮、忍痛入院到手术前都没有流过一滴泪的坚强少女，忍不住流下了眼泪。她对医生说："谢谢你们救了我。"医生说："是你坚定的求生信念和超越常人的毅力感动了我们，这是手术成功的关键。"

目前，曹燕子还要在医院做一个多月的治疗。相信在不远的将来，这位勇敢的美丽少女仍会飘动着满头秀发走在大街上。

曹燕子的姐姐曹晓玲一直在北京打工，入院以来，妹妹一直让家人隐瞒着这场不幸。因为从小的时候，姐姐就让她留长发。她一直在说："妹妹，你留长发是最漂亮的。"因此，曹燕子在不满10的时候就开始留起长发一直至今。妈妈说："唉，都怪姐姐！"

但曹燕子并不怪姐姐。8月2日，不知情的姐姐在信里对妹妹说："你的长发还是那样漂亮吧？等我攒足了钱，就去浙江看你。那时我再教一教你新的发型……"妹妹回信说："姐姐，你暂时不要过来。等明年我攒够了钱，我会带着漂亮的长发去看你。还是我去看你为好，因为我还没有去过北京呢……"

从血泊中逃生，
6岁女孩揪出杀害父母真凶

凌寒

2004年7月9日上午，河南省三门峡市中级人民法院一名法官来到了6岁的张绥阳家里，送达了一纸长达4页的判决书。小绥阳的爷爷、今年60岁的张胜辉老人一字一句地看完那份判决书后，眼里流出了酸痛的老泪。他拉过自己的孙女说："绥绥，杀害你爸爸妈妈的恶人被政府判了死刑，咱家的仇报了！这里边，你立了大功啊……"

原来，就是这名小女孩，亲眼目睹了歹徒闯进家中凶残杀害父母那血腥的一幕，惊惧中她沉着冷静地躲过歹徒，破窗跳出，向大人们呼救。虽然终究也没能挽回父母的生命，但在警方侦破此案的过程中，凭着她回忆的一条条线索，犯罪嫌疑人被警方锁定了；在法庭上，又是她满腔仇恨地面对歹徒时那些极为关键的证言，戳穿了杀人凶犯企图减轻罪责的狡辩，最终把杀害父母的仇人送上了断头台……

突发血案，六龄女目睹
那令人心碎的一刻

2003年12月14日晚上7点左右，在河南省灵宝市函谷关镇中心小学上学前班的张绥阳放学回到家里，刚刚放下书包，就闻到了一股香味儿。她跑到支在他们所住的两间平房门外、临时搭起的那个石棉瓦棚子里一看，妈妈张改丽正在做饭，锅里是她最爱吃的白萝卜炖肉。她吸着鼻子对妈妈说："好香啊，俺爸呢，等他来了就可以吃饭了吧？"

"你爸在屋里跟人说话呢。馋猫，等他们说完事儿就吃饭。"可母女俩哪里知道，此时，一场大祸正在悄悄地向他们这个幸福的三口之家靠近！

张绥阳的家原本在灵宝市函谷关镇孟村。但因为小绥阳的父亲张富强被聘为河南省通信公司灵宝分公司的业务代办员，在距孟村以南七八

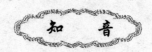

里地远的岸底村设立了一个业务代办点，负责邻近几个村落的线路维修、装机移机、电话费收取以及"小灵通"业务办理等工作。所以为了工作方便，他们一家三口干脆把家搬到了岸底村南边的接入点机房里。这座小平房距岸底村有将近一公里远的距离，挨着一条柏油路。

张绥阳不认识来找爸爸的那个人，但她探头看了一下，觉得有些面熟，印象中那人经常来找爸爸。

正在等着吃饭的小绥阳听到妈妈说了一句"不对劲儿啊，咋就打起来啦"，就随即回到了屋里，小绥阳也跟着妈妈返回到了房子里。

一进屋，小绥阳惊呆了。那人正和爸爸厮打在一起，妈妈见状，就上去拉开他们。小绥阳赶紧躲到了里间，掀着门帘往外看。她看到那个满脸凶相的坏蛋突然抄起了一把刀，朝爸爸身上恶狠狠地捅了两下。爸爸"啊——"地惨叫了几声，就倒在了地上。接着，那个歹徒又朝拽着他又哭又打的妈妈的心口上连捅了两刀，妈妈连叫都没有叫出声来，就咕咚一声栽倒在了地上……

小绥阳看到爸爸妈妈倒在地上痛苦地扭动着身子，一股股殷红的鲜血从他们身上直往外冒，她被这突然发生的惨剧吓呆了，正准备捂上眼睛不再看，突然她从指缝里看到那个浑身是血的恶人正拿着刀、瞪着眼还在寻找什么。稍一愣神儿的工夫，她突然明白那个坏蛋是在找自己，反应过来后她赶紧把里间的门插死，自己则藏到了床上，她躲在被子里一把一把地抹着泪水，却不敢吱声……

"哐，哐哐——"是那个恶人在外面跺门。房子里间的那扇木门摇摇晃晃地眼看就要被那个坏蛋跺开了，藏在床上的小绥阳忽然不知道害怕了，她跳下床，使出了浑身的力气把爸爸平时给别人修理电话时使用的那个木梯子搬了过去，死死地抵在木门背后。然后赶紧把里间的电灯拉灭，藏到了床底下一个装着废电线、工具等乱七八糟东西的大木箱子后边……

那个恶人跺了一阵屋门，没有跺开。小绥阳听到他在外边恶狠狠地骂了一声"妈的"，接着，又听到家里那个防盗门"哐当"响了一声，就没有声音了……

冬天的夜来得很早，八九点钟就算是深夜了。小绥阳躲在床下大气都不敢出，这个时候她才感觉到身上冰凉冰凉的，四周阴森恐怖。不知道过了多长时间，她战战兢兢地摸着黑搬开了那个木梯子，打开了里间的门，外间的日光灯惨白惨白地亮着，爸爸妈妈都躺在了地上，地上流了一大片血，墙上，还有那张她经常跟爸爸妈妈一起坐在那里吃饭的小桌子上，到处都溅满了鲜血。那红得刺眼的血的颜色永远烙进了小绥阳的记忆里，她呆呆地看了一阵，忽然"哇"的一声大哭起来，边哭边摇爸爸、妈妈的头。但是，她的爸爸妈妈却再也没有睁开眼睛……

"快来救俺爸爸妈妈啊——"小绥阳抱着妈妈哭喊起来，她的身上也被爸爸妈妈的鲜血染红了。这座房子离村子太远了，她哭喊了好一阵，也没有人应声。小绥阳就边哭边喊地去开家里那个防盗门，可是扳了半天，却怎么也打不开——门被凶手反锁了！

此时的小绥阳心里想的就是赶快出去找人救爸爸妈妈。她疯了一样去拧那两扇紧闭的防盗门上的把手，拧了一阵，却怎么也打不开。小小年纪的她，焦躁地从里屋走到外屋，又从外屋走到里屋，眼睛四处瞄着，看哪里还能够出去。突然，她注意到了里屋那扇窗子，于是就想从那上面跳出去。但窗台离地面有一米多高，她上不去。情急中她搬来一把椅子，又找了三块砖摞在了一起，终于能够爬到窗台上去了。她边哭边拼命地费尽全身的力气，把窗户上那根原本就松动了的钢筋往一旁扳，终于扳开了一个能够钻出去的空隙。她使劲地钻了出来，蹲在窗台上，在夜幕里不顾一切地跳了下去……

抓获凶犯，小绥阳功不可没

终于，小绥阳跑到了函谷关镇卫生院设在岸底村的医疗服务站。她刚一推开门，值班的一位女大夫王贞就被浑身是血、光着一只脚丫子的小绥阳吓了一跳！

"阿姨，快！快去救救……救救俺爸爸妈妈吧……"绥阳累得话没说完，就瘫在地上。

等那位女大夫喊上人砸开绥阳家的防盗门时，张富强、张改丽夫妇俩早已因为失血过多，气绝多时了。后据法医鉴定：张富强和张改丽左胸部各中两刀，伤及心脏，两人几乎是当场死亡。

——锅里妈妈张改丽做的饭菜还有余温，但年仅6岁的小绥阳转眼之间，就失去了父母！

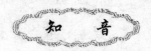

凶案发生后的第二天上午 8 点钟左右，绥阳的爷爷张胜辉才知道儿子家里发生了塌天大祸。他也是电信公司设在孟村的代办员。当他骑着车子赶到儿子家，一脚门里一脚门外地看到屋里那场面时，这位老人话还没出口，就咕咚一声栽倒在了地上！

"12·14"凶杀案发生后，灵宝警方立即成立专案组展开侦破。但案发现场却没有发现任何有价值的线索。针对张富强夫妇周围的人逐一排查后，警方也没有发现任何人有作案迹象。究竟是什么原因让凶手对这对无辜的夫妇下了毒手？元旦、春节即将来临，一时间此案在当地被传得沸沸扬扬、人心惶惶，甚至有人说是山里来了一伙打家劫舍的杀人恶魔。

小绥阳是案发时唯一在场的目击者，但是由于她年龄太小，一见到警察就哭，总是缠着警察要她的爸爸妈妈，所以此案一时陷入了僵局。等小绥阳终于稳定了情绪之后，办案人员渐渐从她断断续续的回忆当中获悉了一些十分重要的线索："有一个人来找我爸，我以前见过他……看着比我爸年轻……穿黑袄……头发很长……我不知道他叫啥名……"

是仇杀、情杀，还是谋财害命？小绥阳所说的情况，仅仅排除了团伙作案的可能性。

失去了父母的小绥阳暂时住在了同在孟村的姑姑张菊芳家里。每到夜里，看着可怜的侄女在梦中还喊着"爸爸……妈妈……我害怕……"张菊芳总是心如刀绞。但是，抓不到凶手，又怎么可能给苦命的哥哥嫂子报仇雪恨呢？张菊芳知道，只有让绥阳回忆起更多的情况，才能将这个恶魔绳之以法。所以每天从早到晚，张菊芳时刻注意着小绥阳所说的每一句话。

渐渐地，小绥阳在姑姑慈爱地呵护下，情绪逐渐稳定了。她逐渐明白了爷爷、姑姑，以及警察叔叔所说的"要想给你爸爸妈妈报仇，你就要开动脑筋，仔细想那天你看到的、听到的事儿"的道理。

12 月 26 日，小绥阳的爷爷张胜辉在村里收电话费时顺道来看孙女，当他对女儿张菊芳说"村里有人欠电话费不交，很难收"的事儿时，小绥阳突然说："爷爷、姑姑，咱去找警察叔叔吧，我想起来了，那个人是来和我爸说电话费的事的。他们吵架时，我听到的！"

当即，张菊芳带着绥阳找到了办案人员。小绥阳对警察叔叔说：

"那天，他们是因为电话费打起来的。我听我爸说：你欠着电话费不交，还有理啦？"同时，她又想到了一个更为重要的线索——"好像……那人还说'不就90多块钱吗，就给我停机'……"

小绥阳的话被警察叔叔——记录在了询问笔录里。最后，小绥阳按照警察叔叔的要求，在笔录的末页，写下了"张绥阳"这三个稚气未脱的、刚跟着学前班老师学会的名字，并在来到这个世界上的第6个年头，第一次摁下了一个个鲜红的指印。

随即，警方从灵宝电信分公司查询到这样的信息："12·14"入宅凶杀案案发前一日，岸底村村民刘敬谋家的"8650"卡式电话被停机，同时查出，安装在刘敬谋家的这部电话，尚未交纳2004年的"功能费"，所欠各种话费加起来正好是96元，吻合了小绥阳所说的"90多块钱"的线索！同时查明，案发当日至今，刘敬谋即从家里消失，去向不明！

以上信息说明，刘敬谋具有重大作案嫌疑！

2004年1月2日，犯下滔天大罪后，四处亡命的刘敬谋终于在河南省商丘市夏邑县被抓获归案；1月14日，被检察机关批准逮捕！

法庭之上，小证人舌战恶魔

2004年6月30日，三门峡市中级人民法院开庭审理了这起性质恶劣的入室杀人案。

当天天不亮，小绥阳就早早地醒来了，因为昨天爷爷、姑姑对她说，今天法院要审判那个让她失去了爸爸妈妈的坏蛋。

小绥阳的家离三门峡市区有70多里地的山路。公共汽车上路后，小绥阳伏在姑姑张菊芳的怀里，仰着脸儿问："姑姑，我恨死那个坏蛋了，咱们今天能看见他吗？"

"能！今天咱们就能见着他了。绥绥啊，你可得记牢啊，到时候你把你那天见到的事儿，给法官叔叔一五一十说清楚……"张菊芳叮嘱小绥阳。

"嗯，我记住了。"小绥阳不说话了，眼睛茫然地往车窗外看。

当天上午9时整，此案准时开庭了。因为绥阳的爷爷张胜辉向法庭提出了刑事附带民事诉讼，所以，爷爷坐在了原告席上，小绥阳由监护

人张菊芳陪着暂时在证人休息室等候。过了很久，有一名法警走过来示意证人出庭。小绥阳刚一走进法庭，一眼就看到了那个烙在她记忆里的恶魔！

"姑姑，就是他！就是这个坏蛋！！"她忍不住喊了起来。法庭上所有人的目光都转向了这个 6 岁的小女孩。他们看到小绥阳的一双大眼睛里燃烧着和她幼小的年龄不相符的仇恨的火焰！

在庭审中，刘敬谋首先供述了当天的犯罪事实：那天晚上，刘敬谋因为家里的电话被停机，就去找负责收他电话费的张富强。张富强要求他交纳 2004 年的"功能费"等共 96 元，然后才能重新开通。而刘敬谋却要求先开通电话，他改天再来交费。张富强不同意，两人就发生了争执，接着便厮打起来。之后，刘敬谋顺手抄起一把刀，扎了张富强。张富强的妻子张改丽来拉他，他又用刀子扎了张改丽，然后，就逃跑了……

但是，抱着侥幸心理的刘敬谋却在法庭上狡辩："我那会儿也是一恼，就上火了，我只是向张富强和张改丽的肚子上扎了一刀，没见出血啊。很轻的……"

同时，刘敬谋的指定辩护人认为：没有证据证明刘敬谋的犯罪行为直接导致了张富强夫妇死亡的事实，刘敬谋的行为只能构成故意伤害罪，而且，刘敬谋的认罪态度较好，应从轻处罚。

小绥阳由姑姑陪着在"证人席"上坐下后，本案公诉人开始发问："张绥阳，你父母被害那天，你都看到了什么？别着急，慢慢说……"随后，法庭上传出了小绥阳沉着冷静的叙述："法官叔叔，我从里间一出来，就看到俺家的墙上，桌子上、地上，一大片一大片全是血。我爸爸、我妈妈身上全是血……"说到这里，她眼里的泪刷地流了下来。

刘敬谋愣了一下，扭过头去看了看这个小姑娘，接着继续狡辩："那也不能证明是我杀了人，最起码不能证明是我扎他们那两刀导致他们死掉的！我走的时候，并没有锁他们家的门，我慌慌张张的，哪儿还顾得上锁门啊？一定是后来又有其他人跑到他们家杀了他们夫妇俩后，把门锁死的……"

审判长随即制止："被告人！请注意法庭秩序！现在请证人继续发言。"

"你这个坏蛋又在说谎！那天就你一个人来我家的，和俺爸打架时也是你一个人！后来……后来你拿着刀要杀我，我藏起来了，你还跺门。我顶住门，你没跺开就跑了。你跑了之后，我去开门找大人来救我爸爸妈妈，门叫你锁住了。平时俺家那个防盗门从里边一拧把手，就能开开的……"

然而，被一个6岁小女孩驳得张口结舌的刘敬谋，仍不死心，梗着脖子说："张绥阳是个小孩子，她的话怎么能说明问题？既然我把她家的防盗门锁死了，那她咋跑出来的？这不是自相矛盾吗？"

公诉人继续发问："张绥阳，那天小你是怎么逃出你家的？"张菊芳小声对小绥阳说："给法官叔叔说，你那天是咋从屋里跑出来的？大声点说，别怕！"小绥阳随即站起来说："法官权叔叔，我是从窗户里钻出来的！那天我爸我妈流了好多血，我害怕，就去开俺家的防盗门找大人，我开不开，门反锁了，我就搬了把椅子垫了好几块砖，爬到窗户外头跳下去了……"

随后，公诉人也当庭出具了证人张绥阳翻窗逃生的现场勘察照片及其他证据。

这一次，犯罪嫌疑人刘敬谋回过头去，仔细地盯了小绥阳一眼。这之前，他可是压根儿没有想到一个6岁的小女孩会这么勇敢，伶牙俐齿，竟当场驳倒了他为自己精心设计的减轻罪责的谎言……

最终，小绥阳的话作为最重要的证言被法庭采信，彻底推翻了刘敬谋的狡辩！张胜辉、张菊芳等受害人的亲属，听到审判长认定了小绥阳的证言之后，流下了酸楚而又欣慰的泪水……

之后，法庭针对此案作出了〔2004〕三刑初字第30号判决："……证人张绥阳（系被害人张富强、张改丽之女）证言证实，当时机房防盗门打不开，是她自己翻窗出去的……被告人刘敬谋辩称，逃跑时未锁防盗门，可能有他人将二被害人捅死，无任何证据支持，不予采信……判决如下：一、被告人刘敬谋犯故意杀人罪，判处死刑，剥夺政治权利终身；二、被告人刘敬谋赔偿附带民事诉讼原告人丧葬费6000元、抚养费19053.6元、赡养费6880.5元，共计31934.1元。"

从法院回到家里后，小绥阳的家人抱着小绥阳来到村外山坡上她父母的坟前，燃上三炷香。小绥阳的姑姑张菊芳泣不成声地说："哥哥、

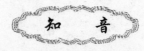

嫂子，你们的血海深仇，国家给咱报了！你们知道吗？那个恶人想逃避杀人抵命的血债，但是绥绥却让他想逃逃不掉……"

目前，小绥阳暂住在姑姑家，由张菊芳代为抚养。2004 年 7 月 13 日上午，记者赶赴张菊芳家采访时看到，张菊芳的家里只有三间泥巴垛成的、低矮的堂屋，还有两间同样也是泥巴垛成的东屋。昏暗的房子里，除了一台 18 寸的老式彩电之外，几乎没有一件值钱的家具。张菊芳除了要养自己的一双儿女和小绥阳，还要赡养失去了儿子的两位老人及自己的公公婆婆。而歹徒的民事赔偿，至今尚无一分钱到位。她流着泪对记者说："我的儿女跟着我受罪不打紧，小绥阳可是一个聪明而懂事的孩子，我不能耽搁她的前程啊！"

最后，张菊芳想借她最喜爱的《知音》杂志在全国范围内为小绥阳征"爸爸妈妈"。她说，要是有人愿意做小绥阳的爸爸妈妈，让她接受良好的教育并拥有完整的父爱母爱，不仅小绥阳屈死九泉的父母可以瞑目，而且以小绥阳力逃凶犯追杀的沉着机智和 6 岁幼龄法庭作证的"创举"，小绥阳将来一定能够成长为一个不让人失望的有用之材！

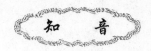

沉船时刻，游出小浪底哪怕鲜血流尽

朱金平

[背景新闻] 6月22日20时左右，来自开封兴化精细化工厂的129名职工在游览黄河小浪底库区的返航途中突遇强风暴雨，69人落水。经过抢救，共有27人获救，其中1人在送往医院途中死亡，42人生死不明。事发后，交通部抽调了国内顶尖的61名打捞专家和潜水员，调集了最先进的打捞设备进行打捞。截至7月3日，共打捞出遇难者遗体19具。专家在事后分析，未发现的失踪人员大多数集中在下层船舱中。

在获救者中，51岁的兴化精细化工厂第七车间主任杨喜峰是伤势最重的。事发时，他位于倾翻船体的下层，逃生机会最小；为了离开船体，他身负重伤，而后又带伤游泳，是坚持时间最长的；被救起后经医生检查获知，他失血3500毫升，是失血量最多的。但令人惊叹的是，他在脱离水面前的最后一分钟仍然保持着较为清醒的意识，而且凭着顽强的意志不停地游动着。

究竟是什么样的力量支撑着杨喜峰，让他从几乎没有希望的绝境中闯了出来呢？

绝地亦自救，竭尽全力船底脱身

杨喜峰今年51岁，在开封市兴化精细化工厂工作。2004年6月22日，厂里组织129名党员和中层以上干部去黄河小浪底五龙口景区举行新党员宣誓仪式，他也在其中。当日午后如期举行过仪式后，他们按预定计划前往黄河小浪底参观旅游。杨喜峰平时很活跃，今天却有点沉闷，因为出发前他刚和妻子闹了一个小别扭——头天晚上，妻子让他别看电视，早些休息，他跟妻子吵了两句。女儿为他解了围，让他多拍些照片回来给喜爱上网的妻子做网页用，说是"赎罪"。

22日下午4点多钟，他们分别登上了济源市明珠旅游开发公司的两

艘旅游船——明珠一号和明珠二号，杨喜峰上的是明珠二号。这是一种两层平底的游览船，有 64 名同事以及 3 位导游在这艘船上，连船工在内船上共计 69 人。谁也没有想到，随着汽笛的一声长鸣，一场震惊全国的生死之旅竟然拉开了序幕。

小浪底素有"北方三峡"之称，泥流滚滚，方圆几百米的空气中都是尘雾，十分壮观。水坝泄水的一边，水流喷薄而出，犹如万马奔腾，气势宏伟。杨喜峰一口气拍下了 60 多张风景照。晚上 7 点半，他们游完了最后一个景点明珠岛，开始返航。

就在这时，杨喜峰看到不远处的天上有一片黑云，它不断地向着他们所在的方向移动着，而且一边移动一边渐渐扩散开来。不一会儿，风就迎头刮了过来，大约 10 分钟后，黑云已经罩在他们的头顶，紧接着一声响雷，天上突然就下起了滂沱大雨。

船工从上层跑下来，叫嚷着告诉大家："把窗户都关上，各位配合一下，把窗户都关上啊！"

船随即开始左右摇晃，杨喜峰坐在船的下层后部，抬手关上窗口后。他就突然感觉到船体猛地一颤，迅雷不及掩耳的灾难只在 10 秒之间就降临了。此时，他已经身不由己，身体被重重地抛出去，又重重地摔了下来。接着，桌子、凳子、别人的身体……许多东西都在同一时刻像下雨似的倾泻下来，为了避免被砸昏，他本能地用手护住了头部。

凭直觉，他知道他们已经身处极度危险之中。求生的欲望紧紧攫住了他，他大声喊道："大家往外跑，跑出去啊！"可是就在他挣扎着要爬起身的时候，一股水流扑面而来，狠狠地拍击在他的脸上。他甚至没有能吸上一口气，浑黄的河水便涌满了船舱。杨喜峰感到了前所未有的恐惧。他会游泳，但是面前黑乎乎的，他不知道该往哪个方向游。他努力镇静了一下情绪，尽量平静地想着船翻倒前后的情况。很明显翻船以后他们就从下层变成了上层，头上罩着船底，要想沿着船帮爬出去，必须先找楼梯，再从楼梯潜水往下层游。但这个过程几乎是不可能的。他知道越慌越没有头绪，就赶紧定了一下心神，然后睁大双眼扫向四周，他看见有一个方向有微弱的光亮！他大喜过望，赶紧避开一件件杂物，奋力向仅有的一线光亮游了过去。

他的判断是对的，他的手对着亮处一触，就触到了滑滑的玻璃。他用手掌连击两下，它竟然纹丝不动。情急之下，他转过身去，用脚对着玻璃猛地一蹬，玻璃没碎，他的身体却被反弹出了半米之远。

他感到胸腔憋闷，显然他的时间已不多了。他又试着后退了大约半米，咽下一大口水暂时缓解缺氧憋闷的情况，同时把右肘支成"V"字状贴靠在头上（他打算把肘尖作为撞开玻璃的武器）。他把双腿弯到极限，使出吃奶的力量把身体弹射了出去，射向那扇窗户。

"哗啦"一声，他只觉得身体钻心般的疼了一下，但奇迹也接着出现了，他的躯体连同破碎的玻璃一道离开了差一点成为葬身之所的船舱。

他惊喜地试图上浮身体，却又发现胸、腹部被紧紧地卡在了栏杆中。他已经憋闷不堪，拼命动了几下，试图把卡着的身体退回去，可是身体却越卡越牢靠。他绝望地想，看来我真是要死在这里了！

他的手在胡乱摸索中碰到了仍然挂在他脖子上的数码相机，他的心猛然一震，一下子想起了妻子和女儿：我一句话都没有向她们交代，哪里能就此永别啊！

连续吞进几口水后，他用双手抓住左右两个栏杆，狠狠地把它掰向两边。他浑身颤抖，用尽了全身的力气，他甚至清楚地听到了自己牙齿用力的"格格"声。

奇迹再次发生了，栏杆在慢慢地弯曲、再弯曲，杨喜峰的双腿下意识地做了一个蹬水的动作，他冲了出来！

危难见大义，生还希望留给别人

头露出水面时，杨喜峰已经筋疲力尽。他发现，天已完全黑了，风雨依然很大。水面上飘荡着的杂物接二连三地碰撞着他的身体，而接连而来的巨浪和疼痛告诉他，目前他依然处在危险之中！

他拼命想划动双臂，可是右臂却怎么也抬不动了；左臂也又麻又痛，几乎使不出劲来。他费力地划动着左臂盲目地向前游了两三米。突然，不远处有人在叫喊："往这儿来，快往这儿来！"

有人扔出了一条皮带，他像抓救命稻草一样地抓住了它，终于被拖上了"岸"。上了"岸"他才发现，这"岸"其实就是已经翻转的明珠二号船的船底。它依然漂流在巨浪之间，丝毫没有安全。但不管怎样，

他总算是有机会歇息一下了，他一下子趴在船底，连说一个字的力气都没有了。

船底上已经有了一些人，他们大多数是坐在上层船舱的。

河面上又陆续有人头浮出来，被大家拉上船底。有人数了一下：船底上一共趴着 31 个人。在齐声呼救的间隙，大家都听得见船下面有"嘭嘭嘭"的敲击声，不言而喻，那是没有找到出路仍然在作最后挣扎的同事们。听着这绝望的声音，每个人都痛心万分，但大家已是无可奈何了！

杨喜峰突然想起一件要紧的事情：应该给妻子和女儿打一个电话，她们什么都还不知道，万一逃不了此劫，他也希望最后听一下她们的声音啊！他的眼泪直流到脸上：我要给妻子道歉，如果再有回家的机会，我保证以后一定做天底下最好的丈夫，做天底下最好的爸爸。他费力地从腰间摸出手机，它已经因为被水浸透自动关机了。他抖着手按住开机键，灯亮了。他费力地拨通了那个熟悉的号码后，他听到了妻子的声音："老杨，你在哪里？"这声音立时穿透了他的灵魂，一股热泪喷涌而出，他有太多的话要说，又不知道该怎么开口："玲子妈！……还生气吗？"妻子好像隐隐感觉到了什么："你怎么了，有什么事情吗？为什么说话断断续续的？"他的胸口一热，正想说"我先给你道个歉"，手机却毫不客气地自行关机了。他赶紧再按开机键，却没有任何反应，他无奈地放弃了，开始默默地念叨着妻子女儿的名字，一边念，一边一次一次地在心底说：我爱你们，我真的爱你们啊！

大约过了半个小时，大家看到了由远而近的一束灯光，那是一只船。希望就在眼前，但没有人欢呼。他们想到近在咫尺还有另外一些人已经完全没有了机会，他们的心实在灼痛不堪。就在一个小时以前，大家还一起谈笑风生的啊！还有谁在船下？他们的总数会有多少人？谁也不敢去算，也不敢去想。

来的是一只很小的铁皮船，开船的师傅告诉大家，只能带走 16 个人。一个洪亮的声音响了起来："女的先上，接着让受伤有病的上，再接着让年纪大的上！抓紧时间！"谁也不知道这句话是谁说的，但谁也没有反对。3 位女士小心翼翼地顺着一块小木板上了船，然后是重伤者，有几个重伤者是被人抬过去的，那些抬伤员的人把伤员安置好以后又自觉返回到明珠二号的船底。最后，轻伤者、年纪较大的人站起身，一个个地走向踏板，其间没有一丝拥挤，没有一点争执。这个场面令杨喜峰热泪盈眶。

杨喜峰受了伤，原本是符合被照顾条件的，但他犹豫了一下，随后又放弃了。因为他看见躺在他身边的同车间支书宫来生的腰椎受了伤，不但不便行动，人也已经上气不接下气了，可他说什么也不肯走，很固执地留了下来，把机会给了别人。杨喜峰被感动了，他想：尽管我有伤在身，可我识水性，比起那些不会游泳的人，我重新逃生的优势还是很大的，应该把机会留给更困难的人。（注：后来人们得知，宫来生是在几十分钟后被人救起的，获救后不到 5 分钟就停止了呼吸。）决定不走以后，杨喜峰开始闭目养神。

悲壮的坚持，为生命游泳不止

铁皮船离开了，"明珠二号"渐渐下沉，10 分钟后，船体高出水面仅剩下半米左右，而此时，船上的人们惊恐地发现，它的下沉速度也加快了许多。不能再等了！为防止被船沉没时带起的漩涡卷入深水，他们打算同时起跳，提前进入水中。

起跳前，杨喜峰把数码相机从脖子上摘下，心里有些舍不得，可他还是把它扔了出去，随着"一 一 三!"的叫声，船上的 15 个人果断地离开了"明珠二号"。这时，碰巧有一个救生圈冒了出来，几个不擅游泳的人抓住了这个救生圈。因为自己会游泳，杨喜峰没有去抓这个救生圈。放弃了这最后的希望后，他只能听天由命了。入水以后杨喜峰才知道，他的右臂伤得很厉害，根本动不了。更可怕的是，他感觉体力也完全不行了。他把右臂放在胸前，采取了平时最轻松省劲的游泳方式——仰泳。游了几分钟，他便虚脱了。身体总往下沉，划着水的左手显然也受了伤，每划一下水都沉重无比。迷糊中他歇了一下，鼻子立刻被浪头盖住了，他呛进一口水，咳嗽不止。

"再松懈一下，就见不到你的妻子女儿了啊！"他深吸了一口气，努力集中所有的精力。坚持了二三分钟后，无奈的困倦和懈息再一次袭来。他竭力让自己清醒：事发已经很长时间了，大批的救援者很快就会赶到这里的，再坚持 1 分钟吧。于是，他每用手划一下水，心里就默默

地数一下，数了60下以后，他又努力回想着女儿的笑脸，激励自己再数60下。

女儿的笑脸渐渐变得模糊起来，他又一次呛了水，连咳嗽的力气也没有了。此刻他多想打一个盹啊，哪怕是3秒钟的一个盹。但他知道这是万万不行的，眼睛一旦闭上，也许就再也没有机会睁开了。他顽强地对自己说："再坚持最后一分钟，最后60下……"

这时，大约是晚上8点左右，杨喜峰以仅存的意志顽强地漂流在巨浪滔天的河面上，他拼尽全力，下意识地一下又一下用左胳膊划着水，为了保持清醒，他强迫自己数着似乎永远没有尽头的"最后一分钟"，就这样，他在冰冷的水中，以重伤之身，以仅存的一点意识奇迹般地游了近一个小时。

恍惚中，他听到了机器的轰鸣声。他睁开眼睛一看，一艘摩托艇驶到了他的跟前，他再也控制不住自己，终于昏了过去。

不知道又过了多久，一声笛鸣使他睁开了眼睛。他侧了一下头，发现自己正躺在一艘船的甲板上，借着月光，他看到自己的衣服变成了可怕的黑色，那一定是血浸的。试着动了一下右侧的胳膊，根本动不了，一阵奇怪的疼痛袭来，他再一次昏了过去。

后来他才知道，晚上9点左右，大批救援部队赶到，当发现他还有微弱的心跳，8名武警抬着他飞奔着冲向急救车。随即，他被送往当地一家镇级卫生院。因失血过多，他的血压极低，部分生命指数一度为零，他又被转送济源市天坛医院急救。进行缝合的时候，医生们都对他的绝地自救感慨不已：他的右臂肌腱断裂、神经断裂、动脉断裂，整个肘关节缝合了38针之多；左臂缝合14针，头部撞出了一个大洞，估计失血3500毫升。医生说，一般失血800毫升左右就将导致头晕，脸色发白、乏力，失血1500毫升将进入休克而出现生命障碍，而失血达3000毫升，就可能因为器官衰竭导致死亡了。医生认为，像杨喜峰这样可怕的情况，在狂风暴雨中想要生还，几乎是不可能的。但他竟在惊人毅力和顽强意志的支配下，坚持游动了近一个小时，而且在脱离水面的最后一分钟之前，他仍然没有昏迷，仍然凭着惊人的意志一直指挥着自己不停地游着……

杨喜峰整整昏迷了一天一夜，6月23日晚上，他才悠悠醒转。那时候，他的妻子和女儿已经来到济源，他醒来时，她们正守在他的病床前，几乎哭成了两个泪人。看见他睁开眼睛，母女俩紧紧地拥抱在了一起。杨喜峰对妻子说的第一句话是："这回，我再也不看电视了。"妻子顿时泣不成声。他又转头对女儿说："爸爸没有完成任务，风景是拍得不错，但相机被我扔掉啦。"

百感交集的女儿猛地扑到了爸爸的床边："你给我和妈妈留下了最好的礼物，你是最棒的，谢谢你，爸爸。武警叔叔告诉我们，你的位置最危险，伤得最重，失血最多，却游得最久最长……"

7月初，杨喜峰转往开封155医院。经过精心治疗，目前已经逐渐康复，他的左臂恢复了正常，右臂的硬伤已愈合，但神经功能尚未恢复，自肘部以下依然没有知觉。

经过这场生死浩劫以后，杨喜峰才明白：死亡就是对这个世界毫无感知，没有爱没有恨没有快乐也没有痛苦。而他也正是由此彻悟，那些爱与欢乐，那些恨与痛苦，都是如此珍贵，因为它们标志着生的存在！

歌声不能死，
绝症乞儿唱进人民大会堂

黄剑

2004年2月3日，北京，人民大会堂。"2003年首届中国少年儿童艺术节"在这里举行颁奖仪式，被李谷一称为"少年天才歌手"、来自安徽的13岁少年王亮荣获大赛金奖。当王亮被父亲搀扶着走上领奖台时，台下出现短暂的静寂，随后响起如潮的掌声。观众眼里含着泪水，被这对父子用歌声创造的生命奇迹深深地震撼……

死里求生：歌声划破了生命的黑暗

王亮出生在安徽界首市泉阳镇老董寨村。1990年9月，王亮三个月大时，因为感冒发烧错打了一针青霉素，从此身体瘫痪，并且再也发不出任何声音。医生说，王亮得了神经根炎，其体内的神经系统瘫痪坏死，死亡率高达95%，即使花费几十万甚至上百万元，最乐观的结果也只能是一个植物人。

看着刚生下时面色红润的儿子，如今四肢呈大字形像壁虎一样贴在床上，王应堂和妻子丁淑琴不由得抱头痛哭。之后，两人商量就是砸锅卖铁，也要争取那5%的机会让儿子活下来。

从此，王应堂夫妇带着孩子天南地北地跑，边打工边为儿子治病。当打听到一位老中医会治此病时，夫妻俩就带着干粮，拉着架子车，隔天往返30公里带王亮去治疗。一段时间后奇迹出现了：王亮的肌肉开始有了痛感，嘴里也能发出一些微弱的声音。

孩子咿呀学语的声音时时传递着求生的讯息。哪怕是儿子从未说过一个清晰的词语，哪怕是医生说儿子随时都会死去，王应堂夫妇始终不愿放弃。为了挣钱给儿子看病，1995年春天，他们带王亮辗转来到河北沧州市郊区的一家砖窑场打工。每天清晨，王应堂把王亮抱到为他特制的小木车上，让他坐在工地旁。工地上有两个四川打工妹，她们喜欢一边干活一边哼歌，这时，王亮就会呆在小木车上，歪着头安静地听。一天，老实的王亮突然不安分了，嘴巴不停地颤动，发出了类似"唱歌"的声音。两个打工妹惊喜地对王应堂喊："天哪，亮亮会唱歌了！"

"儿子，这是真的？你唱，你唱给爸爸听听！"王应堂跑过来，用双手使劲地晃着小木车。在众人的注视下，王亮艰难地张着嘴，终于一个字一个字地唱了出来："世—上—只—有—妈—妈—好——"

这是怎样激动人心的歌声啊！这是小王亮出生以来第一次叫妈妈，竟是用唱歌的形式。王应堂夫妇流着泪，激动地亲吻着王亮的小脸。"儿子，儿子，你唱吧！唱吧！你唱歌咱就有救了啊！……"

王亮稚嫩的声音感动了窑场老板，他特意找来了录音机和磁带，每天"特许"王亮坐在工地旁，对着录音机学唱流行歌曲。在练歌的过程中，王亮慢慢地学会了说话，而且越来越利落。

发生在儿子身上的奇迹让王应堂看到：只要付出定会有所回报，他更加坚定了为儿子进行治疗的决心。1997 年春天，王应堂来到北京，将儿子背进了中国中医药大学附属医院。在这里，幼小的王亮每天都会接受中医理疗，全身要被同时扎上 36 根银针，但懂事的他每次都咬牙忍着疼痛，还不停地跟医生说笑。

王亮是坚强的。可有一天，一个同病室的小伙伴死去后，他的眼里不免露出了悲痛之色。好几天，他都不说一句话，只是呆呆地望着窗外。细心的父亲发现了儿子的哀伤，他想安慰孩子，可又不知如何诉说。

"爸爸，你看见窗外的树叶了吗？"亮亮突然问道，"爸爸，我给你讲一个故事吧。有一个身患重病的姐姐住进了医院，她的病只有一成希望。在她病床的窗口外长着一株常青藤，几根藤枝依附在墙上，上面只剩下最后几片叶子。她心里清楚，等所有的叶子都落尽后，她的生命也就终止了。和她同住在这个医院的一位画家得知她的想法后，趁着最后一片叶子落下之前，夜里偷偷地用画笔将那片叶子永远画在了墙上，后来这个姐姐终于得救了……"

"爸爸，我不会画画，可我会唱歌。是不是只要我这样唱下去，我就永远不会死？"儿子的话让王应堂震惊，他没有回答儿子。这位文化不高的父亲面对坚强懂事的孩子突然感到不知所措。他没有问儿子是从

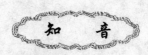

哪里听来的这个故事，只是再次将儿子揽入怀中，紧紧抱住，任泪水在脸上肆意流淌。

在中医院的治疗维持了近一年。为了省钱，王应堂在离医院二三十里外的地方租住了一间很小的地下室。他每天早上5点钟就将王亮背出来，然后走上两个多小时来到医院。

儿子逐渐长大的身体让父亲渐感吃力，汗水濡湿了他敞开的衣衫。王亮数次要从父亲的背上滑溜下来，都被王应堂用力地托举上去。

"儿子，唱支歌吧．那样爸爸就不累了。"

"爸爸，还唱《流浪歌》，好吗？"王亮伏在父亲的肩头，轻轻地哼唱起来："流浪的人儿想念你，亲爱的妈妈……"

路人无不为这对特殊的父子侧目。小王亮趴在父亲的背上，说："爸爸，你只要听到我的歌声，就知道我还在好好地活着……"他唱着唱着，便趴在父亲的后背上睡着了。

王应堂擦去脸上的汗水，在心里默默地说："儿子，只要你活着一天，我就要一路听着你的歌。哪怕你最终躲不过死亡，也要让歌声陪伴你去天堂……"

经过近一年治疗，王亮竟然能站起来了！那天，当王亮在医生和父亲的搀扶下，终于站在了地上时，他高兴地喊道："爸爸，我以后就能站着唱歌了！"王应堂喜悦中含着酸涩，他轻轻地摸了摸儿子的脸，温和地说道："唱吧，儿子，你就在这里给叔叔阿姨们唱吧。"

王亮像只小鸟般快活地唱了起来，他一连唱了两首。6年多来，第一次立直的身体有些支撑不住，就在他快要摔倒时，王应堂扑上去紧紧地抱住了儿子。病房的医生护士被这一幕深深地打动了，发出一片唏嘘之声。

苦中求乐：歌声放飞生命的奇迹

1997年夏末，王亮已到了入学的年龄，王应堂带他回到了家乡。

王亮虽然能站起来了，但他的脚面呈严重的"八"字外翻形，走路不稳，时常摔倒。王应堂遵照医嘱把王亮朝外翻的脚板固定在自制的木板夹上，中间辅以沙袋，每天搀扶着他在院子里来回走上好几个小时，再让他自己拄着双拐练习。王亮疼得龇牙咧嘴，大汗淋漓。有时候，王亮实在支撑不住一下子摔倒在地，他就责令儿子就地爬起来。当发现儿子的大腿根部被磨得鲜血淋淋，王应堂和妻子只能悄悄地背过脸，擦去眼泪。而这时王亮会满不在乎地对父母说："爸、妈，我给你们唱首歌吧！""不经历风雨，怎么见彩虹，没有人能随随便便成功。"在稚嫩却坚定的歌声中，王亮又开始了下一轮的练习。9月，王亮终于在父亲的搀扶下走进了小学的大门。

王亮进学校念书后，王应堂便把治疗的时间选在了每年的寒暑假。1998年春节前，王应堂带王亮到合肥打工治疗。一天傍晚，王亮被父亲背着走上四牌楼的人行天桥，王亮要父亲坐下来歇歇。

父子俩坐在天桥上。王亮望着在天桥上来来往往的人群，先在心里小声地哼唱，后来便渐渐提高了声音。"今夜我又来到你的窗外，窗帘里你的影子多么可爱。悄悄地爱过你这么多年，今天我就要离开……"这是一首王亮最喜欢的歌《窗外》，唱这首歌的残疾歌手李琛，挂着双拐才能走上舞台。

王亮小小的年纪和他那忧郁的歌声，一下子吸引住了许多行人。仅仅半个小时，王亮便在天桥上一连唱了7首歌。"爸爸，求你明天还让我到天桥上来吧！有那么多的人喜欢听我唱歌，我比飞到了天堂里还要快乐和幸福……"泪水顿时模糊了王应堂的眼睛。

第二天，王应堂从合肥的一位亲戚家里借来一台旧录音机、麦克风和几盒伴奏带，王亮便在四牌楼这座人来人往的天桥上开始了"卖唱"。王亮的声音委婉、清亮，每天都会吸引许多行人驻足倾听，并纷纷将一元、两元钱放在他的面前。

有一天，王应堂背着王亮走下天桥时，偶然抬头看到商厦旁边墙上贴着一张大幅海报：商厦将举办少儿春节文艺晚会。王应堂的心里忽地一热。他让王亮一个人坐在台阶上，自己则走进商厦，找到了一位负责人，恳求她让王亮上台唱两首歌。"他喜欢唱歌，只要一唱起歌来，他就忘记了病痛。这一辈子，我可能治不好他的病，但只要我活着一天，我就要让他不停地唱歌！"负责人被王应堂说得红了眼圈，破例同意让王亮参加晚会表演。

王应堂满脸兴奋地从商厦走出来，看到王亮正盯着那张海报出神。他和王亮并排坐在台阶上，他轻轻拍拍儿子的手说："你很想上台唱吧？

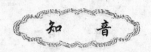

我已经跟他们说好了!"王亮一听,立刻抓着父亲的手,快活地叫道:"爸爸,是真的吗?他们真的同意让我上台表演?"

那天,王亮是被王应堂扶上台的,他接连演唱了两首歌。王亮动情的歌声打动了台下的小观众和他们的父母。当演唱结束后,好多人走到后台,把他们手中买的食品和礼物送给王亮。

就在这年年底,王亮的病却突然加重了。王应堂带着王亮来到上海儿童医院,医生说这个病出现反复并不奇怪,王亮随时都会有生命危险。

王亮一边治疗,一边走到上海的街头卖唱。1998年,王应堂又添了450元钱,买了一架电子琴。这是王亮获得的第一件乐器,他分外珍惜,日夜练习,到第三天便能一边弹奏一边演唱了。从此,王亮如鱼得水,只要是他会唱的歌,他就会弹,而且没用多长时间,他闭着眼睛就能熟练自如地弹奏了。

此后几年的寒暑假,王应堂又带着王亮到过郑州,石家庄。听从温州打工回来的人说那里很富裕,在2002年放寒假的时候,王应堂背着电子琴,带王亮到了温州。前三天比较顺利,卖唱共得了600多元。第四天中午王亮在街头演唱,王应堂去给他买饭,几个人开着一辆汽车过来,不由分说地将王亮塞到车上。王亮问:"叔叔,你们要送我到哪儿去?""送你到收容遣送站!"王亮的腿本来就站立不稳,一听这话腿就抖动得更加厉害了。"等我爸爸回来,不然他不知道我去了哪里,他会急疯的!"但几个人并不听他的。

收容的车刚开走,王应堂就端着一大碗面条回来了。不见了王亮,他的心一下子提了起来。当好心的市民告诉他刚才发生的一幕,王应堂顿时两腿一软,蹲在了地上,面条也泼了一地。这个七尺男儿,竟当街嚎啕大哭起来。

王亮被关进了收容站。第二天在吃饭前,想起为他付出诸多的父母,亮亮哭了。当着几个工作人员的面,他唱起《流浪歌》。"流浪的人儿想念你,亲爱的妈妈……"如泣如诉的歌声让人灵魂震颤。没有人阻止他,更多的人围了过来。王亮饱含着热泪,又接连唱了《窗外》、《大中国》,《爱拼才会赢》,连工作人员也情不自禁地鼓起了巴掌。

第三天,终于得知儿子消息的王应堂刚走到收容站门口,就听到一阵清亮的歌声在头顶上萦绕。没错，是亮儿在唱歌！"我把收容站当成了舞台，我不停地唱歌给他们听。最后，他们全成了我的热心听众，全被我感动了。假如我现在去了天堂，那真是比什么都快乐！"见到父亲后，王亮快活地说道，而王应堂的泪水早已沾满了衣襟。他在心中暗暗发誓：一定要给儿子一个舞台，让他尽情歌唱。

逆境求存：歌唱中找到天堂

2003 年暑假，王应堂带着王亮到了北京，一边治疗，一边卖唱。一天，他在一地铁站捡到一份别人丢弃的《北京晚报》，突然一行字跃入他的眼帘：由共青团中央、全国少工委等组织的"2003 首届中国少年儿童艺术节"即将举行。"让王去试一试！"王应堂在心里说。

王应堂没敢立刻告诉王亮，他找到劳动人民文化宫报名处，向工作人员说明了王亮的情况。工作人员破例免去了王亮的报名费，让他在北京赛区参加初赛。当王亮知道他将要参加的是一个全国性的大赛时，他愣住了："爸爸，我哪有那样的能力啊？"王应堂说："你别怕，就把它当成一次锻炼的机会！也许你还可以见到许多平时崇拜的歌星呢！"

7 月 20 日，来自各地 16 岁以下的少年选手集中在劳动人民文化宫，参加北京赛区的初赛。他们大多经过专门的音乐培训，有的还是音乐学院附中的学生，他们都随组委会住在著名的侨园宾馆。有不少孩子是坐着高级轿车来的，并且由全家人陪同。

王应堂和王亮住在一个打工的乡亲那里。他们凌晨 4 点钟就起床，倒了几趟公共汽车，才从郊区的工棚赶到参赛地点。在车上，王应堂鼓励王亮："上台，你什么也不要怕！虽然你是一个苦孩子，从来没有受过任何音乐培训，但你从 6 岁起就在街头演唱，比那些在学校里呆惯了的孩子见过的'场面'多，受的委屈也多，你比他们有更强的心理承受力！"

"爸爸，我什么也不怕。我是一个被判过'死刑'的孩子，今天能有这样的机会，到这样的场合去唱歌，我早已感到心满意足了！"

初赛时，王亮演唱的是郭峰的《甘心情愿》。王应堂只能从外面透过门缝看着他。王亮站在台上，腿虽然有些晃动，但他的歌声很稳，王应堂放心了。不一会，王亮摇晃着呈八字形外翻的脚走了出来，王应堂

立刻走上去搀住他。王亮笑着说："爸爸，我一点也没感到紧张，我觉得自己唱得棒极了！"

结果王亮不仅通过了初赛，而且进入了北部赛区的总复赛。在天津南开大学东方艺术学院，王亮以 9.5 的最高分获得北部赛区的第一名。比赛结束后，组委会的工作人员请上王应堂，说全体评委要跟他们父子在一起合个影！这些不是教授就是音乐家的评委们，平时在王应堂的眼里都是可望而不可及的，现在他们却要他和王亮站在中间！合过影后，一位中央音乐学院的女教授还掏出 200 元钱，让王应堂给王亮买点好吃的。"你有一个很出色很坚强的儿子！你应该为他感到自豪！"女教授红着眼圈说。

2004 年 1 月 29 日（正月初八），王亮接到了参加在北京举行决赛的通知。此时正值春运，买不到火车票，等王应堂和王亮在 2 月 2 日赶到北京时，才知道决赛就要结束了。因为王亮没有参加抽签，组委会临时取消了王亮的决赛资格。

冬天的北京特别寒冷。这天还下着小雨，父子俩瑟缩地站在一家商店门口，裤管和袖管已经被风雨打湿。王应堂的心里一片灰暗。他望着倚靠在墙上、眼里显得特别孤独无助的王亮，内心有一种说不出的酸楚。王亮靠着自己对歌唱的热爱，靠着他那虽然稚嫩、却富有感情和穿透力的歌声，一路冲进了决赛；而且半年多来的比赛，已带给了王亮新的希望，他的生命在歌声中飞升，创造了意想不到的奇迹！可是，现在却因为一个很偶然和他们所无法控制的原因，让那向天空和灵魂中飞升的歌声猝然中断，他不知道怎样才能安慰他的儿子……

王亮的心里更不好受。看着父亲在门口慢慢蹲下去的身影，泪水情不自禁地涌进了他的眼眶。父亲只有 37 岁，可是他的腰已经佝偻了，头发也白了不少。看到自己在歌声中一点点康复和成长，父亲比谁都感到快乐，现在父亲自然也比谁都失望。想到这儿，王亮擦擦眼里的泪，艰难地移了移身子，伸手拉起蹲在门口的父亲，微笑着对他说："爸爸，你不必为我感到难过。我虽然进不了决赛，但我肯定还能唱歌，我已经感到很知足了。只要我活着一天，我的歌声就一刻也不会停！即使我明天死了，我也不会有任何遗憾，因为爸爸曾经让我享受了生命中最美丽的歌声！歌声中也会有天堂……"王应堂紧紧地抱住王亮，好久没有松

开。

上天又一次护佑了王亮。情急之中，王应堂突然想起他的口袋里有一张名片，在天津参加复赛时，中央电视台青少部亢宝晶编导曾两次给王亮捐款。现在，只有找亢编导试一试了！

王应堂当即找到一个公用电话亭。"亢编导，请你想办法帮帮王亮，我实在不忍心看到他绝望的样子。"亢编导有些意外，答应立刻去找组委会说明情况，并让王应堂呆在公用电话亭旁边不要走。

两个小时后，气喘吁吁的亢编导终于将王亮带进了决赛现场。化妆师匆匆地给王亮化了一下妆，王亮便被女主持人搀扶着走上了台。女主持人向评委和现场的观众介绍道："王亮是来自安徽的一名患有重病的少年选手，唱歌已成为他延续生命的一种方式。因为家里没有电话，加上买不到火车票，他和他的父亲来迟了，差一点没能走上今天的舞台。现在，他将用歌声来表达他最真诚的心声……"

王亮拿起麦克风，对着评委和台下的观众深深地一鞠躬，然后用清亮的歌声唱起了郑智化的《水手》。

"苦涩的沙，吹痛脸庞的感觉，……他说风雨中这点痛算什么，擦干泪不要怕，至少我们还有梦……"

随着歌声，王亮的泪光在眼里闪动着。决赛现场的台下坐着许多观众，为了不影响评委打分，现场规定观众不准鼓掌，但王亮演唱的时候，现场却三次响起了清脆的掌声。

决赛结束后，工作人员将王应堂和王亮请进评委休息室，说李谷一老师要见他们。当王亮艰难地移动着身子，一瘸一拐地走到李谷一面前时，李谷一激动地拉着王亮的手，说："王亮，你是一位少年天才歌手！我们几个评委都从心里喜欢你，你的乐感很好，歌声很有表现力。你才13岁，你是在用心唱歌，非常难得！你很坚强，回去以后要好好努力，我希望以后在舞台上能够看见你坚强不屈的身影！"李谷一还主动跟王应堂和王亮合了影，并给王亮题词："勇敢就能战胜一切！"接着当场给王亮捐出 1000 元。

2 月 3 日，王亮登上了人民大会堂的舞台，他是两名获金奖的选手之一（另一位是中央音乐学院附中的女生）。为了鼓励王亮顽强不屈的精神，组委会还另外颁发给了王亮一个"特别奖"。王亮站在被亿万人

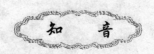

所瞩目的人民大会堂，眼里饱含着泪水。在强烈的聚光灯下，他好像听到了从遥远世界传来的歌声，歌声中隐隐地出现了父亲的一双泪眼……

王亮载誉归来，让曾经关爱过他的界首人民欣慰不已。2004 年 7 月 11 日，界首市电视台为王亮举行了一场个人专场演唱会。站在属于自己的舞台上，王亮泪眼闪烁：从一个被判"死刑"的孩子，到一个小有名气的少年歌手，王亮感到自己多年来的梦想终于实现。在演出的最后，王亮将自己的父母请上舞台，他流着眼泪，朝父母亲深深地鞠了一躬，然后用颤抖的声音为他们清唱了一首歌："我从心里谢谢您，给我安慰和鼓励。如果没有您给我安慰和鼓励，我的歌声将失去意义……"现场的掌声和唏嘘声混成一片，久久没有停息。

哭了倦了累了：活出个样来给自己看

——"歌坛才女"单丹的生命传奇

郭佳

2004 年初夏，著名笑星赵本山继成功推出电视连续剧《刘老根》后，他的另一部力作《马大帅》又在全国产生强烈反响。该剧主题歌《活出个样来给自己看》饱含丰厚的人生底蕴，让人振奋不已。令人难以置信的是，这首歌的创作者竟是一个从两岁起就永远地坐在轮椅上的22 岁姑娘！这个姑娘名叫单丹，曾经多次在全国歌唱大赛中获奖，还创作了多首高质量的歌曲，被誉为歌坛才女！

单丹是不幸的，从小就告别了行走和跳跃；她又是幸运的，她享受到太多的关怀，太多的爱。她创造的生命奇迹其实更是爱的杰作！下面是她动人的自述。

造就女儿，把苦难炼成珍珠

1982 年中秋节，我出生在黑龙江省富锦市，我父亲单锐敏在该市向阳川镇中学教书，母亲王素文在市企业局上班。当时活泼好动的我让爸爸爱得不得了，恨不得天天抱在怀里。

谁料满两周岁时，一场长期不退的高烧让我突患脊髓血管病，从此再也站不起来了！

爸爸抱着我踏上了漫漫的求医之路，佳木斯、哈尔滨、沈阳，最后辗转到了北京。专家反复会诊。可是始终找不到病灶所在，最后医生告诉爸爸，只剩一招：手术探查。手术探查就是打开孩子的脊椎查找，成功率低不说，稍有不慎就会有生命危险。爸爸陷入深深的矛盾中：做手术，怕永远失去心爱的女儿；不做，女儿也许会失去最后一线站起来的希望。

一夜无眠，爸爸好像大病一场，最后他决定还是给我做手术。

可术前体检，我体内的转胺酶太高，手术无法做。

"体质太差，回去给孩子补补营养再来吧！"大夫的语气里含着责备。可他哪里知道，爸爸为了省钱给我治病，就没有吃过一顿饱饭哪，一年间体重减了将近20斤！更苦的是在家里的妈妈，她每天洗衣、做饭、喂鸡、喂猪，还要照顾比我还小一岁的弟弟单聪。省吃俭用的妈妈还要四处借钱定期给我寄医疗费。

手术无法做了，爸爸悲喜交集。之后，他又多次带我进京就医，可我的病一直没能治愈。终于有一天，爸爸抱着我黯然而归……

我非常伤心，因为我知道，也许我今后漫长的时光就要在床上度过了。爸爸发觉我情绪的变化，向我许诺，他要把世界上最多的爱倾注在我身上。

于是，我在父母无微不至的呵护下慢慢长大。由于父母天天给我擦洗、按摩，我从没得过褥疮，而且双腿发育正常。家里有什么好吃的，总是先给我吃，然后才是弟弟。

有一次，我无意中翻出蹒跚学步时穿的绣花鞋。我捧着鞋，凝视良久，眼泪顺着面颊无声地流淌。爸爸轻轻擦去我腮边的泪，自己却抱起我失声痛哭……

之后，爸爸经常给我读《钢铁是怎样炼成的》，妈妈也总给我讲张海迪的故事，慢慢让我领悟到：渺小、脆弱的自己，必须选择坚强！

残疾的孩子更需要快乐。爸妈经常在家里营造快乐的氛围。有月亮的晚上，我们一家人最爱围坐在院子里，听爸爸拉二胡、吹笛子，伴着羌妙的乐声，我在柔柔的月光下一首接一首唱着爸爸教的歌。

7岁那年，和我同龄的小朋友都背着新书包上学了。一夜之间，我好像被撇在了一边。我耐不住孤寂和冷清，就哭着对爸爸妈妈说："我也要上学。"

爸爸摸着我的头嗫嚅着说："等把你的病治好了咱就上学。"我清楚希望是那么渺茫，不禁大哭起来。爸爸不忍再看，转身走出门外，他痛苦得用手捶头……

经过一个不眠之夜，妈妈第二天上午突然给我换上了一身新衣服，激动地搂着我说："孩子，妈今天送你去上学，今后妈的腿就是你的腿了！"

从此妈妈每天背着我去上学，无论春夏秋冬，风霜雪雨，只要趴在

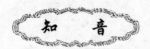

妈妈的背上，我就感到温暖、熨帖。妈妈把全部的精力都用在我身上，除了早晨、中午、晚上接送以外，课间时，还要赶到学校抱我上厕所。

一天下雨，妈妈背着我回家，她一手打着雨伞一手搂着我。突然，她脚下一滑，摔倒了。我哭喊着："妈妈，妈妈！"滂沱大雨中，她艰难地跪起一条腿，喘息了一阵，才支起另一条腿。那天晚上，妈妈的膝盖流了很多血。我内心颤抖不已，哭着说："妈，我不上学了……"妈妈狠狠数落了我一顿，然后把我紧紧地搂在怀里……

教师节到了，学生要表演节目。行动不便的我端端正正地坐在椅子上，动情地演唱《献给老师的歌》："你给我世上最美的爱，我爱你有颗赤诚的心……"半年来，我有太多的话要对老师说，就把所有要表达的感情都融进了歌声里。老师们感动了……

我被爸爸长期潜移默化培养的音乐天赋，这时被老师发现了，从那时起，直到中学毕业，我一直担任班级的文艺委员。每一次在学校和班级的活动中，都会听到我的歌声。同学们纷纷向我投来羡慕和赞赏的目光，一种从未有过的愉悦和欣慰在我心底升腾。

1993年，富锦市召开文化工作会议，会议后有一场演出。负责这件事的是爸爸的同事牟玲贤。他找到爸爸，说想让我登台唱一首歌。演出那天，我由别人推着上场唱了一首《小背篓》，一曲唱罢，掌声雷动。11岁的我一下子出名了。没过一个月，我到佳木斯参加残疾人歌手大赛，一举夺得了一等奖。

1994年，正在读中学的我，有一天看到了《中国青年报》上刊登的"第二届全国残疾人歌手大赛"的报名启事，我就有一种很强烈的报名欲望。好心人提醒我："通俗组全国才选30人，你又没有专业学习过，多大的雨点能落到你头上？"可我就是想试试，心里好像有团火在烧。于是爸爸就把旧磁带洗了，为我录了两首参赛的曲子，寄到北京大赛组委会。

28天后，北京寄来了"参赛通知"。爸爸激动得流下了泪水，我拿信的手在微微颤抖，不敢相信它是真的，兴奋地抱着爸爸笑了。

我成了富锦市第一个登上首都舞台的女孩，我是所有参赛选手中最小的。进入比赛，我在30名选手中抽签抽了第1号，面对着台下那么多著名的专家评委，我从容地唱完了那首《风含情水含笑》，获得了通俗

组的优秀奖。我第一次真切地体会到了自身的价值。

背井离乡，成长的每一步写满感动

那天比赛过后，评委金铁林老师对爸爸说："这孩子很有音乐天赋，应该着力培养。"接着金老师又说："可惜不是在北京，在北京我可以教她。"说者无心，听者有意，专家的观点一下打开了爸爸的思路。

一个多月后的一天，爸爸突然对我说："咱们把家搬到沈阳，送你去学唱歌好吗？"这话简直让我惊呆了。半晌，我双手紧紧搂住爸爸妈妈的脖子，大声地欢呼着！平静下来，我问爸爸："那你们的工作呢？"爸爸若无其事地回答："到那儿再找新工作。"

作出搬家的决定，是冒着巨大风险的。当时，爸爸已经调到了镇政府工作。搬到沈阳去，人到中年的他们还能找到称心的工作吗？可为了我的前途，爸爸没有考虑那么多。他把家里的东西都变卖了。看着空荡荡的屋子，我的心也空了，我心底里升起一种从未有过的酸楚，同时暗下决心：一定要唱有所成！

1995 年 3 月 25 日，我们一家四口来到沈阳。一个又一个的难题摆在我们面前，房子是头等大事，弟弟的学业，爸爸、妈妈的工作……我们陷入了困境。

爸爸租了一个每月 200 元的单间，将家先安顿下来，然后和妈妈分头找工作。可一连几天都没结果，他们口袋里本就不多的钱在一点点减少。有一天晚上，我和弟弟都睡了，爸和妈还在为生计发愁。妈妈哭着问爸爸："今后的生活可咋办呀？要不，再搬回去？"爸爸哽咽着说："我就是倒骑驴也要撑着这个家，决不能再返回了。"接下来，他们俩相对抽泣起来。他们不知道，我早已经醒了。听到父母的对话，我一下震惊了，深深地体会到爸妈为了圆我的唱歌梦付出的代价有多大……

第二天是个雨雪天，爸爸又早早起床找工作。晚上回来，妈妈把爸爸的鞋袜放到暖气上，爸爸穿的那双大头皮鞋不知何时已断了底，鞋袜都是湿的。爸爸竟然穿着这样的鞋走了一天！我的心颤抖不已，发誓挣到钱一定给爸爸买双新皮鞋。不久，爸爸终于找到一个月工资 400 余元的工作，妈妈也在一家饭店找了一份洗碗的活，尽管工资都不多，却让我们看到了希望。

知　音

　　1995年5月，爸妈带着我去残联办残疾人证。经残联介绍，我们认识了南风集团的董事长吴宁叔叔。吴叔叔了解情况后，深深为爸妈的舐犊之情和我的自强自尊所感动，便替我设定了两个计划，一是由他帮助找声乐老师，二是帮我找个歌厅唱歌。吴叔叔鼓励我："束缚人的不是身体，而是信心的溃散。你要学会坚强，要和健全人一样去努力拼搏。"望着眼前这位同自己一样坐在轮椅上，却又开创了一番大事业的叔叔，我顿生敬意。后来，吴叔叔又送给我一辆4000多元的轮椅和一台彩电。有了轮椅，有了他传递给我的精神力量，我仿佛恢复了健全的双腿，能够尽情地行走和腾跃了！

　　随后，父母带我拜见沈阳音乐学院教授马素娥老师。一见面，马老师就喜欢上我了。收下了我这个弟子。每周六，爸妈都要带着我换两次车到老师家学习。我深知学习的机会来之不易，每天在家猛练胸腹联合呼吸法，增强腹肌的力量，像着魔一样地练唱。因为怕去厕所浪费时间，我尽量控制喝水，只在口渴时抿一小口润润嘴唇。我克服自身的不便努力去唱好每一首歌。

　　有一次，老师教我一个发音法，我想让老师看到我进步很快，狠下心来一天不间断地练，没想到欲速则不达，我竟然失声了。大夫看过说，嗓子肿了，不能再唱了，否则会哑一辈子。不能唱歌，这对我来说比死还难受。我把自己关在屋里，想到爸妈为自己付出的一切要付诸东流，我万念俱灰，在纸上写下这样的语句："时光何时能够倒转？让我重新面对辽阔的云天。生命何时能够到站？让我放松你那疲累的双肩……"

　　晚上睡觉前，妈妈在我的枕头下面发现这张纸，抱住我放声大哭："有病治病，干吗要往坏处想呢？"我哭着用手比画："我不能唱歌了呀！"爸爸握住我的手："你只是暂时哑了，好了还能唱。就是不能唱了也没什么。记住：命运关闭一扇门时，它还会打开另一扇窗的。"

　　我对爸爸点点头。泪再一次从我的脸上流下来：我如果放弃了，才是对他们最大的打击呀！

　　经过一个时期的专业训练，我的演唱水平终于有了很大的提高。1995年7月3日，爸妈带着我去吴宁叔叔介绍的伊斯兰歌舞厅。歌舞厅的经理马驰破例聘用我为歌手，当天就上台表演。没想到我的第一首歌

433

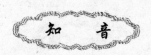

《轻轻地告诉你》，就让在场的所有人都落泪了，阵阵的掌声也快把我的歌声淹没。那一刻，我的视线被泪水模糊，我陶醉在这幸福的海洋中……

当马叔叔把装有工资的信封交到我的手里时，我激动得心都要蹦出来："我能赚钱了！我能为家出力了！能回报父母了！"星期天，我让弟弟推我去了商场。我给爸爸买了一双崭新的皮鞋。爸爸乐得合不拢嘴，穿上鞋在屋里走来走去。我给妈妈买了一支进口的护手霜，对她说："妈，您搽了它就再也不会皲手了。"妈妈流着泪对爸爸说："咱们的女儿长大了！"

有一天唱完歌已经很晚了，马叔叔特意开车送我回家，这才了解到我家的现状。每天爸爸要推着我行半小时到公共汽车站，然后坐车才能到歌舞厅唱歌。我们家住的是七楼的一个小套间，每天爸爸要抱着我上楼，妈妈在后面拿轮椅。那一百几十级楼梯，他们一步比一步上得吃力，中间要歇几次，每一次到家都累得不停地喘息，泪水和汗水一起奔流……马叔叔看到这一幕，心被深深地触痛。几天后，他在歌舞厅附近租了一套2楼的房子，让我们全家搬了过去。

此后，我们一家渐渐有了转机，弟弟也上了学。我在歌舞厅唱歌，结识了很多善良的人。

爱的奇迹：轮椅上的歌坛才女横空出世

1995年7月24日，著名笑星赵本山到伊斯兰歌舞厅参加一个活动，马驰叔叔把我介绍给了他。听了我的故事，赵老师深深为父母对我的那份深沉的爱所感动。赵老师并不常去伊斯兰歌舞厅，但是他每次去都要塞些钱给我。他非常欣赏我的乐天劲，他鼓励我要自强自立："你不但要唱，还要自己创作，把最真实的感受写出来，把最阳光的一面唱给大家听。"

1996年，我在向马素娥老师学习了一年多的美声唱法后，又跟沈阳歌舞团的张实老师学习通俗唱法。张实老师是非常热心的人。为了方便我学习，他上门辅导，并且不收一分钱。除了教唱歌，他还教我做人的道理，让我看到了音乐，情感与人生碰撞出的火花，让我更深刻地领悟到了歌唱和生命的意义。

知　音

2000 年 5 月，我赴京参加"第三届全国残疾人歌手大赛"决赛，获得二等奖。颁奖晚会上，我捧起沉甸甸的银色奖杯，激动万分，父母的付出终于有了回报！

这一次北京之行，更坚定了我在艺术道路上拼搏的信心。更令我庆幸的是，海政歌舞团词曲作家付林老师破格收了我这个学生，并送给我一本他自己的书《通俗歌词写作新概念》。返程路上，兴奋的我一夜未眠。我想起自己成长的路，身边的每一个人都在呵护着我，爱护着我。小学时，母亲背我上学的一幕再次在我的眼前重现。激情难抑的我，写下了《从前有一座山》："好像看到了你的笑颜/风吹过了我的童年/我怎么有了那么多的辛酸/记得背我上学的那一天/你摔倒在泥泞的小路边/你流了那么多的泪/我却无法离开你的肩/妈妈你是一座巍峨的山/我在山上看到了风光无限……"

2002 年 8 月 17 日，我参加了赵本山老师在辽宁体育馆举行的扶贫助学义演大型晚会。我很珍惜赵老师给我的这次机会。那天我唱起这首自己谱写的歌曲《从前有一座山》，没想到收到了非常好的效果。回想以前赵老师勉励我的话，心中突然升起了新的追求：唱自己的歌。

2003 年非典袭来时，白衣天使的付出深深感染了我，我在激动和感动下写了两首赞美医护人员的歌。其中《天使的微笑》被收入辽宁首张抗非典专辑，不久其 MTV 被中央电视台播放，在全国产生了很大影响。

2003 年 8 月末，我带着自己写的歌词《今天过了就是明天》去看望赵本山老师。他看过后连说不错。他跟我简单讲了一下正在筹拍的电视连续剧《马大帅》的情节，让我试着写写主题歌词。回到家，我怀着激动的心情写了两首歌《男子汉》和《走好你的路》。11 月 19 日，我跟父亲一起到《马大帅》的拍摄现场。赵老师看过歌词，认为不错，但在细节上不是很切题。他拿来剧本，让我深入地看一下，好好感悟感悟。我以前写歌词，都是有感而发，这次是"命题作文"，我开始感到了压力。

回到宾馆，我用了一夜的时间，将剧本看完，被里面深沉的情感所感动了。我用一个上午的时间写下歌词《情》。赵老师看后，发觉一次比一次更贴近心中所想，但是好像还是缺点什么，有些东西还有待于升华。赵老师让我再换一个角度写，什么也不用想，跳出"马大帅"。"别

想别的，就写你自己，想一想你的生活状况、你是如何快乐地活着的。放开写，一定行！"

赵老师的话一下子打开了我思想的闸门，我一下进入了物我两忘的境界。一天之后，我写出了《活出个样来给自己看》："每一天呦每一年/急匆匆地往前赶/哭了倦了累了/你可千万别畏难/是路就免不了有沟沟坎坎/就看你怎么去闯/怎么去闯每一关/活出个样来给自己看/千难万险脚下踩/啥也难不倒咱……"赵老师看后，拍案叫绝，当即定下就用它。

自己的作品得到了肯定，我心里激动不已。回忆自己在宾馆埋头创作的半个月，我更加感激陪着自己的父亲。我处在创作的亢奋中，几天几夜不睡觉，爸爸看了又心疼又着急，想帮也帮不上忙，只能轻声劝："你睡一会儿吧，一会儿我叫你。"我每写好一首歌词，都要先念给他听，这时，他又成了一个评论家。歌词入选后，他显得比我还高兴。

2004年初，《马大帅》在全国各地电视台热播，深受好评，其主题曲也得到许多观众和专家的赞赏，我心里涌着一种感动和震撼。这是我创作的转折点，也是我艺术人生起飞的一个起点。

我是不幸的，两岁就永远地坐在了轮椅上，告别了行走和跳跃；但我又是幸运的，因为残疾，我享受到太多的关怀，太多的爱。我总觉得有无数双期盼的眼睛在注视我，给我一种无形的动力，所以我必须要前进。我要写出唱出心中的歌，要用歌声来表达对爸爸妈妈，老师以及所有关心帮助支持我的善良的人们的爱，把爱重新播撒到社会和人们的心间！

强奸罪成立：伴娘醉酒歹徒作恶婚床

桃　然

婚礼是欢乐而圣洁的。然而；在广东省牟顺县一对新人举办的结婚喜宴上，却上演了一场强奸闹剧：一个男宾客以"闹喜"为名，频频举杯缠着伴娘喝"交杯酒"。当伴娘不胜酒力昏睡后，他趁机图谋不轨，将伴娘强暴！案发后，他为给自己开脱罪责，辩称他与伴娘发生性关系时，伴娘未作反抗，他也未使用暴力，算不上是强奸。他说在朋友的婚宴上"闹喜"是为了"助兴"，即使闹出了格，也算不上犯罪。

那么，伴娘醉酒蒙羞后，这场出格的婚宴闹剧该如何定罪，最后又是如何收场的呢？

好友要出嫁，
深圳女孩千里迢迢出任伴娘

23 岁的王莉是广东省丰顺县人，她天生丽质，性格开朗，在深圳一家公司做文秘工作。她有一个好友叫陈欣，是高中同学。203 年 9 月，陈欣打电话，说她要结婚了，希望王莉做伴娘，王莉爽快地答应了。

9 月 26 日，王莉向公司请了几天假，坐上了深圳开往丰顺的豪华大巴，兴致勃勃去参加陈欣的婚礼。

陈欣的男朋友叫袁浩，他有一个铁杆哥们叫刘凯，此人油腔滑调，好耍嘴皮子。那天，他也应邀前来袁家参加婚礼。

9 月 29 日上午 10 时整，当袁浩直奔陈欣的房间，轻轻地敲着门时，王莉快速挤到门边，转过身将右手食指放在嘴边"嘘"的一声，示意屋内其他 4 个姑娘不要开门。接着，她连连出招，都没有难倒新郎。最后，王莉高兴地打开房门。新郎赶紧从衣袋里拿出红包，分给送嫁的姐妹们。接着，陈爸牵着女儿的手，郑重其事地将女儿交给袁浩。在众亲友的喊声中，这对新人恭恭敬敬送上"喜茶"。接新娘的仪式完成后，陈

欣款款走向迎亲的小轿车。

上午 11 点半，当迎亲的小轿车在一座农家小院门口停下来时，随着一声"新娘进屋了！"的喊声，顿时鞭炮齐鸣，众人簇拥着新郎、新娘走进了富丽堂皇的一楼大厅。

12 点钟，热闹的婚宴就要开始了。刘凯见王莉坐在客厅一角，就油腔滑调地向她大献殷勤，把花生、糖果摆上桌面，还给王莉倒茶，并不失时机地称赞王莉比新娘子还漂亮。王莉出于礼貌，和他有一句没一句地聊了起来。

袁家是单门独院，在主婚人的主持下，新郎新娘一拜天地，二拜祖先，三拜高堂，并向双亲奉上香茶。接着，由新郎倒茶，新娘向男方家族中的长辈和亲戚逐一敬"喜茶"（红糖水）。按照当地的风俗，"行茶礼"是新娘身份得到男方家族承认的象征。最后，新娘在新郎的陪同下，又给入座的宾客倒"喜茶"。

王莉边品茶边欣赏陈欣的"行茶礼"，脸上不由荡漾着羡慕的神情。她是第一次亲历这样朴实而隆重的婚礼，在这样的热闹气氛中，她心里编织着自己的未来，并暗暗记下新娘在婚礼上该做的礼节，为自己那美好的一刻积累经验。

"闹喜"出了格，
醉酒伴娘在婚宴上蒙羞受辱

婚宴开始后，宾客们个个挥动筷子，举杯畅饮。一时间，小院里酒香四溢，敬酒声、划拳声、祝贺声响成一片。每位宾客与新郎新娘碰杯，美好的祝福也随口而出。

王莉刚好与刘凯等宾客同在一桌，他们七男一女，年轻美丽的王莉自然成了中心话题，丰盛菜肴，美酒佳人，使这一桌的宾客吃得兴致勃勃，有声有色。由此也带动了整个婚宴的气氛，酒杯此起彼伏。看着新郎新娘巡回跟客人敬酒，王莉也坐不住了，频频端起酒杯，走向其他席位，主动向宾客们敬酒。凡有来宾向她敬酒，她也来者不拒，豪爽地举起酒杯，一饮而尽。因为高兴，她不断与宾客碰杯，互相开着玩笑，嘻嘻哈哈地闹着，笑着……因为酒喝得太凶猛了，几轮下来，王莉感到有了一些醉意，就起身坐到一边的沙发上，靠着沙发稍作休息。

　　刘凯见王莉有些醉，就心怀叵测地频频劝酒，嘻嘻哈哈地闹着要与王莉喝"交杯酒"。在乡风古朴的粤东山区，虽然这种做法有些出格，但因是在婚礼上的"助兴"，就没人阻止，反而觉得很刺激。于是，刘凯右臂揽着王莉，将她半搂半拉到桌子边。在众人的嬉笑声中，王莉实在感到难为情，就挣脱刘凯的手臂，蹲到桌子底下。此时，她觉得胸腔像要爆炸似的，心脏好像也在一阵阵地抽搐，难受得无力喘气。从脸上的表情可以看出，她已经醉得不轻了。

　　刘凯见与王莉喝"交杯酒"的游戏没做成，就厚着脸皮去拉王莉的手，见王莉仍不搭理，他便强行将王莉搀起来，端着酒杯，用略带沙哑而干涩的声音说："这是最后一杯敬你！喝了这一杯就不喝了。"

　　王莉见被刘凯缠住了，就硬着头皮端起酒杯。刘凯趁机一手搂紧她，一手将杯里的酒往她的嘴里倒……王莉难受极了，使劲地扭摆着。

　　婚宴进入尾声，酒精在王莉体内开始强烈发作，她感到一阵阵眩晕，头重脚轻，眼睛也模糊起来。她借着没有完全麻痹的意识，跟跟跄跄走出客厅，拖着极其疲惫的脚步登上二楼，径直走进好友的洞房，迷迷糊糊地扑倒在席梦思床上。居心不良的刘凯跟着走进了房间。当时，房间里还有5位客人，他们见王莉醉倒在床上昏睡，为不影响她休息，就陆续离开了。

　　刘凯见房里只有他和王莉，顿起淫心。他蹑手蹑脚地将房门反锁起来，然后向昏睡之中的王莉靠近。此时，毫无知觉的王莉仰躺在床上，双颊晕红，涂过唇膏的嘴唇更显鲜红、性感，丰满的胸脯，有节奏地一起一伏。

　　刘凯那双色迷迷的眼睛看着这一切，兽欲如火山熔岩一样在喷发。他伸出双手，先试探着摸了摸王莉的酥胸，见王莉一点反应都没有，他心头的欲念越发狂烈了。他想：新郎新娘在大门口送客人，一时半会还不会回到房间里来。于是，他迫不及待地把王莉的衣服脱得一丝不挂，随后又脱光了自己的衣服……对人生充满美好遐想的王莉，或许正在做着新娘的美梦，她绝不会想到，厄运就这样降临到她的头上！

　　却说早先从房间出来的5个宾客，一直没见刘凯出来，觉得有些不对劲。其中一个人找到新郎袁浩，把伴娘喝醉酒，昏睡在二楼房间以及刘凯诡秘的行踪告诉了他。袁浩不想惊动爱妻，一个人急忙登上二楼，

发现原来大开着的房门被反锁了。他警觉地敲门，叫着刘凯的名字。刘凯听到喊声，竟然冲着门口说："等一下，还没有完呢！"

袁浩闻言，意识到大事不妙，他愤怒地大力踢门。几个跟在身后的宾客连忙拉着他说，大喜的日子踢破门多不吉利呀！于是，他们把袁浩拉到楼下大厅。

刘凯发泄完兽欲后，不由得有些紧张。听见门外嘈杂的声音停了，他赶紧穿好衣服，逃出房间后随手将门锁上，在众人眼皮底下如惊弓之鸟逃离了现场。

过了一会，袁浩用钥匙打开房门，他走进去一看：王莉赤身裸体昏睡在床上，她的衣服散落在地，对刚刚发生的事情仍然一无所知。看着此情此景，袁浩震惊得瞠目结舌，他当即退出来，掩上房门，奔跑下楼，焦急地走到妻子面前，贴着她的耳朵，将这一切悄悄地告诉她。

陈欣一听如五雷轰顶，身体不由微微一颤：王莉还是黄花闺女，是她邀请来做伴娘的，出了这种事可怎么办啊？陈欣顾不了矜持，慌忙跑上二楼，推开虚掩的房门，将地上的衣服一件件拾起来，迅速帮助仍处于昏睡状态的王莉穿好。想到灾难如此突然地降到好朋友的头上，陈欣的心情陡然降到了冰点。她哭着，用力摇晃着王莉，可王莉还是醉得昏昏沉沉，不省人事。残酷的场景如同做噩梦一般荒诞不经，酸楚笼罩在陈欣的心头，她伏在床上号啕痛哭，她与心爱的人还没有进"洞房"；却有人如此荒淫无耻，干出如此荒唐之事！她茫然不知所措，不知如何收拾这个"残局"。

楼下的客人被惊动了，他们纷纷走上二楼，七手八脚地帮助陈欣将王莉送往医院。

刘凯以闹喜为名强奸伴娘的消息不胫而走，前来参加婚礼的亲朋好友无不惊讶。刘凯的所作所为，无疑把一场喜庆而圣洁的婚礼给玷污了，刚才还充满喜庆气氛的小院，骤然变得异常沉闷凝重，大家怎么也轻松不起来。一位宾客愤怒地拿起电话，向丰顺县公安局报了案。

闹剧悲凄谢幕，
无反抗强奸以犯罪论处

民警接到报案后马上赶赴现场，警方确定犯罪嫌疑人就是刘凯。当天下午，民警敲开了刘凯的家门，看见民警突然出现，他不禁打了一个寒战。随即，一副锃亮的手铐戴上了他的手腕。

在民警对刘凯进行审讯时，他承认与王莉发生了两性关系。为了开脱自己的罪责，他辩解说自己是无辜的，他没有强奸。他列举的理由是：在婚宴上"闹喜"是当地的风俗，在这种特殊场合，男女之间有些出格的举动并不为过；王莉愿意跟他喝"交杯酒"，说明她对自己有好感，他和王莉上床，就像喝"交杯酒"一样，都是闹着玩的，没有必要承担法律责任；他与王莉发生性关系前，曾私下向她提出过要求，王莉有"嗯"的应答声。所以他的行为是征得了王莉同意的；在他与王莉发生性关系的过程中，王莉并未完全酒醉，完全有思维和判断意识，但没有反抗，他也没有使用暴力……刘凯坚持认为，他对王莉实施的性行为是双方自愿的

王莉针对刘凯的狡辩提出了反驳，她说：在那天的婚宴上，很多人都闹着喝了"交杯酒"，难道他们都要发生性关系吗？刘凯已经是有家室的人，应该知道与别的女性发生性行为的后果；刘凯以"尽地主之谊"为借口，在酒席上缠着她不放，她是出于礼节与之喝酒的，并不存在对他有好感；刘凯先将她灌醉，最后实施性侵犯，事后又畏罪逃跑，都说明他是有预谋实施强奸的；刘凯犯罪时，她被酒精麻醉，失去了知觉，不能认为她默认了此事而不反抗。因此，刘凯必须受到法律的制裁，还她一个清白。

2004年3月9日，丰顺县人民法院根据检察院的指控，开庭审理了这起特殊的强奸案。法院在调查中了解到：王莉被送到医院后，因血液中的酒精含量超出正常人的20倍，经洗胃和输解酒液才清醒过来，对刘凯实施的犯罪行为一无所知，说明事发当时完全失去了自主判断意识。而刘凯在酒后能进行锁门、脱衣、实施性侵犯和逃跑等行为，说明他思维清晰，意识清楚，能预知性行为的后果，存在实施强奸犯罪的故意。法院在掌握该案的全部事实后，依法作出一审判决：刘凯犯强奸罪，判处有期徒刑6年。

刘凯当庭表示不服判决，上诉至梅州市中级人民法院。辩称其与王莉发生性关系是双方自愿的，事先征得了王莉的同意；该案发生在婚宴现场，有其特殊性，只是"闹出了格"，不应以强奸罪论处。即使构成

了强奸，也属酒后行为失控，而一审判决量刑过重，故请求二审法院子以改判。

梅州市中级人民法院接到刘凯的上诉书后，依法组成合议庭进行审理。法官认为：我国《刑法》规定：酒醉的人犯罪应负刑事责任。只要是违背了妇女的意愿与其发生性关系，无论当事人是否反抗，意识是否清醒，均构成强奸罪。当时，王莉酒醉达到昏睡的程度，精神受到酒精的严重麻醉。刘凯乘被害人因酒醉而浑身乏力、无法反抗之机，强行与其发生性关系，完全违背了她的个人意愿。刘凯实施的一系列行为，符合《刑法》规定的强奸罪的构成特征。

合议庭认为：刘凯无视国家法律，违背妇女意愿，利用被害人酒醉昏睡之机强行与其发生性关系，其行为构成强奸罪。对上诉人提出原判量刑过重的诉求不予支持。原判在法定量刑幅度内，已充分考虑了上诉人的悔改表现，并酌情作出了从轻处罚，原判量刑恰当。最后，合议庭依法作出裁定：驳回上诉，维持原判。

罪犯刘凯受到了法律的制裁，法院的判决也给受害人王莉讨回了公道。但是，对于一个年轻貌美，充满美好憧憬的未婚姑娘来说，这种伤害造成的创伤，也许是一生一世都无法弥补和淡忘的。

王莉的不幸遭遇也给姐妹们敲响了警钟：在任何时候，女性都要学会保护自己。本案的受害者王莉，就因为缺乏防范意识而导致了伤害。假如她不是因为喝酒太多并且喝得昏睡过去的话，她在被害过程中，就完全有能力抵抗，使自己免受伤害。

不屈申冤，终于再现发生惨祸的那一刻

火战车

2004 年 5 月 31 日，广州市中级人民法院开庭审理了杨继兰"模拟现场"推翻三年冤案的民事诉讼。此前，这位命运多舛的女子和律师一起，促成了一个由多位法学家、司法鉴定专家主持的、在国内罕见的"案件模拟现场"的司法实践。这使得这位被凶手致残的 39 岁女性终于获得在公安部门重新报案、在法院重新审理本案的资格，一个柔弱女子使如山铁案得以"咸鱼翻身"，凶手也终于落入法网……

欲哭无泪：走过生死线后在仁义的忍让中被"凶手"反戈一击

2000 年 12 月 11 日下午，在广州永和经齐开发区附近，两辆牌号分别为粤 A38129、奥 A08018 的扬子牌平头中巴客车的乘务人员发生激烈争吵，继而粤 A38129 车主兼司机陈海带领弟弟——另一中巴司机曹明海等一班人，冲上粤 A08018 中巴上将司机打伤。该车车主杨继兰和丈夫王选清赶紧来到现场了解情况。刚到地方，陈海开始驾车远去，这时王选清便启动自己的中巴车拉上妻子冲上去紧急追赶。十几分钟后，王选清驾车远远超过陈海的车后停在一边，这时杨继兰下车站在路的中央等待陈海的到来。

陈海发现杨继兰站在前面拦截，便将车速减了下来。人与车的距离在慢慢地拉近，当车头就要靠近到她的时候，杨继兰终于松下一口气，她想到底拦下了这辆想要逃避责任的车了。可她万万没有想到的是，一声汽车马达爆发的声音像野兽一样轰然而起，然后她猛然地听到了只有在电影里才能听到的那种轮胎摩擦地面的尖啸——可恶的汽车冷不防地加速了，这时杨继兰快速地闪向一边，在身体猛然失衡的情况下本能地抓了一下汽车的后视镜，这时她感到陈海迅速地向左打轮，霎时间她的

左腿和下身部位被重重地撞击了一下……杨继兰发出一声撕心裂肺的惨叫，然后瘫倒在地。

陈海驾车疾速而去，杨继兰的丈夫赶紧跑过来。他发现，已经休克的妻子的左腿和下身已是一片血肉模糊。他赶紧抱起妻子，驾车送往广州电力医院……当时，杨继兰被诊断为失血性休克、骨盆粉碎性骨折、左髋关节骨折、耻骨上下肢骨折、膀胱等器官多处破裂，左大腿内侧皮肤大面积缺损，并有黑色的类似烧焦的严重伤痕。医生百思不得其解地说："真不明白，车怎么能把她撞成这个样子？"

为了救活一直昏迷的杨继兰，医生当即抽调几位专家进行了大手术。由于杨继兰失血过多，手术过程中医院用尽了储备血，这时陈海及双方中巴车所属的运输公司领导都来到医院。面对生命垂危的杨继兰，陈海痛快地挽起了袖子："是我的错，抽我的血吧！"看到陈海的态度，王选清心间五味杂陈……

半年前，夫妻俩一起离开家乡湖北荆门市来到广州，他们用开出租多年积攒下的10万元钱承包了一辆中巴车，开始了异乡的创业。在生意刚刚有起色的时候，这场意外冷不防从天而降！想着手术台上的妻子，王选清的泪水没有停过……这时，陈海拿出9000元钱诚恳地说："大哥救人要紧，你要挺住啊，我们一起想办法.'

第二天，杨继兰终于苏醒过来，她对前来问询情况的白云交警大队罗岗中队交警吃力地说："……陈海突然加油门，我在躲闪时好像被车的什么地方猛地撞了一下，然后我就什么也不知道了……"当时，她签字的力气都没有，只好找人代签。交警表示这是一个刑事案，应到派出所报案。而当王选清报完案后，交警又找到他说：这事儿由交警处理。

这时，陈海的公司领导及杨继兰的公司领导都出面说："这个纠纷还是调解好了，让陈海在经济上补偿，事情搞大了对公司也不利。"加上陈海本人的态度，善良的杨继兰表示同意了。

第五天，交警通知杨继兰委托丈夫去交警队看车痕。交警指着陈海的车对王选清说："你看，车上有没有碰撞的痕迹？"王选清在车头部位反复地找来找去，竟没有一点撞伤的印痕！他顿时感到奇怪，因为当时他是眼睁睁看着妻子在车头部位被撞倒在地的！当天，罗岗交警中队痕迹检验组的同志对这辆车作了鉴定。结论是："除后视镜有磨擦痕迹外，均无明显撞击的痕迹"。这时，交警让王选清将自己的中巴车开进交警队，并当场扣下他的车，王选清大吃一惊。紧接着交警说："根据陈海和目击证人的描述，在这场事故中，杨继兰是从你们自己的车上跳下来摔伤的！现在我们正在调查之中……"

当正在病床上输液的杨继兰听到这个消息后，气得一下子昏了过去。短短几天，事情的发展竟发生了一百八十度的逆转。这样黑白颠倒的冤屈，她怎么能接受啊！

拒绝伪证：二审败诉
绝望后要用生命最后一拼

很快，罗岗交警中队就此下发了"非道路交通事故结论书"："2000年12月11日14时0分，当事人杨继兰与陈海的客车发生事故一案，造成杨继兰受伤。"交警说："你们去法院告陈海吧。"

当时杨继兰刚做完耻骨、髋骨联合钢丝固定手术，术后的疼痛使身体异常虚弱的她两次昏厥过去。两个多月过去了，无法排解的悲愤如一座沉重的大山日日压在心头，而丈夫总在鼓励她："往宽处想，如果你有个三长两短，事情就说不明白了，你一定要坚持住啊。"

此时，陈海和公司早已拒绝再支付治疗费，为了治病，杨继兰不得不低价将中巴车转让给别人。然后，她一面治疗，一面让丈夫请来律师，将状告陈海及其公司的诉状递交给了广州白云区人民法院。当法院刚刚立案的时候，杨继兰需要做第三次手术——对左腿进行植皮。这一次，撕心的疼痛让杨继兰对生命失去了信心。

此后，杨继兰转到了中山第三医院做进一步治疗。医生发现，由于左腿半年不能活动，她的膝关节已经长满了增生的骨质，膝关节几乎报废。医生让她每天坚持做左小腿的强迫性活动，以恢复弯曲功能，这样的过程，又让杨继兰生不如死。

不久，杨继兰又在中山三院做了第四次手术，安装人工髋关节。手术非常成功，此后经过一段艰难的训练，杨继兰可以拄着双拐慢慢走路了……一些病友看到杨继兰的困难，也为她出钱出力。这些都振作了杨继兰生活的信心，她说："世上还是好人多啊，我会讨回公道的。"

2001年7月26日，白云区人民法院开庭审理此案。法庭上，被告

陈海说："杨继兰是从自己的车上跳下去摔伤的。"而他的亲戚李明也为此作证。法官在庭上出示了交警队的痕迹检验报告："陈海的车上没有与行人发生碰撞所形成的痕迹，两侧后视镜完好无损。"法庭上，陈海表示要反诉杨继兰，要求其停止对自己的诬陷，并返还当初为杨继兰支付的治疗费用！当时，杨继兰欲哭无泪，有口难辩！一个月后，法院下达判决：驳回杨继兰的诉讼，并由其承担诉讼费用。

面对这种结局，杨继兰一连几天都无法入睡。她知道：问题的关键是没有一个人为她作证来证明自己的伤是陈海的车所撞。丈夫说："当时对面来了一个带信号灯的摩托车，上面的两个人是目击者，并主动用手机向交警报案。但随后就不见了。"于是，杨继兰在继续向广州市中级人民法院上诉的同时，和丈夫一起印制了"寻找目击证人"的启事，他们将启事在现场附近几公里的地段高密度地张贴出来。半个月过去了，却没有一点信息。就在夫妻俩就要绝望的时候，有人找到了杨继兰："这样吧，我给你作证，虽然我不在现场，但我出庭作证，就说是对方的车撞的。条件是 1.5 万元。"

闻听此言，杨继兰心中隐隐作痛。她感到自己的心灵被蒙上了一层污垢，她对丈夫说："我们干吗要去作假！我不干。"丈夫进退两难，眼里盈满了泪水。他说："为什么一审输掉了官司，还不是我们没有证人吗。我们多么需要证人啊，没有他，二审也要输掉啊。"但杨继兰说死也不同意花钱买伪证，她说："人活着就得讲真，搞假的还怎么做人啊！"

在这种情况下，杨继兰拄着双拐多次找交警部门查找证据，但没有任何收效。律师说："本案的痕迹检验是在事发五天之后才做的。可信度可想而知。"

2002 年 12 月 3 日，广州市中级人民法院开庭审理了杨继兰的上诉案。2003 年 3 月，判决结果下来：维持一审判决。杨继兰二审败诉。

杨继兰明白，二审为终审判决，可以说她的败诉已是如山铁案了。此时一家人早已山穷水尽，为了治病不仅花去了所有的积蓄，还欠下 6 万元的外债。这天她和丈夫哭了整整一夜，最后在对现实彻底失望的他们决定以死相拼，与陈海同归于尽。2003 年 3 月 26 日早 6 点多，杨继兰与丈夫一起来到广州市天河体育场这个陈海的必经路口等待他的到来。

7点多，陈海的车刚好过来。在等红灯的时候，杨继兰拄着双拐快步走到车前，挥起菜刀将中巴车的玻璃砍碎，这时丈夫也挥起菜刀拉开车门冲上中巴车，陈海见事不妙，赶紧跳车逃跑……

怒不可遏的夫妻俩砸坏了车上的所有玻璃，并将轮胎砍坏。随即两人被警方关入拘留所。

"现场模拟实验"后重新报案：
车轮致伤真相洗清三年奇冤

半个月后，湖北老家的亲人和老乡们从拘留所将杨继兰、王选清接了出来。大家都劝他们振作起来，重新面对生活。永和镇个体户庄恭伍还主动将他们按到自家居住。庄家人说："想开点，总有说理的地方。"附近的居民为他们买粮捐钱，鼓励他们安心筹划以后的生活。杨继兰的遭遇还触动了白云区的几位公务员，他们先后主动向他们推荐广州市著名律师、广州易春秋律师事务所的王旭阳。

面对着下跪喊冤的杨继兰和王选清，王旭阳律师看了案卷材料后说："平心而论，我有些不相信你们。陈海有证人，而你没有证人，另外交警的鉴定也说得明白……"杨继兰说："我真是冤枉的。"而当王旭阳察看杨继兰伤情的时候，他一下子怔住了：杨继兰的伤是在身体的凹陷的部位而非突出的部位，如果她真的从自己的车上跳下来，伤的地方应该是手肘或头部等突出的部位。杨继兰说："请你相信我，如果我不是冤枉的，我的车有保险，完全可以找保险公司就完事了，但我咽不下这口气啊。"

这话让王律师终于相信了她。他说："我十分同情你，我尽力为你做无偿法律援助。但有一个问题，从材料上着，陈海的车根本没有撞击的痕迹，尽管过去了五天后才验痕，但如果他的车将你撞成这个样子，车上还是会有痕迹的。但验痕报告却没有一点这样的信息。"杨继兰十分肯定地说："案发时是一瞬间的事儿，肯定是他的车撞的，但究竟是什么地方撞的我，我也说不明白。那时一下子就被撞得昏了过去……"

王旭阳百思不得其解。他说："你的记忆与验痕报告非常矛盾，为什么……"他想了想又说，"找一辆和陈海一模一样的车，我们再试一下，看一看当时究竟是什么情况！"第二天，几个人一起找到了一辆扬

子中巴车，由王选清重新演示案发时的情景。拦车、减速、加油门、抓后视镜……而这肘当王选清学着陈海的样子向左打轮时，王旭阳律师惊讶地发现：本来在车体内的车轮猛然突出车体，而这时车轮刚好对准了杨继兰受伤致残的下身，车轮的位置与她受伤部位刚好恰如其分地吻合了！

王旭阳律师惊叹："答案找到了！陈海不是用车撞的你，而是高速的车轮运转的摩擦力使你致残！"这天，王律师还特意查找了电力医院的原始诊断记录。医生说："难怪当时我们都不明白，为什么撞伤的皮肤还有类似烧焦的痕迹，看来是轮胎摩擦所致！"

很快，杨继兰在王律师的带领下来到了白云区法院和广州市中级法院，向他们讲明了情况。但是一个两审败诉的案子，怎么能翻过来啊。法官表示，法院适用的证据无懈可击。这样，他们又来到罗岗交警中队找到当初办案的交警，交警说："法院两审都判了，你还想翻过来啊，不可能！"当时王律师与他吵了起来："一个警察应当以群众利益为重，把群众的疾苦放在首位，不能一错再错啊。"

在王旭阳律师的努力下，广州市公安局法制科、交警支队事故科领导召开专门会议，认真听取了杨继兰，王选清及王旭阳律师的讲述和分析。他们感到，当事人与律师讲的"车轮致残真相"很有道理。可是，法律是讲证据的。警方的同志表示："你们所讲的有道理，但是，没有证人来证明这一真相，我们感到有些无能为力，我们再向上级领导汇报一下。"

广州市政法委、公安局、交警支队的领导专门为这一新型的特殊案件做了研究。他们表示："群众利益无小事。案件的证据方面，不妨做些突破性尝试。"他们决定请广州刑侦专家就杨继兰的案件进行一场"现场模拟实验"，用以验证案件事实的真相！

2003 年 8 月 12 日，广州市政法委、公安局、交警支队等部门组织了一场 40 多人参加的最具规模的"现场模拟实验"。他们调来了陈海的车，由公安人员模仿陈海驾驶，重新演示案发时的情景。拦车、减速、加油门、抓后视镜……这天，在场的专家和法医们以无比挑剔的眼光见证了一个弱女子延续三年悲惨命运开始的那个惨不忍睹的场景……

很快，广州市刑事技术鉴定书下达："根据现场模拟实验，杨继兰的多种器官、皮肤损伤和骨盆多部位骨折的形成均不支持高坠形成，支持被钝性物体摩擦、作用力的传导及碰撞形成……对陈海的粤 A38129 号中巴车勘查测量，左打轮时，车轮可突出车体外 11 厘米，根据杨继兰损伤特点和有关询问笔录等多种证据分析，损伤形成机制支持杨继兰自述的受伤过程……"面对这来之不易的鉴定，杨继兰激动得哭出了声来——她终于看到了申冤的希望。

在律师的积极工作下，杨继兰重新到警方作刑事报案。很快，警方将陈海及其"证人"李明收审。面对"现场模拟实验"鉴定，陈海交代了自己的犯罪事实，并交待他驾车将杨继兰撞伤逃逸后，还将带有事故痕迹的轮胎进行了冲洗处理。事后，他反复动员亲戚李明为其作"从后面看到杨继兰从自己车上跳下来摔伤"的伪证。拘审后，李明对自己作伪证的事实供认不讳。

2003 年 9 月 29 日，广州市白云区人民法院开庭审理这个二年前审过的旧案。11 月 22 日，法院以故意伤害罪判处陈海有期徒刑 5 年，以伪证罪判处李明有期徒刑一年零六个月。宣判后，陈海以判重为由提出上诉。2004 年 2 月，广州市中级人民法院经审理后驳回其上诉，维持原判。看到犯罪者最终落入法网，杨继兰的脸上终于露出了笑容。

此后，杨继兰就此案的民事部分向法院提出了民事再审申请书，要求陈海及所在公司赔偿其医疗费、伤残补助费、精神损失费共计 45 万元。2004 年 5 月 31 日，广州市中级人民法院开庭审理了这起民事诉讼案。目前，杨继兰正在等待宣判结果。她对记者说："三年冤案昭雪，也是我从死到生的过程。感谢社会、感谢王旭阳律师……"王旭阳律师说："这是一个非常新型的耐人寻味的案件，据查，它是我国首例在没有直接证据的情况下通过现场模拟鉴定平反的案件。一个弱女子推动了一次国内罕见的司法实践，这个意义非同寻常……"

双胞胎丈夫上错床，
颠倒了的婚姻重洗牌

彭业武

　　一对孪生姐妹嫁给了一对孪生兄弟，姐配哥，妹配弟，这原本是一桩天作之合的好姻缘，可是，她们的父亲却乱点鸳鸯谱，用"调包计"移花接木，把已经领了结婚证的两对夫妻张冠李戴，以致生米煮成了熟饭。

　　后来，由于一次意外，哥哥摸错上了弟弟的床，由此引发一场特殊"官司"，弟弟要状告哥哥强奸了自己的妻子，哥哥却大呼冤枉，称他丝毫没有强奸犯罪的主观意识和客观动机，纯属一场误会。在辩解无效的情况下，哥哥干脆拿出杀手锏，称弟媳本应是自己的合法妻子，是岳父的"调包计"才使她与弟弟形成事实婚姻。由此，又牵扯出一个四人均涉嫌重婚的法律问题……

乱点鸳鸯谱，孪生兄弟
与孪生姐妹结婚被"调包"

　　1979 年 6 月 12 日，黄大双和黄小双同时降生在湖北省武汉市新洲区的一个普通家庭。令人惊诧的是，随着这对孪生兄弟一天天地长大，二人竟长得如此酷似，就连与其朝夕相处的父母也难以辨认，因此闹出了不少的笑话。比如一天晚上，妈妈为大双和小双各准备了一碗汤圆作晚餐，大双回家后，妈妈便端来一碗汤圆让他吃，吃完汤圆的他刚出门转了转，就被妈妈当微小双拉了回家，不容分说地又强迫他吃下一碗。这时，小双回了家，嚷着也要吃汤圆，妈妈这才恍然大悟，顿时哭笑不得。

　　接下来的故事，真是无巧不成书。

　　1996 年，高中毕业的黄大双和黄小双由于家庭经济拮据，只好放弃上大学的梦想，然后两人来到深圳打工，在一家摩托车公司干起了保安

工作。

一天傍晚，黄大双一人独自在深圳宝安街头散步，无意中发现两名持刀歹徒抢劫一名女孩的坤包。说时迟，那时快，黄大双毫不犹豫地一个箭步冲上去，奋不顾身地挡住了企图逃窜的歹徒的去路，一把从歹徒手中夺过被抢去的坤包，并迅速还给那位女孩。另一名歹徒恼羞成怒，立即持刀向黄大双的胸部刺来，黄大双机灵地将身体向右一闪，并用左手拦住刺刀。他虽然躲过此劫，幸免于难，但左手被刀刺伤，顿时血流如注。就在黄大双与歹徒搏斗时，被抢的那位女孩及时报警，两名歹徒被赶来的民警迅速抓获，见义勇为的黄大双也被民警送进了医院。

翌日上午，那位女孩怀着崇敬的心情，手捧鲜花，来到医院看望为自己挺身而出并受伤的黄大双。令人感到意外的是，经过交谈，两人这才得知，他俩原来是同乡。她叫徐大萍，与黄大双家只有一公里之隔。凑巧的是，徐大萍也有一个名叫徐小萍的孪生妹妹，姐妹二人也是高中毕业后来深圳打工。昨天由于妹妹突患急病住进了医院，姐姐好不容易筹借到了5000元住院费。她小心翼翼地把钱装在坤包里，正往医院赶时，突然遇到了歹徒抢劫。更巧的是，徐家孪生姐妹也是出生于1979年6月，难道这就是缘分？想到此，两个萍水相逢的年轻人不禁怦然心动。

当年春节来临，他们四人相约一道回武汉新洲过年。就在深圳火车站会面的那一刻，四人不禁同时惊呆了！原来在双方眼里，两对双胞胎竟长得如此酷似，简直到了难以分辨的程度！很快，他们的故事在家乡传开了。一位熟悉两家情况的好心人获知此事后，认为他们四人是天造的一对，地设的一双，便主动奔走黄徐两家撮合这门亲事，得到了两家父母的同意。

可是，就在谁配谁的问题上却存在巨大分歧。大概是深圳街头英雄救美的义举使姐妹二人难以忘怀的缘故，徐家的两个女儿都不约而同地将爱情的绣球抛向了黄大双。一般说来，像这种情况，按常理无疑应该老大配老大，老二配老二，这也是黄家老大和徐家老大所求之不得的。可问题就出在一本害人的《生辰与测字》的歪书上，本来对此只有一知半解的徐父却如获至宝，他结合大女儿比二女儿早出生一个时辰，再仔细分析黄家兄弟的出生时辰后，对照书中写的得出一个荒唐结论：大女徐大萍与黄大双、二女徐小萍与黄小双生辰八字不对。为了互补，徐父

决定将大女儿徐大萍嫁给黄家老二黄小双,将二女儿徐小萍嫁给黄家老大黄大双。

对此表示最不满的是徐大萍,因为深圳街头黄大双见义勇为的行为,在她心里打下了深深的烙印,就是从那一天开始,她就认定今生情伴相随的就是黄大双,可是,现在是竹篮打水一场空,父亲却让她嫁给黄小双。为此,她又哭又闹,甚至以绝食的方式表示拒绝。徐父见好说歹说都拗不过倔强的女儿,面上只有顺着女儿意思答应,心里却自以为是地想了一个"调包计"……

再说黄家,此时也不太平。虽然黄小双在对徐家两个女儿的选择上未置可否,可黄大双却一意孤行地表示非徐大萍不娶。黄家父母为难了。

无奈之下,两家大人偷偷开了一个"碰头会",大家都同意徐父想出的"调包计"。

很快,黄大双和徐大萍,黄小双和徐小萍双双对对办理了结婚登记手续。2003年腊月,黄家举行了隆重的婚礼。在一片欢声笑语和锣鼓音乐声中,两对新人双双携手踏上了婚姻的红地毯。看到这两对双胞胎喜结良缘,黄、徐两家父母的脸上都乐开了花,就连在场的所有街坊邻舍都赞叹不已。

就在两对新人入洞房时,按照徐父"调包计"的安排,有人悄悄将两个新郎调包,结果黄大双和徐小萍、黄小双和徐大萍分别入了洞房。由于两对新郎和新娘长得酷似,难以分辨,直到生米煮成熟饭以后,徐大萍才知中了父亲的"调包计"。事已至此,无法挽回,徐大萍就这样阴错阳差地做了黄小双的妻子。

绝对隐私,孪生哥哥错位上床
引发一场特殊官司

世事难料。在常人看来非常美满的婚姻却有诸多不尽人意的地方,时间一长,两对夫妻各自相处的矛盾逐渐凸现了出来。

虽然孪生兄弟和孪生姐妹均长相相似,所受到的文化、道德教育和生活环境相同,可性格和人生观却千差万别。先说黄家兄弟,老大黄大双性格开朗,为人耿直,乐善好施,善解人意,处处为别人着想;而老二黄小双则性格内向，少言寡语，不拘小节，容易冲动。再说徐家老大徐大萍贤惠善良，感情细腻，热情大方，融合能力强；而老二徐小萍却大大咧咧，性情多变。显然，这两对夫妻由于性格上的差异，在不同程度上潜伏着婚姻危机。黄大双与徐小萍，一个老成稳重，一个变化无常，妻子经常把丈夫的一番好意当做驴肝肺；黄小双与徐大萍，一个性情粗鲁，一个心细人微，丈夫经常用粗鲁的行为把夫妻间的感情伤害得千疮百孔。

尽管如此，大家为了经营好各自的婚姻，都彼此在心里忍让着，一时倒也相安无事。

一次，徐大萍突患急病，人险些昏倒在地。当时，丈夫黄小双正在邻居家麻将场上激战。这下可急坏了黄大双，他连忙将她送到医院治疗，先是端来豆浆一匙匙地送进她的嘴里，接着又打来热水，用热毛巾敷在她额头上，跑上跑下，累得满头大汗。由于抢救及时，徐大萍的病情迅速转危为安。

此后，深受感动的徐大萍暗中细心地观察起黄大双来，发现他的表情、眼神、举止，哪怕连一个细小的动作处处都与丈夫黄小双表现得截然不同，这不得使她更加怀疑起自己的婚姻来。

要不是接下来的一次误会，也许这辈子徐大萍将注定永远生活在不幸的阴影里。

一天晚上，黄小双邀约六七个牌友在家打牌。碍于情面，不会打牌的黄大双也帮忙端茶倒水，两个媳妇看了一会儿牌后，便各自上楼休息去了。大约到了第二天凌晨2时许，黄大双实在有些疲倦，只好回房休息。说来也巧，当他按动楼梯间的照明灯开关时，灯泡突然烧了，一片漆黑，接着他就摸错了房间。由于两个房门紧挨在一起，均虚掩着，只要轻轻一推就开，加之房里的一切陈设都是一模一样布置的，就连睡在床上的女人也是一个模子印出来的，此时黄大双对自己的尴尬处境浑然不知。接下来要发生什么故事，自然可想而知。

做爱对于他们新婚夫妇来说，似乎再也不是什么新鲜事，无非例行公事老一套，可这次他们却都感到前所未有的不同。虽然彼此自始至终都没有说一句话，但在双方默契的动作语言面前，再美妙的口头语言都是多余的。想起丈夫平素不同的表现，徐大萍有些云里雾里……

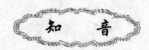
一番云雨过后，黄大双来到卫生间。刚一开灯，就惊得目瞪口呆！原来卫生间摆放的每一件细小用品，都在提示他这不是自己的房间。他便像做贼一样悄悄溜走，急忙回到自己房间。

殊不知，黄大双前脚刚出房，黄小双就后脚下场回房了，险些逮个正着。黄小双一上床后，就像往常一样，没有任何"前奏"就粗鲁地直奔"主题"。

正仰躺在床上回味无穷乐趣的徐大萍被这判若两人的举动搞蒙了，她不假思索地随口说道："怎么才做过，又要做呀？"

妻子的话，使丈夫丈二和尚摸不着头脑。他本能地连忙随手开灯，见床上和地下一片狼藉，联想到自己进房时的异常感觉，便什么都明白了。他将妻子一阵猛揍后，便暴跳如雷地踢开哥哥黄大双的房门，当着嫂子的面，一边将黄大双拉下床，一边声嘶力竭地吼道："你这个大逆不道的东西，为了偷腥，竟连弟媳也不放过，今天我跟你没完！"黄大双开始还解释说："这实在是一个天大的误会，怪我人错了房，绝非本意。"任凭怎么解释，可黄小双就是不信。

一头雾水的徐小萍明白了是怎么回事后，就径直来到姐姐房间，对正在床角蜷缩一团哭泣不止的徐大萍大打出手。徐人萍泪流满面地说："小萍，听我一句解释好不好？我一直以为是黄小双呀，我是无辜的啊……"

"做都做了，还有什么好解释的！"徐小萍硬是不依不饶，大哭大闹……

从此，黄小双对哥哥耿耿于怀，经过一番深思熟虑之后，他想：既然妻子徐大萍是在不知情的情况下被黄大双占有，那么黄大双的所作所为完全违背了女方的意愿，这不就是强奸罪吗？于是，他起草了一纸"诉状"，准备状告黄大双的强奸罪。

一波三折，法外调解救火让姻缘推倒再重来

就在黄小双起草完诉状准备上法庭的时候，居委会王主任上门做调解工作来了。不等王主任开口，黄小双就先发制人："王主任，你一来我就知道你要说什么，实话告诉你吧，这是一起严重的强奸犯罪，我起草了诉状，马上交司法机关解决。"接着，他还把自己的理由向王主任

说了一遍。王主任深感问题的严重性，便灵机一动地说："古话说得好，家丑不可外扬。我建议在你上诉前，我们先组织一次由家庭人员参加的调解会，来分析分析你们的问题所在，对你们也是一次法律知识的教育。正好我们居委会来了一位搞法律志愿活动的大学生，就请他来做主持。"

黄小双觉得王主任说的也有道理，便请求王主任一定要主持公道。

2004年6月26日，黄、徐两家的父母及两对孪生兄弟和姐妹应王主任之邀聚集一堂，武汉大学法律专业的大学生李博作为"特邀代表"，主持了这场特别的调解会。

王主任在会前的开场白中说："鉴于黄家的特殊矛盾，我们在这里采取特殊的方式进行调解，希望大家多加配合。"

接着，大学生李博说："现在请黄小双陈述上诉理由及出示证人证言。"黄小双说："黄大双趁我妻子徐大萍不明就里之机，黑夜窜入房内与之发生关系，黄大双的行为违背了女方的意愿，请主持人判令其犯有强奸罪。"

李博说："徐大萍，现在我要问你几个问题，你要如实回答。黄大双的行为是否违背了你的意愿？"

"这……"徐大萍欲言又止。李博穷追不舍："这么说，是你愿意的？""不，不，不！"徐大萍极力申辩说，"那天夜晚，我确实不知来人是黄大双，直到完事以后我还一直以为是丈夫黄小双。"

"当时你们说过什么话没有？"面对提问，徐大萍和黄大双都表示当时自始至终双方一句话也没说。

就在这时，黄小双不失时机地向主持人呈上一条留有黄大双精斑的床单，他说："这就是铁证如山。"

对此，李博问："黄大双，你有何话要说？""我冤枉呀，我当时确实是误入了他们的房间，我以为徐大萍是自己的妻子才与她有那种事的！"黄大双又继续解释说，"尽管在结婚前，我确实对她有好感，可自从我与徐小萍结合后，对她从来没有非分之想，我一直把她当弟媳尊重她，那天晚上的事，并非我的本意，纯属意外事件。"

李博还仔细询问了一些相关人的证言，最后得出结论：黄大双强奸罪名成立，应判处有期徒刑3年。

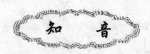

　　坐在一旁的黄、徐两家父亲听到这里，不禁大惊失色。特别是黄父此时老泪纵横："本是同根生，相煎何太急！这个状千万不能上告啊……"徐父也跟着说："是呀，这岂不是自相残杀吗？这个官司打不得……"

　　见此，李博问道："黄小双，这个官司还打吗？"随着李博的提问，大家异样的眼光一齐射向黄小双，他知道这里面有亲情的期盼，有长辈的哀求，也有哥哥发自内心的忏悔，但是，叫他就此休战，如何心甘！于是，他干脆一不做二不休，振振有词地说："如果能用亲情代替法律的话，那还要法律做什么！"

　　见一切无法挽回，情急之下，黄大双不得不抛出最后的杀手锏："请主持人注意，我曾与徐大萍领取结婚证，她才是我合法妻子，这能算强奸吗？"

　　黄大双的话，语惊四座！会场顿时一片哑然。

　　静场许久以后，李博说："由此说来，黄大双与徐大萍、黄小双与徐小萍领取了结婚证，应为合法婚姻，但由于移花接木却使黄大双与徐小萍、黄小双与徐大萍结成事实婚姻，由此可见，你们四人都涉嫌重婚，应该依法追究以上四人的重婚罪。"

　　见形势急转而下，刚刚还振振有词的黄小双此时却慌了手脚，他连忙说："追究重婚罪的事，还是请法律网开一面，让我们兄弟先与登记结婚的合法妻子办理离婚手续，再与事实婚姻的妻子重新补办结婚证行吗？这都是因为我们不懂法啊！"

　　细心的李博和王主任见火候已到，便分别找他们四人交心谈心。李博仔细分析了这两对夫妻的恋爱经历、感情基础和性格特点及矛盾症结，根据他们四人的意愿，大胆地提出了"换妻"的设想，得到了在场所有人的一致赞同。特别是徐家父亲当即流下了忏悔的泪，他说："千错万错是我的错啊！我错不该违背女儿的意愿自作主张，这都是'调包计'惹的祸……"最后，在双方父母的见证下，调解达成如下协议：一、黄大双和徐小萍、黄小双和徐大萍自愿解除事实婚姻关系；二、黄大双和徐大萍、黄小双和徐小萍被确认重新恢复原法定婚姻关系，从此，正式结为夫妻；三、原一切矛盾一笔勾销，黄氏弟兄和徐氏姐妹，从此重归于好，此后和睦相处。

知　音

经过一场狂风暴雨般的婚姻"浩劫"后，黄大双和徐大萍十分珍惜这来之不易的婚姻生活，夫妻相敬如宾，如胶似漆，他们觉得这才是婚姻的绝配。黄小双和徐小萍由于性格相符，情投意合，他们也感到自己是世界上最幸福的人，就连左邻右舍及亲朋好友也都在为这两对曾经错位的夫妻"拨乱反正"表示祝福。

至此，这个旷世奇缘的"换妻"故事已经画上了圆满句号，但是这种法外调解合不合法？记者就此采访了一些专家和法律人士，请他们对此发表看法。

社会关系学研究生王明华说：这起特殊官司用此特殊的办法进行调解实在难能可贵，既平息了一场家庭纷争，又促成了两对有情人终成眷属。

律师黄卫果则称：尽管黄大双与徐大萍领过结婚证，但他毕竟与徐小萍结为事实婚姻，他在徐大萍不知情的情况下与之发生性行为，应视为强奸，应当追究其法律责任。但特事特办，似乎也在情理之中。

法律教授罗小红说：此案引出的不仅仅是一个道德与法律的问题，它说明我们的国家、我们的人民正在从一个不知法、不懂法的法律低级阶段逐渐向依法治国的法治社会飞跃发展。不是吗？起初，黄小双自己已与徐小萍办理结婚手续，却与徐大萍作为夫妻生活在一起，连他们两对双胞胎全都涉嫌重婚罪却毫不知晓，这说明他们一点法律意识也没有，后来发现"错位上床"后，就知道拿起法律武器维护自己的权利，这进一步说明生活需要法律，生活缺少不了法律，人们的法律观念随着生活的需要而不断加强。

法官张二椿说：从某种意义来说，模拟法庭能够用特殊的办法灵活机动地解决特殊的官司，是我们正规法庭所鞭长莫及的。在此，我既为大学生李博妥善处理了一起特殊官司叫绝，同时也提醒大家，要想用法律保护自己，首先是自己要学法、知法、守法，切莫临时抱佛脚，等违了法再寄希望于法律为自己网开一面。

一对双胞胎两个生父，
这场孽债纠纷怎么了

袁燚

　　2004 年 8 月 15 日，本刊热线接到浙江某市一名叫陈菁的少妇打来的电话，在电话里，她哭诉道，为了帮做生意的丈夫寻找发财门路，她"傍"上了一位局长。两年前，她生下了一对双胞胎。但随着孩子逐渐长大，她发现两个儿子的长相很不一样，一个长得像情夫，一个像自己的丈夫。心生怀疑的丈夫偷偷对两个儿子做了一次亲子鉴定，结果令人难以置信：两个双胞胎儿子只有一个与丈夫有血缘关系。为此，她的家庭掀起了一场轩然大波……

　　"双胞胎儿子怎么可能会有两个父亲？会不会是鉴定错了？发生了这种事情，我和我的孩子该怎么办？"面临着被老公抛弃和情人"不认账"的尴尬结局，陈菁一下了陷入了这羞辱的人生困境……

助夫发财，
娇媚少妇苦涩"傍大官"

　　陈菁今年 27 岁，出生于一个市民家庭。7 年前，她考上了当地一所专科学校。

　　大三那年，在一次老乡聚会上，陈菁认识了比她大几岁的老乡李建明。李建明来自农村，在陈菁学校附近的一个国营工厂当工人。他高大英俊能说会道很讨女孩子喜欢。看到长相俏丽的陈菁对他颇有好感，李建明也开始大着胆子追求她。不久，处在热恋中的陈菁就把自己的第一次献给了他。

　　2002 年 7 月，陈菁毕业后不顾父母的反对，和李建明领了结婚证，在郊区租房住在一起。婚后，李楚明对陈菁很体贴，在生活上从不让她受一点委屈。他们的小日子虽然过得不是很富裕，但充满乐趣。

　　结婚后，李建明所在的工厂濒临倒闭，他干脆买断工龄干起了个体。他筹集了几万元钱，雇了几个工人，办起了一个小厂，生产铝合金门窗。"下海"后，李建明才感到生意原来很难做。他的小厂只是手工作坊，根本没有什么名气和实力，他每天跑断了腿，产品也未能推销出去。

生意不好做，李建明沮丧地说："现在干什么都需要关系，如果有人能帮我一把就好了。"听丈夫这么说，陈菁也很着急，她安慰道："老公，万事开头难，你别灰心，我也帮你想想办法。"

陈菁不仅长相可人，而且声音柔美。毕业后，市广播电台招聘主持人，她顺利地被录用。陈菁经常到外面采访。一次，她在市里一个单位采访时，认识了那个单位的局长。为了帮老公一把，她硬着头皮找到了那个与她只有一面之缘的叫钟禹的局长。

钟禹50多岁，是一个"红顶商人"，他既是一个实权机关的局长，又是一个局机关下属企业的董事长。他大腹便便，红光满面，手握大权，是很多人巴结的对象。求见钟禹时，陈菁心中很是不安。令人想不到的是，平时高高在上的钟禹竟然没有一点架子。他热情地给陈菁泡了一杯茶，大手一挥说小事一桩。他说自己单位正好有两栋宿舍楼刚盖好，他让那里的经理把门窗的生意交给陈菁做就可以了。说完，他还打电话将那个经理叫到办公室当面交代了一番。

几天后，钟禹给陈菁打电话，说他在市郊一个度假村开会，让陈菁去拿订单。在电话里，钟禹特意嘱咐陈菁要她一个人去。接到电话，陈菁很高兴，但想到钟禹在电话里暧昧的声音，她又犹豫起来。

陈菁把这件事告诉丈夫，想征求他的意见，丈夫却"宽宏大量"地说："这是天上掉馅饼的好事，你赶紧去吧，我相信你。"听到丈夫这么说，陈菁忐忑不安地去了。

在一栋豪华别墅里，钟禹正在等待着陈菁的到来。当他将那笔20多万元的订单交给陈菁的时候，顺势将陈菁拉入怀中。喘着粗气的钟禹抱着她高兴地说："知道我为什么帮你吗？你是我见过的最漂亮和最性感的女人。只要你愿意以后多陪陪我，我肯定让你发大财……"陈菁连忙挣扎躲避，哀求说："我不喜欢这样，你这么做，我觉得自己很下贱，我不想拿自己的肉体做交易。"听到陈菁这么说，钟禹迟疑了一下放开陈菁。他说："你这么说，我很佩服你。订单你拿走吧……"陈菁如释

重负，赶紧抓起那张订单离开了。

有了钟禹的帮助，这笔生意李建明足足赚了 5 万元钱。手里拿着厚厚一摞钞票，李建明欣喜若狂，他拥着妻子，兴奋地说道："老婆，你真能干，有了这笔钱，我们的生意就能做大。以后发了财，我们要在这里买车买房子，你还要为我生一个胖小子哦……"陈菁心里有一股难言的苦涩滋味。

丈夫"捉奸"出手，
妻子"倒戈"投向情人怀抱

自从那笔生意做成后，钟禹总是找借口请陈菁吃饭、唱歌，内心羞愧的陈菁总是委婉拒绝。

2001 年年底的一天，陈菁又接到钟禹打来的电话。钟禹忧郁地说，几天前他参加了机关的一次例行体检，结果出来后，他被发现患上了胆囊癌。现在，他万念俱灰，很想再见陈菁一面。

听到他这么说，陈菁赶紧打车去见他。钟禹在海边等着陈菁，也许是得知自己得了绝症后的心理压力过大，他神情凄然，面色憔悴，和以前判若两人。

钟禹说，他暂时还不想把这件事告诉家人和单位。他咨询过医生了，胆囊癌的治疗办法只能将来做胆囊切除手术，而且存活率很小。钟禹拿出病历喟然长叹说："我已经被命运判了死刑，忙忙碌碌地活了一生，到现在才真正感觉到生命的可贵。"钟禹说他心里很乱，刚才一个人在海边溜达，差点儿想跳海自杀。他打电话给陈菁，只是想让她陪他在这里说说话。

听到他这么说，陈菁很是同情，她陪着他默默地在海边散步。不知不觉天上下起了小雨，钟禹很是伤感："唉，我这一辈子，按说也算混得不错，在别人的眼里风光十足。但我唯一遗憾的是，我没有找到自己真正的爱情，我和我老婆稀里糊涂地过了一辈子，一点感情也没有。我不敢祈求上苍能延长我的生命，我只祈求，如果有来世，上苍能赐我一个我真正喜欢的人，一个像你这样的女人……"说着，钟禹黯淡的眼睛里发出一丝亮光，他一把将陈菁紧紧揽入怀中，眼里还流出了两滴浑浊的老泪。

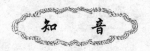

知　音

被打动了的陈菁没有躲避，一任钟禹将她紧紧抱着。不知不觉，两人在一起度过了两个多小时。看到天色已晚，钟禹让司机开车把她送回家。临走时，钟禹用祈求的眼神望着她说，现在他的身体还没有什么明显的反应，他暂时还不想到医院住院，希望她以后能多陪陪自己，陈菁点点头和他道别。

看到一辆豪华汽车将妻子送回来，李建明心中满是疑问。怕引起丈夫误会，陈菁没有说实话，她说自己到一个单位去采访，那个单位的领导派车将她送了回来。李建明没有多问，但满腹狐疑。

此后一个月内，钟禹又主动给陈菁介绍了几笔生意，做成这几笔生意后，陈菁和李建明一下又赚了十多万元。一年的时间就赚了这么多钱，陈菁和李建明非常高兴。李建明又投入了一笔钱，把自己的小厂扩大了规模，还在名片上印上了"总经理"的头衔，平时外出招揽业务也是西装革履，一副老板派头。

虽然发了财，但李建明的心里并不踏实。他一次次追问妻子道："钟禹既不要回扣，又与我们无亲无故，他为什么要这么帮我们？"陈菁对他敷衍道："钟局长是成心帮我们，你不要胡思乱想，我和他什么事也没有。"看到妻子说话的时候表情慌乱，李建明顿生疑心。

钟禹每到周末都到海边那个度假村去疗养休闲，陈菁经常到那里陪他聊天散步。对陈菁产生了怀疑之后，李建明开始跟踪她。不久，李建明在跟踪陈菁时发现她和等在那里的钟禹有说有笑地在一起，最后又一起走进了旁边的一栋小别墅里。看到这一切，李建明简直气炸了肺，但顾忌到钟禹的身份，他没敢贸然"捉奸"。

回到家里，李建明一个人喝起了闷酒。晚上，陈菁一进家门，发现李建明满身酒气地坐在屋子里等着她。"你今天干什么去了？"李建明瞪着两个血红的眼珠子怒视着她。"没干什么，下午有个采访……"看到丈夫一副凶神恶煞的样子，陈菁心里发慌，极力掩饰着自己。"放屁！你这个不要脸的东西，难道你跟别人在屋子里做那些龌龊的事也叫采访？今天你不说实话，老子非打死你。"说着，喝得烂醉的李建明狠狠地给了陈菁一个耳光，又一脚把她踹倒在地，还抓着她的头发使劲往墙上撞……陈菁被打得口鼻出血，连声尖叫，李建明直到打累了才住手。

第一次受到丈夫这样的虐待，陈菁痛哭失声。她向丈夫表白道，自

己下午确实是去看钟禹了，但她只是陪他在屋里说了会儿话，根本没有和他有什么越轨的事。李建明哪里肯信，他狂吼道："老子早就怀疑你和那个老色鬼有什么名堂，要不他怎么可能给你介绍那么多生意？你说的话鬼才相信，老子宁愿不挣那些钱也不戴这个绿帽子！"

最后，觉得还没有出够气的李建明还逼着陈菁给钟禹打通了电话。在电话里，李建明将钟禹辱骂一番，还威胁他说："如果你以后胆敢再勾引我老婆，老子弄一包炸药把你们全家都炸死。"

三天后，觉得过意不去的陈菁打电话给钟禹道歉。在电话里，钟禹很生气，他对陈菁说："我让你们挣了那么多钱，你老公还那样骂我。我没占到你一点'便宜'却惹了一身臊，我怀疑是不是你和你老公合伙骗我？我太伤心了，以后不想见你了。"

听到钟禹这么说，陈菁当即去看他。在那个度假村，当钟禹看到陈菁鼻青脸肿，知道了她被丈夫毒打的事后，当即消了气。他怜爱地擦着她脸上的泪水安慰她。看到钟禹这样关心自己，满腔悲怨的陈菁忍不住扑在他的怀里抽泣起来。当天晚上，陈菁没有回家，和钟禹住在了一起……

偷情生出"变异"双胞胎
羞愧少妇尴尬求解人生难题

有了陈菁这个俏佳人的陪伴，钟禹虽然病入膏肓，却像焕发了人生第二春。但好景不长，两个月后，钟禹就因病情加重住进了医院。在钟禹住院休养的一年多时间里，两人断绝了来往。

钟禹住院后，陈菁就把自己的这段荒唐感情埋在心里，开始和丈夫像从前那样过起了日子。但有了这场风波，两人再也找不回从前的那种感觉，李建明对陈菁不再信任，经常对她疑神疑鬼。

钟禹住院后不久，陈菁发现自己怀孕了，去医院检查，医生告诉她，她怀的是一对双胞胎，双卵双胎。陈菁没有多想，开始沉浸在做母亲的幸福中。

2002年11月，陈菁在医院顺利产下一对双胞胎儿子。儿子满月时，"三代单传"的李建明为了庆贺，高兴地带着妻子和儿子回了一趟老家，将亲朋好友全部请来，特意在老家隆重地为儿子办了一场"满月宴"。

陈菁暂时辞掉工作，在家照顾一对双胞胎儿子，并帮助丈夫打理生意。双胞胎儿子出世后，陈菁给两个儿子起名叫大宝和二宝。两个儿子聪明伶俐很是讨人喜爱。但不知道为什么，他们从出生起，无论是个头还是模样，都看着不大一样。更让陈菁吃惊的是，大宝长得像李建明，而二宝却长得像钟禹。陈菁的心里虽然隐约感到一丝不安，但并没有放在心上。

二宝出生后，一直体弱多病，经常无缘无故地哭闹个不停，一哭就脸色发青、嘴唇发紫，有时候甚至会背过气去。经人提醒，2004年3月份，陈菁和李建明带着二宝到医院做了检查。检查结果是二宝患有一种叫完全心内膜垫缺损的先天性心脏病。

为了证明二宝的病有没有遗传因素，陈菁和李建明在医院也做了相应的检查。其中有一个检查项目需要对三人进行抽血化验，但当三人的血型化验结果出来后，二宝的血型是A型，而陈菁和李建明的血型却都是O型。医生纳闷地问："孩子是不是抱养的？"并对他们解释说："O型血的夫妇是绝对不会生出A型血的孩子来的。"李建明和陈菁大吃一惊。

听到医生这么说，陈菁不相信地直摇头，而李建明则甩下陈菁母子一言不发地扭头回了家。回到家里，本来就对陈菁一直心存芥蒂的李建明越琢磨越不对劲：怪不得二宝和自己长得一点儿相似的地方都没有，原来他竟然不是自己的儿子。想起妻子和钟禹曾有过的不清不白的关系，一股无名之火直冲脑门。

为了把两个儿子的"身世"彻底搞清楚，李建明独自带着两个儿子到杭州一家鉴定机构做了亲子鉴定。半个月后，李建明收到了鉴定结果：大宝和他有血缘关系，肯定率是99.9%，而二宝则和他没有血缘关系，否定率是"100%"。李建明简直被气疯了。

当天晚上，一直在家里闷头睡觉的李建明再也控制不住自己的情绪，他拿出那份鉴定书，将睡梦中的陈菁拉起来就是一顿暴打，要她"老实交代"。在李建明的毒打下，陈菁被迫承认了自己和钟禹曾经发生过关系。

自从发观二宝不是自己的亲生儿子后，李建明就像换了一个人，整天借酒浇愁，对妻子非打即骂，连生意也无心打理。有愧于丈夫的陈菁

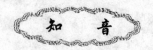

只好默默地忍受着这一切，在丈夫面前做起小女人的角色：每天在他外出回来之前做好他喜欢的菜等他，洗澡时为他准备好衣服，在朋友面前，为他跑腿买烟酒……她幻想，时间是过滤器，也许丈夫过一段时间会原谅她。但一切努力之后，她发现他们的婚姻已经无可挽回。不久，李建明失踪了，正办得很红火的小厂被他便宜转卖，家里的十几万元存款也被他席卷而去。原来，李建明已经另有新欢，和一个刚认识不久的女人另置了安乐窝。失踪了的李建明打电话冷冷地对陈菁说："你让我伤透了心，你不要再来找我了。什么时候你想好了，咱们就离婚吧，但两个孩子我都不管了，财产我一分钱也不会给你。这是你自己酿的苦酒，你只能自己吞下。"在空空荡荡，一片凌乱的家里，面对两个嗷嗷待哺的孩子，陈菁忍不住痛哭失声。

二宝的心脏病很严重，医生诊断后说需要尽快做手术，但手术费少说也需要十多万。陈菁不想打扰卧病在床奄奄一息的钟禹，她找到钟禹的女儿，硬着头皮说出了自己的想法，想让二宝和钟禹做亲子鉴定，如果二宝确实是钟禹的孩子，她想让钟禹拿一笔钱为孩子治病。钟禹的女儿听完陈菁的话脸色大变。她警告陈菁说，自己的父亲在当地很有威望，父母感情很好，她不相信陈菁所说的话，也不会答应她这个荒唐无理的要求。如果陈菁一定要"认亲"，她将以"敲诈"的罪名向公安机关报案。听到钟禹的女儿这么说，陈菁暂时打消了"认亲"的念头。

面对双胞胎儿子有两个父亲的"荒唐"事实。陈菁疑惑地问："我和钟禹其实只发生过几次关系，而且也不过是短短两个月的时间，当时他已经病入膏肓，我怎么可能怀上他的孩子？再说，双胞胎怎么可能有两个爹？我从来没听说过有这样的事情，会不会是鉴定搞错了？"

为了解开这个谜，记者采访了为陈菁的双胞胎儿子做鉴定的那家鉴定中心。该中心的一位医学人士介绍说："李建明和他的双胞胎儿子是通过口腔细胞鉴定作出的结论，鉴定结论绝对不会有错。这样的事情并不是不可能，陈菁如果在排卵期内，在72小时之内和丈夫及丈夫以外的男性有过性生活，就有可能会出现这种双卵双胎、双胞胎同母异父的情况。以前我们这里也鉴定出类似的事例。"

绝望中，陈菁拨通了本刊的电话，她痛苦地说，现在她和两个孩子的生活已经陷入了困境。为了自救，目前她承包了一个很小的干洗店，

靠着微薄的收入母子三人勉强度日。她独自带两个孩子生活很困难，儿子的心脏病又急需手术治疗。她把自己的故事告诉自己信赖和喜欢的《知音》杂志，为自己的错误行为反思，希望别人引以为戒，同时也希望热心的读者能为她指点迷津，帮助她走出这痛苦的人生困境。

武汉社会科学研究院研究员张军认为，陈菁目前所面临的这种人生困境，主要是由于她的轻率和对婚姻的不忠所造成的。当初，她想通过钟禹的帮助来获得物质利益，这种心态很不正常。她和钟禹的交往，其实是把性当做一种商品，以此来作为和对方交换的砝码，他们之间的交往明显带有"性贿赂"的色彩。玩火自焚，这种目的不纯正、没有根基的"交往"，必然会让自己的人生陷入一种"错乱"的尴尬境地。

张军提醒有着像陈菁这样心态的女性，在感情的问题上，千万不要"冒险投资"。虽然陈菁当初是为了帮助丈夫发财，但"东窗事发"后，因为她的不忠、她的自尊和独立人格的缺失，她被丈夫抛弃也是必然的。如果丈夫因此而不能原谅她，陈菁就应该冷静面对现实，认真反思，自强自立，为孩子尽到自己做母亲的责任。当然，关于孩子的抚养等问题，她可以用法律武器来维权。

北大法学硕士、河北太平洋律师事务所孙伏龙律师就此事所涉及的法律问题指出，虽然陈菁在婚姻上有过错，但如果丈夫将她"抛弃"或者提出离婚，她有权向法院提请进行财产分割，并要求丈夫至少对一个孩子支付抚养费。按照我国法律规定。"私生子"和婚内生子一样，在经济、人格等方面享受同样的权益。如果通过亲子鉴定，证明另一个孩子确实是她与情人所生，她也可以依法起诉，要求对方支付抚养费。如果对方拒绝进行亲子确认，法院可以依照"举证倒置"的原则，判决对方承担抚养责任。

特别官司：
还我买官的钱

黄河

　　河南省内乡县一名派出所指导员花1．4万元钱买官，结果没买到理想的职位，遂向中介人追索"活动经费"。中介人拒不偿还，一怒之下，他竟把中介人告上法庭，要求返还其买官"投资"。

　　2004年7月14日，河南省南阳市中级人民法院二审结了这起荒唐的买官纠纷案。判决这种买官行为是有悖于法律的民事行为，驳回买官者的诉讼请求，诉讼费全部由他本人承担，并处以罚款1000元。

4000元投石问路后，他相信了钱能买官

　　地处豫西南的内乡县是南阳市的一个古老县城，今年55岁的王党法买官前就是南阳市城关派出所的指导员。1979年，他由正连职从部队转业后，安排到内乡县公安局，先后从事过治安、内保等工作。

　　由于工作成绩显著，1994年，王党法从内保科副科长的位置升任为赤眉乡派出所所长；一年后，又被调到下关乡派出所任所长。

　　王党法在乡下任派出所长时，对干警实行军事化管理，工作严格按照各种规定达标，政绩很突出，其本人和所在的派出所曾多次受南阳市公安局及内乡县公安局的表彰。可王党法倍感困惑的是，他只在工作业绩上挂个很"突出"的虚名，并没有得到上级的重用。其间，不少他认为干得不如自己的同事都得到了提拔重用，而他仍然在偏远的乡镇当所长。

　　1997年春节到了，王党法的一位好朋友和他半开玩笑半认真地说："兄弟，别只知道工作，必要时也得走动走动呀。过年了，怎不见你行动呀？"

　　一贯正直的王党法不明白朋友的意思，朋友们一拍王党法的肩膀说："兄弟，你难道真没听说过内乡眼下流行的顺口溜吗？不跑不送，

降职使用；只跑不送，原地不动；小跑小送，平级调动；大跑大送，提拔重用。"

王党法听后，沉默了一会儿，继而也哈哈大笑说："哪有那么严重？我只要安分守己地做好自己的本职工作，上级领导是会看到我的成绩的。不能把心思用在邪路上，否则吃亏的还是自己。"

朋友在王党法的"批评"声中，红着脸走了，以后再不向他灌输这种思想了。

1997年7月份，王党法突然被调到城关镇派出所任指导员。无缘无故被摘掉所长的职位而降为一个指导员，王党法心里很窝火。他想，难道真应了朋友们所说的，不跑不送就不受重用吗？

实际上，这次调动是很正常的。采访时，内乡县公安局一位领导说，派出所指导员和所长一样都是正股级，只不过是分工不同罢了。由于地处县城的城关镇位置的特殊性，城关镇派出所指导员的职位其实比偏远乡镇派出所的所长更重要。按道理说，王党法当时其实是得到了重用。

但思想拐不过弯的王党法却苦恼至极。

1998年11月中旬的一个休息日中午，正在烦闷的王党法突然被一位小老弟喊去喝酒。在以往，王党法是会当即拒绝的，但这次他却很爽快地答应了。

从此，一场丑恶的买官纠纷案也拉开了序幕。

王党法的这位小老弟叫杨文学，小他20岁，是一位文化人，曾在内乡县委宣传部工作过，后来任城关镇文化站站长，不久调任城关镇政府经济办公室副主任。和王党法一样，杨文学也是自认为工作能力强、有责任心，但不被重用。有着相同的"委屈"和"官运"。

席间，王党法又说起自己在仕途上的挫折，满腹牢骚。杨文学感叹了一阵子，说："哥，你做人太老实了，现在想当官，哪个不向上进贡呀！我倒认识一个朋友，他叫刘散文，人家跟县委的关系很好。你出些钱，让他帮你跑跑，估计你还能回到派出所所长的位置。"

王党法听杨文学说到这里，问："那你怎么不出些钱让他给你跑跑，调回宣传部或当个乡长什么的？"

"哥，我不行，我没钱，再说我就是当个小乡长也没有什么油

水。"杨文学说，"你不同，你是警察，能在城关镇派出所当上所长，就相当于古代的城防司令，乖乖，那该有多大的权力呀！"

喝得已经半酣的王党法闻言，心中一动，说："不行就跑跑？兄弟，你说得多少钱，多了老哥可拿不出来。"

"先拿4000吧。"杨文学想了想说，"4000元钱问个路。"

王党法动了心，也想试试。第二天上午，王党法从银行取出4000元人民币给了杨文学，让他转交刘散文。

一个月后，内乡县公安局领导找王党法例行谈话，领导表扬他道："老王啊，好好干吧，你的工作能力是大家公认的，不要辜负大家的希望啊。"

王党法多时没有听到领导这样跟自己谈话了，他思来想去，竟固执地认为是自己那4000元通过刘散文送给了县里领导已经起了作用。

当天回到所里，王党法苦笑着给杨文学打电话道："看来，内乡县流行的顺口溜还真灵，有了钱，还真能买到派出所所长的位置。"

其实，王党法自我感觉的良好是毫无根据和道理的，因为，杨文学和刘散文根本就没有把那4000元钱送出去。

转眼，1999年春节到了。为了表示感谢，也为了打探一下消息，王党法让杨文学把刘散文约出来喝酒。

喝至半酣时，王党法问刘散文那事办得怎么样了。刘散文说："那4000元钱送礼花完了，事情并不是想象的那么好办，还得努力协调。"

"那是那是。"王党法迎合着，"你说还需要多少？"刘散文右手伸出一个大拇指，说："少说也得一万元吧。"王党法有点不放心地问："我要的是城关镇派出所所长，一万元不少吧。""10万元也不多，这事主要得靠我的面子。"刘散文压低声音说。王党法认为刘散文讲义气，够朋友，当场承诺事成之后再重重谢他。

吃过饭后，在回家的路上，王党法把一万元红包塞进了刘散文的衣兜里。

春节过后，王党法向刘散文问起事情的进展情况，刘散文说："老兄，别着急，正办着呢。"要官心切的王党法哪有不急的道理，他对刘散文说自己想见一下县委领导。刘散文搪塞道："老兄，这事还是不见为好，人家毕竟是领导，有些事不能挑明啊。"

王党法想想也是，不便打探，也就作罢。

又了过一段时间，正当王党法焦虑时，突然接到刘散文的电话。刘散文兴奋地说，事情办成了。不过，不是在城关镇派出所，而是调到另一个乡派出所当所长。

王党法顿时泄了气，对这一结果很不满意。他已来到城关镇，而且妻子和儿子也都在县城，自己年纪也大了，就不想再回到乡下了。于是，王党法就对刘散文说："兄弟，你看能不能让再协调一下，让我当城关镇派出所的所长。我不想去乡下了。"

刘散文很为难地说："我已经把钱给了人家，他也找人协调成了。如今不比过去，派出所所长的位置争得厉害，你硬要在城关当所长，可想当城关所长的人多，不好协调呀！若你真要想进城关，只好等我再找他说说吧。"

一个月后，内乡县公安局领导还真的找到王党法谈话，让他出任一个乡下的派出所所长，当场被他拒绝了。那位领导很生气，说王党法不讲政治，不顾大局。

一向脾气很倔的王党法根本就听不进去。他又找到刘散文，问他怎么办。刘散文说，这事就办到此了，他已经无能为力了，而王党法却坚持说，不给他调到城关镇派出所，他就不去当那个所长。

不久，内乡县公安局调整中层干部，王党法不愿去任职的乡派出所所长被别人顶替了，他原地不动，仍任城关镇派出所指导员。

正当王党法郁闷之时，其在公安局上班的二儿子因与人斗殴被法院判刑一年。

自己正为买官之事闹心，二儿子又往自己脸上抹了一把灰。沮丧的王党法就响应了当时内乡县委县政府提倡各单位发展企业的号召，保留城关镇派出所指导员的职务，在内乡县灌张乡以每年每亩80元的价格承包了260亩土地。当时，王党法想逐渐淡泊政治上的名利，在经济上充实自己，让领导知道他是个放在哪里都会发光的人才。王党法在承包的土地上种了很多水果树。在其中一块地上，他种了一些草，又养了40多头波尔山羊，整天把心思都放在了种植和饲养方面。

可没想到的是，等到该收获的季节，王党法所承包的土地竟赔本了。一时间，王党法从往日一个风光无限的派出所指导员成了一个四处

知　音

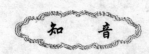

欠债的"羊倌"。这一巨大的角色转换，让王党法无法接受。

官财两空，痛心的王党法在别人追要欠款的时候，又想到了自己买官所花去的1.4万元钱。

花了钱官却没买到，指导员逼问中介人还钱

王党法想了很久，最终还是来到了刘散文的家。他开门见山地说："那个官职我不称心，所长我不当了，你得把活动经费还给我！"

王党法的做法是刘散文没有意料到的，他心想，我为你跑腿办事，你到头来不领情也就罢了，还要倒打一耙。便为难地说："那些钱都请客送礼花出去了，是要不回来的，怎么还你呀？再说，又不是没办成，人家也尽力了，是你自己不愿意去上任！"

此时的王党法却不认这个理，他一直坚持，我没有要你给买的官，你当然要还我的钱。他还"义气"地对刘散文说："那4000元花就花了，不过那一万元钱要一分不少地还给我！"

刘散文很生气，无可奈何地说："那一万元我真的给了人家。你以为官场就是商场，不满意商品就退货要钱？你让我怎好去向人家要啊，人家是领导。"

王党法坚持要刘散文还钱，刘散文无奈，找来杨文学。杨文学也没有料到王党法会来这一手，生气地说："你这人怎么不懂官场上的游戏规则，买官花出的钱是不能要的！"

"我不管，你们必须给我一万元，否则咱没完！"王党法丢下一句话走了。剩下刘散文不停地骂杨文学，说他不该介绍一个精神病让自己帮忙买官。杨文学也大骂王党法，并劝刘散文说："你就不还他，看他能怎么着！"

刘散文想想杨文学的话也有道理，于是转怒为喜道："是呀，他难道还敢公开追要买官的钱不成？"

令刘散文和杨文学做梦也没有想到的是，曾经当过派出所所长的王党法有的是追要办法。从2000年初到2003年间，他隔两天就到刘散文家索要买官钱。索要不成，见刘散文家里有什么值钱的就拿什么。

被王党法搅得没有宁日的刘散文又不敢把这不光彩的事说出去，只好哑巴吃黄连，有苦难言。

知　音

　　当王党法又一次来到刘散文家里讨要买官钱时，刘散文实在没招了，就喊来杨文学，三人当场经过协商，达成协议：刘散文先给王党法2000元现金，其余的8000元打个欠条。

　　刘散文无奈，在交给王党法2000元后，竟哭了起来："碰见你，我真倒了八辈子大霉了。我把你买官的钱送给了别人，你却向我索要，可我找谁要啊？"

　　王党法得到刘散文写的欠条后，更加理直气壮地隔三岔五来他家索要剩余的8000元钱。2003年10月，刘散文经不住王党法一次又一次地登门追要余款，就将自己一辆旧夏利车折价8000元抵给了王党法。刘散文心想，这起倒霉事总算过去了。

　　可没想到半个月后，王党法又出现在了刘散文的家中。他说，刘散文抵给他的这辆旧车得经常到维修厂更换零件、维修保养，用它来抵冲自己的那8000元钱太亏了，还是坚持让刘散文把车收回去，继续还钱。

　　刘散文心中窝了很久的怒火终于爆发了，他气愤地说："我找领导帮你协调，事办成了你不去还要我退钱，我是怕出事才给你垫上这笔冤枉钱。你现在又来了，你分明是个无赖！"说完猛地扑了过去，抓住这位派出所指导员衣领不放，两人随后扭打在一起。围观的人也拉不开，直到110的民警赶到才将两个人分开。

　　临别，王党法对刘散文说："你等着，咱法庭上见，我非告你不可。""我就等着，看你怎么告我。"刘散文以为王党法是在吓唬他，不料，两个月后，王党法真的一纸诉状把他告上了法庭！

买官纠纷案对簿公堂，输的何止是一场官司

　　王党法索钱未果憋了一肚子气，于2003年12月把刘散文告上了内乡县人民法院灌张乡法庭。在诉状中，王党法简单叙述了事情的经过后，请求法庭：一、被告刘散文支付欠下原告的8000元钱和利息4600元；二、被告刘散文承担本案诉讼费用；三、被告刘散文需赔偿原告精神损失费3000元。

　　2004年1月12日，内乡县人民法院灌张乡法庭一审审结。法庭审理后认为，王党法为调整工作给刘散文活动经费一万元，这种行为有悖于法律。但刘散文托人没有给王党法调整好工作，王党法追要该款时，

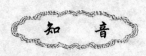

从刘散文家中拿走各种物品折合 650 元,刘散文又返还了王党法 2000
元,又同意以夏利轿车抵余款,这说明刘散文同意返还王党法的财产。
故一审法院判决为:刘散文在判决生效后 5 日内返还王党法的"活动经
费"7350 元;诉讼费 470 元中,被告刘散文承担 300 元。法庭驳回了原
告王党法的其它诉讼请求。

王党法接到判决书很高兴,但刘散文对此不服,在法定的期限内,
上诉到南阳市中级人民法院。

南阳市中级人民法院接到此案后,非常重视,觉得王党法太嚣张
了,竟明目张胆地在法庭上讨要买官的钱!

经过认真研究并报请河南省高级法院有关领导后,2004 年 7 月 14
日,南阳市中级人民法院开庭审理了此案。中院认为王党法为了达到任
职派出所所长的目的,自愿提供活动经费一万元,这种行为有悖于法
律,应视为无效的民事行为。据此,二审法院认为,原一审法院认定事
实错误,应予纠正。

法院当庭判决如下:撤销内乡县法院的民事判决;驳回原审原告王
党法的诉讼请求;一、二审诉讼费共计 940 元全部由王党法负担。法院
同时对王党法作出给予 1000 元罚款的民事制裁。

收到终审判决,王党法痛心地直拍自己的脑袋。采访时,王党法向
记者表示,他很后悔打这场官司。

如今的王党法仍在内乡县承包的土地上种果树、养山羊。他表示,
经过这场官司,他对官场已没有了任何兴趣。他望着在草田间跑来跑去
的山羊说:"还是做'羊倌'比较轻松。"

不久,买官人法庭索要买官钱的消息见诸报端,立即引起了中央及
河南省委有关部门领导的高度重视,层层批示一定要严办此案,对卖官
鬻爵的人一查到底。

8 月 29 日,河南省内乡县纪委书记刘铁军告诉记者,已于 8 月 22
日下发文件对王党法给予党内警告处分。对其他有关涉案人员,尤其是
收钱"办事"的主要人员,上级纪检部门目前正在查处之中,不论涉及
到哪一级干部,都要一查到底。

亡母好友见财起意，
孤女智取证据保住遗产

刘改华 叶泽永 党玉红

父母突然双亡，年仅 16 岁的程玉一下子成了无依无靠、衣食无着的孤女。这时，有好心的朋友提醒："听说你妈妈曾用好友赵兰芝的名字在银行存了 10 多万。"

的确 10 多万元必能铲除小程玉成长之旅中的诸多坎坷和困难。但是，这件事是真是假呀？即便是真，斯人已去、凭据全无，人家会承认、肯偿还吗？果然，赵兰芝开始承认了这件事，继而又解释为"善良的谎言"，并将这笔巨款紧紧揣在了自己囊中。这种情况下，一个孤苦伶仃的孩子该怎样办？赵兰芝究竟是一片好心，还是趁火打劫呢？

杀夫自刎，母造惨剧撇下孤女命若浮萍

郑州市初中三年级学生程玉原本有一个幸福、富裕的家庭：爸爸程海是名处级干部；妈妈彭梅于 1999 年 5 月成立了一家商务咨询有限公司，任董事长；夫妻俩视女儿为掌上明珠。但是，2002 年春节期间，爸爸和妈妈突然闹翻了天，且从此无休无止。

彭梅心灰意冷，再也无心打理公司。公司的状况自然越来越糟，以致于一年后就濒临破产了。

一天深夜，睡梦中的程玉突然被脸上一片冰冷的液体惊醒。她睁开眼睛，发现竟是妈妈的泪水。妈妈正探着身子凝视着自己，那是一种绝望至极的眼神。

"小玉，赵兰芝阿姨是个可靠的人，也是妈妈的好朋友！记住：以后有什么难处就找她帮忙。"见女儿醒来，彭梅哽咽着叮咛。年少的程玉理解不透这些话的意味，她心头一酸，哀求起妈妈："你和爸爸就和好吧！以后都安心工作……"

2003 年 8 月 24 日是个礼拜天，程玉结束了学校的夏令营活动，又

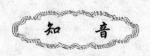

跟同学在外玩耍了一阵子，直到天黑才意犹未尽地赶回家。奇怪的是，家里房门紧锁，妈妈并没有像往常那样早早地准备好饭菜迎着她。程玉掏出钥匙打开房门，一股令人作呕的腥臭味扑面而来。她慌忙查看了厨房、餐厅，却未见腐烂的肉食。异味到底来自何方？程玉心头腾升起一层不祥的阴云。急切中，她又推开父母的房门……顷刻间，眼前惨烈的场景惊得小程玉魂不附体：爸爸程海一动不动地斜仰在床上，面部血肉模糊，表情十分痛苦。床单、墙壁和家具上，处处是他头部喷溅出的血迹；妈妈彭梅脸色苍白，平躺在一旁……两人早已气绝身亡。

"爸爸！妈妈……"程玉一面惨烈地号叫，一面夺门而逃……

冲出楼道大门，程玉一头钻进迎面走来的邻居奶奶的怀里。"孩子，怎么啦？"邻居奶奶忙问。"我……我家出……出事……"一句话没说完，程玉便昏厥了。周围纳凉的邻居闻讯蜂拥赶到程海夫妇的卧室，并随即拨通了"110"。

不久后，郑州警方通过对血案现场的勘查，结合尸检报告，得出结论：当天，丈夫程海殴打了妻子彭梅，妻子的报复心理膨胀。趁丈夫睡熟，妻子用铁锤连续、猛烈击打丈夫的头部，致其当场死亡。凶手彭梅随后服下大量早已储备好的安眠药自杀。

年仅16岁的程玉从此成为无依无靠的孤女。料理父母的丧事时，她的精神几乎崩溃。

远在许昌的姑姑程芯十分同情小程玉的不幸，请长假来郑州照顾程玉。清算完商务咨询公司的账务后，程芯惊讶地发现，父母仅仅留给孩子900元的遗产。

程玉还在读初中，不可能有任何收入；程芯自己家有老有少，生活拮据，对侄女爱莫能助。这个可怜的孩子以后的学习、生活费用从哪里来呢？所有关心程玉的人都意识到必须替她考虑这个迫在眉睫的沉重问题。为此，他们隔三岔五就会聚到程玉家议论此事，但最终谁都没有好办法。

有一天下午，彭梅的一位生前好友前来悼念这对亡灵。获悉程玉的处境后，他感慨万端。猛然，这人紧皱起眉头："我想起一件事来！今年5月底，你妈妈偶然跟我说，她在赵兰芝那里存了一大笔款，好像有10万多。"在场者无不为之惊喜，但接着又议论纷纷："如果这些钱还

在，人家又肯偿还，程玉的生活费和学费就有着落了！""可物是人非，人心难测呀，一切都不好说喽……"

这个提醒让程玉联想起妈妈那天深夜的话："以后有什么难处就找赵兰芝阿姨帮忙"。当时，程玉仅仅以为妈妈要出几天差，哪能想到，这竟是她临终的最后嘱托。

对于这个赵兰芝阿姨，小程玉再熟悉不过了。

赵兰芝与彭梅曾经同在河南一家医院当护士，她们是同事，更是好朋友，好得就像连体姐妹——形影不离。1997年10月，彭梅辞职下海，但两人亲密的关系并没有随着工作的变化而疏远。

程玉将母亲在赵兰芝处有存款的消息告诉了姑姑程芯。程芯不敢拿此太当回事。她总有一连串解不开的问题：彭梅真的有存款放在赵兰芝那里吗？她为什么要将这样一大笔存款放在一个外人的手里？即使情况属实，斯人已去，又无证据，人家会承认吗？

程玉却坚持，核实一下这件事有必要，也不费什么功夫。她一再央求姑姑带自己去找赵阿姨问问。

存款疑云，阿姨变脸"善意的谎言"

2003年10月15日，姑侄二人找到了赵兰芝家。

一直以来，程玉从没怀疑过妈妈和赵兰芝间的深厚情谊，她也深信，这个阿姨心地善良。但是她又琢磨：金钱面前，厚道人滋生贪婪之心，这是常常听人说起的事。而与此对应，一个人加强些自我防护意识，能有什么不应该呢？所有，此行之前，程玉多留了个心眼，她从同学那里借来一个数码录音笔，悄悄带在了身上。

没料到，赵兰芝很爽快地承认了这件事，这令程芯和程玉忐忑不安的心顿觉宽慰。赵兰芝证实说："三年前，彭梅让我托熟人在中国银行郑州市花园路支行买5万元国库债，期限三年。她当时怕用自己真实的名字对熟人不便交代，便使用了我的名字。后来，彭梅又以我的名义在农业银行丰产路储蓄所存款7万元，期限也是三年。到期后，也就是2003年五六月份，我们两个一将国库债、存款本金及利息取出，又存到了这两家银行，大概有12万多，具体数额我也记不清了……"

当天下午，赵兰芝还非常热心地领着姑侄二人去银行查询存款数

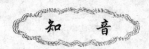

额。因为没有存折，又不知道账号和密码，银行方面拒绝回答。看见程芯和程玉失望的样子，赵兰芝耐心地安慰道："你们不要着急，如果这笔钱你妈妈生前没动用，还在银行，我就想想办法，一取出来就给你们送去。"程芯紧紧地握住赵兰芝的手，嘴上说着感谢，心里却愧疚极了：当初自己真是"以小人之心度君子之腹"了！小程玉也很庆幸：赵阿姨好心肠啊！凭这10来万存款，自己可以安心念书，实现上重点大学的理想了。

10月20日晚上，小程玉在清理父母遗物时，意外地发现了两张存款单。单子上面写着赵兰芝的名字，存款总额有10多万，一切都跟赵兰芝的话十分吻合。程玉忙把存款单交给了姑姑，这下她更加放心了。程芯连夜打电话告诉了赵兰芝，约她一起去给孩子取出救急钱。

"真的找到存款单了吗？"接到程芯的电话，赵兰芝也很惊讶。紧接着，她迟疑了一下，又告诉程芯，彭梅生前曾用她的名字注册过公司，万一公司有债权债务了，将来还要追究到她的头上。要等公司注销后，才能将存款归还她。

赵兰芝的话有道理，侄女再如何等米下锅，也不能给这样的好心人留下"后遗症"呀！程芯马上赶去注销彭梅的公司。但是工商局告诉她，因为公司没有年检，事实上已经注销了；公司也不存在任何债权债务。

程玉于是拨通赵阿姨的电话，邀请她一起去银行取款，赵兰芝却又推托说："抽不出时间呀！"

2003年11月中旬，彭梅生前的另一位女友来家里探望小程玉，她提醒说："你们还是早些把钱拿回来的好，夜长梦多啊！赵兰芝一直不提还钱之事，是不是在找理由推脱，另有图谋？"听了这话，程玉和姑姑心里都是一沉："是啊，怎么赵兰芝这么久不和我们联系，会不会有什么变故？"第二天，程芯忙带着程玉拿着存款单去银行查询。果然，银行告知他们：存款已于10月14日和11月5日被赵兰芝以存单丢失、密码忘记为由，凭身份证挂失后领走了！

程玉和姑姑一下子傻眼了。

抱着最后一丝希望，两人再次找到赵兰芝，质问她为何私自取走款，并希望她能归还。这时，赵兰芝的说法变了："这两个存款单本来

就是我的，我借给了程玉的母亲彭梅……"

"赵阿姨，你原来可不是这么说的呀！"程玉接过话茬。

赵兰芝没把眼前的小丫头放在眼里，她冲着程芯解释说："当初，我同情程玉的不幸遭遇，希望以后能在经济上给她以帮助，才违心地说她妈妈用我的名字存了钱。安慰孩子嘛，这是个善意的谎言，我用心良苦！"说到这里，赵兰芝还落下了泪水，"你们相信也好，不信也罢，我的存款我要收回去……但无论你们怎样理解我，我还是愿意一如既往地关心、帮助小程玉，资助她完成学业……谁叫我和她妈妈那样要好呢？"

赵兰芝凄凄的表述，似乎也能自圆其说。程芯的心一下子凉了。程玉心里却充满了疑问：这是个很重要、很严肃的事情，赵阿姨怎么能像演川剧中的变脸术呢？她的说法前后矛盾，到底哪一种是真的？

晚上，姑姑安慰程玉："就当我们压根没听说过存款的事好了！争执下去不仅徒劳，人家对咱们的看法也不好！毕竟你妈妈不在了，没人能证明当初究竟怎么回事……"

"但是，如果存款单真是赵阿姨借给妈妈的，她之前的说法是善意的谎言，那么，她怎么说不清楚存款单的数额和密码呢？甚至连存款单未被动用，就放在咱家也不知道呀！"程玉眨着眼睛，表情非常认真。

是啊！程芯心里一亮，小侄女严谨、合理的推论令她十分兴奋和震惊。

于是，姑侄二人又多次向赵兰芝索要起这笔钱，赵兰芝渐渐不耐烦了："你们两个怎么不知好歹？我的一番好意反倒惹了麻烦，再来胡搅蛮缠，我就不客气啦！"面对劝说、调解的同事和朋友，她更是一脸的无辜，"唉！也不知道是谁说一句不负责任的话'彭梅用我的名字存了10多万'，空穴来风呀！彭梅一个商界打拼的人，难道不知道法律规定银行存款采用'实名制'，大伙想想，这种事可能吗？再说了，那两张单子的存根就是我的笔迹，还不能说明问题吗……"

大伙面面相觑，程芯哑口无言，程玉却寸步不让："赵阿姨，咱们只有法院见了！"

不久，程玉一纸诉状，将赵兰芝告上法庭，她诉称赵兰芝侵犯了她的财产权，要求法院判其返还存款本金128000元及利息300元。

拨开"存款疑云",小证据赢了大官司

2003年12月14日,郑州市金水区人民法院开庭审理了此案。法庭上争论焦点集中在:这笔款项是彭梅以赵兰芝的名义存进银行的,还是赵兰芝以存单的形式借给彭梅的。双方诉讼代理律师唇枪舌剑,各执一词。

根据"谁主张谁举证"的庭审规则,原告出示了她偷录的赵兰芝第一次就有关存款问题的谈话录音,存款单原件及那位好心人的书面证词等证据。

被告赵兰芝大呼冤枉,认为这都是善意谎言惹的祸。她辩称:"1997年彭梅成立商务咨询公司时,注册资金是30万元,彭梅出资25万元,我自己出资5万元,并担任公司监事,但基本上不过问公司的事。2003年,彭梅资金暂时困难,请求我先垫支一下。于是我把我们夫妻的共同财产128000元、两个存款单,交给她。后见到失去双亲的程玉时,我动了怜悯之心,想从经济上给其资助,便对她讲,她妈妈在我这里有存款,我愿意供养其生活之类的话。我的目的之一是,不让她忌恨妈妈,减少心理压力;目的之二是,促成她接受我的援助,以便安心读书。我本来想,这笔血汗钱如果被彭梅使用了,那不得不放弃。但是,找到存款单后,原告和姑姑程芯却把我善良的愿望当做对我要挟的手段,泼妇一样多次到我单位大吵大闹,给我的精神造成了极大伤害!"

对于录音证据,被告提出了断章取义,加工伪造的异议,并申请做司法鉴定。

对于原告出示的其母亲保存的存款单原件这一证据,被告代理律师则避其锋芒,从另一个角度进行了辩解:法院从银行调取的存款单存根是赵兰芝本人填写的,证明存款是赵兰芝办理的,所有权应归赵兰芝所有。法院调取的书证——存单存根的证明力远远高于原告通过其他手段所获取的视听资料,当书证与视听资料发生冲突时,应以书证为准。

对此观点,原告的代理人反驳:书证与视听资料并不发生冲突,也不存在谁的证明力高于谁的问题。因为这两份证据反映的是两个不同的法律问题:书证反映的银行与客户之间的关系,证明的是存款的存在;视听资料反映的是原、被告之间的关系,证明的是存款的来源。

被告当庭还提起反诉：原告的姑姑程芯多次到我单位无理取闹，侵害了我的名誉权，给我造成极大精神伤害。请求法院判令其停止侵害、消除影响、赔礼道歉，并赔偿精神损失费 1000 元。法庭认为，被告的反诉与本案不属于同一法律关系，其反诉的当事人亦非本案的诉讼主体，不能合并审理。法庭当庭驳回了被告的反诉请求。

2004 年 2 月 17 日，郑州市金水区法院对本案作出一审判决。法庭审理认为，被告对录音资料虽有异议，但后来放弃了鉴定权利，并对录音中其谈话的真实性予以认可。故原告提交的录音材料、存款单原件，证人书面证词等证据系合法有效证据。法庭支持其主张。赵兰芝的辩护理由证据不足。依照《中华人民共和国民法通则》第一百一十七条第一款之规定，法庭判决被告赵兰芝返还原告程玉人民币 128000 元及利息 300 元，并负担案件受理费 4076 元。

赵兰芝对此判决不服，认为一审法院认定事实不清，录音资料中所述的事实与实际有出入，一审不能仅凭两张存单和存在诸多疑点的录音资料作为定案的依据，于是向郑州市中级人民法院提起上诉。

2004 年 4 月 18 日，郑州市中级人民法院开庭二审此案，并于 6 月 9 日作出终审判决。该院认为，上诉人关于本案所涉的 128000 元钱的来源及两张存单为何在程玉处的陈述前后不一致；从其挂失密码的行为看，其主张该款是其本人所有，但又不知道自己存单的密码，显然不符合情理。结合被上诉人提交的录音证据，上诉人在录音中关于该款有关情况的陈述应为客观真实的。故判决：驳回上诉，维持原判。

案件终审后，赵兰芝没有提起抗诉。

就程玉的胜利，记者采访了郑州市中级人民法院终审本案的法官马晋。马法官解释：本案中，原告的录音证据是审理时的关键所在，对判决起到直接的、重要的作用。它与证人证言、存款单原件等证据以及被告不知道存款单密码的事实，形成链条，互相印证。被告两次庭审的说法似乎都合情合理，但缺乏证据。

马法官感慨：程玉赢在智慧和勇气上！把握住稍纵即逝的机会，取得关键的、合法有效的录音证据；对方前后说法矛盾时，从"不知道密码"这个小小的疑点进行合理推论……这些行为，无不闪烁智慧的光芒。大胆怀疑母亲生前好友的心态变化：大胆站起来与成人对簿公堂

知　音

……这些举动，都需要勇气。对于一个十几岁的孩子来说，真是不简单啊！

　　程玉赢得了官司，也赢得了生活的信心。目前，她已彻底摆脱了心理阴影，做好了迎接各种挑战的准备，并将全部精力投入到了学习中去。

婚外强留情，
裸照胁迫也是强奸罪

孔令泉

2004年7月底，正在监狱服刑的石洪安收到了妻子与他的离婚判决书，石洪安捶胸顿足，号啕痛哭："我恶有恶报，什么都没有了……"原来，8年前，在杭州一家国有企业担任副科长的石洪安与他的女下属玩起了婚外情。当情人想结束这场"游戏"时，石洪安拿出他偷拍的情人裸照要挟，情人不得不又和他保持了长达4年的性关系。石洪安没有料到，懦弱的情人最终会告发他。法院于2003年3月21日以强奸罪判他3年徒刑。而以裸照胁迫情人发生性关系而被以强奸罪论处，此案在全国还是第一例！

婚外情游戏中，
卑劣地留下底牌

1996年，42岁的石洪安到杭州郊县的一家国有企业退休任副科长。他大专文化，党员，父母亲都是老干部，妻子在同一单位出纳，女儿读高中，家庭看起来十分幸福。其实，石洪安内心难挨骚动，妻子体弱多病，已难满足他的生理需求。所以，当史丽丽调到他手下时，他就想要占有她。

史丽丽与石洪安在同一单位，原先开车，因为丈夫也是同单位的驾驶员，经常出差，单位领导为了照顾她的家庭，就将她调到退休科下属的一个经营部当营业员。31岁的史丽丽身材窈窕，皮肤白皙，尤其是她与生俱来的女人味，让石洪安一眼就着了迷。

为能天天见到史丽丽，石洪安干脆将自己的办公室搬到经营部。石洪安文质彬彬，丰富的阅历和诙谐的谈吐很快赢得史丽丽的好感，再加上石洪安"不经意"的细致入微的体贴，丈夫经常出差而独守空房的史丽丽内心发生了变化，也想找个情人填补寂寞。而浑身散发着男人气息

的石洪安让她怦然心动。

一天，上班的同事们开起黄色玩笑，史丽丽说起她家有黄带。石洪安耳朵马上竖了起来，故意嚷着："什么时候到你家去看看。"史丽丽也有意抬高嗓门："你敢来，你就来呀。"众人见石洪安不吭声了，哄地笑开了。大家都以为说说笑话。

石洪安嘴里没吭声，晚上却敲开了史丽丽家的门。石家与史家同在一幢楼的三楼，只相隔一堵墙，但不在一个门洞。史丽丽先把儿子哄睡了，两人在客厅里心照不宣地看起了黄带来。眼看着黄带上的赤裸男女滚在一起，石洪安哪里忍得住，抱住史丽丽狂吻起来。两人在沙发上发生了关系。

事后，石洪安抚摸着史丽丽的头发感叹道："你给我的感觉真是太好了，我才找到一个男人的感觉了。"史丽丽不禁问："是吗？你老婆对你不好吗？"

"你才是我的真爱，你答应我，今生今世不离开我。"石洪安的真情告白让史丽丽陶醉了。

由于史丽丽丈夫郑巍经常出差，石洪安就常常在白天从单位偷偷溜出来，到史丽丽家幽会。刚开始，史丽丽对这场婚外情游戏十分认真，她将石洪安与丈夫作了比较，觉得无论是从学历，还是地位，丈夫都是无法与石洪安相提并论的。但是她并没有离婚的打算，因为大家都在同一单位，如果闹离婚，对谁都无法面对；更重要的是她仍爱着丈夫，也不愿意伤害儿子。而对石洪安来说，其实他一开始就把这场婚外情当成一场游戏，他根本就没想到离婚，因为这直接会影响到他的仕途，他的传统父母也不能容忍。他更喜欢在妻子与史丽丽之间选择一个平衡点，家有贤惠的妻子，外有风情万种的情人。

但是婚外情犹如布满鲜花的沼泽地，一旦陷进去，就难退出。石洪安和史丽丽在情欲里越陷越深。在又一次的云雨之后，在石洪安的软泡硬磨下，史丽丽写下了"石洪安，我爱你终身不悔"的字条。但是占有欲极强的石洪安拿着写着史丽丽爱的承诺的字条，心里仍然不踏实，他又想出了一计。

又一次在史丽丽家幽会时，石洪安突然拿出一部傻瓜照相机，对准赤身裸体躺在床上的史丽丽"咔嚓"照了几张。史丽丽吃惊地问："你

这是干什么？"石洪安嘿嘿一笑，"我想以后好好欣赏。"有点倦乏的史丽丽没往深处想，事情过后就忘了，也没再提起这事。

裸照胁迫，畸情欲罢不能

转眼到了 1998 年，两人仍在频繁的约会中感受着偷情的刺激。史丽丽因单位减员而提前下岗了。这年 5 月的一天，是史丽丽儿子 10 岁生日，下午 2 时许，石洪安穿着工作服来到史丽丽家，他脱了工作服，迫不及待地把史丽丽抱上了床。刚完事，门外传来开门声，史丽丽大惊失色："不好，我老公回来了。"

来人正是郑巍。为了给儿子过生日，郑巍提前回家，一眼看见石洪安赤裸着上身正在客厅穿裤子。他气得浑身发抖，指着石洪安说："你给我滚出去，滚！"

郑巍随后抓起电话，打到石洪安妻子李娟的办公室，告诉她所发生的一切。放下电话，李娟就气呼呼把石洪安叫回家里责问。石洪安矢口否认与史丽丽有奸情，说是有个账目要与史丽丽核对，因为天热，他脱了工作服。李娟说你如果与史丽丽好上，我们就离婚吧。石洪安发火道，我又没这事，离什么婚！

石家和史家一墙之隔，石家两口子吵架，郑巍模糊听见了，就打电话到石家，对石洪安说："如果你以后再到我们家来，我打断你的腿！"石洪安软了口气说："你放心，我不会再到你家来的。"放下电话，郑巍对妻子说："过去的事就让它过去，我不会追究的，只要你今后不再与石洪安来往，我们还一样好好过日子。"见丈夫这样宽容，史丽丽泪如泉涌，她扑在丈夫怀里，呜咽着说："我以后不会再这样了。"

史丽丽决定中止这场游戏，不再与石洪安联系。风波发生后，石洪安确实也老实了一段时间，他百般讨好妻子。李娟虽然心里恨恨，但没有证据，见丈夫对她也不错，也就不再闹了。

过了一个多月，石洪安再也按捺不住，拨通了史家的电话，对史丽丽说，这些天来他度日如年，无时无刻不在想她，他不能没有她。史丽丽叹了一口气说："一切都结束了，我已答应我老公了，我们好聚好散吧。"石洪安这时生出一计，说："你还记得上次我给你拍的裸照吧，我已经洗出来了，你要不要看？"史丽丽一惊，连忙说："你马上把照片毁

掉。"石洪安嘿嘿一笑，挂了电话。史丽丽心头有些不安。

过了两天，石洪安把两张裸照从史丽丽家防盗门上纱窗的一个洞里塞进去，然后回到自己家里，给史丽丽打电话，告诉她门上有东西。史丽丽看了照片，见是她的两张裸照，顿时羞红了脸，她气愤地对石洪安说："你怎么这么缺德，马上把底片还给我。"石洪安嘻嘻笑着说："还你可以，明天上午老地方见。"

第二天上午，史丽丽如约来到离她家1里多的山上，石洪安早就到了。这里有小块草坪，周围被树木遮掩，很少有人来，以前他们曾在这里欢爱多次。史丽丽问石洪安要照片，石洪安赤裸裸地说："照片可以给你，但要先做爱。"史丽丽想了想，只好同意。

事后，石洪安拿出两张史丽丽的裸照，当场烧掉了。史丽丽说，你还有底片呢，石洪安说，底片没带来，下次吧。

过了一星期，石洪安打电话叫史丽丽出来，说底片带来了。史丽丽就又在山上与他会面。石洪安故伎重施，仍要先发生关系再给底片。完事后，石洪安拿出一卷胶卷烧掉了。史丽丽松了一口气。她想一切都结束了。可她哪里知道，石洪安拿来的是一卷废胶卷，根本不是裸照的底片。

两个星期后，石洪安又打电话给史丽丽，叫她出来。史丽丽说："请你自重，不要再找我。"石洪安恼羞成怒："上次烧掉的是假底片，你不出来，我就把你的照片贴出去，看你还能不能见人！"史丽丽知道，如果裸照公开了，老公肯定会离她而去，儿子今后更难以见人。石洪安得意地看着史丽丽又乖乖地就范。

慑于淫威，四年苟且偷生

面对石洪安的威逼，史丽丽心里的压力越来越重，经常半夜从睡梦中惊醒。原先的石洪安在她眼里还是一位风度翩翩的正人君子，现在流氓成性的石洪安如同恶魔般让她惶惶不可终日。

史丽丽唯一的办法就是尽量找理由不与石洪安见面。可石洪安没有那么耐心，他将裸照放入信封，塞到史丽丽家的信箱里，门缝里。史丽丽一看信封，脸都吓白了，只得屈从石洪安。

到了2000年夏天，以前的手段不管用了，石洪安开始用史丽丽曾经写给他的"石洪安，我爱你终生不悔"的字条和裸照，复印多份，塞在

史丽丽家的门缝里和史丽丽的车篮里。之后，石洪安再给史丽丽打电话："看到了吧，如果你不出来和我见面，我就把这些到处张贴，贴到你儿子的学校里。"

懦弱的史丽丽又一次妥协了。石洪安完事后还恬不知耻地说："我要得到的就一定能得到，你逃不出我的手心。"羞辱和悲愤之中，史丽丽想报案，但又不敢，她害怕石洪安真的把裸照贴出去，她觉得那更对不起丈夫。她希望这事慢慢冷下去，石洪安以后不再干扰她。

史丽丽的一切反常举动，上小学的儿子郑剑都看在眼里。有时候晚上妈妈接到电话匆匆出去，半小时后回来，眼里带着忧伤，他还听到妈妈的哭声。他虽然不知道发生了什么，但清楚那一定不是好事。郑剑知道叫妈妈出去的是隔壁的石洪安，非常痛恨他。他跑到石洪安的车棚里，将其自行车胎扎破。当他第二次去扎车胎时，被已有防备的石洪安抓住。石洪安对郑剑很恼火，竟跑到学校找郑剑班主任告了郑剑一状。可倔强的郑剑就是不肯向石洪安道歉。

2002年4月下旬的一个星期天，石洪安的妻子到杭州参加财会自学考试，石洪安殷勤地送妻子到杭州。傍晚时分，他匆匆赶回家里，拨通了史丽丽家的电话。无论他好说歹说，史丽丽就是不肯到他家里来。石洪安说，好，你不过来，我过来。史丽丽说，你过来我不会开门的。石洪安挂了电话就到史丽丽家敲门。郑剑听到敲门声去开门。石洪安见是郑剑，做贼心虚，溜下楼去。回到自己家里，气急败坏的石洪安恶狠狠地打电话给史丽丽说："你再不过来，我明天就把复印件发到你儿子的学校里去。"史丽丽心在滴血，艰难地说："好吧，我过来。"

当晚回到自己家里，史丽丽一夜未眠，想到深爱自己的丈夫，想到懂事的儿子，泪水浸湿了枕头。史丽丽暗暗发誓从今往后她再也不屈服于石洪安的淫威，她决定直面一切。她让邮局装了来电显示，石洪安再打来电话，史丽丽就不接。

噩梦醒来，那个
卑劣科长定了强奸罪

2002年6月12日一早，史丽丽上街买菜。正骑着自行车，石洪安像幽灵一样出现在她面前，往她车篮里扔了一张纸条，然后扬长而去。

史丽丽打开纸条，上面写着："希望不要把事情弄僵，一旦事情发生，那就很难挽回了，请慎重。9：15 山上。"

史丽丽考虑再三，决定见面，因为她正好来月经。到了山上，石洪安恶狠狠地说："如果你以后不理我，我要和你同归于尽。"见史丽丽不吭声，石洪安以为她被吓住了，便笑嘻嘻地又要与她发生关系。史丽丽说她来月经了，石洪安仍不罢休，威逼她帮他手淫。看着石洪安丑恶的嘴脸，史丽丽直恶心。

6月16日、17日，石洪安拼命打史丽丽家电话，史丽丽都没有接。6月18日晚5时许，石洪安用一个公用电话打，史丽丽以为是丈夫打回的，一接，石洪安破口大骂："你不理我，我一定给你颜色看看！你的照片我已经复印了20多份，我要一步步来，先贴到你儿子学校里，让你儿子出丑，然后再来搞你。"史丽丽一言不发，挂了电话。

这时，在恐惧和威逼之下，史丽丽一种破釜沉舟的勇气陡然而起。她拿起电话，拨打了110，称有人恐吓她。110民警问她怎么回事，史丽丽又不讲。110民警就说，如果你感到了危险，你就及时打110。史丽丽又给儿子打电话，告诉儿子要当心，有人要报复妈妈，把东西放在学校里。儿子郑剑心里很害怕，就打通了父亲的手机。郑巍马上打电话问史丽丽，史丽丽告诉丈夫，石洪安可能要报复她。郑巍火冒三丈，马上打电话给石洪安，石洪安矢口否认要报复史丽丽。郑巍说，如果你敢乱来，我绝对对你不客气。

史丽丽忐忑不安度过了一夜。第二天早晨6时，石洪安用公用电话打给史丽丽，他几乎是吼叫着："好啊，你昨晚把事情告诉了你老公，又让你老公来骂我，你看我怎么收拾你们！"

当天下午，石洪安再次打电话给史丽丽说："我贴了一张复印件出去，但被风雨刮掉，要不是下雨，我会把所有的复印件都贴出去的。"史丽丽一字一句地说："我顾不了那么多了，我已经忍了你很久，我已打了110，让110处理我们的事吧。"石洪安冷笑道："你报110有什么用，没凭没据，到时候出丑的只有你自己。"

6月20日一早，石洪安再次打电话给史丽丽说："你如果不跟我好的话，我要找人搞你老公和儿子。再和你同归于尽。"而恰在这时，郑巍担心家里出事，就请假赶回家里。史丽丽告诉他，石洪安又几次打来电话威胁她。郑巍觉得这样下去不是办法，下午赶到石洪安的办公室，指责石洪安太缺德，太卑鄙。石洪安破口大骂："你不是男人，你回去好好管管你老婆。"

郑巍脸色铁青，回到家里责问史丽丽："你到底有什么把柄落到石洪安的手里，他那样嚣张。"史丽丽只是哭，她不敢说，她怕说出来丈夫从此离她而去。

郑巍见老婆哭个没完，说："不行，这事得让派出所解决。我陪你到派出所去。"事到如今，史丽丽也只好硬着头皮到派出所报案了。在派出所里，史丽丽把她和石洪安的所有事情和盘托出。郑巍听得两眼冒火，大吼一声："老子非杀了他不可。"说着要冲出去。民警连忙劝住，说："你们放心，我们会依法处理的。"

然而，此案的调查取证十分艰难，公安机关克服种种阻力，于同年9月16日以涉嫌强奸罪将石洪安逮捕，不久将案子转到县法院。法院组成合议庭，对此案不公开审理。

法院认为：受害人史丽丽1998年5月向石洪安表示断绝奸情，之后是在石洪安要用散发其裸体照片等手段进行威胁的情况下，迫于无奈才与石洪安继续发生性关系。石洪安向史丽丽讲过要散发她的裸照，也实施了投发复印件等威胁手段。从石洪安处提取的史丽丽的三张裸照底片及照片、复印件等，从史丽丽处提取的石洪安投发的裸体照片复印件、小字条等证实，石洪安犯强奸罪证据确凿。于是，法院一审判处石洪安有期徒刑三年。

石洪安对此判决不服，提出上诉。杭州市中级人民法院2003年3月21日驳回上诉，维持原判。

此案在当地引起轰动，给两人的家庭蒙上了阴影。石洪安老父在儿子入狱后不久就去世了。郑巍原谅了妻子，但他们被迫搬了家，儿子转了学。

石洪安被终审判决后进了浙江一所监狱服刑。几个月后，李娟向法院递交了离婚诉状。石洪安坚决不同意离婚，写了长长的忏悔书，希望妻子能看在女儿的分上原谅他。但是妻子并没有原谅他，2004年7月，法院依法判决李娟与石洪安离婚。石洪安终于吞下了自己种下的玩弄婚姻玩弄人生的苦果。

这桩婚姻离了还要离，赢了财产输了亲儿

白雪

　　夫妻感情破裂，两人协议离婚。谁知，一年后妻子又向法院起诉，要求离婚。这婚不是离了吗？怎么又要离呢？丈夫去找离婚证，没了；到民政局去复印离婚档案，也没了！

　　蹊跷的离婚官司一打两年，心力交瘁的丈夫只得再次办理离婚，并又给了女方10万元补偿。然而，就在这时，原本判给女方的儿子却提出来"不和这样的妈妈在一起"。这一切，究竟是怎么回事？

心有不甘再离婚，儿子做了好心的间谍

　　1994年夏季，刘义秋从福建某部营级干部转业后分配到老家南昌市国税局工作。当时，他妻子何琼在南昌市某公司做职员，儿子刘平4岁，已经上幼儿园了。刘义秋认为男人应以事业为重。半年之后，他被提升为科长，工作更忙了。不久，平淡的家庭生活起了变化，何琼的牢骚升级为争吵。后来，何琼迷上了股票。爱上炒股的何琼有了很多股民朋友，并不时带他们到家中来玩，常常弄得家里乌烟瘴气，几次争吵之后，两人的感情走到了边缘。

　　2001年8月，两人到青云谱区民政局协议离婚。协议约定：两人共同居住的由刘义秋单位分配的住房分给刘义秋，何琼单位的房子分给何琼。刘义秋一次性给何琼8万元经济补偿。

　　"爸爸，你为什么要与妈妈离婚，你知道我心里多难受吗？"儿子刘平得知父母离婚后非常痛苦。刘平不知道他们离婚的真正原因，认为是父亲抛弃了母亲，所以对刘义秋感到痛恨。在法官征求他的意见时，他选择与妈妈一起生活。和妈妈回家的那刻，儿子的眼里噙着泪水。

　　离婚后，刘义秋在朋友们的张罗下，与一个大龄女青年开始接触。这时，何琼一个要好的姐妹告诉她："刘义秋离婚才一个多月，就

跟一个漂亮女孩好上了,我敢肯定一定是离婚前就有了关系,要不哪有那么快?"何琼想想也是,刘义秋不肯原谅她,也不顾儿子的哭求坚持要离婚,一定是早有新欢。如果是这样,那当初离婚时自己可就吃亏大了,刘义秋仅那套大房子的价值就不低于 30 万。

一次,刘义秋带了新认识的女友回家,两人正聊着,何琼敲开门,满脸怒气地走了进来,开口就骂:"我就知道你在外面早有了女人,趁我不在家,竟把狐狸精带到家里来了,我今天跟你们没完。"说着便过来拉扯刘的女友。

刘义秋赶忙挡住她:"你这是咋回事,我们不是离婚了吗?"

"谁说我们离婚了,你想离婚?没那么容易!"何琼纠缠了一会,又气冲冲地走了。

一天,何琼对刚上中学的儿子刘平说:"你爸爸一时糊涂和我离了婚,相信他现在也后悔了,他从来不懂得照顾自己,我很担心他,再说,我也不想你没有了父爱。平平,你肯帮妈妈吗?"

"怎么帮你?"

"这个周末你去陪你爸过,他会很高兴的。趁他不在的时候,你把那本离婚证和离婚协议书拿回来。没有了离婚证,我与你爸就自然复婚了,我们一家人又可以在一起。"平平同意了。

父母离婚时,刘平很痛恨爸爸,但分开后,他心里又想念着爸爸。周末,刘义秋见儿子主动来看望他,很是高兴,晚上儿子追问为什么要与妈妈离婚,想不想再让妈妈回来时,刘义秋真不忍伤害儿子的心:"等你长大了我再告诉你,现在你安心读书,有什么需要爸爸为你做的,你尽管来找爸爸。爸爸很爱你。"

2001 年 9 月底,曾在青云谱区民政局工作过的熊玲玲带着何琼找到办离婚登记的黄莉,说是何琼的离婚协议书弄丢了,需要从档案中复印一份。当事人复印档案也是常有的事,想到熊玲玲曾是同事,黄莉就没有陪同,将案卷交给何琼让她自己上街复印。不一会,何琼回来了,把案卷放在桌子上打声招呼就离开了。

儿子回家住了两天之后,刘义秋一次偶然打开存放离婚证的抽屉,却发现离婚证和离婚协议书不见了,而原已上交到民政局的结婚证却静静地躺在抽屉里。家里没有外人来过,一看就知道是儿子耍小孩子脾气

拿走了，刘义秋当时也没有多想。

谁料 2002 年 4 月的一天，正在上班的刘义秋突然接到法院的通知：何琼已于 4 月 9 日向青云谱区法院递交了离婚起诉书，要求法院判决与他离婚。明明已经在民政局办理了离婚手续，现在却到法院起诉离婚，刘义秋一脸惊诧，忙问法院工作人员是不是搞错了。看清起诉状之后，刘义秋不敢大意，他匆忙赶到青云谱区民政局，说是离婚证丢了，要求复印离婚档案。黄莉说："你们也真是马虎，几个月前何琼也说是离婚协议书丢了要求复印。"一种不祥的感觉涌上刘义秋的心头。

黄莉打开案卷来找，不由得惊出一身冷汗：刘义秋与何琼的档案材料不见了！她意识到出了问题，立即打电话给熊玲玲询问情况，电话中何琼承认是其拿走了离婚档案并已经销毁。当黄莉多次找到何琼要求其返还全部材料时，遭到了何琼的拒绝。

2002 年 5 月 9 日，当刘义秋再一次找到黄莉时，她却否认为其办理过离婚手续。刘义秋要求查看开出的离婚收费发票，黄莉不同意，说是要有离婚证才给他查。刘义秋找到局长胡兵才查找到了离婚费用发票：离婚调解费 50 元，离婚照 30 元，离婚证工本费 9 元。在事实面前，黄莉承认了自己工作失误，并经领导同意向青云谱区法院开出证明：刘义秋、何琼已于 2001 年 8 月在我处申请办理了离婚手续。经我处查其离婚档案材料被何琼趁我处工作人员疏忽时私自盗走。何琼本人已经当面承认。为维护《婚姻法》的尊严，我们认为何琼离婚早已是事实，不能申请第二次离婚。

受骗的儿子问妈妈：钱重要还是诚实重要？

2002 年 4 月 9 日，何琼在离婚诉状中称：婚后由于双方性格不合，时常发生争吵，自己经常无端被殴打，后又发现丈夫刘义秋与其他女人有染，家中床上也经常有其他女人的头发。现在夫妻俩感情已完全破裂，故请求法院判决离婚。要求是：一、依法分割夫妻共有财产；二、判令由原告抚养其子，被告每月承担抚养、教育费用 600 元；三、判令被告因有第三者及实施家庭暴力给原告损害赔偿；四、判令被告承担诉讼费用。

一天，刘义秋找到儿子刘平："你把离婚证拿走放哪儿了？现在你

妈妈向法院起诉离婚，我真的没时间与她瞎胡闹。"

"不至于吧，妈妈说想与你复婚，所以让我去拿离婚证的，拿回来我就给妈妈了。"刘平一脸的惊讶。回到家，证实妈妈果真起诉离婚时，刘平大哭道："妈妈，你为什么要骗我？为什么不与爸爸复婚？"

"平平，我这也是为了你好，当初离婚时你爸爸占了很大的便宜，我要让他补偿回来，有了钱将来还不是你的。""我不要钱，我只想要有个完整的家……"

2002年7月18日，青云谱区法院依法开庭审理此案。刘义秋认为离婚的事实已很清楚，就独自一人上庭答辩。他说，其与原告已在2001年8月在青云谱区民政局进行了协议离婚，现有民政局出具的离婚状况证明。说完把所有的证明材料交给了主审法官。

法院经审理认为，何琼在刘义秋的床上发现其他女人的头发不能作为刘义秋有第三者的证据，因为其本身就无法证明头发是在刘义秋的床上发现的。另法院查明，原、被告双方于2001年8月到青云谱区民政局办理了协议离婚手续，青云谱区民政局提供了有关证人证言、办理离婚手续的发票，并称双方结婚证已收回装订成册，尽管有关档案已被盗，但被告当庭出示的结婚证原件有三个装订孔与民政局的案卷装订孔相吻合。故法院驳回原告再次向法院提出的诉讼请求。

何琼接到一审判决后，于2002年7月31日向南昌市中级人民法院提请上诉。上诉称，原审判决关于双方已办理协议离婚手续的事实不清，定案证据虚假不实。从去年8月算起，将近一年的时间，双方领导和同事都不知他们有协议离婚一事，至今双方的衣物仍放置在家中，随时取用；再如离婚调解费发票，上诉人事前连见都没有见过，这种发票只要一方交钱即可开出，并不需要双方都到堂。或虽双方到堂，也并非一定要等办成了离婚登记之后才收钱开票；还有，既然民政局声称档案已经遗失，却一直不见其报案，并且无实物对照，凭什么来印证结婚证三个装订孔与装卷的档案相吻合呢？况且，该结婚证由被上诉人提供，被上诉人要拿结婚证去婚姻登记处依样钻几个孔也并非难事……为此，请求上级法院依法撤销原判，将本案发回重审。

"妈妈，你为什么要利用我？为什么要这样对爸爸？"得知母亲还在不依不饶地打官司时，平平气得大哭。

"你小孩子懂什么？当初与你爸离婚时我吃了多大的亏？做什么事都不能吃亏。"

"妈妈，做人不能这样，你说，是钱重要还是诚实重要？"何琼一时无言。

在刘义秋的要求下，青云谱区民政局为其出具了《解除夫妻关系证明书》，证明刘义秋已与何琼依法登记离婚，该证明书与原《离婚证》具有同等法律效力。同时，受何琼上诉状的提醒，青云谱区民政局向公安机关报案称有一份离婚档案被盗，请求立案查处。公安介入调查后未发现有撬盗痕迹，一直没有结论。

与此同时，刘义秋与新女友的婚事也正在积极筹备之中。他认为何琼的告状只是一厢情愿的事，他们早已协议离婚了，法院根本就不会重新判决。他们的大喜之日定于这年的国庆节。但让他们哭笑不得的是，2002年9月16日，南昌市中院组成合议庭公开开庭审理此案，认为原判决认定双方离婚之事实不清，证据不足，裁定撤销一审判决，发回重审。

中院下达判决之前，何琼于9月10日向青云谱区法院提请行政诉讼。诉称青云谱区民政局仅凭本单位个别工作人员的虚假证言，就随意向法院出证，称原告与刘义秋已经在其处办理离婚协议，致使一审法院作出驳回原告起诉的错误判决。现在民政局再次滥用职权，将错就错，在没有档案的情况下给刘义秋补办《解除夫妻关系证明书》，干扰法院正常审案，且严重侵害了原告的人格权和名誉权。

依照法定程序，何琼起诉离婚一案暂时中止，先行审理何琼状告民政局一案。刘义秋一下子陷入了深深的困惑之中，原定国庆节的婚礼能不能举行？他向法官咨询，得到的答复是：你目前是否离婚还未界定，因此你不能在判决下达之前举行婚礼。刘义秋惊呆了，不如期结婚，怎么向亲朋交代？如期结婚，弄不好就犯了重婚罪。左思右想之际，女友来了，将定情的信物递给他："我不怨你，可我得离开你了，我不想卷入这种不清不白的关系里面，你打好你的离婚官司吧。"女友最终选择了放弃。

青云谱区法院于2003年2月28日开庭审理了何琼状告民政局的行政诉讼一案。法庭上，何琼出示了单位及所在居委会开具的证明其从未开证明办理离婚手续及二审发回重审的裁定书。青云谱区民政局辩称，何琼与刘义秋解除婚姻关系是事实，程序也是合法的。不能因为该局工作人员一时的工作不慎而否认何琼与刘义秋解除婚姻关系的事实。同时，民政局再次出示了刘义秋、何琼离婚调解费及离婚证80元的发票等书证，并找来了证人熊玲玲。熊玲玲当场指着何琼说："是你亲口承认拿走了离婚档案并已经销毁的。我好心帮你去复印档案，想不到你让我们背黑锅。"何琼回应说："我什么时候说的，你要有证据，没证据别在这乱说。"至此，曾经的同事和好姐妹反目成仇。而同时，何琼的父母也反对她这样折腾。她不管不顾，声称要将这场婚姻保卫战进行到底。结果，她与父母也差点决裂。

青云谱区法院对民政局出具的书证和人证作了认定，对何琼所持有的居委会、单位出具的证明没有采信，驳回原告的诉讼请求，确认青云谱区民政局婚姻登记处出具的《解除夫妻关系证明书》合法有效。何琼不服，当庭喊道："这不公平，你们对民政局提供的证据全部采信，而对我提供的证据全部否定，我要上诉。"

何琼很快递交了上诉状，认为青云谱区法院为维护本地行政机关的面子，极力偏袒民政局，请求上级法院改错纠偏。虽然是行政官司，但刘义秋作为第三人也成了被告。刘义秋不敢忽视，如果民政局败诉，就意味着其出具的《解除夫妻关系证明书》无效，那么他与何琼的婚姻关系就会推定继续存在。

2003年5月26日，南昌市中级人民法院公开审理何琼上诉青云谱区民政局一案，双方律师就民政局的书证和人证的合法性展开了激烈的争辩。法院最后认定，青云谱区民政局对刘义秋颁发的《解除夫妻关系证明书》适用法律错误。民政部《婚姻登记管理条例》第二十三条第一款规定，婚姻登记管理机关对当事人出具婚姻关系证明的申请进行审查，并根据当事人的婚姻登记档案，为遗失或者损毁离婚证的当事人出具解除夫妻关系证明书。该条明确规定是根据当事人的婚姻登记档案，才能出具夫妻关系证明。但青云谱区民政局出具的收费票据不是档案材料，而何琼与刘义秋的离婚协议书不存在，他们之间因离婚产生的财产分割和小孩抚养问题必然会产生众多矛盾，青云谱区民政局的违法行政也必然导致矛盾激化，其出具夫妻关系证明书的具体行政行为没有法律

依据，依法应当撤销。

二审判决下达后，法律界和舆论界一片哗然，这是江西省乃至全国首例离婚档案被盗的官司，而结果却是公安机关侦查未果，民政局败诉。

败诉方没有上诉，当初暂时中止的何琼起诉刘义秋离婚一案自然启动。由于二审法院否定了青云谱区民政局为刘义秋出具的《解除夫妻关系证明书》，所以刘义秋尚未离婚就成了"事实"。心力交瘁的刘义秋不想因此而误了工作，同意快刀斩乱麻与何琼调解后协商离婚。然而，何琼提出要刘义秋再补偿她 20 万。由于数额太多，双方多次协商未果。事情又拖了下来。

2004 年 5 月，在青云谱区法院主持下，刘义秋与何琼达成再次离婚协议：股票归刘义秋所有，刘义秋向何琼支付现金 10 万元。这时，刘平突然出现在调解现场，他说："既然原来的协议无效，我有权重新做出选择，我要回到爸爸身边。"何琼当即表示反对说："平平，你这是干什么？妈妈还不是全为了你？""我不稀罕钱，妈妈，有些东西比钱更重要……"现场一阵沉默。这时，何琼的眼角有了泪花闪现。拿到钱后，儿子坚决从她那里搬走，住到了爸爸家里。望着儿子义无反顾的背影，何琼流下了眼泪："我这是为了什么啊？一场官司打得儿子反目，父母生隙，朋友成仇，我值吗？"

被迫重打一场离婚官司的刘义秋心里百味杂陈。前妻这种无理取闹式的官司竟然获胜了，这给了他很大的启示，法院只重证据是正确的，应该说，这是社会向法治再进一步的表现。然而，无端损失 10 万元钱，女友在婚期离他而去，这让他多少有些失落。好在心爱的儿子回到了他的身边，他想，用 10 万元买回了信任和亲情，也是值得的。

考前劫走准考证，
命运关口毁了农家苦少年

胡平

每年 6 月的高考，决定着全国千百万考生的前途和命运。然而，2004 年 6 月 8 日上午，一对考生父子却双双跪在安徽省肥西县公安局门口。而公安局的正对面就是肥西县一中考点，考生们正在这里争加全国高校统一招生考试，而跪着的少年却被拒于考场门外。

少年是肥西县二中高三理科班学生，成绩优异。6 月 7 日上午，高考第一天，他的师母、一个名叫方琴的女人守候在考场外，以他"拖欠"90 元钱没还，抢去其身份证、准考证，致使他无法参加高考，一个学生和一个家庭的梦想就此破碎！国内首例因准考证被抢而引发的"侵犯教育权"官司由此拉开序幕……

热心的他为欠钱同学作担保

1986 年 6 月，刘勇（随母亲姓）出生在安徽肥西县桃花镇一个农民家庭。他 8 岁的时候，母亲因病去世。这年，他的姐姐朱红梅才 10 岁，小弟只有 7 岁。父亲朱守文从此既当爹又当妈，将姐弟三人拉扯大。

姐姐朱红梅只念到初中毕业，而小弟只念了小学，因为他们必须保证让成绩优异的刘勇不失学。父亲常常对刘勇说："全家挣钱供你一个人上学，你拼命也要考上大学！"

刘勇学习非常刻苦，他知道在自己身上寄予着全家人的希望。2001 年 9 月他顺利考入肥西县二中，成绩在全校所有考生中名列第三。

刘勇有一位同学叫周磊。2003 年 11 月，他中途辍学去哈尔滨当兵。临行前，周磊还欠着学校小卖部一笔钱。这个小卖部是学校一位老师的家属开的，平时可以赊账，周磊总共欠了 90 元。

周磊找了班上的几个同学，都没有借到钱。他对刘勇说："还不了 90 元钱，我就去不了部队。想来想去，还是觉得你最有可能帮我一把。"

刘勇为难地说:"我身上也没有多余的钱。"

周磊说:"你只要出面为我担保一下,我到部队有钱了就立刻还给她。"刘勇不忍看到周磊为90元钱去不了部队,于是和周磊一起找到店主方琴。方琴的爱人曾经教过刘勇。她对刘勇说:"你担保要算数,到时他还不了钱就由你来还。"刘勇点点头。

2004年1月9日,刘勇接到周磊从部队来的信,信中提到了他欠钱的事。周磊说,因为部队要搞三个月的训练,他出不去,还钱的事只能往后推。

其间,方琴不止一次地催问刘勇还款之事。刘勇也觉得很不好意思,只好打电话给周磊。周磊在电话里保证还钱,并说:"我再不还钱,就连信誉也给毁了。"

刘勇说:"我也真是没钱,不然就替你还了。"

刘勇说的是真话。2002年底,为了兴建开发区,刘勇家的土地全部被征收,但两年过去了,开发区并没有建起来,他们没有拿到一分钱的补偿款,而刘勇读书、住校每年需花费五六千元,靠姐姐和弟弟在外打工他才不至于失学。这额外多出的90元钱,他哪里还好意思开口找父亲要!

因为高三的课程早就上完,为了省下每月二三百元的生活费,刘勇在3月底准备回家复习。这时周磊仍没还钱,刘勇便去给方琴打招呼,请求她再缓一缓。方琴一听很生气:"你们都走了,我找谁要钱去?"她拽住刘勇的胳膊不让他走,非让刘勇给她打一张欠条。自知理亏的刘勇只得给方琴打了一张欠条,写明在毕业离校前归还。他暗暗祈求,周磊能快点还钱。

准考证被抢,父子跪泣街头

2004年6月7日早晨8点10分,刘勇赶到了肥西一中参加高考,他被分在一中第93考场。就在他正准备走进学校的时候,突然看见了方琴。刘勇的心"咯噔"了一下。

方琴拦在校门口,似乎正在等着刘勇:"你今天带钱了吗?"刘勇惊慌失措地回答:"方阿姨,我今天没带钱。"

"没带钱,你考什么试!"方琴脸色非常难看。

这时，从各个学校来的考生纷纷走进考场，也有许多学生家长围在校门口，刘勇不想让他们知道他因为"欠"钱而被拦在校门口，他低着头，小声地说："方阿姨，等我考完试后再还你钱还不行吗？"

"不行，你今天下还钱就不要参加考试！"

刘勇的脑子里顿时发出一片"嗡嗡"的声音。这时，刘勇的同学胡守稳走了过来，替刘勇求情："方阿姨，90块钱是小事，今天是高考第一天，你无论如何要让刘勇进去。我们拼了十几年，就为了今天！"

"我管他呢！今天我就是要他还钱！"话音没落，方琴一把抢去了刘勇手中的塑料文具袋，那里面装着他的身份证、准考证和参加考试的必备用品。刘勇一下子慌了，没有这些东西，他连考场也进不去。

"方阿姨，求求您，请您把准考证还给我。等我考完试，一定还你钱！"刘勇颤着声说。

"别装出一副可怜相，你早些天干什么去了？"方琴一脸鄙夷地说。

眼看就快8点30了，考试就要开始，刘勇二人还在学校大门外，还没找到考场。胡守稳等不及了，对刘勇说："你跟方阿姨好好说，我赶紧进去找考场。"刘勇机械地点点头，脑子里已经一片空白。

这时，围观的家长越来越多，有的家长对方琴的做法明显感到诧异和不满，方琴也不想成为众矢之的，她拿着抢来的塑料袋要走。刘勇一下子清醒了过来，他挤出众人的包围，想找到熟悉的同学借钱。

在那个最要命的时刻，刘勇像一只没头苍蝇似的跑到马路上，到处寻找相识的同学，可是一个熟悉的身影也没见到。他又赶紧跑回校门口，可这时候方琴已经不见了。刘勇脚下一软，蹲在了校门口。

"快考试了，赶紧去找她！"有几个家长在旁边叫道。刮勇机械地站起身，开始向二中的方向没命地奔跑。一中离二中有2公里远，等他跑回二中，却发现方琴家的小店关着门。刘勇又开始往回跑。他的衣服已被汗水湿透，浑身就如同要虚脱了一般。等他跑回一中考点，发现大门紧闭，连家长也几乎走光了。刘勇当即蹲在地上号啕大哭。

刘勇不知道自己是什么时候离开考点的，他挪看艰难的步子，向学校的方向走去。路上有低年级的同学见到他，奇怪地问他怎么没去考试。他流着眼泪说："我的准考证被抢了。"同学也不知道如何安慰他，惊呼道："这下你完了！"

刘勇不敢走进二中校园，他也不知道接下来该怎么办。他最怕的是无法向家人交代！他知道，父亲和姐姐已经在悄悄地为他的学费做准备了，姐姐还在帮他织毛衣，待秋天上大学的时候穿……

中午，他远远地看见有几个同学参加完上午的高考回学校，他们兴高采烈地议论着。他没敢走上去询问。他呆在校园外面，一会蹲下身子抹眼泪，一会站起来毫无目的地走来走去。直到下午3点半左右，他才在学校门口的公用电话亭里给父亲打了电话："爸爸，我出事了……"

一个小时后，父亲朱守文在二中门口见到了失魂落魄的儿子。儿子哭着诉说了上午发生的事。朱守文一听，顿觉天旋地转："你是个傻瓜吗？怎么到现在才说，你不能去报警吗？"

刘勇只顾哭。朱守文一把拖起他的手："哭也没用，你带我去找她！"

方琴的小店仍关着门。刘勇只好将父亲带到方琴家。以前，方琴丈夫教他课时，他曾经上方家向老师讨教过。那时，他来这里是满怀着一个学生对师长的虔诚和尊敬；今天，他来这里却是满怀着愤怒与害怕。

方琴开门，见刘勇带了人来，火气立刻冒了上来："你带再多的人来，我也不会给你准考证！"

朱守文竭力压抑着心中的火气，说："欠钱可以还。你这个时候抢走我儿子的准考证，不是把他的一生都毁了吗？你爱人还是老师，还曾经教过他，他还叫你师母呢，你怎么连一点人情味都没有？"

"你别站在我的门口指责我！他能不能考上还不知道呢！"方琴不甘示弱。

老农愤怒了："我不能进你的家，但我可以报警！"

110接到朱守文的电话后，感到事情重大，告诉他们一中门口有警察在维护秩序，让他们赶紧去找！

朱守文立刻拉起儿子的手，父子俩一前一后向一中考点奔去。等他们满头大汗地跑到一中门口时，下午的考试已经快结束了。警察说："这不是小事，你们赶快去向教育局反映。"

父子俩又赶忙跑到教育局，在三楼会议室找到了正在开会的教育局领导。局长让人给朱守文父子倒了茶，听完刘勇详细地说了事发经过后，他对朱守文说："发生了这样的事，我感到很痛心！十几年的心血

就指望这几天，我完全能够理解你此时的心情。这事发生在我们老师家属的身上，更让人感到愤慨。对这件事，我们一定会严加追查！"

下午6点钟以后，朱守文带刘勇回家。一路上，父子俩几乎没说一句话，到家后也没吃饭，刘勇暗自饮泣，父子俩一夜无眠。

6月8日，朱守文和刘勇8点钟就赶到了县公安局门口。准考证还捏在方琴的手上，今天的考试仍然不能参加！听完朱守文的诉说，两位民警带着朱守文父子，从方琴手上强制性地要回了准考证，并派车将刘勇送到一中考点。但是刘勇刚到学校门口，便一下子晕倒了。两天来，巨大的打击已让他脆弱的心灵无法承受。朱守文哭着抱起儿子，说："儿子，今天别考了，就是考也考不好……"

上午10点钟左右，绝望的朱守文"扑通"一声跪在了公安局门口，之后刘勇也跪了下来。围观的人越来越多，正在采访高考的媒体记者也闻讯赶过来。朱守文对众人哭诉道："我儿子的大学梦被毁掉了，十几年含辛茹苦的教育白费了，谁还我一个公道？"看着这一对父子跪泣街头，许多人情不自禁地抹起了眼泪。

6月8日下午，41岁的方琴因为"干扰刘勇个人正常生活"，被肥西县公安局行政拘留十五天。

6月9日晚上，高考刚一结束，在江苏打工的姐姐朱红梅便兴冲冲地往家里来了电话，接电话的是朱守文。"爸爸，刘勇考得怎么样？"朱红梅从电话里听到的却是父亲抽泣的声音："你弟弟没有参加高考。"朱红梅听父亲讲了经过后，当即失声痛哭。

朱守文觉得"祸"起于周磊的欠款，有必要把发生之事告诉他。他让刘勇给周磊打电话。周磊接了电话后，既无丝毫歉意，也不提还钱的事，只说部队训练很紧张。刘勇不敢将周磊的原话告诉父亲，他没想到周磊会这么冷漠，甚至连一句安慰的话也没有。

朱守文觉得这事不能就这么算了。6月10日，他到合肥找到一家律师事务所咨询，律师告诉他可以起诉方琴，要求方琴精神赔偿。10日下午，安徽万事律师事务所主任律师张亚表示愿意免费为刘勇代理官司。

可是，刘勇的情况却令人担忧。他每天吃得很少，晚上睡不着觉，见人极少说话，不是呆在家里闭门不出，就是躲到一个角落里暗自流泪。

6月11日，在父亲陪同下，刘勇走进了合肥市第四人民医院精神卫生中心。经诊断，刘勇已呈现重度抑郁症状。医生开了些药，同时提醒朱守文对他一定不要责备，要多开导，尽快地让他从那件事情的阴影中摆脱出来。

在开导儿子的同时，为了打官司，朱守文找到了十几位目击证人，他们都是参加高考的孩子的家长，6月7日早上一起目睹了刘勇准考证被抢一幕，都感到义愤填膺，都愿意为刘勇出庭作证。

而周磊的表现却依旧令人失望。6月12日，朱守文给他打电话，让他写一个证明，证明是他欠了方琴90元钱，刘勇是为他作的担保。周磊虽然也答应了，但却迟迟不见动静。后来，他还在电话里责怪刘勇："你不该把事情搞大，不该起诉方琴，她再怎么也是我们的师母，这样做对你没有好处。"刘勇听后，眼泪在眼眶里直打转。朱守文则气得浑身发抖。

6月15日，刘勇向肥西县人民法院提起民事诉讼，表示此事致使原告丧失参加高考的机会，给他身心，经济上带来巨大痛苦和损失，要求法院判决被告向原告赔礼道歉：支付高考报名费用等400元；支付复读费用等5000元；给付医药费70元；给付精神损害抚慰金9000元，同时承担本案诉讼费用。

给刘勇提供法律援助的张亚律师向法庭详细陈述了诉讼的理由：按照《中华人民共和国宪法》第四十六条的规定：公民有接受教育的权利，"教育权"包括学习和考试的权利。方琴在刘勇即将参加高考之际，特意赶到考点门口抢走刘勇的准考证，剥夺了刘勇参加高考的权利，致使刘勇丧失了接受高等教育的机会，侵犯了刘勇的受教育权，同时对其精神造成了巨大伤害，无疑应该进行法律赔偿。

6月24日，法庭进行第一次调解，但23日被释放的方琴并没有到场，而方琴的爱人、刘勇的老师只愿意拿出6000元作为对刘勇的"补偿"。7月6日，法庭又进行了第二次调解，在朱守文的要求下，方琴出庭应诉，但她仍坚持6000元的"补偿"标准。调解再次失败，法院决定在8月10作出宣判。

这起国内首例因准考证被抢而引发的"侵犯教育权"官司在当地引起了很大反响。

安徽大学法学院陈宏光教授认为：方琴作为民事债权人，应该正确维护自己的权利，绝不能不计后果，用违法行为来主张自己的权利。我国法律明确规定，任何组织或者个人不得扣押居民身份证，因此，仅仅从方琴扣押刘勇的身份证来看就是违法行为。如果公安机关认为方琴的行为触犯了刑法，也可以移交检察机关，由检察机关提起公诉、追究其刑事责任。这件事对刘勇的伤害将是长期的，即使他明年复考能够考上大学，也会在他的心里留下阴影，造成他对社会的负面认知。现在，他已经有了抑郁症的症状，这对于即将参加复读的刘勇是个巨大的考验。家长、学校、社会都要向刘勇伸出援助之手，给他以必要的温暖、安慰和鼓励，帮他渡过心理的难关。

陈教授同时认为：刘勇受到侵害时严重缺乏自我保护意识和应变能力，也间接导致了悲剧的发生。当合法权益受到侵害的时候，不能因为自己曾经存在过错而放弃，即使自己有过错，在这样的时候，应该大胆地选择向周围人们求助或者报警，而哭泣、沉默或者忍让都是无济于事的。事实上，当时考场外就有维护秩序的警察，只要刘勇跨出几步勇敢求助，事情也许就是另外的结局了人生有多少大事可以重来？刘勇这个已年满18岁的小伙子为自己的不成熟和缺乏应付突发状况的能力付出了惨重的代价！

就陈教授所提及的"方琴是否涉及刑事犯罪"，记者采访了肥西县公安局的办案人员，他们表示，方琴虽然扣押了刘勇的准考证，但因为不是有价值的财物或者证券，从法律而言，构不成抢夺罪，因而他们不能以刑事案论处。

刘勇事件折射了我国现行法律的一个空白，像这种虽不是抢夺钱财，但在某种意义上却牲过抢夺钱财的不法行为，我们的法律该如何去制止和打击？！

"深圳第一人造美女"
欲归自然，整容紧急叫停

周武峰 云松

2004年6月10日，深圳传出惊人消息：一度炒得沸沸扬扬的打造"深圳第一人造美女"的工程中途搁浅。去年幸运当选"深圳第一人造美女"的湖北籍打工妹张玮拒绝做磨颧骨手术，而且表示不再做剩下的美容手术，并和医院初步达成口头协议：终止双方签订的"打造人工美女工程"合同。

这位当初经过激烈角逐、幸运地成为"深圳第一人造美女"的普通女孩，这位在媒体的强势宣传之中成为特区家喻户晓的公众人物，为什么会放着大好的成名机会，而选择中途放弃呢？日前，笔者与这位历经浮华的女孩面对面——

一夜成名：打工妹当选"深圳第一人造美女"

张玮1982年7月出生在湖北一个工人家庭。2001年7月，张玮从当地一所计算机中专学校档案管理专业毕业后，应聘深圳一家贸易有限公司当文员，月薪近1000元。进公司不久，她与一位广东男孩谈起了恋爱，两个人虽说工资都不高，但过得却很快乐。然而，偶然降临的机遇却从此改变了张玮这种平淡而真实的打工生活。

2003年12月5日，张玮刚一进公司办公室，就看到几位女同事围在一起窃窃私语。其中一位还将一份当天的本地报纸推到她面前。原来，报纸上刊登着这样一条非常醒目的广告："你想做明星吗？你想成'万人迷'吗？机会就在眼前！无论你是多么普通的人，只要在12月5日至15日之间，亲临阳光医院（深圳著名的民营企业）应征'深圳第一人造美女'，你的命运就有机会发生改变！"医院还公开承诺："手术费和宣传费全免，并将'人造美女'打造成影视明星和万人迷。"

看到这简短而充满诱惑力的广告，张玮当时心里就涌起一阵莫名的

兴奋。张玮一直对自己那扁平的鼻子和粗糙的皮肤深为不满，她心想如果自己能应征上，不用出一分钱就可以圆自己的爱美梦，这是件多好的事。

当天晚上，张玮怀着忐忑不安的心情，把参加竞选"深圳第一人造美女"的想法告诉了男友。男友听后有些吃惊，他认真地说："玮，你虽然长相平凡些，但在我心中，你真的已经够漂亮了。听说做那种手术很疼的，你没必要去受那种苦。"可张玮说如果能当选上"人造美女"的话，自己不仅不用出一分钱的手术费，而且很有可能一夜成名。男友沉默片刻后说："你想去就去吧，有机会就不要错过。"

第二天，张玮抱着碰碰运气的心态，请假来到阳光医院，只见报名处早已被30多名年轻女性围得水泄不通，目睹这种热闹场景，张玮在心底感叹不已：成为漂亮女人和影视明星的诱惑力真大啊！张玮排了整整一上午的队才报上名。看着队伍中来应征的女孩子有些个头比自己高，有些皮肤比自己靓，条件都要比自己好。张玮来时的那一点希望都不得不快灰飞烟灭了。

不久，她就不断地从媒体上获悉：全国的报名者蜂拥而至，从12月5日到15日，短短的10天之内，就有1089名美眉从香港、新疆、浙江等地云集深圳，看到这么多人参加竞选，张玮更加不再抱任何希望了。

意想不到的是，12月18日，经过4轮精心筛选，阳光医院选出了5名人选者，然后再经过全身详细检查，将目标缩小到两人身上：一个是24岁、身高1.62米的湖南妹周黎，大学本科毕业生，在深圳从事传媒工作；另一个居然就是21、身高1.58米的张玮！

喜从天降，张玮绝没想到自己竟然最后挤进了"决赛区"。但获知竞争对手周黎的条件后，张玮认定自己必败无疑！而当时的舆论也几乎都一致看好周黎。

然而，生活本身就充满了戏剧性。2003年12月23日午夜，阳光医院的负责人突然给她打来电话："祝贺你成为千里挑一的幸运儿，最后被确定为我院唯一的'人造美女'人选！"得知这一喜讯，张玮简直有点不相信自己的耳朵了！

第二天一大早，她就打电话将这一好消息告诉了父母。原以为老人们会为她高兴，谁知父母却在电话里劝她说："娃儿，你长的就是普通

一点，又不丑，怎么突然想起了去整容呢？再说手术还是有风险的。好好的，干吗要去遭那份罪啊！"张玮对父母解释说，医院会绝对保证手术安全，并且不收任何费用，同时还会有成名的机会。听她这么一说，父母只有尊重女儿的选择了。

12月24日下午，深圳阳光医院隆重举行"深圳第一人造美女"媒体见面会，深圳、广州、香港、湖南等地23家媒体、30多位记者到场采访。会上，时任医院副院长，整容美容中心主任的周晓天博士郑重宣布："张玮被选定为本院的'人造美女胚子'！"

记者们大都有些出乎意料之外，纷纷打探个中缘由。院方解释说：经过本院众多专家仔细评估，大家一致认为张玮可塑性强，而且年轻，恢复快，手术周期会比较短，最能表现"深圳第一人造美女"的风采。阳光医院负责人承诺：院方将对张玮进行重睑术、隆鼻术、去眼袋、去颊脂垫、隆下巴、隆胸、颈部抽脂、绣眉毛和彩光嫩肤等15项整容手术，耗资约30至50万元，耗时约半年，手术将全部由该院的美容整形专家执刀，力争把她打造成"万人迷"并推向影视机构。

在院方负责人、专家简短发言之后，张玮终于露面了。两天前，她还是一个普通的打工妹，现在，她却幸运地被推上了媒体关注的前台，成了公众视野的焦点。平生第一次面对众多记者的闪光灯和频频追问，张玮坦诚地说："其实我一直也没想当第一，只想进入前5名，医院能送一个彩光嫩肤给我就好，因为我觉得自己的皮肤不够好。而且，我原以为自己个子太矮，不会被选上。谁知道最后我竟成了那个'灰姑娘'！"最后，张玮面带甜美的微笑，兴奋地说："我从小就常做明星梦。我相信，现在这个梦已经离我不远了！"

浮华背后，几多欢乐几多痛

按照双方约定，2004年1月9日，阳光医院为张玮做第一次手术——重睑术（俗称双眼皮成形术）和隆鼻术，让她由单眼皮、低鼻梁变成丹凤眼、高鼻梁。

1月8日，张玮向公司老总请假，说是要做手术了。老总笑着说："你是我们公司的骄傲，你安心去做吧！"第二天上午，张玮是在兴奋、紧张的心态下熬过来的。手术前，她特地抽时间到照相馆拍了一组照

片，想把自己整容之前的"绝版"样子拍下来，留作纪念。

1月9日中午12时许，张玮到达医院。她穿着白衣黑裤，显得时尚靓丽。早已守候在医院的媒体记者纷纷给她拍照。14时50分，她在医生的办公室签下了手术同意书。手术同意书上列着近10种手术过程中可能出现的风险，整容专家组成员之一周晓天博士向张玮简单介绍后，张玮就在手术同意书上签了字。

当张玮走出医院办公室准备去楼下抽血时，门外观看的一位女患者看到张玮后，马上大呼："她一点也不丑啊，怎么还要整容。"张玮听到后突然感到有些迷惘了：是啊，自己又不丑，干吗还要整容呢？

但开弓没有回头箭。在众记者闪光灯的陪伴下，张玮于15时18分走入手术室，医生在给她打上麻醉剂后，为她割了双眼皮，随后又在她鼻孔里挖出一个洞，垫上特制塑胶鼻梁。手术16时50分结束后，张玮眼皮上贴着纱布、戴着墨镜，一言不发地快步走进了医院的豪华病房……

夜深了，麻醉的药效已彻底消退，脸部钻心般地疼痛。由于眼睛上贴着纱布，而且眼睛和鼻子还有些肿胀，她不敢吃饭，因为一张口就会牵动脸上神经，让她痛不可忍。但是，为了美，再痛她也得忍受。

第一次手术之后，深圳、香港的报纸、电台、电视台、网络等媒体都同时进行了强势宣传，使往日默默无闻的打工妹张玮一夜成名。阳光医院趁热打铁，借势而上，1月29日晚，他们将张玮送到电视剧《深圳出租屋》剧组去试镜。在这部深圳人自己的都市哈哈剧中，她担任的角色是特地为她量身定做的。站在镜头前，有点表演大分的张玮一点也不紧张，很快就进入了角色。

本来，按照原定计划，2月中旬就要陆续进行面部（包括颧骨、下巴、下颌角等）整形手术，但考虑到术后两三个月内张玮的面部将有明显的肿胀现象，医院和剧组协商决定将面部手术适当推后，以便多拍她的戏。

《深圳出租屋》刚一封镜，按照医院的安排，张玮又马不停蹄地奔向广州，参加广州电视台制作的电视系列短剧"山水友相逢"的拍摄。在剧中，她还是扮演一个"人造美女"的角色。连演两部电视剧，再加上媒体连篇累牍的大力炒作，张玮在南粤大地声名鹊起……

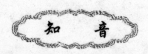
但是，张玮表面上春风得意，内心深处却有一种说不出的苦楚。第一次手术恢复后，张玮就回到公司上班。她刚一走进办公室，同事们都好奇地围了上来，不时有人羡慕地说："哇！你这是一天一个样呀，慢慢就变成真正的'深圳第一人造美女'了！"听了这话，张玮暗暗得意。但是，也有人背对着她小声议论："整来整去也就是这个样呀！假的毕竟是假的。"从此，在办公室里，她再也不敢高谈阔论；同事们聊天，她也不敢再像以前那样参与了。慢慢地，原本开朗的她变得孤独了……

后来，这种情况也带进了她拍戏的过程。在拍戏的间隙时间，一些人得知张玮是"深圳第一人造美女"，都纷纷围上来好奇地问长问短。身处众人的包围之中，张玮第一次觉得自己成了大众眼中的稀有怪物，成了人们品头论足的闲聊对象，她甚至有了一种在广庭大众之下被人赤裸裸地展示自己隐私的耻辱感……

2004年1月10日，也就是张玮第一次做手术的次日，《广州日报》披露了这样一则消息：1月7日上午，珠海一名年轻女子在美容医院做隆胸手术时，心脏突然停止跳动，经抢救无效后死亡！这则消息很快就被多家媒体、网络转载，成为轰动全国的新闻。

父母从报纸上看到了有关"珠海事件"的报道，马上从老家打来长途电话，再三提醒张玮："美容手术同样存在风险，你一定要慎重考虑呀！"男朋友也开始为张玮担心："以前只听说因整容而毁容的事，现在居然整出人命来了！美固然重要，但生命更重要呀！"当时张玮心里顿时紧张了起来，但她想到阳光医院是家正规的大医院，技术力量雄厚，设备先进，再加上已经签订了带有保险条款的协议，她这才稍稍心安了一点。

但是不久，深圳一家报纸又刊登出这样一则消息：一位徐姓女士在深圳某医院做隆胸手术后，其胸部硬如石块，剧痛长期折磨得她痛不欲生，最后没办法做了乳房切除手术。为此，徐女士将医院告上了法庭。

发生在深圳本地的这件事情，终于让张玮逐渐滋生出恐惧心理，害怕自己一不小心也会落得如此下场。她开始对整容产生了动摇，内心的压力越来越大。

经过慎重考虑，3月底的一天，张玮来到阳光医院，对有关负责人说："我决定取消原定的隆胸、抽脂手术！"医生大惑不解，问她为什么

不珍惜这样的大好机会。张玮不便说出心中的恐惧感，只作了如下解释："性感是因人而异的，胸大不代表性感，我觉得我现在的身材比例已经很匀称了，我决定不隆胸。"医院表示理解，并接受了她这个决定。

由于张玮长时间在外拍戏，直接影响到了她的本职工作，公司老板不愿养着一个闲人，让张玮于5月底"主动"提出辞职申请。张玮当时想，这样也好，可以集中时间将还没有做完的美容手术做完。然而几天后，张玮听完一次讲座，彻底动摇了继续进行整容手术的念头。

那是6月6日，深圳一家著名美容医院主办了一次"拯救美丽女人"的专业讲座，张玮也悄悄地参加了。主讲美容专家罗列了一些让人触目惊心的数字：自从2003年北京女孩郝璐璐成为"中国第一个人造美女"之后，各地掀起了一股"人造美女"的狂潮，而来自中国消费者协会的统计数据却显示，中国整容整形业兴起的近10年，平均每年因美容毁容的投诉近2万起，10年间已有20万张脸被毁掉，"珠海事件"则成为"要靓不要命"的反面典型！

美容专家的讲座，让张玮不寒而栗，心灵受到了极大的震撼！当天晚上，她躺在床上左思右想，自己成为"深圳第一人造美女"后，虽然她的明星梦开始圆了，但人们并没有把她看成是一个演员，去欣赏她的演技，而仅仅只是单纯地把她当成了一个"稀有动物"。何况两部戏一演完，影视机构在满足了观众的好奇心之后，就再也没有来找过她签约拍戏了。

张玮不禁产生了一种失落感。她想到了成名后人们的嫉妒、嘲讽与孤立，想到了因"圆梦"却失去了工作的痛苦，更想到了那些整容失败后一个个血的教训……她想：我原本不过是相貌平凡点，干吗要折腾出这么多生活烦恼和忧愁呢？成为明星，是每个女孩都有的梦想，可真的美梦快成真时，自己才发现这种梦想并非是那么美好，反而不如做一个平凡而努力的人过得踏实、心安！经过一番痛苦的反思，张玮最终拿定了主意：推迟余下的整容手术，回归往日平淡的生活！

第二天，张玮将自己的想法告诉男友、父母后，他们都表示赞成。这段日子媒体的不断骚扰，使她和男友的感情已经出现了一些裂痕。父母说："这样也好，免得我们整天为你提心吊胆！做人就是应该踏踏实实，不要让那些虚名浮利去害苦自己！"

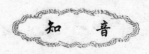
正好在当天，阳光医院来电话，和她商量按照原定计划在6月8日进行第二次手术的事宜。张玮在表达完谢意后，明确地表示：第二次手术计划无限期推迟！

当天晚上，阳光医院董事长助理齐树丹与张玮进行了一次开诚布公的面谈，张玮将自己的想法和盘托出。齐树丹代表院方说，这样会在社会上形成不好的舆论，人们会猜测是不是医院的第一次手术失败了，会让院方有口难辩，陷入尴尬的境地。对此，张玮表示愿意在适当的时候向媒体澄清此事。

齐先生说，以张玮这样的年龄（22岁）出现害怕手术失败的心理状态很正常，院方完全尊重张玮的选择。如果她暂时不想做，医院会等她。他同时也表示，如果张玮真的提出要解除合同，院方会同意她的选择。

放下思想包袱后，张玮本来以为会一身轻松，但是，另外一件令人头痛的事接踵而来：从6月1日以来，张玮到处找工作，都被用人单位婉言谢绝，原因是人们都认为她是"名人"，精力都用到整容和演戏上面去了，哪里会安下心来为公司工作呢？

就这样，这位求职屡屡碰壁的"深圳第一人造美女"，陷入了新的苦恼与尴尬之中。她请记者向女孩们转达她经历了这场整容风暴后的感悟：美丽尽管是每个女孩子都向往的，但如果自己长得并不丑，有什么必要去刻意改变、亵渎父母和上苍给予自己的相貌呢？自然而天然的东西，才蕴藏着最朴实、令世人尊重的美，平凡踏实的生活才蕴含着心安理得的幸福！

逼子进清华：
弟弟的心伤姐姐的血

南开强子

优秀的姐姐考上名牌大学，父母便要儿子超越姐姐考上清华，谁知儿子第一次高考仅被普通院校录取；在父亲的逼迫下，选择复读的儿子无法承受巨大的心理压力，竟将一切怨恨发泄在姐姐身上，决定趁姐姐熟睡之际将其毁容……

这个耐人寻味的故事究竟是怎样发生的？姐弟俩命运的结局又如何呢？

望子成龙心切，
父母逼儿复读考清华

吴斌 1985 年出生在山东威海就养成争强好胜的性格，学习成绩一直名列前茅。

2001 年，吴斌的姐姐吴玲玲以优异的成绩被浙江一所名牌大学录取了。在女儿金榜题名的庆功宴上，父亲吴承福当着同事的面夸儿子是上清华的料。吴斌知道，父母都是当地有脸面的人物，一言九鼎，要是自己考不上清华肯定会让父母失望的。从那一天起，吴斌就隐隐地感觉到一些压力了。

8 月 25 日，吴斌和父母高高兴兴地送姐姐读大学后，就给自己定下了目标——超过姐姐考上清华。有了明确的目标后，吴斌学习更加努力了。而父母对儿子的期望值很高，总是在不同场合，暗示儿子是清华的"料"。

2003 年高考前，吴斌最后几次模拟考试中成绩一直不错，这更增添了他的信心。然而，高考一结束，吴斌就感觉到这次考试并不理想，可父母却到处说儿子很快就要收到清华的通知书了。吴斌感到很大的压力。

谁知天不遂人意，高考分数公布后，吴斌的成绩只超过本科录取线22分。拿到高考成绩单的那天，吴斌不敢回家，尽管他这个成绩读省内重点院校本科不成问题，但报考清华录取的希望几乎为零了。由于害怕看到父母失望的眼神，吴斌干脆独自来到海边徘徊，既不敢回电话，也不敢回家。

直到晚上10点左右，吴玲玲才在海边找到了弟弟。在她的劝导下，吴斌这才回家。看到父母都阴沉着脸不说话，吴斌急忙溜到自己的房里，连大气也不敢出。

第二天天刚亮，姐姐敲门叫吴斌起床，看到双眼发红的弟弟，吴玲玲心疼极了。其实，吴斌的父母也是一夜没睡，儿子上不了清华大学，他们觉得自己在同事面前很丢面子。这样，老两口商量了一夜，决定让儿子放弃这次高考成绩，让他复读一年，来年再考清华。

吃早饭时，吴承福就把自己的想法给儿子说了。吴斌始终没有抬头，也没有说话，这让吴承福很生气。见父子俩这样僵持着不是办法，母亲就说："斌斌，你爸爸已经在外面夸下了海口，你就答应你爸爸吧，复读一年，好吗？"吴斌看了看母亲又低下头突然吞吞吐吐地说："爸、妈，对不起，我不想复读了，我太累了……"没等儿子说完，父亲跳起来就骂道："没出息的家伙，把我的脸全丢尽了，你要是有你姐姐一半奸就好了！"

父亲冷冰冰的话刚落下，吴斌已感觉自己像被掏空了一样，委屈的泪水奔涌而出。吴斌想，母亲肯定会站在自己的立场上给父亲做工作的，谁知母亲没安慰他几句就上班去了。看着满脸无奈的弟弟，吴玲玲只好默默地陪着他，她多么希望父母能尊重弟弟的选择啊！

不过，吴玲玲还是劝弟弟："听爸爸的话。"吴斌一听，竟把火气全部撒在姐姐身上："你闭嘴，要不是你，爸爸也不会这样对我。都是你，爸爸整天让我以你为榜样，我恨你……"

按说考上大学是件好事，但对于已厌倦了高中生活的吴斌却是个例外。既然他的分数已达到了省内重点院校本科，吴斌就想着报考山东财政大学。然而，父母却要求儿子复读考清华大学。后来，吴承福实在无法，就将儿子的班主任搬了出来，谁知儿子根本听不进班主任的话。万般无奈，吴承福干脆拿出"杀手锏"：如果不愿意复读他就截断儿子的

经济来源，让他自己挣钱读大学。这样，在父母的软硬兼施之下，吴斌只好违心地从命。

父命难违，
复读路上苦不堪言

2003年8月中旬，吴斌被安排到应届班复读。由于吴斌是为考名牌大学而来的，所以老师和同学都很尊敬他。这样，同学们一开始就和吴斌保持着一定的距离，大家越是这样，吴斌就越感到不自然和压抑。吴斌知道如果自己真的考不上清华，那对父母的打击是致命的。为此，吴斌更加用功了，而他的压力也就更大了。

在平时各种测验中，尽管吴斌的学习成绩一直在应届班中名列第一，可他不敢有丝毫松懈。老师们都知道吴斌的"特殊情况"，纷纷另外对他增添了一些试卷量。刚开始，吴斌还能够接受，但到了后来，他一看到考试试题就恶心、反胃。很快，曾经自信的吴斌竟变得多疑和忧虑起来，他竟在心底有着一个怪怪的疑问——老师凭什么给我增加测试量？原来活泼开朗的吴斌成了十足的书呆子，他逐渐变得孤僻不爱说话了。

2004年3月的一天，上课间操的时间到了，吴斌因晚上熬夜，竟趴到桌子上睡着了。这时，体育委员走了过来，他喊吴斌去操场锻炼，吴斌没有理会，只是抬头看了看对方又继续睡觉！于是，体育委员推了推吴斌，他被激怒了，大叫道："没看见我在睡觉吗？"

这时，体育委员很是着急，也大声说道："大家都睡觉，哪还有组织纪律呢？"吴斌仍不以为然："我就是不去，除非班主任叫我去。"体育委员很是难堪，挖苦道："你以为你是谁啊？清华的学生也没这个架子，还让班主任来请你！"

吴斌脆弱的自尊心被刺痛，一下子跳了起来："我就是清华的学生，怎么了？不服气吗？"结果，两人大吵了一场，竟动起手来。

吴斌本来就难以融入这个班集体，现在他更认为大家都在嘲笑他，还没等放学他就收拾书包回家了。

回到家，吴斌看着墙上父亲为自己书写的"考上清华，超过姐姐"的几个字时，长期压抑的心情终于爆发了，他一跃而起，把那几个字扯

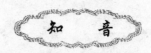

下摔在地上。这时，他竟开始恨起姐姐来，嘴里喃喃地说："姐姐，你为什么考上名牌大学？爸爸妈妈总让我以你为榜样？为什么……"

正当吴斌发泄不满时，他听到门外有开锁的声音，知道父母下班回家了。吴斌赶紧擦干眼泪，迅速拿出书本放到写字台上，然后收拾了地面的杂物。

妈妈见儿子脸色不好，就问他哪里不舒服？吴斌极力掩饰住自己的沮丧情绪，说昨晚熬夜的时间太长，有点不舒服。这时，吴承福也下班回来了，他一进门就来到儿子的房间，兴奋地说："快看，你姐姐又给你买来许多复习资料。这里还有她和男友的合影，小伙子多精神，也是名牌大学的学生。斌斌你一定要考上清华，也领回一个漂亮的女朋友来，超过你姐姐……"吴斌接过复习资料，看了一眼姐姐和男友的合影，没有说话。

晚上，吴斌怎么也睡不着，他拿出姐姐的照片，照片的背景是刺眼的"XX大学"。想到父母非要逼自己上清华，吴斌心里叫苦："姐姐，你害了我，你为什么给我这么大的压力啊！"

将姐姐毁容，
悲情圆梦学子泪长流

2004年4月，离高考的时间只有两个多月了，在最后的冲刺阶段，吴斌的压力也达到了空前未有的紧张。为了确保万无一失，妈妈专门请假在家伺候儿子的生活起居，每天都变着花样做饭菜。在最后一次模拟考试中，吴斌考了648分的优异成绩，是全校理科第一。吴承福很是高兴，认为儿子这次一定能够直奔清华。

不过，吴斌心中的一根弦始终绷得紧紧的，他每天睡前都在鞭策自己一定要成功，否则就对不起父母，更会遭到同学、亲友们的嘲笑。然而，眼看高考越来越近了，吴斌的心情却更是烦躁不已。

2004年5月1日，吴玲玲学校故长假，一想到第二次参加高考的弟弟又面临着冲刺了，她便不远千里回到山东威海看望弟弟。几个月不见，弟弟竟变得消瘦和憔悴不堪，吴玲玲很是心疼，便反复叮嘱弟弟注意休息，提高学习效率等等。然而，心理极不正常的吴斌却认为姐姐虚伪，她说这些话分明是在嘲笑自己。

知　音

　　他心里想：都是姐姐惹的祸——姐姐要不是考上名牌大学，自己也不会落得如此被动非要考清华，自己也许早已无忧无虑地生活在大学里。这样，19 岁的吴斌心底竟深深地藏着对姐姐的嫉妒和愤怒。

　　当天晚上，吴斌做了一个可怕的梦，梦见姐姐带着男友来了，恶狠狠地教训他说："弟弟，你又没考上清华，爸爸被你气病了，妈妈离家出走了，你这个不孝顺的弟弟，还我妈妈来……"等吴斌醒来时，他发现自己已一身冷汗。这时，吴斌拿起姐姐的照片，看着姐姐笑得春光灿烂，他竟突然萌发了一个可怕的念头——让姐姐去死，彻底地离开这个家，他也许才能得到安宁和自尊，才能彻底得到解脱！然而，理智却告诉吴斌不能这样做，因为姐姐是他的亲人啊！

　　一连几天，那个罪恶的念头却在吴斌的脑海挥之不去，他一直在努力克制着自己的情绪。5 月 3 日晚，吴玲玲由于身体不太舒服早早去休息了。吴斌在自己的卧室里看书。可他怎么也看不进去，脑海里始终想着姐姐那种春风得意的情景，他很是怨恨……

　　午夜 12 点多，父母都睡了，吴斌不由自主地来到姐姐的房中。见姐姐已经睡熟了，吴斌轻轻地来到她的床前。叫了几声姐姐，吴玲玲没有反应，吴斌的心速竟突然加快起来。他看见写字台上有一只陶瓷水壶，他竟不由自主地拿起水壶走到姐姐的床前！看着姐姐熟悉的面孔，吴斌犹豫了，不知怎么办才好……于是，吴斌干脆到厨房拿啤酒喝。母亲恰巧被客厅里的响声弄醒了，她关心地问道："斌斌，你是不是饿了，要不要我给你弄点吃的？"吴斌被母亲的声音吓了一跳，连忙说："不用，我喝点水，你好好休息吧。"

　　这样，吴斌害怕了，他轻手轻脚地回到自己的房间。谁知，两罐啤酒下肚，酒精开始发作了，吴斌终于忍不住来到姐姐的床前，一想到因为姐姐他所受到的委屈和压力，他突然狠狠地把陶瓷水壶向姐姐的脸上砸去！吴玲玲从睡梦中惊醒，"啊"的一声尖叫，惊慌失措的吴斌口里也喊道："姐——姐！"几乎是同时，两个尖叫声划破沉寂的夜……

　　吴承福夫妇从睡梦中惊醒过来，他们在女儿的房间里看到让人无法相信的一幕：血肉模糊的女儿昏死过去，而吴斌傻傻地站在那里歇斯底里地尖叫着……

　　吴承福似乎明白了什么，他狠狠地打了儿子一巴掌，骂道："畜生，

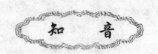
你在干什么?"随后,吴承福一边打120急救电话,一边和妻子准备把血淋淋的女儿送往医院。临出门时,吴承福狠狠地瞪了儿子一眼:"混账东西,老子回来再找你算账。"

父母送姐姐去医院后,吴斌一个人呆在那里,不知道怎么办才好。过了好一会,他才醒悟过来,爸爸回来之后肯定不会饶恕他的。于是,吴斌决定离开这个家,可当他看到地上的血时,又觉得对不起姐姐。想到这次出门也许自己永远不回来,吴斌决定现在就向姐姐忏悔,他给姐姐留了一封信,他悔恨地写道:"姐姐,对不起。你不该长得如此漂亮,你也不该考上名牌大学,你知道吗?自从你考上大学之后爸爸妈妈总是让我以你为榜样,这使我很压抑。也许是你考上名牌大学之后爸爸才决定让我超过你,你无形当中给了我巨大的压力。我知道假如我超过不了你,爸爸肯定伤心的。你在很多方面都比我强,在各种压力之下,我想让你有一点比不上我,于是我想到了毁容……"

写完信后,吴斌带着几件衣服匆忙离开了家。经医院初步诊断,吴玲玲被砸成轻微脑震荡,头上和额面部位缝了20多针!

当安顿好女儿后,吴承福回到家里,却发现儿子已离家出走!读完了吴斌的留言后,吴承福如梦初醒,顿时陷入深深的自责之中……

吴玲玲从昏迷中醒过来后,痛不欲生。可当听说弟弟已离家出走以及他伤害自己的原因后,吴玲玲对自己不懂事的弟弟又恨不起来,甚至为他担忧。一夜之间,吴承福几乎急白了头,女儿需要人照顾,而眼看要参加高考的儿子又离家出走了,他责怪自己不该给儿子那么大的压力,将儿子逼成这样。

接着,吴承福吩咐妻子在医院照顾女儿,他自己开始像疯了一样去寻找儿子,可无论他打了多少传呼,找了多少地方,就是没有发现儿子的任何信息。

2004年5月27日,离高考还有一个多礼拜了,班主任把吴斌的准考证送了过来,吴承福的失望和担心到了极点。这时,经过20来天的治疗,吴玲玲面部缠着纱布出院了。然而,当看到弟弟那饱含热泪的留言时,吴玲玲再也没有怨恨了。这时,她也开始加入寻找弟弟的行列,并深情地在弟弟的传呼和QQ上留言:"弟弟,你回来吧,姐姐不怪你,我只有你一个弟弟,我很担心你,回来参加高考吧,爸爸妈妈都不怪你,

我已经原谅你了。回来吧！我亲爱的弟弟。"

　　尽管吴玲玲每天打传呼20多次，弟弟仍然没有回音。6月5日，父母和姐姐几乎绝望了，一种不祥之兆竟笼罩着他们了，吴斌还没回家，他会不会做出什么傻事呢？这时，一家三口只希望儿子能够平安回来，即使不参加高考也可以啊！

　　其实，家人在传呼机上的留言，吴斌都收到了。一直租住在一家旅店里的他，也在与自己作思想斗争，他最害怕的是姐姐有生命危险。6月1日，吴斌上网查看高考信息，发现了姐姐在QQ上留言给自己，他才知道姐姐没有生命危险。于是，他以后每天都抽出一点时间在QQ上看姐姐的信息，可就是不敢回家。

　　6月5日晚上11点多，吴斌又来到网吧发现了姐姐的留言："弟弟，我亲爱的弟弟，假如你不回来，我这辈子都会遗憾……"吴斌忍不住地掉下了眼泪，想到第二天就要参加高考了，他再也坐不住了……

　　午夜12点多，当吴斌拨通家里的电话时，吴玲玲第一时间里拿起话筒，急切地说："弟弟，是弟弟吗？"电话那头没人说话，可来电显示上是附近的号码。在短短的几秒中内，吴玲玲泣不成声："弟弟，我知道是你，我是姐姐，你回来吧，姐姐早就原谅你了……"妈妈接过话筒，也失声痛哭："儿子，你回来吧，我们都原谅你……"

　　吴斌忍不住"哇"地哭了，终于对着话筒说："妈妈，姐姐，我对不起你们，我回家啊……"当吴斌走进家门时，一家人顿时抱头痛哭成一团……

　　第二天，吴承福夫妇和脸上缠满了纱布的女儿一起陪着吴斌来到考场。带着人间最大的悔恨，吴斌全力以赴地投入到高考之中，写着写着，他似乎有着滔滔不绝的泪水……

　　2004年7月中旬，吴斌得知自己的高考成绩是638分，名列全市前茅。这次，吴承福再也没有干涉儿子填报志愿了，尽管吴斌的分数足以被清华录取，但他为了忘记伤心的清华梦没报考清华。7月29日，吴斌接到中国政法大学的录取通知书。这时，看见姐姐那有着伤疤的脸上满是泪水，吴斌扑通一下跪在地上："姐姐，原谅我吧……"

磨难是金：
大二小偷、落榜状元、北大学子

王斌武

天资聪颖的他，16 岁被保送进入中国科技大学。大二时，他因报复性地将手伸向别人的书包，被勒令退学，由人生的顶峰跌入低谷。在亲友和老师的关爱下，经过精神涅盘的他重新走进课堂复读，2003 年以638 分的高分成为湖北文科状元，却因"被高校退学未满一年不得投档"的有关规定使大学梦再次破灭。经历了两次升腾和坠落，他没有气馁，笑对磨难，不屈不挠，2004 年再次走进高考考场，仍以 638 分的高分，被他心仪已久的北京大学录取……

天才陨落，从象牙塔顶跌入人生低谷

周迅 1984 年出生于湖北省仙桃市一个普通的建筑工人家庭，父母视他这个独子为掌上明珠。周迅天资聪慧，小学里还跳了级，被当地人称为"小神童"。

初中毕业时，周迅以全市第一名的成绩，考取湖北省重点中学——仙桃中学。周迅的文理科成绩都很棒，总是名列全校的前三名。因为他对自然科学比较感兴趣，所以选择了读理科。

1998 年，周迅被学校推荐参加湖北省的英语竞赛，一举获得全省第一名。在全国奥林匹克数学竞赛中，他又技压群芳，捧回金牌。因为成绩优异，2000 年 8 月，16 岁的周迅被保送进了中国科技大学。这条喜讯广为流传，周迅被父老乡亲们称为"天才"，他不禁踌躇满志。周迅已经下岗的父母也觉得无限光彩。

2000 年 9 月，周迅成为中国科技大学信息技术学院电子科学技术系本科生。周迅对未来充满信心，他的理想是成为一名科学家，将来荣获诺贝尔奖。

大学两年，周迅学习一直比较勤奋，不但英语考过了六级，他还经常在图书馆泡着，博览群书。2002年6月20日晚上，周迅像往常一样去了学校图书馆。9点钟他准备离馆去取书包时，却发现自己的包不翼而飞，里面有100多元现金、饭卡，还有他爱不释手的专业书籍，这可是他的物质和精神食粮啊！

周迅越想越气愤，从心底里憎恨小偷。但他既没有报告老师，也没有报警，他觉得那样做无济于事。冲动之下，周迅想到了报复："别人偷了我的包，我干脆也偷别人的包，以解心头之恨！"6月22日晚，同样在图书馆里，周迅正胆战心惊地向旁边的一个书包伸手时，被当场抓住，并扭送至派出所。那个书包里面有手机、现金，银行卡等价值数千元的钱物。

2002年6月23日，合肥市公安局蜀山分局对周迅进行了讯问，周迅对盗窃事实供认不讳。他边说边痛哭流涕，后悔不已，写下了几万字的忏悔信。但法不容情，7月10日，合肥市公安局蜀山分局作出了对周迅刑事拘留的决定。

周迅出事后，他的父亲如遭晴天霹雳，急忙赶到学校。老人找遍了学校和有关部门领导，到处求情，希望能给自己孩子一个悔过自新的机会。但中国科技大学依据《高等学校学生管理规定》（第7号）和《中国科学技术大学学生违纪处分实施细则》有关规定，勒令周迅退学，正式手续直到后来的2003年3月才完成。随即，合肥市蜀山区人民法院判决周迅犯盗窃罪，但为了挽救他，只判处罚金人民币2000元。

由一名天之骄子突变成一个"犯罪分子"，仿佛由天堂跌落到地狱。这种巨大的人生落差让周迅无法承受，他的意志非常消沉："我这一生也许完了。"他想到了放弃理想，从此破罐子破摔；想到离家出走，永远避开一切认识他的人……

收拾行李离开中国科技大学的那天，周迅心里百感交集，也为自己一时的冲动悔恨不已。走出校门时，周迅悲从中来，涕泪长流，他一步三回头，最终不得不挥手作别。他对自己今后的路充满了迷茫……

爱心关怀，重振旗鼓成为文科状元

周迅的父亲拖着疲惫的身躯，将憔悴不堪、萎靡不振的儿子带回了家。一进家门，周迅的母亲惊呆了：这就是曾经令她无比骄傲自豪的周

迅吗?! 周母难过得直淌泪，周父也直叹气。看着这种情形，周迅心如刀绞，连忙冲进卧室，把自己关起来闭门思过。他心里又羞又愧，觉得再也无颜见任何人?

为了逃避现实，周迅想去外面打工。父母尽管承受着很大的精神压力，却一直和他谈心，鼓励他重新振作起来："你从小就是一个有远大抱负的孩子，打工怎么能实现你做科学家的美好理想呢? 再说，打工需要文凭，需要技术，你目前一无所有，很难有多大出息。更重要的是，你现在心情很糟，离开我们，我们很不放心。你不如再去复读，重新上大学!"

周迅退学的消息不胫而走，在当地炸开了锅。乡亲们对周迅表现出了极大的宽容和关怀，纷纷前来进行劝慰。周迅高中时的同学和老师得知此事，也纷纷打来电话鼓励他"摔倒后一定要爬起来"。更让周迅感动的是，中国科技大学的同学也多次发电子邮件，安慰他，鼓励他说："雄关漫道真如铁，而今迈步从头越。"大家不约而同地劝周迅去复读，凭他的天赋，考个清华，北大不在话下。正是众人的爱心，重新点燃了周迅即将熄灭的希望之火。周迅终于走出失落，走出伤感，再次走向人生的起点。于是，他对父母说："我要去重新参加高考，而且要考上北京大学!"

随后，父亲给周迅联系到仙桃市沔州中学复读。为了避开流言蜚语，他们一家三口离开住了几十年的家，在沔州中学附近租下一间房。为了让周迅安心复习备考，妈妈负责做饭和家务，爸爸则做点小生意维持全家生计。

周迅的"大三"又变成"高三"，他还转学了文科，因为这次"退学事件"实在让他刻骨铭心，以前他重智育，轻德育，放松了思想道德防线，才酿成人生大错啊。这次，周迅决心成为一个德才兼备的人。

从理科转读文科，除了语文、数学、外语还有一定的基础外，历史、地理、政治对周迅来说基本是一片空白。周迅的班主任管中仁老师给了周迅无微不至的关爱，他首先在思想上开导周迅，与周迅成为知心朋友，让他忘掉过去，找回自信，重新树立人生目标。

在沔州中学，周迅碰到了以前在仙桃中学曾经教过他的几个老师，这些老师怎么也不相信他会退学。知道周迅退学的原因后，他们没有任

何偏见，接纳了他。而且老师们倾尽全力，对周迅付出了更多的关爱，针对周迅的特点，还为他专门设计了"培优方案"。

经过几个月有针对性的精心辅导，周迅的英语水平恢复较快，语文、数学成绩也大幅回升，但是"文科综合"三门尤其是地理仍然特别弱。教师们经过研究后，提出了这样的培养策略：用理想激发周迅拼搏；调动家长的积极性，做好备考服务工作；六科老师统一认识，团结协作，落实培优导师辅导制。

同时，语、数、外、政、史五科老师实行两手抓：一手抓课堂教学，使周迅打稳基础；另一手，根据周迅的特点，选择一种培优资料，和他一起拟定自学计划，消除自学阻隔。周迅的地理老师肖潇则针对周迅的弱项进行强化补习：选定补课资料和拟订补课计划；每周对周迅进行单独辅导或练习面批；每次地理晚自习，要查看一下周迅的自学计划实施情况和作业完成情况。

此外，由管中仁牵头，6科老师参与，每月最后一周的周三，对周迅的学习品质、学习方法、学科素质提升情况进行综合分析，然后修正实施方案。

周迅背水一战，除了严格按照老师制定的计划学习外，还利用一切可以利用的时间自习：课间休息时，他则坐在座位上将上一节课过一遍，巩固学习成果；每天中午除了吃饭30分钟外，其它时间都自学，9时50分下晚自习后，还要坚持自学2个小时后睡觉。

2003年3月时，周迅的成绩有了质的飞跃——全市调考一跃为前十名。此时的周迅正式定下了考北大的目标。为了进一步帮助周迅树立信心，班主任管中仁每天早晨都让周迅早早起床，面对冉冉升起的太阳，高喊一声："我行！我一定行！"

2003年6月7日、8日，周迅高考没有丝毫紧张，没有要任何人陪同。他沉着应战，冷静答题。填报志愿时，他更是毫不犹豫地填了北京大学。

2003年6月30日，周迅高考成绩出来：语文117分、数学满分150分、英语136分、文科综合235分，总分638分。他成了本年度湖北省高考文科状元！

周迅得知这一成绩后，悲喜交集。周迅的父母和亲朋们都喜极而

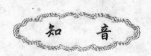

泣。因为这是周迅从小到大最煎熬的一年，压力很大，心里很苦，他和父母都是咬着牙过来的，现在，终于等到"风雨之后见彩虹"的一天了……

潮起潮落，
文科状元却名落孙山

省级的高考状元，每年都是当地新闻单位纷纷跟踪报道的对象。周迅也不例外，省市报社、电台和电视台纷纷对他的优异成绩和学习心得等作了报道，使他一下子成为新闻人物。北京大学的招生人员马上盯上了周迅，打算和他签订录取协议。周迅和家人欢欣鼓舞，因为他们的梦想就快要实现了！

然而，乐极生悲。因为社会对周迅的过度关注，他那不堪回首的"退学事件"又被翻了出来，一些人对他这样特别的高考状元有了非议。7月22日，从仙桃市招办传来一个不幸的消息：周迅因为不符合今年高考报名条件，湖北省招办决定不予投档——也就是说，"文科状元"周迅不会被任何学校录取！原来，周迅离开中国科技大学是因为在校期间有违反校规的行为而被勒令退学。而省招办明文规定：被高等学校开除学籍或勒令退学不满一年者（从被处分之日起，到报名开始之日止），不得报名参加高考。而中国科技大学对周迅的处分决定是2003年3月才作出的。

周迅和父母根本没料到会是这样一个令人沮丧的结果，一家人抱头痛哭，母亲更是当场晕倒在地……对周迅而言，这一次的打击更重。因为第一次被退学后，他和家人还是满怀希望的，相信他能重新站起来，但苦煎熬了一年多后，结果却是这样！周迅在当天的日记中写道："这两天母亲哭了很多很多次。我最感到愧对的就是父母，他们早就双双下岗了，我又耽搁了这几年，就算不说这两年他们陪我一起承受的心理压力，我也对不起他们这十多年的培育……"

父亲心里虽然非常难受，但是他坚强地挺住了，每天他都在安慰儿子和妻子。他担心接二连三的打击，让周迅难以承受。

周迅在大学录取中意外出局，也让他所复读的沔州中学的老师们痛惜不己，班主任管中仁老师说："周迅是个非常聪明的孩子，在这一年的复读期间，他的为人和品德都很不错，和同学老师的相处也很好，根本就难以想象他曾经做过那种愚蠢的事情。"老师们纷纷表示："真是太可惜了！学校培养出这样的状元真是不容易，周迅每天起早贪黑地学习更不容易。"

沔州中学原校长李在旭得到这个消息，也感到非常震惊。他惋惜地对北京大学的招生人员说："周迅太小，犯过错误应该可以原谅，从中国科技大学被勒令退学已经是对他最大的惩罚了，更何况孩子已经认识到自己所犯的错误了。希望省招办能网开一面，也希望北京大学不拘一格录取人才，给周迅一次机会。"

然而，北京大学招生人员和有关部门研究后，对周迅还是爱莫能助。但他们热情地鼓励周迅："希望你明年继续报考我校，我们学校非常欢迎你！"

2003年8月15日，就周迅因不符合高考报名条件而落榜一事，中国科技大学新闻中心首次开口，对此同样表示遗憾，希望他汲取以前所犯错误的教训，培养诚信守法的品德，今后成为有用之材。

高考"文科状元"周迅落榜一事，经媒体披露后，引起了社会各界的关注，许多人或直接或间接地对周迅表示关心和支持，希望他坚强面对，再次向前！社会的接纳和关爱，给了周迅极大的信心和勇气，他决心坦然地接受当时因冲动做下傻事而要承担的责任。

梅花三度，两次复读两进考场梦圆北大

2003年9月，两次遭遇大喜大悲，立身于惹人争议的风口浪尖，周迅再次回到了沔州中学校园。生活的重重磨难让他变得成熟起来，坚强起来。他下定决心，为了梦想再战高考，还是锁定北大！他给自己写下座右铭："沉住气，成大器"。

周迅几乎把全部精力投入这场特殊的"战斗"，任何一次平常测验，他都把它当成是高考，这样，真正高考时也可轻松面对。而且，周迅经常给同学们讲解解题方法和应考技巧，让大家受益匪浅。为了随时能向"久经沙场"的周迅"取经"，同学们争先恐后要把自己的座位换到他的周围。在周迅的带动下，他的座位周围成为班上成绩飙升最快的地方。临近高考，这些同学在市里调研考试中的分数比去年平均增加了100多

分。

交往多了，同学们发现周迅实际上很开朗，也好打交道。他对同学提出的问题，都尽量详细地回答，教给他们学习的方法。他很会调节自己的时间，从不熬夜打疲劳仗。复读生的压力都很大，很少人出去运动，而周迅每星期都打几次羽毛球，缓解压力。

周迅从进校到学校最后一次考试，每次都是全校第一，每次作文都是班上张贴的范文。他在作文《为别人喝彩，给自己加油》中写道："当我们失败而别人成功时，是对别人的成功不屑一顾，还是慨叹时运不济，命运多舛？……给自己加油，让自己从失败的阴影中走出来……重燃斗志，走向人生的赛场。"

一位去年考上武大、因专业不好而复读的学生，本来在其他学校就读，因每次考试没有对手，一天只上一两节课，其余的时间都溜出去玩。听说周迅又复读了，他便转到沔州中学，要和周迅同班竞争。老师再也未见他旷过课，只是他每次考试都差周迅20多分。

2004年6月7、8日，周迅高考考得非常轻松。第二天，他给自己估分为640分。2004年6月25日，高考的分数出来了，去年的全省文科状元周迅一家却相当平静：周迅获知自己考了638分，与他先前估计的分数仅2分之差。周迅是湖北省文科第8名。周迅今年填报的第一志愿，仍是心仪已久的北京大学。

2004年7月13日，从湖北省招生部门传来消息，周迅已被北京大学法律系录取。当有人好奇地问周迅为什么要报考法律系时，周迅回答："我就是因为不懂法，不守法，才栽了大跟头。吃一堑长一智，从哪里跌倒就从哪里站起来。我要认真地学法、懂法、守法，做一个遵纪守法的人。"

2004年7月17日，本刊特约记者赴湖北省仙桃市采访周迅，周迅已经收到北京大学的录取通知书。他的父母及老师、亲朋好友们表示："北大没有任何偏见，将周迅录取，我们感到十分欣慰。"

周迅经历了人生戏剧般的大起大落和大悲大喜，最终考上心仪的大学。他感慨万千地说："我付出了代价，也得到了财富，那是磨难！"

杀人犯临死"善言"
这个千万富翁死得太傻了呀

兀好民 张功社 毛彦功

2004年6月28日，河南省三门峡市公开宣判了一起杀人碎尸大案。这是一起震惊中原的凶杀案，它的触目惊心在全国都十分罕见：普通公务员冯犁军以"热情豪爽"和"侠肝义胆"骗取了一个千万富翁刘震邦的信任，两人很快成为"生死之交"。富翁轻信友情，不仅将自己的存单交给冯犁军保管，还将存单的密码告诉了冯犁军。冯犁军轻而易举地偷取了他的72万元存款。为防事情败露，丧心病狂的冯犁军竟伙同他人，将"富翁"杀死并肢解，还劫走他随身的355万元巨额存单。

就在冯犁军被依法执行枪决，案件尘埃落定后，警方却又发现了另一个惊天的秘密……

略施小计，"下台经理"与千万富翁割头换颈

2000年初的一天，河南洛阳市栾川县某矿冶有限公司总经理李功庆和妻弟刘震邦一起来到三门峡市某银行办理存款手续，因为他存款的数额高达数百万元，接待他的女营业员不由得多看了他两眼。不久，李功庆突然接到一个奇怪的电话，电话里的男子自称名叫冯犁军，像老朋友一样跟他寒暄着。李功庆听了半天才弄明白，原来这个冯犁军就是银行那个女营业员的丈夫。冯犁军热情表示："你把钱存在我老婆那里，是照顾她的业务，我一定得请你喝酒，咱们得交个朋友。"冯犁军还说："你是不是不放心呀，我没有别的意思，我是三门峡市湖滨区区委的干部，只是想跟你交个朋友。"

李功庆心存疑虑，而他的妻弟刘震邦却说："这个人是公务员，他老婆又是银行的，不会有什么恶意，还是去吧。"

于是，李功庆和刘震邦一起赴了冯犁军的约会。席间，冯犁军告诉二位千万富翁，他曾经担任三门峡市湖滨区区委劳动服务公司经理，1993

年离职，回到区委办公室工作。冯犁军向他们表示："我老婆在银行工作，存款取款都非常方便，你们如果信任我，以后的存取款业务我都可以代劳，我还可以帮你们办贷款，不仅高效便利，而且也安全可靠。你们也可以省了奔波劳顿之苦。"

与冯犁军分手后，谨小慎微的李功庆告诫刘震邦，与冯犁军的交往不要太深，尤其是金钱上的事，绝对不能让外人插手。刘震邦不以为然，他觉得冯犁军实在是个难得的爽快之人。几天后，公司急需进一批矿石，手头现有的资金周转不过来，刘震邦独自来到了三门峡市，找到了冯犁军，让他帮忙弄一笔数十万元的贷款，以解燃眉之急。冯犁军拍着胸脯答应了，他果然费了不小的力气，帮刘震邦弄到了一笔数十万元的贷款。

拿到贷款，刘震邦当即就从中抽出了一沓钱递给冯犁军："一点辛苦费。"冯犁军说什么也不肯收这笔钱。刘震邦不解地问："那你为什么要帮我的忙呢？"冯犁军半开玩笑地说："往浅处说，我这是给朋友'卖力'；往深处说，我这是学雷锋，想你也不会反对吧？"

刘震邦深受感动，他收回了钱，认定自己看到了一个人的"境界"。他认准了：眼前的这人绝对可交，绝对正直，绝对可靠！

2000年2月的一天，刘震邦又到三门峡市办理存款手续，冯犁军照例鞍前马后地陪着他。那天，银行里的人挺多，冯犁军竟然将站在刘震邦身后的一个陌生人给撵走，而自己却紧紧地贴在他的身后。办完事后，冯犁军对他说："知人知面不知心，你是'大款'，目标太大，谁敢肯定站在你身后的那个人不会注意到你的密码，我是你的朋友，不为你当好'保镖'，我就不能算是仗义！"他的话使刘震邦感动得差点儿流下了眼泪。从此后，两个人的来往越来越多，越来越像哥儿们，而刘震邦对冯犁军也越来越信任。在刘震邦看来，他是交上了一个只重情义不论金钱的难得的朋友。

2000年3月15日，刘震邦又到三门峡来办理一笔100多万的存款。他前脚刚到，家里就来电话说有急事让他立即回去。刘震邦想都没想，就把这100多万元交给了冯犁军，让他代为办理。回到家，李功庆听说他把100多万交给了冯犁军，责备了他半天。刘震邦也有些紧张起来，毕竟是100多万元，没有任何字据，万一冯犁军不认账，他可是无论如何也说不清楚了呀。他决定马上去追回自己的钱。可没等他去，冯犁军就来了，他帮他办好了存款手续，还亲自赶到栾川，把存折的密码告诉了他，并把存单拍在了他的手上。刘震邦感激涕零，对他仅存的一点提防就像风吹云散一样荡然无存了，他与冯犁军终于成为割头换颈的生死之交。

惊破美梦：恐被捉拿的
"好朋友"顿生杀机

刘震邦没有料到的是，冯犁军这个对他赤胆忠心的朋友确实是有备而来的，他的目的不是别的，就是他手里的钱。冯犁军被免去了区劳动服务公司经理的职务后，成为了普通的办事员，他的心态一直不能平和。他发誓说："仕途不通我走商路，我一定要成为一个百万富翁，让所有的人对我刮目相看。"

妻子偶尔回家说起李功庆和刘震邦在银行有了数百万元的事后，冯犁军立刻动了心，他把目标对准了这个千万富翁。略施小计后，刘震邦果然把他当成了最知心的朋友，毫无防范之心了。

这以后，刘震邦和冯犁军之间完全亲密无间了。有时候刘震邦太忙，冯犁军就亲自赶到栾川，把所有的证件取来，帮刘震邦办好，再给他送回去。刘震邦省了好多事，他从心底里感激冯犁军，而冯犁军又从不肯收他的好处费，这令他更觉得这个朋友是千金不换的好人。有好几次，他甚至把存单交给冯犁军，让他代为保管。而这些存单的密码都是冯犁军经手办理的，为了表示对朋友的信任，刘震邦从来不改密码。

而刘震邦并不知道，冯犁军背着他以给银行"拉存款"有功为名，向银行索要了10余万元的"好处费"。

到2000年底，刘震邦经冯犁军之手，在银行存入了1000多万元。冯犁军的心情再也不能平静了。他只知道刘震邦有钱，但并不知道他竟如此有钱！他想：这人民币上又没有印着你刘震邦的名字，为什么你能花我就不能花？他终于决定：该出手时就出手！

2000年11月15日，几个朋友找到冯犁军，说有一笔棉花生意十分看好，愿出高息向他借款。很自然地，他想到了刘震邦的钱。因为他经常帮刘震邦办理存款手续，十分熟悉他的签名，也谙熟他的密码。他几

乎没有犹豫，就模仿刘震邦的笔迹填写取款单，轻而易举地从他的账户里取走了 50 万元，交给了朋友。数月后，朋友连本带息归还了他 52 万元。冯犁军拿了 2 万元的高息，而这已经取出的 50 万元，他拿在手上左思右想了好几天，终于决定不再还给刘震邦。他想，这些有钱人钱多得自己都没数，哪里在乎这 50 万元呢。拿了别人的钱，心里毕竟是不踏实的，冯犁军一直忧心忡忡，生怕刘震邦觉察，但刘震邦却始终没有动静。他放心了，原来这些有钱人真的是不把钱当回事的。

2001 年 2 月 16 日，又有两个熟人找到冯犁军，说是想跟他合伙购买一台大型挖掘机用来租赁可赚大钱，冯犁军就又用同样的手法从银行刘震邦账上取走了 22 万元，交给朋友作为股本。他参加分红，坐收渔利。

冯犁军庆幸自己终于找到了一条发财的"捷径"，有了刘震邦的存款他开始了超级"享受"。他先是在市区购买了一套房子，还配置了一整套高档家具。他还包养了一个情妇，并把这套房子交给了这个女人。

正当冯犁军心安理得地安享富贵的时候，一件意想不到的事情发生了。2002 年 12 月 23 日，刘震邦突然来到三门峡，找到了冯犁军。他此行的主要目的是来办两件事：一件是归还银行的 50 万元贷款，另一件是把几笔共计 355 万余元的定期存款转存。冯犁军一听，整个人都蒙了，他冒名取走的那 50 万元就在这几笔存款里。但冯犁军还是很快镇定了下来，他决定先拖延时间，看情况再说。

冯犁军热情地陪着刘震邦到银行，先办理了归还贷款的手续。接下来，刘震邦正想办理这 355 万元的转存手续，冯犁军突然拉着他的手就往外走，说："时候不早了，走，咱们先吃饭，吃过饭再来办，反正钱在银行里存着，早一会晚一会，也不怕它飞走了。"

刘震邦觉得也在理，就跟着他去了饭馆。冯犁军一个劲地劝他多喝酒。刘震邦果然被灌醉了，他摇摇晃晃地站起来，说要去一下洗手间。冯犁军等了 20 分钟，还是不见刘震邦回来。他正在纳闷，手机突然响了。原来，喝了不少酒的刘震邦突然回到了银行，他听说在银行里存款达到一定的数额可以得一笔"好处费"，正在向行长讨要。行长不便明说，这笔"好处费"已经被冯犁军拿走了，只好敷衍着他。刘震邦借酒劲威胁说："要是不给我'好处费'，我就把 355 万元的存款全部给转

到别的银行去!"

行长无计可施了,只好给冯犁军打了电话。接到行长的电话,冯犁军的头皮猛地一炸。他心急火燎地赶到了银行,见刘震邦只是在跟行长吵架,还没有开始办理转存手续时,他又稍稍地松了一口气,他知道,那50万元的事情还没有"露底"。情急之中,冯犁军不顾一切地拽着刘震邦就往外走,说:"你的酒喝多了,全是醉话,等你醒了酒再来和他们来论理。"

他把刘震邦拉到另一个饭店,继续灌他喝酒,不一会,刘震邦便被灌得趴在了饭桌上,一醉不起了。而这时,丧心病狂的冯犁军已经拿定了主意:绝不能让刘震邦活着离开三门峡!

至死莫名,千万富翁魂归
天国不知"朋友"是凶手

冯犁军立即打电话叫来了他的好朋友程晋生,他直截了当地告诉程晋生,要他帮忙把刘震邦杀掉!程晋生吓得脸色煞白:"我和他无冤无仇的,我下不了手。"冯犁军恶狠狠地对程晋生说:"你是个驴脑子啊?我把这掉脑袋的事对你说了,你现在跟我说不干,你考虑没考虑会是啥后果?"

作为冯犁军最要好的朋友,深知他的性格,那就是心狠手辣。他只好勉强同意。

不一会儿,刘震邦清醒了一点,冯犁军和程晋生一起又劝他喝酒。这一顿酒一直喝到晚上11点多钟,这时,刘震邦已经醉得不省人事了。冯犁军和程晋生把刘震邦架到了冯犁军那套不为人知的房子里,然后二人联手,将刘震邦活活掐死。醉得不省人事的刘震邦还没有清醒过来就气绝身亡了,直到最后一刻,他都不知道,是他"生死之交"的"朋友"夺去了他的性命。见刘震邦已死,冯犁军将刘震邦随身携带的3万元现金、一部三星牌手机及8张共计355万元的定期存单全部劫走。

第二天上午,冯犁军拿着从刘震邦身上搜走的两张存单,到银行转存了30万元,还取走了26万元现金,作为先期付给程晋生的报酬。程晋生杀人之后,后怕不已,拒而不收,声称只是"帮忙"。

12月25日,远在栾川的李功庆迟迟不见妻弟归来,十分担心,不

停地打他的手机，却一直处于关机状态。李功庆更着急了，他想起妻弟跟冯犁军的关系密切，就打电话向冯犁军询问刘震邦的下落。冯犁军故作诧异地说："刘震邦在三门峡办完事后就走了，听说去了洛阳，怎么还没回家呀？大哥，你别着急，我也帮你联系联系，一有消息就马上告诉你。"

接着，冯犁军马上让程晋生带着刘震邦的手机卡，坐车赶到洛阳，让他一到洛阳就打开手机。冯犁军给李功庆打电话说："我和震邦联系上了，他说正在洛阳办事，你赶快给他打电话吧。"李功庆拨通了刘震邦的手机，电话刚通，程晋生就按照冯犁军的嘱咐，用变了调的声音说："求求你了，别杀我，你要什么东西，我全部给你……"

李功庆当即就瘫软在了地上，他确信，妻弟刘震邦是在洛阳遇了凶险！他马上向公安机关报案。

25日下午，冯犁军从街上买了一把砍骨刀，与从洛阳赶回来的程晋生一道，残忍地将刘震邦的尸体进行了肢解，然后分装在几个纸箱里，藏在冯犁军办公室旁边的一间闲置的房子里。2003年1月4日，他们在郊区以种菜为名包下了一块地，随后将刘震邦被肢解的尸体埋在这块地的塑料大棚里。冯犁军还把刘震邦的衣服及肢解时带血的一些物证全部浇上汽油，用火烧掉。当天下午，他又从刘震邦的存单里取出了34万元，并将这笔钱交给他的一个亲戚代为保管。

警方接到报案后，迅速对此案展开了侦破。尽管冯犁军所制造的一系列假象转移了警方的视线，但警方还是很快排除了干扰，将目标锁定在了冯犁军身上。1月8日，冯犁军觉察到自己已经受到了警方的严密监控，故意放出风声给程晋生，说警方已经注意到他了。程晋生听到这个消息后，果然仓皇出逃。程晋生在外面躲藏着，惶惶不可终日，为自己走上这亡命天涯的不归路痛悔万分。1月18日，程晋生在郑州写下了一份遗书，他在遗书里对妻子说道：我是被迫帮他杀了人，没想到他却先嫁祸于我……

他将遗书放在上衣口袋里，于1月19日回到了三门峡市。为了让自己的尸体和遗书能及时地被警方发现，他买了一包毒鼠强，在三门峡火车站旁边一个人群最多、最显眼的地方一口吞下了一整包毒鼠强。

根据程晋生的遗书，警方很快将冯犁军抓获归案。但审讯冯犁军的工作进行得异常艰难，得知程晋生已自杀身亡，冯犁军竟一口咬定是程晋生杀了刘震邦，他只是被迫给他"帮忙"，而且仅仅只是参与了"租地"与"埋尸"。但法网恢恢，疏而不漏。警方展示了大量的证据后，冯犁军才不得不交代了他非法贪占他人钱财，精心策划并实施杀人犯罪的事实经过。

2003 年 8 月，三门峡市人民检察院以"故意杀人罪"向三门峡市中级人民法院提出公诉。三门峡市中级人民法院依法组成合议庭，对此案进行了公开开庭审理。11 月 20 日，三门峡市中级人民法院公开宣判：冯犁军以非法占有他人钱财为目的，杀人碎尸，犯罪情节汲为恶劣，后果极为严重，依照《中华人民共和国刑法》第 232 条、第 57 条之规定，依法判处被告人冯犁军死刑，剥夺政治权利终身！

2003 年 11 月 22 日，冯犁军向河南省高级人民法院提起上诉。省高院经审理后认为：三门峡市中级人民法院所认定的犯罪事实证据确凿，定性恰当，量刑准确。于 2004 年 5 月 16 日下达了终审裁定书：驳回上诉，维持原判！

听到终审判决后，冯犁军没有像很多临死的人一样表现得"其言也善"，甚至没有对被害人和家属表示出丝毫的悔恨和歉意。对于那个曾经把他当成生死至交的刘震邦，他有的只是不屑和嘲笑。他对看守他的工作人员说："见财起意，固然是我走向犯罪深渊的主要原因，但刘震邦他是身家数千万元的富翁呀，他的防范意识怎么就那么淡薄？怎么就那么容易轻信别人呢？他也不想想，1000 多万元的存款交给别人办理，还让别人保管存单，熟知密码，谁能不眼红？谁能不见财起意呀？从这个角度来讲，是他的轻信和麻痹把自己推上了死路！"

2004 年 6 月 28 日在三门峡市百货大楼前的广场上法院对此案召开了公判大会。公判结束后，冯犁军被押赴刑场，执行枪决。

行刑前，冯犁军留下了一份遗书，他向家人交代：我死后，请将我生前所有的照片全部毁掉，一张都不要留，我不想让任何人再看到我生前的容貌……

冯犁军被执行死刑后，一位已经退休的老干警来到了市刑警大队，当他看到从塑料大棚里找到的刘震邦被肢解后的全部照片和详细的勘察记录及数据时，他惊叫了一声，跌坐在了椅子上。他想起了他曾经办过

的一桩遗案：早在冯犁军担任湖滨区委劳动服务公司经理前，他的一个顶头上司莫名其妙地被人杀害并肢解，此案一直未破，成了一桩悬案。而那个案件中尸体被肢解的刀法、关节、部位以及块数竟与眼前的资料一模一样，毫无二致，这位老干警煞白着脸说："这个凶手就是他！"

　　冯犁军已经伏法，谁也无从判定从前的那个肢解旧案是不是他干的，但他留给人们的思索却是永久的。

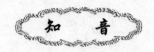

美人引诱奏效，
总经理不合作血洒包房

杨湖

2004年6月27日中午，南昌警方接到报案，南昌市物华宾馆豪华客房内发现一具裸体男尸。死者除遭受锤击之外，体内还被注射了硫酸，作案手段骇人听闻。警方立即赶赴案发现场调查，发现死者为身家千万的江西省名人文化传播有限公司总经理刘广平（化名）。

此案惊动了公安部。南昌警方当即向全国发出协查通报。经过近20天的跨越五省追寻，7月15日，犯罪嫌疑人聂国荣在长沙被捕归案。

是什么样的深仇大恨，让聂国荣以如此凶残的手段致刘广平于死地呢？

合作不成使出美人计

现年31岁的聂国荣出生在江西省丰城市剑南镇，曾在浙江省某海军部队做了7年文书，2002年退役到上海闯荡。他先后做过酒店保安和公司职员，因缺乏耐心，每样工作干上一段时间就嫌工资低不干了。在大上海的繁华世界里，他发现，靠工资永远没有大的发展，也无法满足自己的需要。于是，他想快速致富。在老乡的帮助下，聂国荣承包了一家小酒店。

看到别人开的酒店生意兴隆，可自己的酒店却人气不旺，他开始琢磨原因。在朋友的提议下，聂国荣引进了十多个颇有几分姿色的小姐，此举果然给酒店的生意带动很大，聂国荣似乎找到了感觉，小姐们任由他呼来喝去，钱也赚得轻松，但不久之后，便不断有人找上门来索要保护费，加上警方对卖淫嫖娼也查得很紧，他便发现酒店也不好做。干了一年多，除了落得个风流快活之外，其他的什么也没捞到。

聂国荣认识上海一家公司的老板，是做文化产品和广告业务的，酒店经营不下去了，他便来到这家公司打工，负责上海片区的产品铺货。

经过一段时间的工作，聂国荣发现经营文化产品利润丰厚，来钱特别快，但在大上海凭他的能力显然跻身不了这块市场。一番思索过后，2004 年 4 月，聂国荣一个人从上海来到南昌，准备在南昌做文化传播，广告等方面的生意。

为获知这方面的市场信息，聂国荣上网查找可供利用的资源。通过查询比较，聂国荣获悉南昌市有家"江西名人文化传播有限公司"，法人代表是刘广平，该公司主要从事文化产品的包装、发行，承办大型歌舞演出，特别是该公司的光盘经营更是十分红火，独立发行大陆及港澳台知名歌星的唱片，业务范围拓展到全国，公司的固定资产不下 1000 万元。

如果能与刘广平这样有实力的老板合作，相信自己很快就会发迹。可如何能与刘广平接触上，并取得他的信任呢？聂国荣踌躇再三，找到了南昌一些经营影像制品的朋友，但朋友们都说刘广平身家千万，仗着财大气粗，一般人找他做生意他是不搭理的。

朋友们不愿引荐，聂国荣最后决定自己搞定刘广平。通过暗中打听，聂国荣辨明了谁是刘广平，便开始悄悄跟踪刘广平，他发现刘广平经常坐着"宝马"跑车去"都市之风"健身房健身。

聂国荣以"上海康缘文化传播公司总经理施红生"的身份，找到了"都市之风"健身房的教练，打听刘广平的情况，并了解到刘广平在"都市之风"健身房付的是年费，很快就要到期了，他觉得机会来了。

刘广平在交纳健身房的会员费时，得知有人帮他交过了，他似乎见怪不怪地让健身房的老板转告帮他交费的人："我是文化人，不喜欢别人无缘无故为我花钱，让他有事直接找我。"见刘广平不吃这一套，聂国荣便直接找上门去，坐在刘广平宽大阔气的老板桌前，聂国荣不禁被刘广平的派头镇住了。他战战兢兢地说了自己的想法："我想代理你们公司在全国的总经销权，我相信一定会把市场做得更火。我们在全国都有完整的销售网络。"

刘广平简单地问了一些他的简历后，话锋一转："你说你以前在上海做过光碟发行业务，那你与哪些媒体打过交道？认识哪些娱记？全国各大城市的知名媒体你都了解多少？"

这下可把聂国荣问住了。以前在上海那家文化公司打工时，虽然见

公司高层经常与媒体往来，但他只负责一个片区铺货，根本没机会与那些娱记接触，更不用说全国务大城市的知名媒体了。每一张新唱片出来后，常常会卖得很火，他不知道这很大一部分原因来自媒体的炒作。

见聂国荣答不上来，刘广平开始对聂国荣的身份和说过的话产生了怀疑。他推说有事，送走了聂国荣。这之后，聂国荣又来过几次，经过深入交流，刘广平发现，聂国荣根本不懂影像制品的经营，且没有实力先期付款，似乎从一开始就有生意欺骗的成分，于是他对聂国荣变得冷淡起来，后来就干脆不见了。

但聂国荣仍不想放弃。经过多次跟踪，他发现刘广平经常到南昌一些豪华大酒店用餐，酒足饭饱后就去歌舞城，且每次都有漂亮的女孩子陪着。得知刘广平"很好色"，聂国荣不由得内心一阵狂喜，他当即决定，用美色让刘广平打开合作的大门！然后立马从上海找来一名姿色诱人的坐台小姐林琳。

林琳与刘广平的接触也是从健身房开始的。与刘广平几次主动搭上话后，果然林琳被邀请出去吃饭。"你来健身房真正的目的不是来健身的，是有事找我吧？"被刘广平看出了目的后，林琳干脆就承认："是啊，你一个大经理，我们小女子平常怎么能接触得上呢？"

"那可不是，我这不是请你这小美人喝酒嘛！你有事说出来，我们不妨来个交换。"刘广平暧昧地说。

林琳便一五一十地把聂国荣想合作的意图说了出来，谁知刘广平听了后满脸不悦："别的事还好说，这个姓聂的根本不是搞文化经营的料，我瞧不起他！"

林琳回来后把刘广平的话转告给了聂国荣，并劝他说："看样子人家真的不想与你合作，你就另找一家吧，干吗在一棵树上吊死。"可聂国荣还是不服输。他与林琳合计，决定由林琳勾引刘广平上床，然后拍下刘的裸照进行威胁，让他把公司的光盘全国销售代理权老老实实地交出来。

林琳再一次主动约刘广平，刘广平欣然接受，但几次酒后除了在包房里拥抱了一下林琳外，刘广平并没有提出开房，却每次都以礼物和金钱相赠，并说了很多赞美林琳的话。见刘广平并没有那种意思，林琳转变了看法，她认为刘广平并非聂国荣所说那样是色中饿鬼，相反在花心

男人当中还算是有风度的。

刘广平不提出开房，聂国荣的裸照便拍不成，他很是着急，多次催促林琳一定要把刘广平引诱进宾馆。机会终于来了。一天晚上，聂国荣接到林琳的电话，让他做好拍照准备，赶到南昌市电力物华宾馆。

就在聂国荣坐在宾馆大厅苦苦等候时，刘广平和林琳在房间里极尽缠绵，林琳自然使出浑身解数，曲意逢迎。完事之后，心满意足的刘广平搂着林琳说："今后你就跟着我吧，我包你过上有钱花的日子。"看着刘广平喝下事先放有安眠药的开水后沉沉睡去，林琳的内心突然间起了变化。她感到刘广平是个靠得住的男人，想想他刚才对她的承诺，说不定以后真能跟着他过上有吃有玩的生活，聂国荣算什么，穷光蛋一个，如果靠上刘广平这棵大树多好。

想起刘广平连日来对她的好处，林琳不想帮助聂国荣达到威胁他的目的，当聂国荣一遍遍发短信给她时，她不再理会，干脆把手机关了，抱着刘广平睡了。

与刘广平有了一夜情之后，林琳便不再搭理聂国荣。聂国荣气坏了，把林琳请来，他也是花了不少钱，想不到偷鸡不成蚀把米，计划没实施，反落了个人财两空。他扬言要找林琳算账，但林琳似乎从人间蒸发了，后来他听说林琳已经离开了南昌。

心生怨恨暗起杀机

美人计落空，聂国荣将所有的怨气都归到刘广平身上，认为刘广平不但瞧不起他，还让他受了不少经济损失。于是他决定要报复刘广平，不敲诈他一笔钱，不让他肉体上承受痛苦决不甘心，一个罪恶的，周密的报复计划很快在他的脑海中形成。

这时，聂国荣想起以前在上海认识并同居的坐台小姐许小红。有了林琳的经历，别的女人他都信不过了，许小红一直对他言听计从，找她最为安全。聂国荣打电话给许小红，说很想念她，邀请她来南昌玩。6月20日，许小红来到了南昌，久别重逢，两人一番缠绵之后，聂国荣故作神情诡秘地说，他有一个老乡被南昌开公司的刘广平骗了100多万元，老乡想利用刘广平与女子鬼混的裸照来威胁刘广平还钱，找他帮忙，并答应事成之后付给他5万元好处费。

　　只要她能勾引刘广平上床，并悄悄让刘广平吃下安眠药然后离开，就算完成了任务，事成后就会分给她2.5万元。

　　想到自己在上海坐台几个月也挣不了这么多钱，许小红想也没想就答应了。

　　接下来，聂国荣开始为他的报复计划进行准备。几天之后，聂国荣准备了铁锤、一次性针管、手套、绳子、电警棍、硫酸等作案工具，同时还为许小红以"王琪"的名字办了张假身份证。

　　怎样让许小红与刘广平接触上？许小红提供了一个很重要的信息，林琳现在在上海，被一个富商包养了，可见她与刘广平也不再有联系了。两人一合计，决定让许小红以林琳朋友的身份去找刘广平。

　　"刘总，冒昧打电话给你，小女子初到南昌，朋友交代说到南昌一定要找到刘总。"

　　"你叫什么名字？你朋友是谁？"刘广平接到电话，感到很突兀，于是小心翼翼地问。

　　"我叫王琪，你没见过我，但我的朋友想必你记忆深刻吧！她是林琳，说平哥最够意思，林琳可是一直想着你哟，平哥。"从刘总立马转称呼为平哥，许小红不愧是拿捏男人的高手，也叫得刘广平心头痒痒的。

　　听说是林琳的朋友来南昌办事，并受林琳之托来看他，刘广平自然喜出望外，急于想知道林琳近况的他一口应承与王琪见面。

　　一切准备妥当，6月26日，聂国荣与许小红二人以"王琪"的身份在电力物华宾馆开了310号客房，谋划好里应外合作案。当晚8时许，许小红约刘广平在宾馆房间见面，刘广平放下电话就赶来了。

　　一番问候过后，惯于逢场作戏的许小红便用眼神诱惑刘广平，并不时有意露出睡衣里面隐隐约约的胸部，见刘广平眼神迷乱了，她故作娇嗔地说："平哥，我准备在南昌呆一段时间，看在林琳的分上，你可要关照小女子哟。"

　　"一定，一定，只要你肯留在南昌，我一定帮你。"此时已心猿意马的刘广平自然不肯放过这个偷腥的机会，在床上挪了个位置，坐到了许小红的身边说："你打算留下来做什么呢？"

　　"我不知道自己究竟能做些什么呀，平哥你看我这身材做什么合

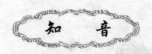

适?"许小红站起来,撩开了睡衣的一角,"我比起你那位林琳小姐来如何?"心领神会的刘广平一把抱住许小红,"嘿嘿,真要我比较嘛,那就让我试过再作结论。"两人相拥着倒在床上。

晚上11时许,心情畅快的刘广平喝了"迷魂药"后呼呼入睡,得到信息的聂国荣立即进入房间,拿给许小红1.5万元现金,让她赶紧离开南昌。

许小红离开房间后,聂国荣先用绳子将刘广平的手脚捆死,并将嘴封住。在捆绑的过程中,赤身裸体的刘广平醒过来并极力反抗:"你想干什么?我要报警!"聂国荣顺手拿起烟灰缸砸向他:"都什么时候了,你还嘴硬,老子今天废了你!"

刘广平见势头不对,便停止了反抗,聂国荣拿出锤子,从刘广平身上搜出五六张银行卡,逼着他交代密码。见刘广平不想说出密码,聂国荣便对他又是一顿猛打,疼痛难忍的刘广平只得将密码一一说出。

"你他妈的平时那么狂,不把老子放在眼里,我就不信老子治不了你,小姐是老子请来的,怎么样?良宵一刻值千金吧?你这些卡里要是没多少钱,老子下次还找你。"聂国荣一脚踏在刘广平的身上,得意洋洋地说,"你竟然敢说瞧不起我,你当老总之前不也是和我一样穷吗?今天老子就给你点颜色看看……"

"即使你取到了钱,你也用不出去,在南昌我要收拾你太容易了,你别太得意。"刘广平似乎被聂国荣的神情激怒了。

听了刘广平的话,聂国荣心里一惊,的确,在南昌刘的势力比他强多了,要处置他是很容易的,事情已经做了,决不能留给刘广平报复的机会。干脆一不做二不休,聂国荣举起铁锤,用力击打刘广平的四肢关节和脊椎骨,刘广平很快连挣扎的力气都没了,躺在地上不能动弹。但聂国荣仍不罢休,他拿出牙签刺刘广平的双眼、双耳,并在其脊椎骨和舌头等处注射硫酸。看到刘广平痛苦的表情,聂国荣有了报复后的快意。一个多小时后,刘广平在痛苦中死去。聂国荣对现场进行了简单的处理,逃离了宾馆。

跨省整容逃亡依然难逃法网

6月27日中午,电力物华宾馆的服务员不见310客房续交房费或是退房，打电话到房间也没人接听，便打开房门，打算先将房间收拾一下。刚走进房间，一具裸体男尸横躺在地上，洁白的床单上满是血迹；"杀人了，不好了，杀人了！"服务员惊叫着冲了出来。

有人在310房间被杀的消息迅速传开，南昌市东湖公安分局民警立即赶赴现场。经过现场勘查发现，房内地上，床单上有大量血迹，并在地上发现一注射用针头。经解剖被害人遗体发现，死者体内被多处注入硫酸，造成皮下肌肉灼伤，死因系钝器打击四肢、背部致软组织大面积挫伤，导致挤压综合征所致。解剖结果让警方都感到震惊，体内注射硫酸，在江西省发生的刑事犯罪案件中还是首例，在全国也极罕见。凶手作案手段极其残忍，这是一起有预谋的恶性杀人案件，死者死前起码被折磨了两个小时之久。

很快，警方查清了刘广平的身份。同时查明，宾馆开房的登记身份证是一名叫王琪的女子，另外，27日上午8时至10时，刘广平的银行卡内28.6万元人民币被一男子分7次取走。是情杀还是谋财？王琪是刘广平的情人还是凶手之一？案情变得扑朔迷离。

由于案情重大，南昌警方向国家公安部作了汇报，该案引起了公安部的高度重视，在公安部的指导下，南昌警方向全国发布协查通报，在全国范围通缉嫌犯。

案发当天，专案组民警很快查出，案发310房开房登记时使用的证件为假身份证，专案组通知南昌城区各派出所展开拉网式排查，查找办假证人员，询问有谁办过名为"王琪"的假身份证。尽管查找办假证的难度太大，但这是破获此案的最佳突破口。通过民警大量的走访工作，6月28日中午，在南昌制假证的嫌犯程向荣夫妇被警方抓获，据程向荣交代，有一个自称名叫施红生的男子在他们手上制作了三张假身份证，名字分别为：施红生、王琪和刘广平。经程向荣通过银行取款录像辨认，施红生就是取走死者银行卡中存款的男子！与此同时，民警从程向荣处获取了这三人的真实照片。

通过外省警方的协查，专案组发现"王琪"已逃往江苏省镇江市。获此消息后，一个由精干民警组成的追捕组悄悄赶赴江苏。6月29日下午，追捕组在当地公安机关的协助下，这才将许小红抓获。

通过对许小红审问，主要犯罪嫌疑人施红生浮出水面。施红生真实

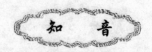

姓名为聂国荣，31岁，江西省丰城市剑南镇金角聂家村人，1994年起在驻浙江某部队服役，2002年退伍，现无业。"6·27"案发后，聂国荣悄悄潜回老家一趟，紧接着逃至广东省东莞市。专案组民警立即赶往东莞，但神出鬼没的聂国荣已离开了东莞。专案组民警并没有轻易放弃在广东的追捕，很快发现聂国荣在广东惠州露出蛛丝马迹，可民警获知信息马不停蹄地赶到惠州时，狡猾的聂国荣又逃到湖南省长沙市。

7月10日凌晨，专案组民警抵达湖南。经侦查发现，聂国荣到达长沙后，先是找了一个情妇，后来，为了躲避警方的视线，花了近1万元钱整容。专案组民警决定在长沙市的美容机构打开突破口，终于在一家美容院，警方拿出聂的相片时，美容师指认的确为这个人进行过整容，而且对他的印象特别深刻，因为美容院为了自身的宣传，通常会把整容成功的人拍下对比照片，可当天美容院要给聂国荣拍照时，他说什么也不同意。并且与别的顾客整形目的不同的是，一般人来整容的目的是为了美观，而他的要求很怪，说是欠了人家的赌债，让别人不认识他就行，差别越大越好，所以最后美容师将他的方脸变成了个马脸，两边的颧骨隆起，鼻子也给他隆高了些，与原来的样子相比，还真让人认不出来。

美容师凭借对聂国荣整容后的深刻印象画了图像。在当地公安机关的协助下，专案组掌握了聂国荣及其情妇的行踪：7月15日下午3时50分，聂国荣与情妇相约在长沙市金牛角西餐厅见面。警方闻讯在这家西餐厅进行了周密布控，聂国荣刚刚落座就被守候多时的民警一举擒获。

至此，手段极为残忍的南昌"6·27"杀人抢劫案告破。

牙医凶手心何苦：
惊回首逼婚情人觅新欢

张默 王川

立志在上海干出一番事业的河南医生陆川刚到上海，就遭遇了一个已婚护士火辣辣的爱。激情燃烧，女护士抛夫弃子逼着他离婚共筑爱巢。看着远在河南的娇妻幼女，陆川心有不忍，但情人破釜沉舟的态度又使他骑虎难下，他只好忍痛割爱。可谁知，他离婚期间犹豫的态度，让情人大失所望。在与陆川同居的同时，她又移情别恋爱上了一个台湾网友。偶然发现真相的陆川义愤填膺地举起了尖刀……

2004 年 7 月 20 日，上海市第二中级人民法院开庭审理了这桩血案。

遭遇火辣辣的女护士，
河南医生浪漫偷情上海滩

1992 年，23 岁的陆川从河南某医科大学口腔医学院毕业后，分配到郑州一家大医院做了一名牙科医生，由于他医术精湛，4 年后被破格晋升为主治医师。

2000 年 9 月，陆川被单位派到上海学习了两个月。上海光怪离的生活深深吸引了他，经过一番深思熟虑之后，他决定前往上海开创新的事业。2001 年 3 月 28 日，他忍痛与妻子以及刚刚才半岁的女儿告别，临行前他踌躇满志地向妻子李妮娜立下誓言：等自己站稳脚跟后，一定尽快把她们接到上海。

在朋友的介绍下，陆川应聘于上海一家民营医院，月薪 5000 元。初来乍到，温文尔雅为人谦和的他，很快就赢得了许多医生、护士的喜爱。

2001 年 4 月底，陆川所在的口腔科又来了一名新护士刘晓莉。这是个高挑靓丽的女孩，性格非常开朗活泼。陆川听科里的护士私下里议论，刘晓莉的丈夫好像是个台商。有个有钱的老公为什么不在家当太

太，反而要干这种伺候人的工作呢？陆川不由对刘晓莉多了几分好奇。在交往中他发现，刘晓莉虽然成了家却整天和他们这些没结婚或家在外地的一起玩，虽然她外表上看起来十分活泼，可一个人独处时眼里总有一丝不易觉察的忧伤。而刘晓莉似乎也对他特别关注，两人很快熟络起来。

2001年6月19日下班前，刘晓莉特地找到陆川，以开玩笑的口吻说："今天是我32岁大寿，你不想对我表示表示？"原来这个皮肤白皙、五官标致的美人与自己同庚，陆川爽快地答应请她吃饭。

下班后，他们一起来到上海衡山路上的一家西餐厅，在摇曳朦胧的烛光中，两人边吃边聊。当陆川试探性地将话题转到刘晓莉的家庭时，刘晓莉的表情一下子凝滞了，她伤感地说："我是为房子才走进婚姻的，现在我的婚姻也只剩下一处房子了……"

原来刘晓莉是上海知青的后代，父母至今还留在安徽芜湖。她从小寄养在舅舅家，饱尝了寄人篱下的辛酸。卫校毕业后，她在上海一家二级医院做护士。5年前，一位台湾商人在他们医院住院时，得到了她的精心照顾，出院后就捧着101朵玫瑰向她求婚。为了能早日拥有自己独立的生活空间，不到两个月刘晓莉便嫁给了这位其貌不扬且大她十几岁的台湾商人。

婚后不久，她便发现丈夫是个寻花问柳的花心男人，一年后当她刚刚生下儿子，丈夫就又与一个比她更年轻的女孩同居了。独守空房的她，与其说是嫁给了一个台湾商人，倒不如说是"嫁"给了台湾丈夫的房子。如今，4岁的儿子便成了她唯一的精神安慰。为了排遣郁闷的心情，她才重到医院当了护士。

刘晓莉说到伤心处时，不禁泪流满面。陆川除了对她充满同情之外，也油然而生一丝怜惜。

饭后，他们顺着衡山路边走边聊，竟不自觉地来到了陆川的宿舍前。两人相视而笑，都有些依依不舍。当陆川提出用自行车送刘晓莉回家时，她高兴地答应了。在这轻风拂面、繁星点点的夏夜，陆川带着刘晓莉在婆娑的树影下一路穿行，两人的身体若即若离，感觉十分温馨惬意，都不由得有些陶醉。

回到家后，陆川久久难以入睡，他打开电脑，突然看见邮箱里有一

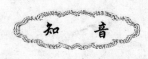

封新邮件，打开一看是一封信：

陆川：你睡着了吗？你走了后，我什么也不想做，和衣躺在床上，却怎么也睡不着。

方才，看着你走出弄堂，消失在黑暗里，我的世界一下子就黑了，尽管是夏夜，我却觉得家好冰冷，我的心也好冷。你该不会嘲笑和鄙夷我吧。你知道吗？这么多年了，还没有哪个男人骑车送我回家，也没有哪个人愿意静静听我讲心事。此刻，我的心里就像打翻了五味瓶：有惊喜、伤悲、幸福、还有新生的渴望……

邮件没留名字，但陆川知道她是谁。瞬间，他的脑子里一片空白。他快速地关上电脑，让自己不要再想。可一躺在床上，刘晓莉的身影又浮现在眼前。

第二天，刘晓莉没来上班，陆川一整天坐立不安。下班后，他想也没想就顺着前一晚的路，摸到了她家。

一见面，刘晓莉就紧紧地抱住了他，她大胆而直白地告诉他：从她看到他的第一眼起，她就爱上了他。今天她还专门到马路摆摊的算命先生那里抽了一签，算命先生告诉她说，她马上会有贵人相助。她认为，这个贵人就是陆川。

与恬静内向的妻子相比，陆川觉得敢爱敢恨的刘晓莉更富有女人的魅力，两人彼此为对方而疯狂，后来刘晓莉索性住到了陆川租住的房间。

2002年春节前，陆川说要回郑州探亲，刘晓莉听后，不禁妒火攻心。陆川的假期为两个星期，但刘晓莉却要求他一周就返回，她甚至提出荒唐要求，要陆川回家装病，不要与妻子做爱。

陆川走后，刘晓莉回到芜湖与父母、儿子一起过年，她仅呆了三天便返回上海，还不停地给陆川发手机短信。在她的催促下，陆川在家只呆了5天便踏上了归途。

情人离婚要挟，医生无奈快刀斩姻缘

2002年"十一"长假前夕，正当陆川和刘晓莉准备赴张家界旅游时，李妮娜突然打来电话，说"十一"期间她要带女儿来上海游玩。

听说李妮娜要来，刘晓莉大为不快。陆川安慰她："李妮娜只呆六

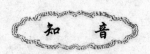

七天，她一走，一年 360 天的日子都是我们的。"刘晓莉只好收拾自己的衣物快快离开。

回家后，刘晓莉度日如年。由于难以忍受思念之苦，10 月 4 日她忍不住给陆川打手机，但他却关机了。她又给陆川的住处打电话，结果无人接听，在万般无奈中，她只好给陆川发电子邮件："亲爱的川：我好难受。虽然，我很清楚她是你的妻子，可是，我想象着每天是她躺在你的身边，我还是受不了。还记得你跟我说的话吗？你说你不让我吃苦，不让我受委屈……可我要告诉你，我现在好委屈，我现在在吃苦！不行，我要跟我老公离婚，我要跟你在一起。你愿意和我在一起吗？"

刘晓莉火辣辣的表白让陆川左右为难。其实从一开始，他就没有离婚的打算。在他看来，妻子李妮娜虽不像刘晓莉那样热情似火，但两人毕竟结婚这么久了，感情还是很和谐的，况且还有年幼的女儿。特别是女儿这次到上海来后，他发现几个月不见，女儿已经长成一个漂亮又聪明的小精灵了，对陆川一点也不认生。别看她只有两岁，但她的口齿却伶俐得很，女儿的童言无忌，常常逗得陆川忍俊不禁，真正体味到了天伦之乐。

妻子假期结束即将返回时，他竟有些依依不舍。在他的要求下，李妮娜又续了假。

当刘晓莉得知李妮娜将在上海呆 20 天后，心简直像被火烧一样疼。为了宣泄这种痛苦，她把自己关在家里，然后歇斯底里地大喊大叫。

刘晓莉决定立马采取措施，排除"干扰"。10 月 11 日晚，她以儿子病重为由，将丈夫骗回家中，开门见山地告诉他：她已经爱上了别人，要与他离婚。丈夫一听火冒三丈，上前对着刘晓莉"啪、啪"就是两个耳光，然后狞笑着说："老子花钱养着你，你竟敢在外偷男人，那个王八蛋在哪里？你敢让我见一见吗？"

近乎疯狂的刘晓莉豁出去了，立马给陆川家打了一个电话。接电话的正好是陆川，刘晓莉哭着对他说："陆川，为了你，我要和我老公离婚了，我老公现在就在我身边，你告诉他，你爱我。"接到这样突如其来的电话，陆川简直觉得刘晓莉疯了。为了不让近在咫尺的妻子听见，他迅速挂上了电话，

陆川这边倒是风平浪静了，可刘晓莉那边却闹得不可开交，她丈夫

将她暴打了一顿，边打边嘲笑她自作多情，临走时还扔下一句话，说他宁可将她"空"着，也不与她离婚。

当晚，心高气傲的刘晓莉赌气吃下40片安眠药自杀，幸好住在附近的刘晓莉的阿姨来串门，才幸免于难。第二天，当陆川得知匆匆赶到医院时，虚弱的刘晓莉不理他。陆川自然又是一番解释加赌咒发誓。最后，刘晓莉流着眼泪逼问他到底爱她还是爱李妮娜，陆川不假思索地回答道：当然是爱她。接着刘晓莉问他：为她是否愿意与老婆离婚，陆川犹豫了一会说：愿意。刘晓莉说："那好，那我们两个马上分头离婚！"

看着情人步步进逼，陆川一时手足无措。想了半天，他无可奈何地说："现在只有请你先行一步了。我要等李妮娜回郑州后再提离婚，以免她闹到医院来，对你对我影响都不好。"刘晓莉觉得言之有理，倒也没有再逼他。

2002年10月20日，刘晓莉向法院提出离婚诉讼。

然而，陆川并没如刘晓莉所愿马上向妻子提出离婚，一方面他和李妮娜感情原本不错，觉得对不起妻子；另一方面想到年幼的女儿，又有些于心不忍。刘晓莉几次三番逼他给李妮娜打电话，他都口是心非地搪塞了过去。陆川的犹犹豫豫不禁让刘晓莉大失所望，两人经常为此发生争执。11月的一天深夜，盛怒之下刘晓莉将陆川赶出了家门。

而此时刘晓莉的离婚已是箭在弦上。2002年12月5日，法院最终判决刘晓莉与丈夫离婚，儿子和房子判给了刘晓莉。

与台湾老公离婚，意味着刘晓莉从此将失去坚强的经济后盾。拿到判决书的那一晚，刘晓莉枕在陆川的手臂上，伤感地说："这一下我只有你了，你不会让我失望吧？"陆川不得不下了离婚的决心。

2003年初，陆川趁回家探亲之机，向李妮娜提出了离婚。但遭到了李妮娜的断然拒绝，最后陆川无功而返。刘晓莉对他办事不力大为不满。

回到上海不到一个月，陆川又在刘晓莉的强烈要求下再次返回郑州，向法院提出了离婚诉讼。一个多月后，法院判决不予离婚。按有关法律规定，二次起诉离婚的时间得相隔半年，陆川"马拉松"式的离婚，让刘晓莉渐渐失去了信心和耐心。

2003年7月，为了排遣心中的郁闷，刘晓莉开始上网聊天，在众多

的网民中，一个颇有诗意的网名"爱情漂流瓶"引起了她的注意。在聊天中，"爱情漂流瓶"水样的温柔和体贴，让刘晓莉心旌摇荡——这些话本该从陆川嘴里说出来呀！不久他们便成了无话不谈的朋友。她每晚都在网上冲浪。

2003年8月，在刘晓莉的催促下，陆川第二次向法院提出离婚。李妮娜见她与陆川的缘分已尽，只好同意离婚。2003年9月法院判决他们离婚，但将女儿判给女方。陆川放弃了婚姻期间的所有财产。拿到离婚判决书后，一想到可爱的女儿，他有了切肤之痛。

惊回首又见情人觅新欢，
手刃情敌血祭"不伦之爱"

离婚后，陆川将租住房粉刷一新，并重新购置了生活用具，把刘晓莉接到这里同居。他期待着两人能重新开始崭新的生活。

然而，现实不久就让他失望。同居后，刘晓莉为了培养陆川和自己的"父子"情，便将儿子从父母处接到身边。因为这他俩之间的矛盾很快凸现出来。

在陆川看来，刘晓莉的儿子能生活在他们身边而自己的女儿却不能，这让他心理很不平衡，再加之刘的儿子非常淘气，因此陆川对这个与他没有血缘关系的孩子怎么也爱不起来。两人为此搞得都不高兴。

在经济上，陆川也觉得自己很吃亏，刘晓莉挣的钱比他少，但开销却比他大，而且他还要帮她养儿子，以前出手大方的他，现在开始锱铢必较，仅从这方面，刘晓莉就觉得陆川变了，变得不像以前那么爱她。

刘晓莉这才发现，他们经历狂风暴雨洗礼过的爱情，却是这样地经不起时间的考验。

在极度苦闷中，刘晓莉经常把她的心事讲给"爱情漂流瓶"听。"爱情漂流瓶"的安慰总显得那么善解人意。同时，他还大胆地向刘晓莉示爱，每天都向她的邮箱投递红玫瑰。刘晓莉仿佛觉得久违的激情又开始在心中燃烧。在这期间，她也曾将自己和"爱情漂流瓶"的交往说给陆川听，他却并没有当回事。

"网上的人，都是骗子，别相信他们啊。"陆川轻描淡写地说，刘晓莉心中很是生气。当她把陆川的话转告给"爱情漂流瓶"后，"爱情漂

流瓶"却笑着说："我会证明我的爱给你看。就像你曾经说过的那样：要的不是认识的过程，要的是爱的结局。"

这句话可是刘晓莉最想从陆川那里听到的啊，她一时百感交集。突然一个奇怪的念头在她脑海中一闪：她又何须在陆川这一棵树上吊死！

也许是感应到了刘晓莉的心理变化，"爱情漂流瓶"的表白显得更加大胆直露，他强烈要求与刘晓莉见面，两人相约2004年情人节在上海见面。

2004年1月21日除夕，刘晓莉带着儿子和陆川一起到芜湖过年。由于刘晓莉有一个月的探亲假，陆川于1月28日一个人先回了上海。

2月11日，也就是刘晓莉与"爱情漂流瓶"约定见面的前三天，做贼心虚的刘晓莉给陆川打了一个电话，说她过两天要到北京去看一个女朋友，然后2月下旬直接从北京回上海。陆川好生纳闷，因为他从未听说她在北京有朋友，怎么突然冒出了这么一个人。

2月16日，他给芜湖的刘晓莉父母打电话，想打听这个人是谁，结果刘母告诉他说，他们也不知道这个人是谁，而且刘晓莉已经回上海了。

陆川一听，更觉蹊跷，便拨通了刘晓莉的手机。刘晓莉一本正经地告诉他说，她现在正在北京。陆川不禁疑窦丛生，直觉告诉他，刘晓莉有事瞒着他。

事实上，刘晓莉给陆川打完电话的第二天，就动身回到了上海自己的房子里，将家里收拾一新。2月14日她按照事先约定，直奔浦东机场，迎接"爱情漂流瓶"。当她看到一个英俊的男人手捧一束玫瑰径直走到她的面前时，简直不敢相信自己的眼睛。

"爱情漂流瓶"不仅伟岸英俊，而且文质彬彬。他的真名叫张建林，与刘晓莉的前夫一样，也是台湾人，比她还小6岁。

刘晓莉将张建林带回家中，这晚，他俩彼此燃烧激情。情酣耳热之际，张建林还许诺说为了刘晓莉他马上来上海发展。被幸福冲昏了头脑的刘晓莉憧憬着美好的未来，根本没想到危险一步步在逼近。

虽然刘晓莉一口咬定自己在北京，可陆川心中却总有一种不祥的预感，他的第六感告诉他刘晓莉就在上海，并且有事瞒着他！为了证实自己直觉的准确性，2月21日晚，他来到刘晓莉的房前想看个究竟。果然

发现屋内亮着灯，还传出了刘与一男子的对话声。

刘晓莉为何要撒谎？看来她与这男子的关系非同一般，自己为了她而抛弃了一切，连过年都不能见上女儿一面，没想到在这么短的时间里，刘晓莉竟移情别恋了。一瞬间，陆川全身的血直往头上涌。

他跑上前去愤怒地敲门，刘晓莉不知道是他而默不作声。之后他又给室内打电话，刘也不接听。无奈之下他只好给她打手机。接到手机后，刘晓莉装模作样地说她正在北京。陆川被彻底激怒了，他拼命地拍打着房门让她开门。刘晓莉一听他在门外，吓坏了，不敢开门，并叫张建林赶紧藏进衣柜里。

张建林刚刚躲进衣柜，陆川便翻窗而入。进屋后怒不可遏的他抓起刘晓莉的头发使劲向房门撞，张建林一看赶紧从柜门后冲了出来，并顺手操起一个金属衣帽架，两个男人扭打在一块。

此时，已丧失理智的陆川掏出随身带的一把水果刀朝张建林的腹部狠狠刺去，张建林身体向前一栽，顿时倒在了血泊中。刘晓莉被眼前的这一切吓得目瞪口呆。

见大事不好，陆川扔下水果刀便逃跑躲了起来，翌日当他得知那个男人死了后，便连夜乘往青岛的汽车踏上逃亡之路。两天后，他被上海警方在连云港抓获。

2004年6月18日，上海市检察院二分院以故意杀人罪向犯罪嫌疑人陆川提起公诉。2004年7月20日，上海市第二中级法院开庭审理了这一起杀人案。在法庭上，陆川代理律师以陆川的杀人并非主观故意，张建林、刘晓莉有错在先为他作了辩护。目前，此案正在进一步的审理之中。等待陆川的将是法律的制裁。而本案的另一当事人刘晓莉在血案过后的第二天便悄悄地离开了上海，至今杳无音信。

大凡放纵的情感，都是以激情开始，以悲情告终。暧昧的快乐往往是短暂的，而留下的却是永远的伤痛。本案便是佐证。

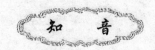

女儿内应诈骗1500万，
怎一个"孝心"了得

王子

2004年7月7日，重庆市南岸区法院刑事审判庭，一桩涉及1500万元的特大诈骗案在此开庭。

上午9时许，涉案的三男一女四名被告押进法庭，那位身材高挑，肌肤白皙，脸庞俏丽的"美丽女囚"吸引了大家的目光，旁听席上顿时响起一片感叹和惋惜声。

这位"美丽女囚"名叫林蕴，今年24岁，曾是重庆市农业银行南坪东路分理处的主管会计。她全力帮助父亲一伙在一个多月之内，分6次骗走重庆市某电力公司的1500万元巨款。

在法庭上，当公诉人指控林家父女俩和另外两被告人的行为已构成票据诈骗罪时，林蕴不停地低头认罪和忏悔。令人唏嘘不已的是，她没分得一分钱赃款，她作案的动机竟是为了向父亲表达深深的"孝心"……

父爱深深，女儿发誓要回报父亲的养育之恩

1977年3月，林蕴呱呱坠地了。在重庆市某政法部门当干部的父亲林新和在一家事业单位当职工的母亲把这个漂亮的宝贝视如"掌上明珠"，宠爱有加。林蕴对父亲的感情特别深厚，从懂事起，慈祥、能干的父亲就成了她心目中崇拜的偶像和英雄。

然而，在林蕴上初一那年，家里的宁静被打破了。

那年她13岁，父母突然从相敬如宾的伴侣，成了互相仇恨的冤家。1990年底，父母离异，法院判她跟着妈妈一起生活。

尽管爸爸不是好丈夫，但绝对是个好爸爸。她记得，爸爸离开家的那天，林蕴泪眼矇眬地看着爸爸渐行渐远的背影，凄厉地哭喊："爸爸啊，您离开家，连我也不要了吗？"林新听到这句话，突然掉头跑了回

来，一把将她紧紧搂在怀里，她看见爸爸满脸泪水，嘴里安慰她说："孩子，爸爸永远都是你的爸爸，爸爸永远舍不得你，永远都会关心你的！"

果然，离家的爸爸比先前更关心她，除了给足她每月的生活费外，不管多忙，他每个星期都要来学校看望她，每次都会带她喜欢的东西来。此外，林新还经常到学校来了解女儿的学习、表现情况，经常鼓励她、开导她，为女儿的每一个成长进步感到高兴。

深深的父爱，就像点点滴滴的甘露，滋润了林蕴的心田，使她精神饱满，成绩一直名列前茅。1997 年，林蕴以优异的成绩考取了重庆某大学会计审计专业，林新高兴得大宴亲友和同事。

大学入学那天，林新专程去送女儿，懂事的林蕴倚在爸爸肩上，很感激地说："没有爸爸您的关心和疼爱，就没有我的今天。我要好好学习，大学毕业找个好工作，然后挣好多好多钱，孝敬您老人家！"林新欣慰地笑了。

可是，天有不测风云。2000 年春节，正在读大三的林蕴放寒假了，林蕴等了两天都没有等来说好接她的父亲。带着焦急和疑惑，她回到父亲的住处，见满屋是呛人的烟雾，没有上班的父亲双眼通红，脸色蜡黄，嘴唇咬出了血。沉默了好久，林新才告诉女儿：他在办案中严重违纪，被单位开除了……

假期完了，林蕴决定放弃学业，到南方打工赡养父亲。林新听了，不禁大动肝火："你必须好好读书，有所出息，不然，爸爸不会饶你！爸爸虽然不当国家干部了，但还可以做生意，就是拼了我这把老骨头，也要支持你读完大学！"当时，林蕴感动得热泪盈眶。在她心里，父亲的形象还是那么慈祥和伟大。

从此，懂事的她非常体谅父亲，叫父亲少寄钱或不寄钱给她。一向花钱大方的她开始节省；很少干活的她还出现在校园勤工俭学的队伍中，做家教、打零工等等，开始挣钱养活自己。

林新得知后，生怕她影响学业，坚决反对她边学习边打工。他仍然像以前一样，每月都按时给她寄来几百元生活和学习费用，并经常打电话要求她专心学习。在电话中，林新不断告诉她做生意成功和赚钱的消息：今天投资药材赚了 2 万，昨天搞中介挣了 8 万……仿佛父亲很会挣

钱，而且财源滚滚。

到最后一个学期，林新突然病倒在医院，林蕴请假去医院照顾父亲。从探望他的几个叔叔口中，她才得知父亲为了她安心学习，骗她说赚了很多钱。

原来，林新久处官场，根本不懂做生意，最初他倾尽所有积蓄，投资做摩托车配件生意，几万元被别人骗得分文不剩；后来从亲友处借得一大笔钱，做药材，开饭店，仍然亏得一塌糊涂；他再从银行贷了15万元扳本，还是亏空了。尽管欠债累累，可他还是借钱供女儿上学，并一直哄着女儿安心读书。

看到头发花白，瘦得皮包骨头的父亲为了自己心力交瘁，病倒在医院，林蕴的心像刀绞一样疼，她下决心，大学毕业后，不再读研究生，回来找个工作，好好孝敬父亲，回报父亲深深的养育之恩。

2001年8月，林蕴大学毕业后，以优异的成绩应聘到重庆市农业银行南坪支行工作。在单位，她埋头苦干、发奋钻研，很快就成了业务尖子，被支行任命为东路分理处的主管会计。

十分孝顺的她经常探望父亲，为父亲分忧解难。她还将每月几千元的收入，只留几百元做生活费，其余的钱全都给了父亲治病，生活和还债。

充当"内应"，为讲"孝心"
女儿助父骗尽千万巨款

几经挫折后，林新特别渴望能发财致富，一夜暴富，加上女儿参加了工作，他没了后顾之忧，对金钱的追求就更加疯狂。

2001年底，他在茶馆里认识了嘉山贸易公司总经理李山。这位也曾被供销社清理出来的职工，"鬼点子"很多，靠做资金"串中"，玩空手道发了财，成了有房有车有公司的大款。两人很快就成了哥儿们。

2003年初，林新在重庆城口县考察了一个开锰矿的项目，估计要投资一百多万元就有数千万元的回报。可是钱迷心窍的他身无分文，哪里有钱投资呢？最后，他只好来找多"点子"的李山替他想办法。

这对"难兄难弟"绞尽脑汁想了一整夜，最后，李山给林新出了条"妙计"：在他女儿身上挖"金矿"——正规贷款不行，就利用别的途径

在银行"洗钱"！

2003年6月初，社会关系广的李山打电话告诉林新：在银行"洗钱"的机会来了！林新一听，兴奋得心都快蹦出胸口了。

6月10日，李山、林新和另一个资金"串串"、兆昊实业公司经理冉成三人坐在南坪一家茶馆里，一个个神采飞扬地商议起"洗钱"的方案。

冉成介绍说，他已经打通关节，以4%的利息从重庆某电力公司拉来1500万元"摆账"（摆在银行的账上不动用）。如再提高1.77%的利息，对方就可以在一年内不去银行查账、挂失、质押和提前支取，那么就可以想办法把这笔巨款从银行搞出来供大家使用。

林新也想在这笔巨款上分"一杯羹"，便马上承诺：自己女儿在农行工作，这笔巨款可以存在女儿林蕴工作的银行里，然后，他可以把巨款弄出来。

于是，三人开始分工协作：冉成负责打通某电力公司，拉来存款，并保证对方一年内不来过问钱的去向；李山冒充存款方（某电力公司）的"财务科长"，负责伪造一切取款证据，并出面在银行取款；林新负责做通女儿的工作，让她里应外合……

2003年6月11日上午，林蕴突然接到父亲打来的电话请她出来。见面后，父亲马上向她介绍李山是某电力公司的"财务科长"，李山套近乎说："大侄女，为了支持你的工作，我们公司准备拿笔巨款来存，请问以后要支取，需要哪些手续？"

因为每个员工都有揽储的任务，林蕴高兴坏了，马上回答说："凭印鉴、支票、单位的财务专用章、法人代表私章、存款单位行政公章等就行了。"

第二天上午，李山果然与两名财务人员拿来重庆某电力公司一张1500万元的转账支票来南坪东路分理处，林蕴热情接待。6月13日上午，1500万元巨款到账后，林蕴还专门打电话向李山报告。林蕴放下电话，李山马上指使林新又给女儿打电话，要她拿出电力公司的印鉴片去伪造，然后设法取款。

林新得令后，急忙打电话骗女儿："你李叔叔想看一下留在银行的印鉴片，看是哪个局长的私章，以后取款才不会搞错！我们在新甜茶楼

等你，不见不散。"

按银行规定，任何内部职员不得将储户的预留印鉴片私自带出示人，否则将受到严厉处分或开除，第一次在情与法的抉择中，林蕴选择了亲情。林蕴心想自己的老爸和老爸的朋友要看看，没有什么大不了的。她连想也没想一下后果，就不分青红皂白地如约带来了由她保管的某电力公司的预留印鉴片，来到新甜茶楼。

林蕴将印鉴片交给李山后，林新为了转移女儿的注意力，装着很急切的样子，询问她母亲的病情问题。李山拿到印鉴片后如获至宝，借口上厕所，慌忙带着印鉴片溜出茶楼，在楼下复印点，把电力公司的预留印鉴片全部复印了下来。

搞到印鉴片复印件后，李山花了800元，在一个个体雕刻印章的摊点，按照印鉴片复印件，伪造了电力公司公章、财务专用章和法人代表章。

6月15日上午10时许，林新和李山又将林蕴约到文化宫内的仙居茶楼喝茶，李山就将昨日偷偷复印的印鉴片和伪造的财务专用章、法人私章、行政公章拿出来，要林蕴这个"专家"鉴定一下，看是否能够用它们将银行的存款取走。疑惑不解的林蕴看了那几枚深浅不一、字体不规范、鲜印较模糊的鲜章后说："你们这个印鉴片与真印鉴片差别太大，取钱肯定不行。"

李山和林新非常泄气。可是，想钱想疯了的林新哪里肯就此打住，他想干脆孤注一掷！于是，他悄悄与李山商议后，决定将真实内幕透露给女儿，让女儿做"内应"，直接把巨款"弄"出来。

在得到李山首肯后，林新假装一副伤心状，然后痛苦地问女儿是不是真的孝顺他？父亲有难，她是不是真心帮助他？在得到林蕴诚惶诚恐的应承后，他就把自己欠巨债，被人追债追得焦头烂额；现在搞了一个能发大财的锰矿开采项目，又缺资金的窘境告诉了女儿。他见女儿十分同情，接着就将打算把某电力公司的巨款"取"出来，投资开办自己的锰矿，一年后归还的计划和盘托出。李山还在旁边鼓吹说："这笔钱是我这个财务科长同意你父亲借走的，只是瞒着局长。我们不会给你为难，我们保证不会来查账、清款，你父亲也保证一年内归还，应该不会出什么问题的！你放心帮助你父亲吧，你要做的就是将电力公司预留在

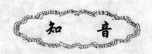

银行的真实印鉴;片拿出来给你父亲取款,而把我们伪造的印鉴片放在银行里存留备用就行了。"

偷储户的印鉴片,那可是件违法犯罪的事啊,小则丢饭碗,大则获罪坐牢啊!经过大学会计审计专业的法律培训和单位多次法律教育,林蕴深刻明白这一点,她心里又惊愕又矛盾。

就在林蕴犹豫不决时,林新竟声泪俱下说:"孩子,爸爸为了养育你,苦了这么多年,求你办个什么事没有?爸爸沦落到今天这个地步,还不是为了你能把大学读出来?爸爸求你办这么点事,你都不愿答应吗?何况,我绝不会害你、他们存款期一年,我在一年内保证还回所有的钱和利息,决不会为难你,你害怕什么呢?退一步说,就是有事,也是爸爸去坐牢,哪要你担责任嘛!"

见父亲这个样子,林蕴吓得手足无措,也跟着泪流满面。

在孝心与法律面前抉择林蕴觉得好为难啊!可是,她想到爸爸为她吃苦,为她沦落,为她受罪,她的心战栗了!经过一番痛苦的心理交锋后,她怀着侥幸心理,答应了父亲和"李叔叔"的要求。

6月16日早上9时许,李山、冉成和林新在南坪一茶楼会合,带着伪造的电力公司的印鉴片到林蕴的工作场所,李山故意说要取款,想看看原始印鉴片内容,好进行填写。林蕴心领神会,知道他们来调换真印鉴片了。

林蕴的"偷梁换柱"行动做得神不知鬼不觉,李山拿到真印鉴后,急忙填写支票,当场用"调包"来的印鉴片取走了电力公司580万元巨款,而这距1500万元存到该分理处才仅仅4天时间!

在一个多月内,李山、林新、冉成三人像老鼠搬家一样,迫不及待地分6次,以各种名义将电力公司的1500万元存款取走,到8月18日,电力公司的账上仅仅剩下1820元的利息。

拿到这1500万元巨款后,李、冉、林三人"按功行赏",冉成、李山功劳最大,各分了750万。李山又将120多万元分给了林新。令人费解的是这三个贪婪的"富翁"在瓜分这笔巨款时,却把最大的"功臣"林蕴给搞忘记了,没有给她一分钱"报酬"。而口口声声很疼爱女儿的林新拿到飞来的不义之财后,再给了另一个合伙人靳某40万元买了一部日本产的雅阁轿车和三部高级手机,却没给女儿半文钱和一样东西。

情法何堪，孝女一片"孝心"
纵容了父亲害了自己

2003年8月31日，银行季度对账中，林蕴赫然发现，电力公司账户的1500万元只剩下1820元利息了，她心里开始紧张和不安。

果然，9月5日，冒充某电力公司"财务科长"的李山给她打来电话说：电力局局长换了人，公司总会计师要来查账。接到"李科长"的报信，林蕴顿时吓得脸色苍白，虚汗直冒，手脚直打颤。李山要她密切配合，必须帮助他们掩盖住这次查账。林新也打来电话，要她再尽一次"孝心"。她也想自保，答应父亲再做一次假，掩盖他们共同的犯罪活动。

很快，冉、李、林三个始作俑者又聚在一起想办法对付某电力公司的查账。还是冉成的路子宽，他当晚就用高价找人伪造了某电力公司的两张银行对账单，一张余额单，一张存款利息单。余额单上明确显示，从2003年6月12日存入农行到查账时的前一天，某电力公司账户上连本带息还有1500万元零2400元。

9月8日上午，林蕴拿到这四张伪造的账单后，趁复核员王某不注意，偷偷在余额对账单上盖了分理处的业务公章，在利息回单上盖上了三角转讫章。在惊慌失措中，她留下了一个致命的漏洞：没有给两张银行对账单盖上公章！

当日上午，电力公司财务人员果然来查账，林蕴吓得手都在颤抖。她把四张伪造的账单从柜台内递给查账人员时，连说话都结结巴巴的。当对方发现她的慌张神情，再看到她递出的账单是早就打印好了的，并有两张对账单没盖公章等可疑情况时，就怀疑她在作假。他们没有露声色，马上向市支行报告了。

9月8日下午2时许，市农业银行支行稽查员得到报告，赶到林蕴的分理处查账，很快就查出某电力公司的1500万元存款被取光的情况，同时，查到了伪造的印鉴片。林蕴吓瘫了。眼看事情彻底败露了，林蕴想到的是救自己的父亲。她趁查账人员不注意，溜到门外，掏出手机给父亲通风报信："支行来查账了，事情暴露了，你们看该怎么办吧！"晚上7时许，林蕴被支行纪委宣布"双规"，她还是想替父亲担当一切责

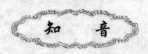

任，趁上厕所时，再次向林新报信："我被双规了，一切由我扛着。爸爸，您快去外地避一避吧！"

林新得到"孝顺"女儿的通报后，犹如惊弓之鸟，他连夜找到李山，商议如何逃窜，如何毁灭证据，并订立攻守同盟，一旦被抓，如何统一口径等问题。

当晚，李山慌忙赶回家，把偷换出来的真印鉴片和三本没有用完的支票簿点火烧毁，把保存在自己家里的三枚私刻印章丢进了长江，他和林新还连夜把没有挥霍完的50多万赃款打进信用卡内，为逃跑做好了一切准备。当晚，二人不敢在家居住，躲在市区一个小旅馆熬到天亮，然后找来为他俩开车的靳某，驾驶他们用赃款购买的雅阁轿车，向成都市逃窜。他俩害怕躲在一个地方容易被抓获，又开车逃遁到四川的乐山市、西昌市，云南的昆明市躲藏。10月初，林新又逃回重庆躲藏，在一家宾馆打牌时，竟被小偷偷走12万元赃款。他气急败坏，却连案都不敢报。

9月14日早上，民警得知冉成正在其江北区的兆昊公司上班，便火速赶赴该公司，将其抓获。9月20日，民警得到线索，李山、林新二人可能在乐山市躲藏，民警赶去后，发现这两人已潜逃至西昌市。专案组又连夜赶往西昌。历时3天2夜的布控、守候，李山于9月23日下午落网；10月9日，林新落网。

警方冻结了三人账户中的1049万元存款，并收缴了他们利用赃款购得的别克、本田、雅阁等高级轿车三辆。一套豪华别墅和一些办公用品等财产也被扣押。

2004年7月7日，这伙犯罪嫌疑人站在了法庭上，林新等四人被检察机关指控相互勾结，使用伪造的印鉴片伪造支票诈骗企业的银行存款，其行为已构成票据诈骗罪。

林蕴在庭上痛哭流涕。她说，她这样做没有利益驱动，完全是尽"孝心"，是为了帮助父亲搞些投资款，振兴生意，从沦落中崛起！在整个过程当中，自己没有得到一分一厘的好处。对整个案件的发生，她后悔不已。闻此，作为父亲的林新也痛哭失声："我利用亲情、利用孝心，拉女儿下水，毁了女儿的幸福和前途，我真是个混账父亲啊！"这位父亲的不轨行为将永远受到人们的谴责！

　　林蕴的辩护律师辩称：在整个案件中，林蕴没有非法企图，对事情起因也毫不知情，没有参与事件的策划及决策，刻印章都是其他人做的。在案件中处于被动地位，且认罪态度好，完全是受到亲情蒙蔽，所以请求合议庭对林蕴酌情处理。同时，电力公司自身也有一定的责任，作为大型的国有企业，为了别人抛出的高额利息，就到银行存进大笔存款，给了林蕴等人作案的机会。

　　然而，检察官在法庭上反驳了林蕴辩护人的辩称，并指出：整个犯案过程，林蕴均知道诈骗的计划、手段、目的，并有三次严重违法行为：偷印鉴片出来给李山复印；偷换真印鉴片；在假账单上私自偷盖分理处公章、这三次行为，明知是严重违法犯罪行为，但她只顾亲情，只想尽"孝心"；结果仍然去做了。她的违法犯罪行为是严重的，是法律所不容的。所以，她难逃法律责任。

　　是的，无论林蕴怎么狡辩，她的"内应"行为，已给国家造成巨大的经济损失，她的"孝心"必定会受到法律的制裁！

未婚夫无耻讨要"处女债"，
准新娘帮凶毁了谁

周建新

2004年6月2日，宁波市江东区人民法院开庭审理了一起荒唐而罕见的强奸案：一个即将做新娘的女孩因为自己不是"处女"而愧对深爱的未婚夫，当她终于鼓起勇气向他"坦白"时，感觉"吃亏"的准新郎居然提出了要未婚妻找个处女来抵偿"处女债"的荒唐要求！

情令智昏的准新娘在未婚夫以"分手"相威胁的情况下，竟然将自己的女友送到了未婚夫的床上！以羊饲狼的准新娘非但没能得到她渴望的婚姻，还因为助纣为虐而被法院以"强奸罪"判处有期徒刑3年，从而断送了自己的美好人生。

未婚夫的无耻：
找个处女"开苞抵债"

今年23岁的漂亮女孩马丽萍算得上宁波市鄞州区茅山镇的一枝花：1.68米的身高让她拥有模特般的袅娜身材，而白嫩的肌肤和瓜子形的脸蛋更是使她锦上添花。中学毕业后，马丽萍进入当地一家服装厂工作。

2003年9月，经朋友介绍马丽萍认识了当地一名出租车司机王辉。

此后，王辉就频频和马丽萍约会，逛商场、看电影、蹦迪，两人很快就坠入了爱河。元旦期间，王辉专门驾车和马丽萍去海边游玩。两人对着滔滔大海相拥着发下重誓：今生今世谁也不离开谁，直到海枯石烂！

但是，两人在一起无论怎样忘情，王辉想要和马丽萍跨过最后一道防线时，马丽萍就会立刻警觉、制止，她总是涨红了脸对王辉说："等结婚时，我再给你吧……"

有一次，他们在王辉的家里玩时，一时兴起的王辉紧紧拥抱着马丽萍，疯狂地去脱她的衣服，很想要了她，无论她怎样推拒都不行，马丽萍一下子急得哭了起来。王辉这才松了手。事后，王辉反而对马丽萍更加喜爱了，他对她说："你不但美丽而且纯洁！我要一辈子爱你！"

2004年春节，作为准女婿的王辉开着载满礼物的出租车来到马家拜年，他的豪爽赢得了马丽萍的父母和亲友的好感。在征得双方家人的同意后，他们将自己的大喜之日定在了五一长假期间。

然而，随着婚期的渐渐临近，马丽萍却一反常态地显得情绪低落了，整天都是一副心事重重的样子，做事情也总是丢三落四。

原来，在马丽萍的心里有一块隐隐作痛的"心病"在折磨着她：认识王辉之前她曾不慎失过身。那是三年前，一次同事生日聚会，她喝醉酒后与一个在酒桌上刚认识的男人稀里糊涂地发生了关系，失去了处女之身。马丽萍太爱王辉了，她好多次都想对王辉说明，可话到嘴边了又忍了回去，她怕王辉知道后会抛弃自己。可要不说吧，以后一旦王辉知道了，后果更不堪设想。

2月下旬的一个周末，马丽萍特意做了几个王辉最爱吃的菜叫他过来吃饭。王辉见满桌佳肴兴奋得一把抱起马丽萍亲吻。见王辉这般开心，马丽萍终于开口了："阿辉，有件事很早就想对你说了，可又怕你生气……"王辉立刻说："亲爱的，说吧，我保证不生气。"

然而，在得到了王辉的保证后，马丽萍还是犹犹豫豫，半天说不出口。这时，王辉突然心里一动，想到了什么，他注视着马丽萍的脸，慢慢收敛了脸上的笑容，小声问她："你，该不会，已不是处女身了吧？"他的话一出口，马丽萍的脸立刻羞得绯红，却没有反驳，头垂得更低了。王辉像骤然遭了雷击一般，一下子就从椅子上跳了起来："快说，你究竟是怎么回事？"

还没等马丽萍说完，王辉挥手就给了她一巴掌，像头愤怒的狮子般大吼着："我还以为你有多么的纯洁呢……原来早他妈的不是什么好货了……"王辉一边愤怒地骂着，一边将桌子、凳子全掀翻了。自知理亏的马丽萍只是蜷缩在角落里嘤嘤哭泣。发泄完愤怒，王辉没有理会坐在地上伤心抽泣的马丽萍，转身冲了出去。

这以后的几天里，王辉像突然蒸发一般没了踪影。伤心、羞愧的马丽萍，尽管做好了思想准备，但还是不曾想到王辉的反应会如此强烈，

态度这么粗暴。但不知怎的，马丽萍却对他恨不起来，想起和王辉在一起的快乐时光，点点滴滴都让她思念不已。马丽萍因自己不是处女而越发感到愧疚。她拼命拨打王辉的手机，可每次传来的都是"已关机"的声音。马丽萍整日以泪洗面。

3月3日凌晨1时许，马丽萍突然接到王辉打来的电话，"命令"她立即去江东一家小宾馆，说他们之间的事应有个了结。一直在等待命运判决的马丽萍丝毫不敢怠慢，连头发也没梳就打的直奔那家宾馆。

到了这家宾馆，马丽萍见王辉坐在沙发上面无表情，一根接一根地抽着烟。马丽萍忍不住泪如泉涌，她扑通一声跪在王辉的面前，紧紧抱住他的双腿，哭着哀求说："阿辉啊，你不要难过，是我不对。你要怎么处置我，我都认了，只要你不生气……"王辉久久地盯着马丽萍，一声不吭。

许久，王辉突然凑近马丽萍，似笑非笑地说："要么咱们分手，要么今天你就找个处女给'开苞'，抵消你欠我的'处女债'，这样我就原谅你……""你?!"马丽萍简直不敢相信自己的耳朵，这么无耻的话他都说得出口！但她看王辉不像是开玩笑，不禁气得浑身直哆嗦。"做不做随便你吧……时间就今天一天，我等你的决定！"

糊涂新娘的毒计：
骗来同事"喂"色狼

激愤过后，仍然深爱着王辉的马丽萍转而想，也许，王辉确实是因为太爱自己了，才不能容忍自己的失贞。而要她偿还"处女债"，也是出于想和她重归于好的想法吧？怀着不可理喻念头的马丽萍，脑子里竟然开始设想如何偿还"处女债"的问题了。

可要到哪里去找处女呢？马丽萍首先想到了美容厅。她经常看到美容厅里有许多漂亮的女孩子，而且知道她们对干那种事无所谓，只要有钱就行。可是，正因为这样，她们怎么可能还会是处女呢？在外面找个处女，可哪个女孩子会那么傻呢？思来想去，马丽萍觉得要偿还未婚夫的"处女债"是千难万难的一件事情。经过一番思量，她想以工作忙为由先拖延时间。

然而，马丽萍刚到办公室不久，就接到了王辉打来的电话，问她事情考虑得怎么样了。马丽萍刚放下的心立刻又悬了起来，心急如焚的她不禁看了看周围，可这件事是不能向同事求援的啊！

　　这时，马丽萍无奈的眼光落到了公司一个女孩的头上。这个叫小欣的女孩进公司才三个月，刚走出校园，肯定是处女身。而且，马丽萍有恩于她。上个月小欣值班时，公司发生了一起失窃事件，幸亏数额不大。当时马丽萍看见小欣哭得那么可怜，就立即出面替小欣向主管求情，不然小欣非被炒了鱿鱼不可。后来，公司只象征性地扣了小欣20元的罚款。

　　于是，马丽萍以谈工作为名将小欣叫进了自己的办公室。在对她一番"重温旧事"后，马丽萍问她："小欣，我对你如何？"小欣赶紧说："马姐，你对我就像亲姐姐。你的大恩大德我一定要报答。"马丽萍就等这句话，马上说："好样的，我当初没看错人。马姐现在就有一件事情想请你帮忙……""只要我能够帮得上，我一定帮。"不料当马丽萍委婉地说出需要帮忙的事情后，小欣却立刻羞红了脸，愤怒地瞪着她："莫名其妙，人又不是畜生！"说完就头也不回地冲出去走了。

　　又羞又恼的马丽萍半天才回过神来，自己也感到难为情了。正当马丽萍准备打退堂鼓之际，王辉又打来电话，口气凶巴巴的："事情还没办妥？不好找？你身边不就有一个吗？谁？你妹妹啊……姐姐欠债妹妹还啊……""你！"马丽萍一听大惊失色，"你可不许打我妹妹的主意，她还是个学生啊！""那我可告诉你啊，如果到中午12点，还没有消息，事情就没得商量了啊！"王辉向她发完最后通牒，便挂断了电话。

　　马丽萍的妹妹读书非常用功，成绩十分优秀，父母的希望全都寄托在她身上了。她无论如何不能因为自己而连累甚至伤害了妹妹。如果那样，即使保住了婚姻，她也会痛苦一辈子的。马丽萍的脑子飞快旋转起来，一个个熟悉的女性朋友从脑海里闪过，但她们不是已婚就是正在热恋中，蓦地，一个身影"定格"在了马丽萍的脑海里。这个名叫李琴的女孩，是马丽萍原来在服装企业时很要好的同事。她相貌一般，性格内向不善交际，至今仍孑然一身。想到这里，马丽萍立刻兴奋起来，紧锁的眉头也舒展开了。

　　由于有了在小欣那儿碰壁的教训，这次的马丽萍不敢再贸然行事，她准备用计使其就范。马丽萍立即电话告诉王辉，事情已有了眉目，让

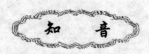

他下午等候好消息。王辉听了非常高兴，马上许愿说，只要马丽萍把事情办妥了，他就和她结婚。

中午，马丽萍将李琴约了出来，两人进了附近的一家饭店一起吃饭。闲聊中，马丽萍对李琴的个人问题显得特别关心，说李琴岁数不小了，也该找个男朋友了，并说她已经给她物色好了一个对象，是个挺不错的小伙子，让她晚上去见见。虽有点唐突，但盛情难却的李琴稍加推辞后就答应了下来。

下午下班后，马丽萍去药店买了11片"白加黑"感冒药，然后匆匆赶到宾馆和王辉一起商议好实施计划。两人决定，到时将具有嗜睡作用的"白加黑"磨成粉末放进咖啡里，让李琴喝下瞌睡时，马丽萍再把她扶进王辉的房间。

刚一下班，李琴就接到了马丽萍请她喝咖啡的电话，她们一起走进了宾馆附近的一家咖啡厅。两人边喝咖啡边聊天。当李琴起身去洗手间时，马丽萍迫不及待地取出挎包里的"白加黑"粉末，悄悄地全倒进了李琴的杯子里。

李琴回来后，发现咖啡特别苦，就想换成菊花茶。马丽萍马上笑着劝解："咖啡都是这样，先苦后甜嘛，慢慢就习惯了。"说着，马丽萍还主动替她加了一些白糖进去。李琴喝完杯中的咖啡后，药性很快就发作了，昏昏欲睡，身子软得像海绵似的。

见计谋得逞，马丽萍立刻将她扶到宾馆的房间里，说是让她先休息一会儿，几分钟后，李琴便沉沉地睡了，马丽萍赶紧掏出手机向等候在外面的王辉发出短信息：时机已到，请速来！

早就候在楼下的王辉很快就上来了，看见床上熟睡的李琴，王辉不放心地轻声问："她真的是处女？不会蒙我吧？"马丽萍立刻发誓说，李琴还没谈朋友，肯定是处女。说罢，拉上房间门走了出去。

欲火中烧的王辉迅速将自己脱得一丝不挂，然后饿狼似的扑向李琴。被脱光衣服的李琴猛地醒了过来，睁眼看到一个陌生的男人压在她身上，不禁大声惊叫起来，并且手脚并用地又踹又抓。搏斗中，王辉的手被李琴狠狠地咬住了，痛得他大叫一声，松开了压在身下的李琴。赤身裸体的李琴不顾一切冲向房门，刚打开房门，惊恐的王辉就紧随其后追上来，逮住了她。李琴急忙大声呼救。

闻声而来的宾馆老板和几个旅客见赤身裸体的一男一女扭打在一起，非常吃惊。王辉立即凶狠地对他们说："她是我女友，没你们的事！"众目睽睽之下，王辉关上了门，又将李琴拖回床上。

见门外没了动静，绝望的李琴渐渐地被王辉制服了。在李琴的眼泪和咒骂声中，王辉残忍地将她强暴了。看见床单上留下的血迹，王辉得意地笑了。他匆匆穿上衣服，很快消失在夜色中。

以羊饲狼的恶果：
糊涂新娘成了强奸犯

终于如愿以偿得到处女的王辉来到马丽萍的住处，说他们之间的事情扯平了，但要她去做好李琴的安抚工作。说到李琴，马丽萍这才突然感到有些害怕了。王辉拍着她的肩膀说："不要怕，只要你抚慰好，她不会有事的。哪个女孩子愿意声张这些丑事？放心吧，五一节我就娶你做我的新娘了。"

遭受凌辱的李琴平静下来后，猛然想到了请她喝咖啡的马丽萍。她前后一想，觉得马丽萍的行为极其可疑。她一边啼哭一边穿好衣服后，就给马丽萍打电话，可马丽萍的电话却怎么也打不通。李琴细心地保存了歹徒留下的精斑等证据，她想等见到马丽萍的面，查清事实真相后再作决定。

满含屈辱的李琴跌跌撞撞地回家后，把自己关在寝室里痛痛快快地大哭了一场。夜里 11 点多，突然消失了的马丽萍终于露面了，她提着一大包礼物来看望李琴。李琴一见她，立即揪住她问，这是怎么回事？为什么会把她一人丢在宾馆里，是不是有意害她？马丽萍赶紧辩解说，她刚把李琴扶去休息，就接到老总电话，让她立即回公司去处理了一件急事，等她办完事回宾馆，才知道出了事情。"对不起，好姐姐，我没想到你会遇上坏人……实在是对不起！这些礼物就算是妹妹给你赔罪吧！"

马丽萍的紧张和牵强的解释，让李琴更加证实了自己的判断，她冷笑一声，愤怒地将马丽萍送来的礼物一股脑儿地扔出了门外："你给我滚，我再也不想看到你！马丽萍，我告诉你，这件事，我不会就这么罢休的！我要去告你们！让你们这些畜生受到应有的惩罚！"马丽萍一听这话，立即傻眼了。她匆匆安慰了李琴几句后就赶紧溜了。

第二天上班后，心中有鬼的马丽萍向单位递交辞职报告后就躲在家里不敢出门了。马丽萍把李琴要报警的态度告知了王辉，让他暂时出去躲避一下。她还以为，这事跟她没有多大关系，就躲在家里替王辉打听消息。

突然没有上班的李琴引起了同事的注意，在几个前来看望她的好姐妹的劝慰下，泪水涟涟、欲言又止的李琴终于将前一天晚上发生的事和盘托出。姐妹们十分震惊，都骂马丽萍猪狗不如，竟如此伤害好姐妹，她们都愿意替李琴去向马丽萍讨个公道！

3月5日上午，李琴领着几个好姐妹来到马丽萍住处，将马丽萍堵在房里，逼问她事情的真相。见这架势，马丽萍"扑通"一声跪在了李琴面前求饶："好姐姐，我也是被逼的，一时糊涂才干出这等事来……我对不住你！看在以往咱们姐妹的情分上，你就饶了我这一次吧，我愿意给你经济上的补偿！""呸，谁是你的姐妹？"李琴悲愤地哭喊道，"什么都可以原谅，唯独此事不可以！你必须为你的行为付出代价……走，上派出所！"在李琴的领头下，几个姐妹硬是将马丽萍扭送到了当地派出所。

听完李琴的哭诉，接案的民警非常震惊。一位干了30年刑侦的老民警说，他曾经破过很多强奸案，但像马丽萍这样动机的强奸案件却还是闻所未闻，真可算是宁波一大奇案！审讯时，马丽萍对自己所做的一切供认不讳。听警方说她帮助王辉实施强奸；她犯的也是强奸罪时，马丽萍才如梦初醒，不禁号啕大哭起来，可悔之晚矣。

根据马丽萍的供述，警方迅速出击抓捕王辉，但狡猾的王辉早已畏罪潜逃不知去向。民警去王辉作案的宾馆取证时，发现住宿登记表上王辉用的是一个叫"毛兴中"的身份证。身陷囹圄的马丽萍整日以泪洗脸，直到此时，她才真正看清了王辉的色狼真面目。

4月1日，马丽萍被依法逮捕。6月2日，宁波市江东区人民检察院向江东区人民法院提起公诉，指控被告人马丽萍犯强奸罪。江东法院立案受理，考虑到涉及个人隐私，法院依法组成合议庭，不公开开庭审理了此案。公诉机关认为被告人马丽萍无视国法，采用药物麻醉的方法，违背妇女意志帮助他人实施强奸，其行为已构成强奸罪，提请法院予以严惩。对公诉机关的指控，被告人马丽萍没有异议。但她辩称，其所实

施的行为是在被王辉威胁下进行的，希望能从轻处理。被告的辩护人认为，被告人马丽萍在共同犯罪中只起到了帮助作用，应认定为从犯。

　　法院经审理后认为，被告人马丽萍违背妇女意志，帮助他人使用药物麻醉的手段强奸受害人，其行为已构成强奸罪，公诉机关指控的罪名成立；被告人马丽萍在共同犯罪中起辅助作用，应认定为从犯，依法可从轻处罚。法院当庭进行了宣判：被告人马丽萍犯强奸罪，判处有期徒刑3年。听到这个宣判，马丽萍表示服从，不再上诉。

　　当法官让她作最后陈述时，马丽萍不禁悔泪长流："我怎么会这样傻啊，为了一个人面兽心的家伙竟不惜毁掉了好姐妹的一生……我这是罪有应得啊！"

　　目前，公安机关正在全力追捕王辉，法网恢恢，王辉必将受到法律应有的惩罚。

女官迷落聘疯狂：永远失去的"处座"啊

张　新

2004 年 7 月 27 日晚上 10 时 40 分，33 岁的绍兴市国税局局长助理徐琳在她的住所、越城区望花小区的楼道里被一名身份不明的男子用硫酸泼伤。就在惨案发生的前一天，她刚被浙江省国税局公示，拟任省国税局人事教育处副处长一职。

没有情感的纠葛，没有债务的纠纷，从不与人结怨……负责侦破此案的绍兴市公安局专案组似乎找不到别人伤害徐琳的理由。在排查过程中，专案组渐渐把疑点集中在 38 岁的浙江湖州市国税局局长助理杜荀珍身上，因为半个月前，在竞争省国税局人事教育处副处长职位时，志在必得的杜荀珍因 0.5 分之差被徐琳击败……事实果真如专案组所料吗？这起硫酸伤人案真与杜荀珍有必然的联系吗？

两"女局助"争"副处"，失利引发猜忌

今年 38 岁的杜荀珍 1990 年从郑州解放军测绘学院毕业后，一直呆在部队。为了与在杭州税务部门工作的丈夫一起生活，1995 年 9 月，杜荀珍从部队转业进入了浙江省国税局，成为人事教育处干部。在这里杜荀珍遇到了才貌双全的徐琳。徐琳是天津财经学院经济学的研究生，1993 年毕业后分配列省国税局人事教育处。两个女子同处一室，小杜荀珍 5 岁的徐琳将杜荀珍看做姐姐，杜荀珍初来乍到对业务不熟悉，徐琳主动给她"指点迷津"，帮助她完成任务，这让杜荀珍感动不已。在徐琳无私的帮助下杜荀珍很快适应了工作，她们常常结伴去西湖边散步，宛如一对姐妹。

一晃到了 2002 年 3 月，两个积极上进的年轻女干部作为组织培养对象，同时被下派挂职锻炼，杜荀珍被下派到湖州市国税局任局长助理，徐琳则与杜荀珍一佯任绍兴市国税局局长助理。赴任的前一天，她们都

激动不已，一起举杯同贺共勉，互祝对方有个美好的前程和未来。

赴任后，两人见面的机会不多，但电话里常常可听到对方亲切的话语，她们相互交流挂职心得体会，互相勉励祝福，就像昔日共事时一般亲热。

2004年6月，浙江省国税局决定在全省系统内公开竞聘人事教育处副处长一职。闻听此消息，杜荀珍激动不已。杜荀珍从小就争强好胜，如今她"挂"的局长助理虽是个虚职，但毕竟是个领导，当官的滋味太美了。只是杜荀珍内心非常矛盾：她很想回杭州，可她又不甘心回杭州做一般干部，这次公开竞聘无疑是天赐良机，年近四十的杜荀珍决心拼尽全力争取。

这时湖州市国税局领导也力荐杜荀珍，并在她的竞聘材料上作了如下评价：该同志比较有魄力，敢做敢当，具有开拓精神，有较强的协调和组织能力。不过了解她的人却认为她独断专行，且心胸狭窄，常为一些小事斤斤计较。自从杜荀珍参加竞聘之后，同事和领导都发现她身上的缺点"改正"了许多，变得热情大方和友善了。其实这是杜荀珍的"缓兵之计"，颇有心计的她明白在这非常时期一定要"夹着尾巴做人"，处处小心谨慎。

对于竞聘杜荀珍觉得自身颇有优势。然而老同事徐琳的出现一下子让杜荀珍乱了方寸。报名结束后，杜荀珍打听到报名者中也有徐琳，不禁吃了一惊：论能力、资历两人旗鼓相当，但相比之下徐琳在学历和年龄方面略胜她一筹，不过这不是主要的，圈内人士也都认为此次竞聘实际上是杜徐两人之争。自信的杜荀珍发誓要打败徐琳。从那时起她推掉一切应酬，全身心投入学习迎考，每天只睡三四个小时。

7月2日，杜荀珍付出的心血终于有了回报，一周后笔试成绩出来，她名列前茅。正如她所料，在考核小组确定的两名面试人员中，除杜荀珍外另一名便是徐琳！"如果没有姓徐的，这个副处谁也抢不走！"此时在杜荀珍眼里徐琳已不是昔日情同姐妹的同事了，而是她的冤家对头！考场上两人相遇，杜荀珍一言不发，眼里似乎要喷出火来。徐琳也意识到杜荀珍的敌意，倍感尴尬的她头一扭就走了。

接下来要面对的是7月12日的面试关，为了最后一搏，杜荀珍豁出去了。她觉得面试的范围和内容书本上没有，考官会出哪些题目呢？杜

苟珍心里万分焦急，10日，离面试只有2天，杜苟珍想在考场上"动点手脚"，便瞒着丈夫悄悄向远在老家东阳税务部门工作的妹妹杜海珍求助。

杜海珍从小就崇拜姐姐，知道姐姐参加此次竞聘，杜海珍很自信地预言"姐姐十拿九稳"。接到姐姐的求援电话，杜海珍马上出了个"好点子"，并卖起关子说两天后送上"秘密武器"。杜海珍曾听说广州有种类似掌上电脑的工具适合考场上作弊，但因公务脱不开身，便想到她的"东北大哥"王世林。

35岁的王世林家住黑龙江省塔河县瓦拉干镇，是个木材老板，一年前因业务来东阳并结识了杜海珍。已有家室的王世林对漂亮的杜海珍一见倾心，他打起了自己的"小算盘"：假如能得到杜海珍，既有艳福又能在今后税务方面得到"关照"，一举两得。为了追求杜海珍，王世林从东北老家跑到千里之外的东阳"安营扎寨"。他对杜海珍言听计从。但杜海珍觉得王世林虽然有钱，但档次太低，根本配不上自己，所以总和他保持若即若离的关系，将王世林的胃口吊得高高的。但她仍答应和他以兄妹相称。

事不宜迟，杜侮珍"命令"王世林马上飞赴广州采购，并于当晚将一只手掌大小的掌上电脑交到杜苟珍手中，如获至宝的杜苟珍欣喜不已。夜里，杜苟珍对照着使用说明书摆弄起来，没用两个时辰便掌握了操作方式，然后将有可能问到的内容全部输入掌上电脑里。

12日上午，第一个面试的却是徐琳，杜苟珍心里老大不快：为何要将徐某排在她之前？是否有意的安排？

杜苟珍揣着"秘密武器"走进了考场。面对一个个正襟危坐的考官和评委，她感到从未有过的心虚和胆怯，虽然其中有几个问题被她猜中并就保存在她裤兜里的掌上电脑里，但众目睽睽之下地哪敢冒这个险。不过她反应灵敏口才也不错，几乎没有一个问题能把她难住。走出考场时她自我感觉相当不错，心想徐琳总不至于超过我吧。

面试成绩当天就公布了，然而杜苟珍没料到徐琳会和她一样得了高分，而且徐琳竟以高出0，5分的微弱优势击败了她！如闻噩耗，杜苟珍当即失声痛哭，为失去最后一次宝贵机会而悲伤不已。

但杜苟珍输得不甘心不服气，她认为面试并非全靠实力，主要还是

考官评委对你的印象如何，何况她与徐琳仅半分之差，很难说明谁比谁强。联想到面试时考官评委的表情和态度，对自己的印象似乎不怎么好，肯定有人背地里搞鬼才这样的。杜苟珍马上想到了徐琳。她怀疑一定是徐琳给上级领导写匿名信诽谤她才导致竞聘失利的。

"官"令智昏酿惨案：硫酸泼向竞聘成功者

竞聘失败，杜苟珍不是从自身寻找原因，而是武断地将自己失败的原因归结为竞争对手暗中向上级领导打"小报告"告了她的黑状。当晚她在电话中分别向丈夫和妹妹杜海珍倾诉了自己心中的苦闷，愤懑和猜忌。

对妻子的失利，丈夫除了安慰没有任何抱怨，劝她不要有心理负担，凡事顺其自然。杜苟珍对丈夫的一番劝说极为不满，马上挂了电话。而对她的"不幸"杜海珍起初也进行了劝慰和同情，说机会还会有的，希望她在下一次竞聘中获胜。不想杜海珍的话一下子戳到了她的痛处，杜苟珍悲哀地吼道："我都快四十了，哪还有下一次！"

此后每天晚上杜苟珍都要和妹妹"煲电话粥"，向妹妹倾诉自己的苦闷，然后说了一大通有关徐琳的坏话，并发誓非教训她一顿不可！

对姐姐近乎变态的心理，杜海珍非但不予劝慰和疏通，反而火上浇油："这女子实在太卑鄙了，是该教训教训她！"

"最理解姐姐的还是妹妹啊！"杜苟珍感慨万分。

有妹妹这个"干将"，杜苟珍"修理"徐琳的念头迅速膨胀起来。杜苟珍虽有强烈的报复欲望，但考虑到自己的特殊身份，她把希望寄予妹妹，况且那个"东北大哥"正在追求妹妹，可以利用他一下。15日夜，越想越气的杜苟珍忍不住拨通了妹妹的手机，让她明天带"东北大哥"来杭州共商"要事"。

16日上午，杜海珍和王世林来到杭州杜苟珍住处。此时杜苟珍已变得有点癫狂，王世林的同情和支持，杜苟珍充分发挥她造谣诽谤之能事，极力丑化徐琳，还煞有介事地说徐琳经常向上级领导写举报信，诬陷她在下派锻炼期间经常与领导喝酒并给领导送礼拍马屁，而且生活作风不正派乱搞男女关系，弄得她在职工面前抬不起头，简直逼得她没法活了。说罢杜苟珍演戏一般地掩面啜泣。一旁的杜海珍也添油加醋地将

徐琳"描绘"一番。

望着梨花带雨的杜荀珍，王世林心里不是滋味，平时他最怕见到女人的眼泪，何况是心上人的亲姐姐。但作为局外人他却不知如何是好，便问杜荀珍有什么需要他帮忙。

杜荀珍深深叹了口气："唉，谁让我没用。何况眼下她又要高升，我能把她怎么样呢？"

"世林大哥，我问你，假如我让你帮忙你愿意吗？"沉默了一会，杜海珍把目光移到了王世林身上。"那还不是听凭你一句话！你究竟要我帮什么忙？"王世林迷惑地望着这对姐妹。

"好，你帮我姐姐想办法收拾她！怎么样？"杜海珍的话不禁让王世林吓了一跳：即使徐琳有多坏，但和她无怨无仇，怎能说教训就教训她呢？他知道"教训"的意思，于是沉默了。

"哼，平时说的比唱的还好听！以后别来烦我，就算我没你这个大哥！"见杜海珍生了气，王世林便心软了，因为他太爱杜海珍了，实在不愿失去她，但他意识到后果的严重性："这可是犯法的事啊，能不能让我考虑考虑……""还用得着考虑吗？姐姐的事就是我的事，你不能撒手不管！"被逼得无可奈何的王世林终于违心地答应下来。

作为女人杜荀珍最能体会到容颜对女人的重要性了，于是她提出用硫酸毁容的计谋。杜海珍认为这个方案一旦败露后果不堪设想。此时她想起前些天看过的一个破案的片子，里面有偷拍某官员包二奶私生活的镜头，觉得此法比较安全和"人道"，如果徐琳这方面的把柄被抓住，只要将录像带往纪委一寄，姓徐的"副处"还当得成吗？

王世林为了心爱的女人准备豁出去了，他拍着胸脯表态：方案的实施他一人全包，反正他是东北人谁也不认识他，行动方便。王世林的这一"侠肝义胆"，杜荀珍激动万分，连说好几个"好"。她向王世林承诺，所需的一切费用都由她承担，事成之后还有重赏。一番吩咐后，她将徐琳的照片和一台高级微型摄录机交给王世林，并给了一笔钱作为"启动资金"。

当天下午，报复心切的杜荀珍便带着杜海珍、王世林去徐琳在杭州的住处踩点，却没发现她回家，只好作罢。之后王世林独自实施计划。由于行动的需要，王世林打电话给黑龙江省塔河县的老乡商力，以事成之后给 1.5 万元的报酬引诱他充当助手。17 日，商力乘飞机至杭州，再转车到绍兴与王世林会合。在宾馆里，两人便迫不及待地研究实施方案，商定先来"软"的："偷拍隐私"。

为尽快找到徐琳住处，当天下午下班前，王世林和商力便躲在绍兴国税局大门口的大树后面等待徐琳。近 6 时许，一位相貌和照片上一样的女子款款走出国税局大门，然后钻进了一辆红色的面包车，王世林急忙拦下出租车尾随而去，终于探清徐琳就住在望花小区。为了方便偷拍，他们住进了离徐琳住处最近的宾馆的一间视角最理想的房间。王世林特地买了望远镜用于窥察之用。

但令他们失望的是，一连数天的跟踪，始终没有发现徐琳有任何"亲密"的异性朋友！一个颇具风韵的女子在外地工作了两年多竟没有半个"相好"的，王世林和商力都感到不可思议。王世林发现徐琳并不像杜荀珍说的那么坏，看上去是位知书达理的女性，人缘也挺好，真不忍心下手，但一想起杜海珍那双倒竖的柳叶眉，色令智昏的他又欲罢不能了。

王世林原打算把徐琳揍一顿交差完事，无奈没有下手机会，因为徐琳上下班都有专车接送，而且下班回到住处便不再出门。

一时之快却悔恨终生，女"局助"成了阶下囚

26 日，是杜荀珍最痛心的日子，因为她从绍兴的朋友处得知，绍兴国税局大门口贴出了徐琳"拟任省国税局人事教育处副处长"的公示。杜荀珍气愤到极点，当即破口大骂，同时打电话责怪王世林二人为何迟迟不下手，"命令"他们立即采取行动，并让杜海珍帮助催促。这次杜荀珍很明确：要王世林泼硫酸！疯狂的她已不计后果了！

无奈，王世林和商力只好设法弄来一瓶硫酸，伺机作案。27 日晚上10 时 40 分，红色面包车进入了王商二人的视线，徐琳下车后和司机说声"再见"便向楼梯口走去。这时在徐琳住宅附近守候多时的王世林使劲推了商力一把，商力会意地拎着装着硫酸的瓶子像幽灵似的从一个角落窜出来，迅速尾随而去。王世林则站在楼下的暗处望风。

商力发现那个女人似乎有点惊慌，上楼时突然加快了步伐，他紧随其后，当她走到一楼到二楼的转角平台上，由于他吃不准此女子是否就

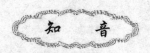

是徐琳，他伸出手朝她的肩上拍了一下并问道："你是徐琳吧？"那女人本能地回过头回答："我就是，你有什么事？"不料，就在这瞬间，一股难闻的液体便劈头盖脸地向她泼去，徐琳只觉得脸上，脖子和胳膊等处火烧火燎般的灼痛，大喊"救命"，随后痛苦地瘫下去扭成一团。担心被不明液体损伤，徐琳不敢睁开眼睛，可怜的她摸出包里的手机只能摸索着找重拨键，好一会才按到重拨键，正是司机的手机号码。

几分钟后司机赶到，当即报了警，并不顾被硫酸烧伤的危险，扶起徐琳，将她送往附近的绍兴市第二人民医院抢救。

虽然生命无虞，但徐琳一张原本秀丽的面孔突然间变得狰狞可怖，她的面部、身上多处被严重烧伤，经医疗鉴定，其胳膊为深 Ⅱ 度烧伤，面部、脖子等其它地方为Ⅲ度烧伤。值得庆幸的是，徐琳的眼睛还安然无恙。

阴谋得逞后，王世林马上用手机向杜苟珍姐妹报喜。得知大功告成，杜苟珍不禁一阵狂喜，她当即将王商二人称赞了一番。她在心里得意忘形地说："我终于出了这口恶气！嘿嘿，徐副处长，你也会有今天啊！"28 日，两个歹徒分道扬镳，商力拿到一笔丰厚的报酬后立即乘火车返回东北老家，王世林则直赴东阳向"妹妹"邀功去了。

徐琳被害的消息一传出，立即成了绍兴爆炸性新闻。人们不禁要问：究竟是谁对这个前途似锦的女干部有如此深仇大恨呢？

案发后绍兴警方迅速成立专案小组，通过调查访问获知，被害人徐琳是一位非常优秀的女干部、好妻子，夫妻恩爱，家庭和睦，给人的印象是善良、谦和、作风正派。没有情感纠葛、没有债务纠纷，从不与人结怨，似乎找不出伤害她的理由。会不会是误伤？可凶犯特意问过被害人的姓名，在确定被害人是徐琳后才泼硫酸的，所以不存在误伤。那么凶犯的作案动机又是什么呢？侦破工作陷入了僵局。

但敏感的专案组又马上注意到被害人的"竞聘职务"上。让专案组觉得蹊跷的是，省国税局人教处副处长一职的竞聘结果是 26 日公示的，竞聘的成功者是徐琳，而 27 日被害的正是徐琳，极有可能是参与此次竞聘者失败后因心理失衡产生报复恶念，雇凶伤人的。最后疑点集中在湖州市国税局局长助理杜苟珍身上。

案发后杜苟珍仍像没事一样照常上班，但警方没有被她的假象所迷惑，将目标瞄准了她。开始对她的外围秘密调查。在调查中发现杜苟珍有个在东阳市某税务所工作的妹妹叫杜海珍，杜苟珍参加竞聘后杜海珍曾预言"副处"一职非她姐姐莫属，并为其姐大造声势；随着深入调查又发现杜海珍有个做木材生意的"东北大哥"叫王世林，两人关系密切。

8月3日凌晨2时许，警方在南京市区一宾馆将睡梦中的王世林逮个正着。很快王世林又供出主谋杜苟珍和帮凶杜海珍。同日，警方分赴湖州、东阳在办公室里将两姐妹捉拿归案。同时赴黑龙江的调查小组在商力的老家将他抓获。

然而警方在审讯嫌犯杜苟珍时，自以为做得天衣无缝的杜苟珍百般抵赖。当办案民警提供出相关证据时，她的心理防线才轰然坍塌，开始交代自己的罪行。至此，"7·27"硫酸毁容案真相大白。

当得知谋害自己的竟是曾经与自己朝夕相处的老同事杜苟珍时，徐琳简直不敢信自己的耳朵。她痛心地说：为了争这个"副处"职位杜苟珍妒忌她可以理解，但采取如此的恶毒手段报复却不可理喻。一个经过党多年教育的女干部怎么一下子就变成了魔鬼？

如今身陷囹圄，杜苟珍原本高傲的头颅终于耷拉下来，从当初的怨恨变成了深深的忏悔，她无比愧疚地对办案民警说："我犯罪坐牢是罪有应得。但我坐牢的时间是有限的，而对徐琳的伤害却是一辈子的，我太对不起徐琳了！如果能治好徐琳的伤，我愿意承担一切费用。"

对于杜苟珍的忏悔，徐琳的丈夫觉得太晚了，已无意义。他气愤难抑地说："杜苟珍的学历、资历和才能都不如我妻子，这在系统内是公认的，她有什么不服气。我真想当面问问她，为什么要这么做！"他还告诉记者，徐琳需要做4次植皮手术，目前已做了2次。由于受此沉重打击，徐琳的情绪波动极大，加上不能饮食，只能靠胃插管输些流质食物。一家人的生活如坠深渊。

在看守所里，王世林这个七尺汉子不禁悔泪长流，他重复着这么一句话："我实在太傻了，竟听信女子的谗言，为了一个女子去犯罪！"是的，工世林有钱有家，什么都不缺，却"色"迷心窍甘当帮凶，去伤害一个无辜的好女人，能不后悔一辈子吗?！

受到伤害的何止这些人，杜苟珍的家人也痛心不已。她的丈夫很不

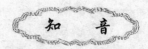

理解妻子为何要采取这种极端的做法：这本是公开公正的竞争，争不过人家也就算了，家里条件又不比人家差，何苦呢?! 他说如果知道妻子背着他干那种傻事，他一定会坚决阻止她，可他自始至终被蒙在鼓里。如今杜苟珍害了那么多人，他感到又痛心又怨恨。

　　据知情人说，在这次竞聘中，杜苟珍当不上副处长，省里也已决定让她享受副处级待遇。假如狱中的她知道此消息后将会作何感想？

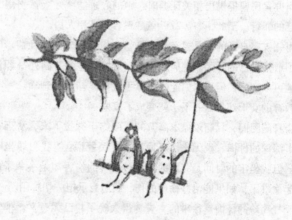

逃亡12年夺金牌，
只可叹初恋杀人恨千古

仝戴孙 志岱力

2004年4月30日下午4时许，一位约30岁的年轻人偕女友来到天津市一家三星级宾馆应聘。餐饮部经理听说年轻人就是曾经两次代表天津市在全国美食烹饪大赛上获得三枚金牌，一枚银牌的国家一级大厨师"陈金刚"时，眼前不由得一亮，正在双方交谈甚欢时，却突然拥上来几名便衣警察，威严地向年轻人喝道："饶兵，你被捕了！"

这个名震一方的大厨师，原来竟是改名易姓的杀人犯！耐人寻味的是，他的犯罪和成功缘于两段爱情。第一次，他恃强挥刀要了情敌性命；亡命天涯的途中，他遭遇了第二次爱情。在爱情的激励下，他最终成长为一个享誉全国的名厨师。然而，尽管他已脱胎换骨，重新做人，终难逃法网。2004年5月11日，这个潜逃12年的杀人犯被押解回四川时，他在前来采访的记者面前流下了悔恨的泪水……

争爱逞凶，痴情郎酿命案逃亡天涯

现年31岁的饶兵出生在四川安县永河镇农村，兄弟姐妹共6人。1988年，饶兵初中毕业后，回家务农。1991年春节后，18岁的饶兵恳求父母拿出几百元学费让他进了镇上的一家理发店学习理发的技术。

不久，店里又来了个青春、靓丽的姑娘周倩（化名），饶兵对这个漂亮的小师妹很有好感，常给她关心、帮助，师傅不在，就手把手教她。周倩对他很快产生了感情。

自从饶兵和周倩成了恋人后，不但在生活、学习方面对她呵护有加，对周倩与其他男人的交往也十分在意和警惕，生怕有人会把他的女朋友抢走了似的。

1992年3月22日，周倩向师傅请假回老家插秧，饶兵和她一起去了她家，没想到，在这里遇到了同样前来帮忙的周倩的前男友张良军。

周情告诉他，她已经几次说过和他分手了，可他就是不听，偏要来纠缠。饶兵立即对这个"情敌"非常憎恨。两人暗中铆足了劲竞争：他们不但在插秧的速度上比拼，甚至在饭桌上说笑话、喝酒都想把对手比下去。

当天晚上，饶兵见张良军仍然没有离开的意思，感到非常恼火。晚上9点40分的时候，饶兵一直隐忍着的嫉恨终于爆发了，他挑衅地对张良军说："走，我们出去说话！"两人刚走到屋外的竹林边，就立即吵了起来，并很快拳来腿往打得难解难分。在打斗中吃了亏的张良军突然从身上抽出了一把锋利的尖刀，饶兵一见，就猛地扑过去，一把将刀抢过来，激愤中连续往张良军的腹部捅了三刀。见情敌颓然倒下，血流如注，饶兵一下子呆了。从屋子里点着马灯出来的周情见到倒在血泊中的张良军，吓得大叫一声。饶兵扔了刀子，看了一眼不知所措的女友，慌忙逃了。

匆匆赶回家中，饶兵向父母撒谎说，师傅派他到成都去买理发用具，要了380元钱后就连夜逃跑了。

1992年3月29日，被饶兵杀伤的张良军因救治无效死在了医院里。安县警方立即展开了对饶兵的紧急抓捕工作。这时，惊慌失措如丧家犬的饶兵已几经辗转逃到了远离家乡几千公里的天津市。

潜逃路上，爱情再次照耀他的心房

当饶兵踏上东躲西藏的逃生路后，那无限的后悔和恐惧就像冰凉的毒蛇一样一刻不离地裹缠着他。逃到天津后，身上仅剩的盘缠使他连旅馆都不敢去住了。在车站的一个角落里，饶兵再次流下了悔恨的泪水。

为了活下去，饶兵强忍住内心的恐惧，给自己改名为"陈金刚"，到处去找活干。第三天下午，他终于被一家小美发店的老板看中了。可他走出店后，突然又决定放弃了，因为他看到美发店里南来北往的人都有，很不安全。

这天晚上，饶兵凄惶地蜷缩在一个建筑工地的角落里，心里突然十分怀念女友了。"情情，你现在好吗？我对不起你……我现在好后悔哦……都怪我一时鲁莽，情情你能够原谅我吗？我好想你啊……"他很想给她写封信，却又不敢下笔。他不知道张良军的伤势怎么样了，不知道

周情现在是不是恨死了自己。自己为了得到她的爱情去杀了人，现在不但没能够得到她，反而在她眼里成了可耻的罪犯，想想真是不值啊。饶兵越想越难过，一个人整整哭了一晚上。

第二天，饶兵来到西郊一个建筑工地，做起了小工。带着赎罪的心情，饶兵干活十分卖力，勤快。

1993年4月，长时间没有理发的饶兵已经蓄起了长发，改变了些原来的形象，并且学会了普通话和天津话，对周围的环境也较为熟悉了，就在洞庭路的一家小食店找了份比较轻松工资也高一些的勤杂工的工作。在小食店，饶兵依然保持了吃苦、勤快的劲头，除了闷头干活，其它的事情一概不多问。刚干了一个多月，老板就很信任他了，叫他跟着去采购过几次后，就放心地让他单独去买菜、买面粉等。

8月的一天，店里来了个从四川来找工的老乡。饶兵无意中从他包裹被褥的旧报纸上看到，被他用刀捅伤的张良军死在了医院里，而他已经成了公安局通缉的杀人犯。那一刻，他残存的侥幸心理完全破灭了。从此，彻底断了与家里联系的念头，对昔日女友周情也不敢再有任何非分之想了。

几个月后，老板看他人老实，做事也踏实，就让他跟着厨师当助手，可饶兵却没有多少兴趣。他心里想，自己说不定哪天就被抓了，过一天算一天吧，学不学技术有什么用呢。日子就在这样浑浑噩噩中过去了几年，小食店已经扩大成了一家有规模的饭店。

1997年5月的一天，一个女孩谢玉桂（化名）的到来给饶兵灰暗的人生里照进了久违的阳光。谢玉桂是天津本地人，中专毕业后，到饶兵所在饭店做服务员。见饶兵忠厚、老实好学，谢玉桂对他颇有好感。而饶兵也对清纯秀丽的谢玉桂十分关照。作为回报，谢玉桂也经常帮饶兵做些缝缝补补的事情。

时间长了，两人的感情与日俱增，但在饶兵的心里，始终拼命压抑住自己的感情。8月的天津，天气非常燥热。这天晚上，下班很晚，谢玉桂提出让饶兵送她回家。在路上，她突然轻轻牵住饶兵的手说："陈哥，我觉得你这个人非常好，我很想和你交个朋友。"尽管已经有了预感，但饶兵还是慌乱地抽出手说："哦，不，我不适合……"谢玉柱羞红了脸，说："陈哥是不是不喜欢我啊？"他更加慌乱了，"不，不是，

我，你做我妹妹吧……""不，我要做你女朋友！"谢玉桂说着就把正吃着的冰淇淋猛地塞进饶兵的嘴里，堵住了他的推辞。

面对这个朴实可爱的女孩，饶兵的心里又甜蜜又忧虑。其实，他是多么渴望能够重新获得一份甜蜜的爱情啊！看着女孩天真无邪的眼睛，饶兵惶恐不安地接住了她抛来的爱情红丝带。但他却对女孩隐瞒了自己的过去，只说是父母早亡，家里没有什么亲人了。

从那以后，饶兵干活更加有劲头了。朴实而清新的谢玉桂让他对生活有了期盼。

也就是在这个时候，饶兵才猛然发现，自己来天津已经 5 年了，居然一事无成，还只会按照师傅的吩咐切菜、配菜。他决心要从现在开始，学一门可以谋生的手艺，以后才有能力让他的爱人获得幸福！而目前唯一可行的，就是学习厨师技艺了。

饶兵开始偷偷地观察店里厨师炒菜、配料的细节，晚上睡在床上又一一回忆、琢磨，没有搞清楚的，就作为第二天观察的重点。慢慢地，饶兵掌握了许多菜式的做法和技巧。以后，凡是店里服务员吃饭，他都争着炒菜，而来自重庆的厨师也给了他不少的指点。半年下来，饶兵就可以做出许多菜肴了。

谢玉桂见饶兵刻苦学艺，心里也非常高兴。她给饶兵买来了大量有关厨艺方面的书籍，鼓励他多学习。饶兵有看不懂的地方，她就和他一起琢磨。在谢玉桂的支持和鼓励下，饶兵的长进更快了。

恋爱后，勤快的饶兵也经常去谢家忙上忙下，露上一手，很受谢家老人喜爱。1998 年，饶兵结束流浪生涯，搬进了谢家。但饶兵有时的过于谨慎还是引起了谢玉桂的不满。2001 年，谢玉桂到外地出差，临行前半天，她提出要饶兵送她到火车站。想到电视里警察经常在车站、码头埋伏追捕犯人的镜头，他一口回绝了女友的请求。自两人相恋以来，饶兵对恋人是百依百顺，所以她委屈的泪水汩汩而出，质问饶兵是否干了亏心事，心中有鬼。

望着恋人脸上的泪痕，饶兵屈服了，下午硬着头皮买了一张站台票将谢玉桂送进车站。可当他送走恋人往车站外走时顿时傻了眼，在车站出口站满了警察和持枪的武警，正在进行网上"追逃"。饶兵的双腿不停地颤抖，到了出站口，他终于使自己镇定下来，当公安人员要他出示

身份证时，他以一口纯正的天津话回答："我不是从外地来的，我是浙江大酒楼的厨师陈金刚，我是到火车站送人。"同时他向民警出示了站台票，就这样，饶兵侥幸出了车站。出车站后，饶兵就跑到火车站广场边的一棵树下，流下了辛酸的泪水，直到酒楼通知他上班，他才深一脚浅一脚地往回走。

脱胎换骨，怎奈何昔日的罪孽总得偿还

1998 年春节高峰期过后，店里的厨师要请假回家休假，老板便向饶兵透露出让他取代那个重庆厨师的想法。这时的饶兵，已经有了更高的追求了。他想去其它饭店里打工，以便博采众长，多学些厨艺。谢玉桂也非常支持。老板得知饶兵的想法后，深为感动，他虽然舍不得饶兵离开，但还是马上给他和谢玉桂结清了账，还主动向几家餐厅推荐了饶兵。

这以后，饶兵又先后在三四家中高档餐厅打过工。每到一个餐馆，他都积极学习不同的菜谱的做法和技术，甚至对他以前从没有涉及的雕刻工艺菜也有了浓厚的兴趣。一天晚上下班后，已快 12 点了，可饶兵却还独自一人呆在厨房里学习雕刻一只"凤凰"，直到次日凌晨 4 时多，早起生火做糕点的师傅来上班了，他还如痴似醉地干着，没有一点睡意。

1999 年春，已经精通川、粤等好几种菜系制作工艺的饶兵想去参加一级厨师考试。谢玉桂马上鼓励他，并给他买回厨艺书籍和资料学习。此后的每个深夜，他们就在租住房里点灯熬夜苦读。

2000 年 4 月，饶兵终于拿到了向往已久的国家一级厨师证书，并被天津市著名的浙江大酒店聘用。那天，饶兵紧紧拥抱着谢玉桂哭了："玉桂，谢谢你，没有你的帮助，我陈金刚就不会有今天啊！"兴奋不已的饶兵还告诉谢玉桂，他会好好干，多挣钱，买下房子后就和她结婚。

2000 年秋，天津市政府在浙江大酒店举行招待会，饶兵拿出他的绝活，在布置台面时，他雕刻了一个面积为 10 平方米的"西湖微景"，景区内的荷塘、断桥及流动的鱼、游览的人样样惟妙惟肖，令人称奇，而更令人叫绝的是他用琼脂（果冻）雕刻的"雷峰塔"高达 50cm（因材料原因，当时琼脂雕刻最高纪录为 35cm），当天带队的天津市副市长立

刻要与"陈金刚"合影，应邀的客人更是将"陈金刚"当成了名人。

"陈金刚"，立刻在天津厨师界成为风云人物，许多星级酒店纷纷向他伸出了橄榄枝，高薪邀他加盟。饶兵没有骄傲，继续刻苦钻研技术。经济上宽裕了的他，为了给自己的过去赎罪，经常给各种募捐活动捐款，而且从不留名。

2002年4月，经层层筛选，"陈金刚"和浙江大酒店的另外两位厨师代表天津市在杭州参加全国烹饪大赛，一举夺得两枚金牌，"陈金刚"也再次成为各大媒体追逐的新闻人物。

在颁奖仪式上，面对几十家媒体的镁光灯，饶兵的两腿却开始发抖。当晚回到住地，饶兵将门关得死死的，望着熠熠生辉的金牌，泪水汩汩而出。在老家的饶家，可以说祖祖辈辈都没有见过金牌是什么模样，饶兵这时很想让父母分享自己的喜悦，而他不敢，他这时甚至连父母的生死情况也不知道，他几次提起笔，想写一封家书，但没写几个字，他就将纸撕了，他还是怕这信落入家乡警方手中。

而当饶兵回到天津后，让他再次感到头痛的是，迎接他的除了鲜花和掌声外，就是当地发行量较大的《假日100天》这份报纸用整版刊登了他在杭州的事迹，其中那张站在领奖台上胸挂金牌、手捧鲜花的照片特别耀眼。当这份报纸传到他手中的时候，他顿时觉得天昏地暗，晕了过去，当时大家还以为他是劳累过度，将他扶到了医院。

在以后几天的时间里，饶兵仍旧不敢上班，成天躲在女友家里，惶惶不可终日，10余天后，外面一切"太平"，他才继续上班。

2002年8月，饶兵再次以"陈金刚"的名义代表天津市参加全国八大菜系烹饪比赛，分获金银牌各一枚。

这之后，"陈金刚"也就自然成了"天津第一厨"，成了天津市家喻户晓的人物。这时按规定，他可以直接领到"特级厨师证"，而已怕再出名的饶兵在相关部门催了几次的情况下，始终也不愿意再交相关资料……

转眼几月过去，饶兵见平安无事，终于放下心来，谢玉桂的父母再次将他和谢玉桂的婚事提了出来，饶兵知道此时自己再也找不到理由推辞了，终于同意了，他对两位老人说，待过完2003年春节，他就带着谢玉桂回四川老家，办理结婚登记，同时开始四处看新房。

很快，2003年春节就过去了，就在这时，饶兵跳槽到了另一个大餐厅当大厨，因为刚到新的单位，为了他能站稳脚跟，谢家同意他将回乡的日子推辞到6月。谁料5月，谢玉桂发觉怀孕了，她的家人知道后，说既然结婚在即，就把孩子生下来，这让饶兵感到为难，因为办证必须回四川。但他还是装作要做父亲的喜悦，每天用他的好厨艺给谢玉桂做各种各样好吃的东西。6月初，在谢玉桂家人的催促下，饶兵准备硬着头皮带谢玉桂回川办结婚登记，出发前2天，却发现谢玉桂宫外孕必须马上做手术。

谢玉桂手术时大出血，她撕心裂肺的哭喊声同时也撕碎了饶兵的心，他每天变着花样给谢玉桂煲汤、做饭。当然，谢玉桂的这次不幸也给饶兵又一次"求生"的机会，他可以推迟回川的时间，也可以找到一个今后不要小孩的理由（小孩上户口要身份证）。在谢玉桂出院那一天，他给她买了一把火红的玫瑰，说："看到你怀孩子这样痛苦，我们今后不要孩子，我要挣很多的钱，孝敬你的父母，供我俩养老，这辈子我不再让你受苦受累……"一席话说得谢玉桂泪水涟涟，同意今后不要孩子，2004年再完婚。

2004年春节刚过，饶兵和谢玉桂商量买一套新房，开始装修，他们准备在10月1日举行结婚仪式，在年底回四川老家补办结婚手续。

而让饶兵未料到的是，2004年4月16日，安县公安局刑警大队队长李文带人到河北省某市追捕一名逃犯时，突然接到局里的电话，说接到秘密举报，12年前杀人后逃逸的饶兵现在就潜伏在天津，已经是一个非常有名的国家一级厨师了，两年前的报纸曾经大量报道过他的事迹。

李文立即调来了大量的旧报纸翻阅。当他查到2002年8月当地晚报时，立刻被一篇题为《全国八大菜系烹饪比赛落幕，天津市代表陈金刚分获金银牌一枚》的报道吸引住了，报道里配有一幅大照片，照片上，留着一头披肩长发的获奖者手捧金杯，面带微笑。李文脑海里浮现出了12年前发生的那桩杀人案。他越看越觉得这个名叫陈金刚的人与潜逃的饶兵很相像。

回到安县公安局，李文把带回的报纸图片和当年饶兵的照片比照鉴定后，更加确定了那个名噪天津的陈金刚正是潜逃了12年的杀人嫌犯饶兵。

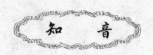

　　而这时，已经在天津南开区买下了按揭商品房的饶兵，正在装修新房。谁料在 4 月 30 日下午踌躇满志的他偕女友到一家三星级宾馆应聘时，南开区公安局的警察突然出现在了他的面前⋯⋯

　　目前，饶兵正羁押在安县看守所，他对当年所犯罪行事实供认不讳，等待他的将是法律的制裁。同时，谢玉桂一家在知道饶兵过去的一切后，也最终原谅了他。谢玉桂还在家人的鼓励下，变卖了刚买的新房，用于对当年受害者家属的赔偿和给饶兵请律师。谢玉桂表示，虽然饶兵罪不可赦，但不论他判多少年，她都会等饶兵出来，毕竟饶兵这 12 年没干过一件违法乱纪的事，对她付出了很多很多，同时还学得了一套本领。

　　目前，她已多次从天津赶到四川安县饶兵的老家，以饶家儿媳的身份安慰饶家两位健在的老人以及饶兵的兄弟姐妹。在看守所里的饶兵闻知一切，既痛悔也十分欣慰，面对前来采访的记者，他说："终于等到了我罪有应得的这一天了！我从此不必天天生活在内疚之中了。唉，如果 12 年前我就懂得如何理智面对爱情和人生，我就不会有今天的下场：感谢女友对我的不离不弃，我将努力改造，争取早日获得新生！"

"寂寞女孩"
破网跳楼血洒魔鬼之约

朱学仕 杨积林

2004年2月18日深夜，位于上海浦东区巨野路一栋居民楼的五楼，一个女孩纵身跳下，引出了轰动一时的"烈女坠楼"事件。6月22日，上海浦东新区法院以强奸罪判处这起事件的始作俑者张平有期徒刑6年。

令人震惊的是，张平竟是一位拥有硕士研究生学历，颇有才华的青年。案发后，张平十分后悔自己在感情失意后，因心灵空虚试图寻找一夜情而和女网友约会，酿成了这起血案，给女孩造成了无法弥补的伤害，也使自己触犯了法律，葬送了美好前程。

暗恋遇挫，硕士网上攻关"一夜情"

今年29岁的张平出生于安徽省淮北市一个知识分子家庭。学生时代，张平的成绩一直名列前茅。从南京大学毕业后，他又继续深造，在南京另一所知名大学东吴大学读完了研究生。1999年，没在上海的全球知名外资企业朗讯通信公司到东吴大学招贤纳才，张平被顺利录用，月薪万元左右。为让张平安心工作，公司在录用张平的同时还给他解决了上海户口。那时的张平可谓春风得意前程似锦，许多同学都对他充满了羡慕。

过去一心忙于学习，张平没有过多时间谈情说爱。到上海后，生活安定下来，张平开始考虑终身大事，他希望找一个和自己学历相当的优秀女孩做朋友。

2001年，张平的公司来了一名叫何婕的女孩。姣好的相貌，甜美的笑容，使张平一见她就"触了电"。

何婕的出现，使张平的生活变得生机勃勃起来。每天上班，即使多看何婕几眼，张平就觉得生活中充满了阳光。他开始留意一切与何婕有

关的事情。终于，他鼓起勇气向何婕表达了自己的爱意。但令他失望的是，何婕告诉他，自己已经有了男朋友。

甜蜜的希望之后是巨大的失望和痛苦。张平忍痛辞了职，让何婕淡出了自己的视线。很快，张平又在另一家通讯公司贝尔公司找到了一份工作。他决心努力工作来忘掉何婕，可是，张平的心仍旧在何婕的身上，怎么都抹不去她的影子，工作起来总是三心二意。不久，当他意外得知，何婕已经结婚时，他对爱仅存的一点希望破灭了。回到住处，他将自己灌了个酩酊大醉，第二天醒来后情绪坏到了极点，对工作彻底失去了兴趣。2003 年 10 月，张平带着沮丧的心情再次辞职。从此，他整天将自己关在家里，给一些公司制作网页，同时，写些文章打发寂寞的时光。

无聊苦闷之际，张平开始频繁上网，一些黄色网站极大地吸引了他的眼球。尤其是那些有关男欢女爱的东西，让张平在好奇的同时，内心也产生了某种渴望。特别是一些网友对于“一夜情”的描述，看得张平脸热心跳跃跃欲试，因此，他急于想找到一位能满足自己这个欲望的“网上情人”。

2003 年 12 月的一天，张平在一家短信交友网站上登记了这样的资料：男，26 岁，软件工程师，硕士毕业。同时，他还留下了自己的手机号码。为钓到比较年轻的诱饵，在登记的资料里，他特意将自己的年龄缩小了 3 岁。登记完之后，他颇有几分得意：自己登记在网上的资料内容，对于许多女孩都无疑具有极大诱惑力，凭这些条件，还愁没有鱼儿上钩吗？

短信聊天，网住一个寂寞女孩

张平开始每天上网注意网友的反馈信息，他不时在心里描绘着与女网友会面甚至亲密接触的情景，内心充满了无限美好的遐想。

2004 年 1 月初的一个晚上，夜已经很深了，张平没有丝毫的睡意。正感空虚之际，他的手机上跳跃出了一条信息：“愿意和我交往吗？”看对方所署的名字，一定是一位美眉，张平顿时来了精神，给她回了一条信息：“这么晚了，还没有睡呀？”“寂寞睡不着呀！”“我也寂寞难以入眠，那咱们聊聊好吗？”“当然可以呀，你现在还在忙着工作吗？”“我正

在设计网页，工作之外能多点收入。""你真是一个工作认真的男人，像你这样优秀的男人，早有了意中人吧？"

"忙于事业，将爱情耽误了。"

当天晚上，张平和这位美眉仿佛一见如故，始终有聊不完的话。女孩告诉张平，她叫刘丽，24岁，湖北荆州人，去年中专毕业后来到上海，在一家私人公司负责财务工作，工资微薄，上海这个繁华的大都市使她感到了很大的生活压力，尤其是身在异地他乡，远离父母亲人，没有人可以交流，又使她承受着难以承受的孤独。于是，下班后，刘丽便通过上网聊天来排遣心中的寂寞。前几天，看到张平在网上登记的资料后，刘丽觉得张平这样高学历的青年，素质一定不错，便很想与张平交往。交谈中，两人都感到仿佛遇到了知己。

"认识"刘丽没几天，张平就发短信邀刘丽到自己的住处去玩。刘丽感到很唐突，婉言拒绝了。毕竟自己对张平的了解仅限于短信中，况且，刘丽知道，这几年网友会面时发生的不幸事情不少。

张平一连约了刘丽好几次，都被刘丽以各种理由拒绝了。她只想有个谈得来的人，可以经常说说心里话，而并不想与网友有过多的接触。张平却想当然地认为，刘丽既然回应了自己，就说明她也是寂寞难耐的，如今的女孩都开放得很，她一定跟自己一样也在寻找一夜情，而且说不定她以前跟别的男网友已经有过这样的经历。而她之所以拒绝与自己见面，也许是女孩的一种矜持，这种事情不都是男人主动的吗？他心里想，一定不能错过刘丽。

2004年2月14日情人节这天，上海的大街小巷处处飘散着玫瑰花的味道。望着街上一对对相偎而过的情侣，张平在艳羡他们的同时，更多的是一种失落。他突然感到自己是那么的孤独，于是，他又想到了网友刘丽，便打电话约刘丽到他的家里去玩，并将家里的地址告诉了她。而刘丽仍旧以有事为由拒绝了。

刘丽的一次次拒绝，不但没有让张平放弃，反而激起了他的征服欲。他感到刘丽的身上仿佛有某种东西在强烈地吸引着他。他决心，一定要设法与刘丽会面。接下来的几天，张平频繁地给刘丽发短信或打电话，对她嘘寒问暖关怀备至，他得体的谈吐令刘丽对他好感大增，同时也让她感到了一种温暖。她的心里彻底解除了以往对网友的那种戒备。

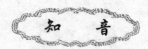

她想，自己真不该想得太多，几次拒绝跟张平见面，他是一个那么优秀的善良的人，自己怎么能以小人之心度君子之腹呢？

2月18日，是刘丽的轮休日。她一个人呆在宿舍感到十分无聊，便发短消息给张平："你是否有空，能陪我度过一段寂寞的时光吗？"张平心里立刻激动不已。在张平看来，这条短信无疑是一种暧昧的信息。他反复解读着这条短信，心里不停地想：她给我发这么一条短信，难道仅仅是为了和我见面吗？

刘丽说，她今天休息，希望张平能出来与自己见个面，张平告诉刘丽，自己白天忙着制作网页没有时间，让她晚上到他家里来。将约会的地点选择到自己家里，张平的目的再明确不过了：只要刘丽愿意晚上到自己的家里来约会，肯定就会有满足自己欲望的机会。他想，像刘丽这样接受过现代教育的女性，在晚上单独到一个陌生的男人家去约会，应该预料到什么事情都有可能发生。既然她答应到家里来约会，对发生一夜情这样的事情就肯定会有心理准备，这更证明了刘丽对此也是渴望的。

刘丽听到张平又叫她晚上到他的住处，便又有些犹豫了。张平在电话中感觉到刘丽有所顾忌，就假装生气地对刘丽说："你把我想成什么人了？要么你今天晚上到我家来，要么不来，不过你以后就别再跟我联系了。"刘丽考虑了几秒钟后对张平说："那好吧，我来。"

答应了张平之后，刘丽的心里还是有点矛盾，担心万一到了张平的家里，有什么意想不到的事情发生，毕竟这是她第一次与陌生网友见面。

出于安全的考虑，刘丽决定找一个同伴，她打电话跟同伴一说，同伴就答应了，可是到了晚上，同伴又来电话说突然有事不能去了。因为已经答应了张平，刘丽觉得如果再次失约的话实在有点说不过去，便决定一人前往。她想，张平是个网络工程师，正好顺便也让他教自己一些更多的网络知识。

抗拒强奸，"烈女"跳楼血溅魔鬼之约

晚上8点钟左右，刘丽来到张平位于浦东巨野路的家里。一见面，张平就惊呆了：刘丽比自己想象中的还要漂亮。

"真是'千呼万唤始出来'啊。"刘丽的到来令张平非常高兴，他赶紧把刘丽请进房间。和刘丽聊了一会儿后，他打开了电脑，两人一块儿上网。张平还帮刘丽申请了一个QQ号码，并告诉她，有了QQ，以后两人交流起来就更方便了。看着他熟练地操作着电脑，刘丽不觉又对他多了一分崇拜。而一个漂亮的女孩坐在自己身边，张平自然心猿意马起来，眼睛盯着电脑，心里却想着如何直奔"一夜情"主题。

就在张平思考着如何打开欲望的突破口时，刘丽起身上厕所。趁刘丽方便之际，张平打开了网上的一个黄色电影网站，他想通过播放这些淫秽的东西试探一下刘丽的反应。他想，只要刘丽对淫秽内容感兴趣，那么接下来与她发生关系就是水到渠成的事。

结果却出乎他的意料。刘丽从厕所出来，一看到黄色电影，便羞涩得满脸绯红，马上将视线从电脑上移开，生气地对张平说："你这个人怎么会是这个样子，我从来不看这么恶心的东西。看来我看错了，我走了。"显然，刘丽已经料到了张平放黄色电影的真正用意是什么。

刘丽从桌子上抓起了自己的包，转身就往外走。看到淫秽内容非但未挑逗起刘丽的"性趣"，刘丽反而要离开自己，张平一下子急了，他反身迅速关上了房门，对刘丽赤裸裸地说："只要你和我发生关系，不但以后咱们照样是好朋友，我还可以教你更多有关电脑方面的知识。"张平的要求立即遭到了刘丽的拒绝，她对张平说："我不是那种很随便的女孩，你不要对我有任何非分的念头。"已经欲火焚身的张平岂可罢休，他上前靠近刘丽，试图强行拥吻她，可遭到了刘丽的反抗。张平气急败坏地说："你别在我面前装出一副正经的样子，你们这些女孩其实没有一个正经的。"说完，张平再次试图拥吻刘丽，因刘丽的反抗仍未能得逞。

看到张平不达目的誓不罢休的架势，无奈中，刘丽决定躲进卫生间偷偷打电话报警。她骗张平说自己想方便一下，说完就去拿放在桌子上装有手机的包，却遭到了张平的阻拦。在刘丽再三强调需要包里的卫生巾时，张平才同意刘丽将包带进了卫生间。

进了卫生间，刘丽快速拿出了手机，就在刘丽还未拨通110时，张平用力踢开了卫生间的门。他从刘丽手中夺过手机说："你拨110报警没用，是你要到我家里来的，你说我要将你怎么样，谁会相信！"此时，

矛盾已经彻底激化，两人顿时扭打在了一起。

刘丽大声哭喊起来，试图通过哭喊声引起周围邻居的注意，以便自己逃离魔窟。张平非常害怕，一下子将刘丽拖进了靠近阳台的10平方米的卧室里，并关上了卧室的门。随之，两人再次发生了扭打，瘦弱的刘丽被张平打得坐在了地上。

看到反抗不起作用，刘丽缓和了态度。她用哀求的口气说："大哥，你就把我当你的妹妹看待，别对我有那方面的想法了。"

可此时，刘丽的哀求张平已根本听不进去，好不容易刘丽自己"送上了门"，岂能没有占到便宜就让她离去。想到这，张平对刘丽说："除非你和我发生关系，否则让我放你走是不可能的。"

欲望和疯狂淹没了理智，张平在一步步迈向罪恶的深渊。为了逼刘丽就范，他从书桌上拿过一把剪刀，一手抓住刘丽的头发，一手握着剪刀在刘丽的面前威胁说："今晚你如果不跟我发生关系，我是绝对不会让你离开的！"刘丽态度坚决地对张平说："我不会同意你的要求，要么你将我杀死算了。"由于刘丽的拼死抗争，张平一时无法得手，两人陷入僵持。

张平不肯罢休，继续对刘丽说："今天晚上无论如何我都要得到你。"刘丽苦苦哀求张平："我不是那样的人，请你放我走。"为了拖住刘丽，张平索性关掉房间里的灯，躺在了床上，然后对刘丽说："我可以放你走，但要等到天亮以后。"

眼看时针指向了午夜12点，"离天亮还有好几个小时，在此期间，假如张平真的强迫我……"刘丽越想越怕，便对张平说："如果你不放我走，我就跳楼。"张平以为刘丽在吓唬自己，并没有将刘丽的话放在心上。

趁张平不备，绝望中的刘丽越过阳台纵身从5楼跳了下去。幸运的是，下坠的过程中，刘丽被一楼的晾衣架阻挡，在减缓了下坠速度的同时，将刘丽弹到了小区的草坪上，这使刘丽捡回了一条命。

张平发现刘丽从房子里失踪后，顿时惊慌失措，在阳台上喊了几声不见刘丽应答，他意识到肯定出事了，立即拨打110报警，然后打开房门向楼下冲去。到了楼下，只见刘丽躺在草坪上已经昏迷过去，他赶紧抱起刘丽送往医院。经医生诊断，刘丽虽然没有生命危险，但造成了左

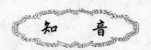

胫骨骨折，左胫骨平台骨折，左第六肋骨骨折，经法医学鉴定为轻伤。

刘丽的父母接到电话后，匆匆从老家赶来。望着躺在病床上的女儿，夫妻俩失声痛哭……

面对警方的讯问，张平为自己辩解说，事发当时他已经停止对刘丽施暴，正蒙头睡觉，因此对于刘丽的跳楼行为没有责任。但法律尊重的是事实。5 月 25 日，浦东新区人民检察院以强奸罪（未遂）对张平提起了公诉。6 月 22 日，浦东新区法院以强奸罪判处张平有期徒刑 6 年，剥夺政治权利一年。

从意气风发的高材生沦为罪犯，张平面对自己强烈的角色反差，懊悔不迭："我知道我错了，我不该带有一些荒唐的目的上网。不管遇到什么挫折，还是应该自己调整好自己的心态，不应该去做荒唐的事情。"但懊悔改变不了现实，为了当初一时的冲动，张平不得不付出昂贵的代价。

这起事件在上海一时沸沸扬扬。人们在谴责张平的同时也提出，作为一个女孩，刘丽晚上孤身一人到男性网友的家里去会面，无疑会给男方一种错觉，这本身就带有一定的危险性。但愿女孩们以此为戒。

征服鳄鱼王

涓涓 布衣

2004年5月24日，广州诸多媒体记者的摄像镜头都聚焦在一条长6米、重2吨多，号称"中国最大鳄鱼"的"鳄鱼王"身上。为了给它搬家，竟出动了18名彪形大汉，最终是一个叫"鳄鱼钊"的人在与之周旋一个多小时后，用绳索套住"鳄鱼王"的头，飞身跃到它背上用麻袋罩住它的双眼才将其制服……

鳄鱼向来以凶残阴险著称，那么"鳄鱼钊"怎能如此轻松地降伏"鳄鱼王"呢？这里隐藏着一个"胆大包天"的小伙子与"鳄鱼王"之间长达7年的人鳄之情……

驯服"小霸王"，
面相凶恶的你其实也很温柔

"鳄鱼钊"原名何展钊，今年31岁。1996年，他进入广州市香江野生动物园工作，经常和老虎、狮子等凶猛的野生动物打交道。1997年春，香江野生动物园开始引进鳄鱼，建立香江鳄鱼养殖场。得知消息后，何展钊主动请缨要求去饲养鳄鱼。

第一次和鳄鱼接触，何展钊就被一条被称为"小霸王"的鳄鱼来了个下马威。那天，他来到鳄鱼潭给鳄鱼们喂食。鳄鱼潭中间是鳄鱼岛，里面栖息着数百条泰国淡水鳄，这些成年鳄鱼都长约一米，蛰伏在水中，表面看来就如一截枯树干。在给鳄鱼喂食前，同事就已经警告过何展钊："有一条'小霸王'鳄鱼十分凶猛，你喂食时一定要注意安全。"

何展钊忐忑地点点头，他站在离潭边一米远的地方，以为这样就安全了。谁知，他刚把新鲜的鸡肉抛入潭中，"小霸王"就已经和别的鳄鱼在水中展开了抢食大战，最凶的就是那条"小霸王"，它纵跳抓扑，用尖锐锋利的牙齿逼近另一条和它抢食的鳄鱼，突然，它猛然扑到对方身上，凶残地撕咬对方的脖子。何展钊急了，顺手抄起竹竿试图把它们分开。可那些打红了眼的鳄鱼怎么会听他的，不仅把他的竹竿打落水中，还差点把他拽进水里，幸亏旁边的同事及时拽住了他的胳膊。惊魂未定的他只得退到安全地带，眼睁睁地看着"小霸王"把另一条鳄鱼打得落荒而逃。看到鳄鱼群中也有弱肉强食的不平等现象，何展钊不服气了，他定要驯服"小霸王"！

何展钊注意到，这条"小霸王"鳄鱼身长约有1．2米，平均每顿要吃6公斤添加了各种维生素和矿物质的肉，比普通的鳄多出两倍，而且它的成长速度也特别快，远远超过了一般的鳄鱼。

一个夏日的晚上，凉风吹走了白天的炎热，何展钊突然发现水池里的水开始搅动起来，鳄鱼开始行动了！只见数十条鳄鱼齐齐张开大嘴，拖着硕大的身躯游来游去，在水边找东西吃。"小霸王"也出来了，它不再像白天那样脾气暴戾，不再和同伴抢食，自己在水面游来游去找食物。何展钊壮着胆子和"小霸王"打招呼："来来来……"谁知，一向胆大妄为的"小霸王"并没有回应他友善的问候，而是惊惶地钻入水底。何展钊乐了：你也有怕我的时候啊！

此后，何展钊在"小霸王"面前极力表现得友好和善。每次喂食前，他会特意将最大最好的肉食留给"小霸王"，一边喂它一边念念有词："吃吧吃吧，老伙计，这可是特意给你留的……"

也许感觉到自己受到了优待，"小霸王"在吃食物时不再拼抢，脾气也温和了许多。有一次，何展钊喂了它一大块肉后，它快乐地吞了下去。然后，它微微张开大嘴巴，用一种近乎温柔的目光注视着何展钊，仿佛在向他表示感谢。这时的"小霸王"完全没有了往日的焦躁，何展钊读懂了"小霸王"的友善，他一点点靠近小鳄鱼，看它没有侵犯自己的架势，便大胆地用手摸了摸它的身体。没想到，看起来坚硬无比的鳄鱼皮摸起来居然有些柔软，而且凉凉的，根本不像外表看上去的那样吓人。此时的"小霸王"也是一副"小鸟依人"的样子，任由何展钊在它身上摸来摸去，仿佛在享受何展钊为它挠痒痒的舒服劲儿。

有时候，吃饱后的"小霸王"喜欢浮在水面，露出鼻孔和眼睛，嘴巴冲着太阳张得大大的，依靠太阳的热量帮助它消化食物，这是它最慵懒的时候。深谙鳄鱼习性的何展钊就用手轻轻地抚摸着"小霸王"的全

身，"小霸王"居然也害羞地用长长的嘴去吻何展钊的手……何展钊与"小霸王"的亲密劲惹得何展钊的同事都睁大了眼睛，简直不敢相信人和凶残的鳄鱼能相处得如此融洽，如此和谐。何展钊的领导干脆宣布他做"小霸王"的"私人生活顾问"。

给你一个温馨的家，
鳄鱼的眼泪也温柔

寒暑易节，"小霸王"12岁了。鳄鱼像人类一样，其寿命一般可长达70岁~80岁，多的可达100多岁。但却比人类"早熟"多了，它们长到12岁时性已成熟，开始生儿育女。刚刚进入春天，情窦初开的"小霸王"就开始蠢蠢欲动了，它开始和另一条"小巧、温柔"的小母鳄眉来眼去。3月份正是鳄鱼交配产卵的季节，细心的何展钊在"小霸王"活动的岸边放了很多稻草和泥土，为"小霸王"的"王后"精心制造了一张特别舒服的软床。为了保持窝里的潮湿，何展钊还特意用干草将阳光遮住了一些。"小霸王"很满意何展钊为它建造的新家，一会儿就到新豪附近转悠一下。当它的"王后"蹲到窝里待产的时候，重情的"小霸王"就一步不离地守候在外面。

那几天，何展钊一连几天陪在它们身边，就像在医院走廊里焦急等候孕妇生产消息的准爸爸一样，心里充满了惊喜和担忧。艰难的时刻终于过去了，"王后"一共产了几十枚卵，小的如鸭蛋，大的如鹅蛋。做了父亲的"小霸王"把它们统统藏在稻草下面，自己则像一个警惕性非常高的卫兵，尽职尽责地守在窝旁。这期间，任何一只活物接近这个窝，都会遭到它的猛烈袭击。为了自己的孩子不受侵害，它现在是六亲不认，对何展钊也是一样。只要何展钊一靠近，"小霸王"就目露凶光，随时准备和他战斗。但是，把鳄鱼蛋交给鳄鱼自己孵化管理是很不安全的，为了小鳄鱼们能顺利出生，就必须把鳄鱼蛋从窝中拿出来。为此，何展钊只好和同事们商量，决定分工合作，他负责引开"小霸王"，同事趁机从窝中拿出鳄鱼蛋。

何展钊来到离"小霸王"的窝前一米远的地方，他故意弄出簌簌的响声，"小霸王"果然上钩了。它虎视眈眈地盯着何展钊，烦躁不安地扭来扭去，呼哧呼哧地喘着粗气，对这个冒犯它的人感到特别恼火。何展钊壮着胆儿一步一步靠近"小霸王"，万分谨慎地注意着它的任何一点反应。"小霸王"终于被侵袭者激怒了，迅速向对手猛扑过来。何展钊早有准备，他猛然扭头转身敏捷地逃离。被激怒的"小霸王"不依不饶，紧跟其后，他逃到哪，它就跟到哪。调虎离山之计成功了！同事顺利地将鳄鱼蛋从窝中拿走了。

3个月后，"小霸王"的儿女们孵化出来了，小鳄鱼出生的时候只有20公分左右长。刚出生的小鳄鱼就像孩子一样顽皮，有时候，它们也会为抢夺食物而打架，何展钊就当起劝架的角色。有时候，为了让"小霸王"看看它的孩子，何展钊就把小鳄鱼抱到大水池边，对着优哉游哉的"小霸王"招呼："看，小霸王，你的儿子看你来啦……"这个时候，"小霸王"就游到他身边，目光温柔，仰头张嘴，像是要亲吻自己的孩子，久久不愿离去。

随着"小霸王"的个头越长越大，它也变得更加桀骜不驯起来。除了何展钊，其他人都难以亲近它，所以每次给它搬家时需十来个人死拉硬拽，折腾数小时。不仅人很累，鳄鱼也被折腾得痛苦不堪。看到"小霸王"痛苦挣扎的样子，何展钊心里就十分难过。为了让"小霸王"在搬家时舒服一些，他常常琢磨怎样才能减少双方的损耗。他每次喂食给"小霸王"时，总是盯着它仔细观察，看它如何以迅雷不及掩耳的速度过来抢食，如何拖着庞大的身躯却能敏捷万分地行动。久而久之，何展钊受到鳄鱼行动迅速的影响，他想：做事也要像鳄鱼那样"快、狠、准"，这样才能迅速办好事情。渐渐地，何展钊在捕捉鳄鱼方面终于练就了一身过硬的本领。每当要给鳄鱼搬家时，他能迅速照准鳄鱼所在的位置，用手击打水面，引诱鳄鱼浮出水面，然后迅速将绳索套住鳄鱼的尖嘴，接着飞快地骑上鳄鱼的颈部，双手搂住鳄鱼头部，用粗麻绳捆住鳄鱼的嘴。然后用一条大号麻袋套住鳄鱼的整个头部，并把麻绳固定好。为了最大限度地减少对鳄鱼的伤害，他还发明了一套自制的套鳄工具。每逢有凶猛的鳄鱼需要搬家时，只要何展钊出马，就会战无不胜。渐渐地，何展钊有了一个响当当的大名——"鳄鱼钊"。

2002年冬天，"小霸王"不知为何莫名其妙地突然发脾气，显得格外烦躁，并对另一条鳄鱼展开了攻击，对方被凶猛暴烈的"小霸王"咬得遍体鳞伤，"小霸王"身上也多处受伤流血。如果夏天打架受伤，鳄

鱼的伤势往往会自动愈合，没有什么麻烦，但在寒冷的冬天，冷血的鳄鱼没了太阳的照耀，伤口很难愈合。

何展钊和同事费了九牛二虎之力才将两条受伤的鳄鱼从池子里拖出来，分别单独喂养。在拖的过程中，何展钊的胳膊被"小霸王"锋利的牙齿划伤了一道口子，他也顾不得包扎。把"小霸王"放进一个单独的水池子后，何展钊细心查看了它的伤势，然后小心翼翼地给它擦药水消毒。每当药水碰到"小霸王"的伤口，"小霸王"就会不由自主地呻吟一下，全身一缩，何展钊心疼极了。他一边轻柔地给它擦药，一边轻轻地斥责它不该打架，弄得两败俱伤。这个时候，"小霸王"耷拉着脑袋，一副垂头丧气的模样，好像一个知错的孩子。当何展钊指着自己受伤的手臂带着责怪的口吻对它说："你看，这就是你弄的，疼死我了……""小霸王"看看他的脸，然后眨巴眨巴着眼睛，居然挤出了两滴鳄鱼泪！何展钊惊讶极了，虽然他看到书上说，鳄鱼流眼泪是因为排泄盐溶液，但他还是十分感动。为什么它早不排泄晚不排泄，偏偏是他在责怪它的时候排泄泪水呢？可见它还是有感情的。

化凶残为温柔，
18 壮汉为"鳄鱼王"搬家

"小霸王"在何展钊的精心照料下，身体长得越来越庞大，到 2004 年春天已经长达 6 米，重 2 吨多了，仿佛一个披着盔甲威风凛凛的大将军，据说它是目前世界上最大的"鳄鱼王"，这令何展钊十分欣慰。

2004 年 5 月 24 日，"鳄鱼王"的"磨难"又来了，它又面临着一次新的搬迁。因为鳄鱼公园新近开张，公司决定把这条"镇山宝鳄"搬到一个巨大的玻璃鱼池内，供游人观赏。这又是一个艰难的搬迁行动，因为对象是个体形巨大，性格粗暴凶残的"鳄鱼王"！为此，公司准备了18 名精壮汉子，带着一应俱全的工具来到"鳄鱼王"栖身的鳄鱼池。这次盛大的鳄鱼搬迁行动吸引了当地媒体记者的关注。

可是，仿佛有预感似的，任凭何展钊在水池边千呼万唤，"鳄鱼王"就是躲在水池子里迟迟不肯露面。为了让"鳄鱼王"抬头，何展钊只好以击打水面的方式，让"鳄鱼王"误以为有食物而露出水面，谁知，狡猾的"鳄鱼王"并不上当。

　　怎么办呢？何展钑只好猫在潭中央的木桩上与"鳄鱼王"周旋。当他发现鳄鱼躲在水中央时，他沿着水池竖直的木架攀到水中央，利用自制的套鳄工具试图套住鳄鱼嘴。何展钑与"鳄鱼王"开始"对峙"了，一场诱捕与反诱捕的激烈斗争展开了。水池边的人都屏住呼吸，盯着这惊险的一幕！

　　只见何展钑用竹竿挑着绳套慢慢靠进"鳄鱼王"，口中还不停安慰它："老伙计，你有新家啦，比这里要漂亮舒服多了，快跟我走吧。"　"鳄鱼王"却一副无动于衷的样子。等何展钑的绳套一接近"鳄鱼王"，它马上一个鲤鱼打挺扭转身，将屁股对准了何展钑，令何展钑哭笑不得。

　　"鳄鱼王"好像很愿意和何展钑做这种游戏。每逢他的绳套眼看要套下来时，"鳄鱼王"又马上溜走。看到他没有动静时，它又浮出水面，露出嘴巴和眼睛，好像在嘲笑何展钑的拙计。将近一个半小时以后，拉锯战进行到第五个回合时，"鳄鱼王"的头部刚浮出水面，何展钑用竹竿挑着绳套，小心翼翼地借助水的浮力接近鳄鱼嘴尖，终于，他将绳套套在了鳄鱼的上颚部分，"鳄鱼王"眼睁睁地看着自己被擒。

　　当何展钑将绳索的另一端交给10条大汉时，大汉们开始感受到了鳄鱼王的凶猛，活套将鳄鱼王的上颚紧紧套牢，"鳄鱼王"在水中动得越厉害，绳索就套得越紧。何展钑拉住一条距离鳄鱼嘴最近的绳子。"鳄鱼王"特别烦躁，一边扭动着身体，一边使劲地向水池中坠去，似乎对旧家充满了恋恋不舍。然而，它越这样，就越增加绳套的附着力。翻腾了十几分钟后，"鳄鱼王"终于不敌18名汉子的力量，被乖乖地拉上了岸。

　　接着，何展钑迅速地骑到"鳄鱼王"的颈部，双手搂住"鳄鱼王"的头部，在助手的帮助下，用一个麻袋将"鳄鱼王"的双眼蒙住，将"鳄鱼王"的巨嘴绑紧。为了缓解它的恐惧心理，何展钑一边轻轻拍打它的头部，一边趴在它耳边跟它说悄悄话，烦躁的"鳄鱼王"这才渐渐平静下来。

　　然后，在何展钑的指挥下，18条大汉利用4根直径为10厘米的木棒才将"鳄鱼王"抬起，移动10米竟然用了5分钟。抬上运输用的卡车时，利用了两条长凳作为台阶，众人费尽力气才将"鳄鱼王"抬上

车。经过 10 分钟的路程，"鳄鱼王"终于来到它即将生活的观赏池边。

长达 4 个小时的搬家行动终于结束了，"鳄鱼王"来到新的观赏池中，这个家明显比原来的家舒适多了，它感到很满意，不一会儿，它就摇头摆尾、神气活现地在新家里四处游玩了。何展钊看到"鳄鱼王"如鱼得水、自由自在的样子，不禁欣慰地笑了。

如今，何展钊依然每天要去看看他的老伙计，跟它说说话，陪它解闷。因为头顶着"鳄鱼钊"的美名，经常有全国各地的同行前来向他取经。何展钊意味深长地说："任何动物都有感情，再凶猛的动物也有温柔的一面，只要我们改变惯有的思维去看它们，施以足够的爱心和耐心，就一定会成为它们的朋友，就一定能化凶残为温柔……"

西安城，
有只卖报的大公鸡

曹曹

在西安市雁塔区，有一只神奇的宠物公鸡"丫丫"，它在与主人的朝夕相处中逐渐通晓了人性，后在主人的耐心调教下，丫丫竟然学会了"卖"报纸，成了主人生意上的好帮手。一时间，"报童"丫丫成为古城街谈巷议的明星动物……

另类小鸡初长成

2003年2月20日，28岁的董永梅和丈夫一起上街时，遇到一个卖雏鸡的小贩。看着筐里毛茸茸的几十只小鸡，董永梅好奇地把一只小鸡放在手掌心里把玩。小家伙浑身鹅黄色，像个绒线团，董永梅喜欢得不得了。丈夫看她这么喜欢，就买了一只送给她解闷。

董永梅结婚多年没有孩子，生活难免有些寂寞。如今多了一只小鸡，董永梅的生活就多出了很多精彩。小鸡还不会吃东西，董永梅就把小米放在嘴里嚼碎给它喂食，不久小鸡学会了吃食，她又把小米撒在手掌上，让小鸡在手里啄食。董永梅还用一个纸盒子给小鸡做了窝，细心的她还在纸盒子上留好了排气孔。晚上，纸盒子就放在床上，董永梅和丈夫睡觉的时候都非常小心，生怕翻身压死小鸡。

董永梅给小鸡取名为"丫丫"，把它当做自己的孩子养育。在董永梅无微不至的照顾下，丫丫长得憨头憨脑胖嘟嘟的，一天到晚跟在董永梅身后，十分聪明伶俐。

丫丫两个月的时候，董永梅在去集贸市场购物时不小心把它弄丢了，董永梅找了半天也没有找到，当她伤心回家的时候，却发现丫丫已经在楼门口团团打转了。董永梅大吃一惊，要知道从市场到她家有500多米的路程，路上人多车多，真不知道它是怎么找回来的！看到董永梅，丫丫兴奋地扑到她的脚面上，"唧唧"地叫个不停，仿佛在向主人

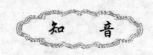

诉说着一路的艰辛。

丫丫渐渐长大了，从小线团变成了一只羽毛整洁、漂亮神气的大公鸡，它每天都昂首阔步地在家里巡视。有人敲门的时候，丫丫总是第一个冲在前面，发出警觉的"咯咯"声。外人进屋后，丫丫更警惕地跟在后面一步不放松，邻居开玩笑说丫丫不像是鸡更像只护家犬，说得董永梅眉开眼笑更宠爱它了。

丫丫很爱干净，而且从不在家随便便溺。由于和董永梅睡觉的缘故，丫丫还养成了每天洗澡的好习惯。每次洗干净后，董永梅还会掀开它的翅膀，给它喷点香水，甚至董永梅还给丫丫的脚趾也涂上了红红的指甲油。经过一番精心打扮，丫丫更加漂亮神气了。

丫丫还是董永梅的开心果，每当董永梅有心事的时候，都会讲给丫丫听。有时和丈夫吵了几句嘴，心里不高兴时，只要她喊一声"丫丫"，小鸡就立刻跑到她身边，董永梅把丫丫抱起来，给它讲自己的事情。这时的丫丫特别乖巧，躺在主人的怀里一动不动，溜圆的眼睛一眨也不眨，好像很专注地在听一样。说完了，董永梅自己的心情也就好多了。

"魔鬼训练"出的神鸡丫丫

2003年8月，董永梅在西安四季南路开了一间便利商店，还在门前搭了个摊代卖报纸杂志。由于周边商铺云集，生意竞争很激烈，董永梅又雇不起人，只好一个人早出晚归地守在商店里打理生意。

丫丫也跟到了商店，它里里外外地跟着董永梅忙乎，可看到董永梅根本顾不上理它，就蹦到报摊上安静地卧着休息，还不时发出"咕噜咕噜"的声音表示不满。只有在生意清淡的时候，董永梅才有时间照顾丫丫，她抱着丫丫给它读报纸，给它讲当天的新鲜事，可是，丫丫对报纸上的新闻不感兴趣，倒是对报纸上的绿色和蓝色情有独钟，它时不时用嘴把报纸上的这些色块啄几下，可能是把它当成菜叶了吧。

早上是董永梅最忙碌的时候，步履匆匆的上班族路过商店买早点的时候都会顺便带上一份报纸，董永梅一边跑进跑出地拿早点、报纸，一边收钱、找钱，经常是手忙脚乱应付不过来。

2003年9月底的一天早晨，董永梅忙得不可开交，一边给商店里的顾客找零钱，一边探着身子从窗外的报摊上给其他顾客拿报纸。西安的

知 音

秋天风沙大，董永梅在报纸上压了一根铁条，防止风把报纸卷走。这份被压在铁条正下方的报纸没有被抽出来，这时一件不可思议的事情发生了，卧在报摊上的丫丫突然一跃而起，用嘴啄着那张报纸帮董永梅往外抽取！

董永梅很奇怪，丫丫怎么知道我要做什么？等顾客走了以后她又故意探身去抽一份报纸，丫丫立刻又跑来帮忙，董永梅高兴起来：丫丫真聪明，真懂事！

晚上董永梅把白天发生的奇怪事和丈夫讲了，不料丈夫却说："这有什么稀奇？你没看过算命先生利用小鸟给别人抽签算命吗？条件反射罢了！你还真以为丫丫懂人事吗？"丈夫抢白的话却让董永梅兴奋了一宿。她想，小鸟可以这样做，那我家丫丫肯定也能办到，况且抽报纸总要比抽签简单得多吧。

这以后，董永梅每次给顾客拿报纸的时候总要故意慢半拍，专等着丫丫来帮忙，丫丫永远都是热心肠，再后来还没等董永梅把手伸到报纸，丫丫就已经抢在她前面把那份报纸拖了出来，董永梅兴奋异常。

可没过多久，董永梅就又不满足了，她想，既然丫丫通人性，又听得懂人话，那它一定能听自己的口令像小鸟抽签一样找到报纸。

要命令小鸡找报纸，就先得让它认识报纸。董永梅把西安本地的三份报纸《华商报》、《三秦都市报》和《阳光报》依次排开，把这三份报头露出来，分别是蓝色、反白和绿色，然后让丫丫一一识别。

董永梅拿出一份《华商报》，放在丫丫面前，说："华商！"可丫丫一点反应都没有，只是愣愣地看着她，一副不知所措的样子。她又拿来一把小米放在报纸上，让丫丫吃的同时不停地指着报纸给它增强记忆。可是米吃完后丫丫却还是没有一点反应。

董永梅叫报纸名字的时候丫丫没有反应，但如果她指向报纸的时候，丫丫就立刻动作起来。这下，董永梅不知道该如何是好了，她有些失望，但并没有放弃努力，只好天天变换着花样教它认报纸。

不久，丈夫知道了，笑着揶揄她："你是不是想训练丫丫当大仙呀？这畜生能听懂人话吗？等过年时宰了吃肉是正经！"董永梅立刻板下脸说："你敢！谁说丫丫是畜生了？我还偏要训练让它听话不可！"

倔强的董永梅还真不服这口气，她一定要让丫丫成为一只听得懂人

话的公鸡！

董永梅只要稍有空闲就扯着丫丫听口令认报纸、取报纸，起初丫丫觉得很新鲜，但它很快就厌烦了，董永梅就指着脑袋训斥它。娇生惯养的丫丫哪里受过这等委屈呀？它"咯咯"叫着向董永梅示威，还撒娇地往她身上扑，但董永梅板着脸推开了它。

为了能让丫丫更专心致志，董永梅还狠心把丫丫拴在了报摊的铁架上。再后来她看到奖励小米的效果也不明显，就又狠心不给丫丫喂食了，而是把丫丫的口粮和当天的训练成果挂钩。

初冬的北风呼啸而来，买报纸的顾客也少了许多，董永梅有更多的空闲训练它，自己累得口干舌燥，丫丫更是痛苦万分，经常颠三倒四一塌糊涂。但不管丫丫白天的表现如何，可一到晚上丫丫还是享受着宝宝般的待遇，董永梅内心还是心疼丫丫的！

不知道是魔鬼训练的作用还是丫丫的智商提高了，丫丫进步还挺快，三个多月过去后，丫丫牢牢地记住了这三种报纸的特征，能按照董永梅的口令准确地抽取报纸，"魔鬼训练"终于大功告成了。

2004年初的一天下午，董永梅的丈夫王先生去商店接妻子，董永梅非要拉着他看表演，随着董永梅一声："华商！"只见丫丫箭一般地扑过去啄住一份《华商报》把它拖了出来……

王先生目瞪口呆，半晌无语，看着洋洋得意的妻子，他再也不提要宰杀丫丫吃肉的事情了。

"报童"丫丫名动古城

2004年春节期间，董家来了很多亲戚，在董永梅的指挥下，丫丫表演啄取报纸出尽了风头。一个亲戚提议说还不如让丫丫替你卖报纸，董永梅有点动心了。

不料，禽流感却突袭我国，并迅速蔓延到陕西，人们开始大量捕杀鸡。董永梅家所在的小区也贴出了通知，让各户捕杀自家的家禽。董永梅知道丫丫肯定不会有病，但是为了不招邻居的反对，董永梅费尽周折才把丫丫寄养到南郊的一个小工厂，每天亲自去给它喂一些食物。丫丫很听话，呆在那儿静静地等候主人来找它。那些日子董永梅总是提心吊胆的，没有丫丫的晚上她连觉都睡不踏实。